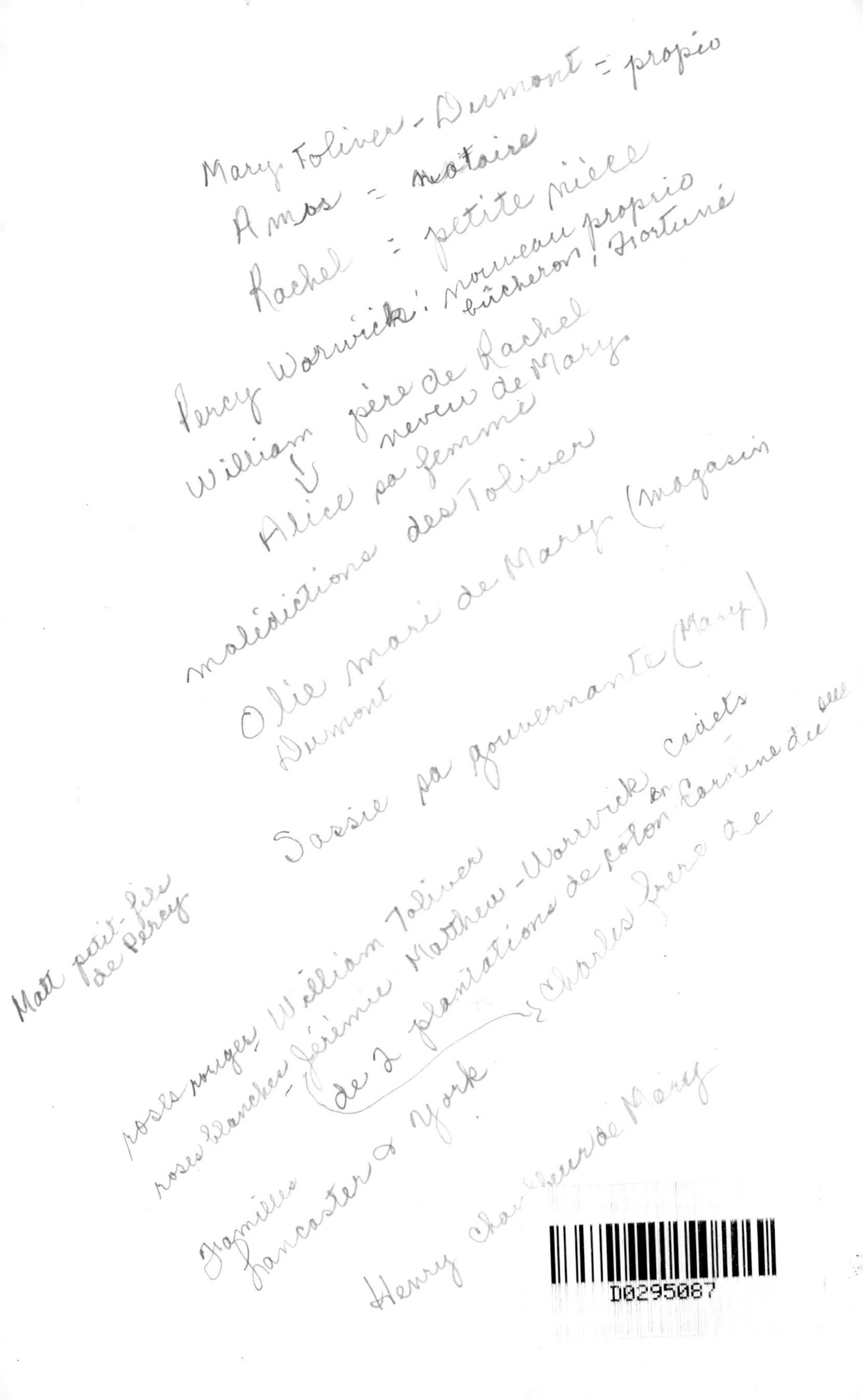

Mary Toliver-Dumont = propio
Amos = notaire
Rachel = petite nièce
Percy Warwick : nouveau propio
bûcheron ! fortuné
William père de Rachel
neveu de Mary
Alice sa femme
malédictions des Toliver
Ollie mari de Mary (magasin
Dumont
Sassie sa gouvernante (Mary)
Matt petit-fils de Percy
roses rouges William Toliver
roses blanches Jérémie Matthew-Warwick cadets
de 2 plantations de coton Caroline du
Charles frère de
familles Lancaster & York
Henry chasseur de Mary

www.quebecloisirs.com

UNE ÉDITION DU CLUB QUÉBEC LOISIRS INC.

Avec l'autorisation de Groupe Ville-Marie Littérature inc., faisant affaire sous le nom de VLB éditeur

Titre de l'édition originale : *Roses*

Published by arrangement with McCormick & Williams, New York

Traduit de l'anglais (Etats-Unis) par Élisabeth Luc
Titre de l'édition française : *Les roses de Somerset*

Dépôt légal – Bibliothèque et Archives nationales du Québec, 2013
ISBN Q.L. 978-2-89666-269-2
(Publié précédemment sous ISBN 978-2-89649-497-2)

Imprimé au Canada par Friesens

LES ROSES DE SOMERSET

Leila Meacham

LES ROSES DE SOMERSET

Traduit de l'anglais (États-Unis)
par Élisabeth Luc

Pour Janice Jenning Thomson… une amie de toujours.

Et je prédis ici que cette querelle des roses blanches et des roses rouges, née dans le jardin du Temple, et qui a déjà formé une faction, précipitera des milliers d'hommes dans les ombres du tombeau.

Comte de Warwick, *Henri VI*, William Shakespeare (trad. M. Guizot), 1re partie, acte II, scène 4

PREMIÈRE PARTIE

1

Howbutker, Texas, août 1985

Abasourdi, Amos Hines termina la lecture du codicille. Puis il fixa d'un air incrédule la cliente assise en face de lui, une amie de longue date qu'il admirait – qu'il vénérait, même – depuis quarante ans et qu'il croyait connaître. Le grand âge aurait-il fini par affecter ses capacités ? Le regard vif qui faisait sa réputation ne le laissait en rien supposer.

— C'est une plaisanterie, n'est-ce pas, Mary? s'enquit-il. Dites-moi que vous n'avez pas vendu Toliver Farms et modifié votre testament…

Mary Toliver-Dumont hocha la tête. Le soleil qui filtrait par la porte-fenêtre fit danser des reflets dans ses boucles blanches.

— Si, Amos. Je comprends votre étonnement. Je vous le concède, c'est une drôle de façon de vous remercier de toutes ces années de bons et loyaux services, mais si j'avais confié ce testament à un autre notaire, vous l'auriez mal pris.

— Et comment! admit-il. Un confrère n'aurait pas cherché à vous faire changer d'avis sur ce codicille, au moins sur la partie susceptible d'être corrigée…

Il était trop tard pour sauver Toliver Farms. Au terme d'un mois de négociations secrètes, Mary avait cédé sa vaste exploitation de coton, à l'insu de sa petite-nièce, qui gérait Toliver Farms West, à Lubbock, au Texas.

— Il n'y a rien à corriger, Amos, affirma Mary avec une pointe de sévérité. Ce qui est fait est fait et je ne reviendrai pas en arrière. En essayant de me convaincre, vous ne feriez que perdre votre temps et le mien.

— Que vous a donc fait Rachel ? demanda le notaire.

Il se retourna pour saisir une carafe et verser de l'eau dans deux verres. Sa main tremblait. Une boisson plus forte lui aurait fait du bien, mais Mary ne buvait jamais d'alcool.

— Quelle faute a-t-elle commise pour vous pousser à vendre l'exploitation et à modifier votre testament ?

— Elle n'a rien fait de mal ! s'exclama la vieille dame, horrifiée. N'allez surtout pas croire une chose pareille. Ma petite-nièce a toujours été une Toliver jusqu'au bout des ongles.

Mary nageait dans son tailleur ; son visage superbe, malgré ses quatre-vingt-cinq ans, était un peu émacié. Cette histoire de succession avait dû l'affecter… Amos sentit la colère monter en lui. Comment pouvait-elle déposséder sa petite-nièce de l'héritage qu'elle espérait, de ses terres, de la maison de ses ancêtres, du droit de vivre dans cette ville que les Toliver avaient contribué à fonder ? Pour masquer son trouble, le notaire but une gorgée d'eau.

— À vous entendre, c'est un défaut, reprit-il.

— Absolument, et je me fais fort de le corriger grâce à ce codicille. (Elle but avidement et se tapota les lèvres avec une serviette en papier.) Vous êtes en plein désarroi, Amos, mais Percy comprendra, le moment venu. Rachel aussi, quand je le lui aurai expliqué.

— Quand comptez-vous le faire ?

— Demain, je prends le jet de la société pour Lubbock. Elle ignore tout de ma visite. J'espère la convaincre que j'ai agi au mieux de ses intérêts.

Au mieux de ses intérêts ? Par-dessus ses lunettes, Amos observa la vieille dame d'un air incrédule. Elle aurait du mal à persuader Rachel, qui ne lui pardonnerait pas cette injustice.

— Et si vous m'exposiez vos arguments, Mary ? demanda-t-il, déterminé à connaître le fin mot de l'histoire. Pourquoi vendre une exploitation à laquelle vous avez consacré votre vie entière ? Pourquoi léguer Somerset à Percy Warwick ? Que voulez-vous qu'il fasse d'une plantation de coton ? Percy est un bûcheron, pour l'amour du ciel ! Et il a quatre-vingt-dix ans ! Quant à confier la maison des Toliver à un comité de sauvegarde, c'est la cerise sur le gâteau ! Rachel a toujours considéré cette maison comme la sienne et elle comptait y passer le reste de ses jours.

— Justement ! Je cherche à l'en empêcher.

Droite comme un I, la main posée sur la poignée de sa canne, elle avait tout d'une reine sur son trône tenant son sceptre.

— Il faut qu'elle s'installe ailleurs, qu'elle reparte sur de nouvelles bases, expliqua-t-elle. Pas question qu'elle reste ici et vive selon la sacro-sainte loi des Toliver.

— Je ne comprends pas ! insista Amos avec un geste d'impuissance. Tout était prévu depuis des années...

— Je me trompais. J'étais bien égoïste ! Dieu merci, j'ai pris conscience de ma méprise avant qu'il ne soit trop tard, et j'ai eu le bon sens et la... sagesse de rectifier le tir. (Elle esquissa un geste désabusé.) Ne cherchez pas à me soutirer des informations, Amos. Vous êtes sous le choc, je sais, mais faites-moi confiance : mes intentions ne sauraient être plus nobles.

Au désespoir, le notaire tenta une autre approche.

— Vous n'avez pas l'impression absurde d'avoir une dette envers William, son père, j'espère...

— Absolument pas ! rétorqua la vieille dame, fâchée.

Elle avait le regard des Toliver, des yeux vert émeraude qu'elle tenait de sa famille paternelle, comme ses cheveux autrefois ébène et sa fossette au menton.

— C'est ce que croira sans doute mon neveu, ou plutôt Alice, sa femme, railla-t-elle non sans dédain. Pour elle, j'aurai fait mon devoir en donnant à William ce qui lui revient de droit depuis le départ. Qu'elle vive dans l'illusion que j'ai vendu les fermes par sentiment de culpabilité envers son mari ! Je ne l'ai pas fait pour lui, mais pour sa fille. William comprendra.

Elle marqua une pause, l'air dubitatif, puis reprit d'un ton moins confiant :

— J'aimerais pouvoir en dire autant de Rachel…

— Mary…, persista Amos. Rachel est de la même trempe que vous. Mettez-vous à sa place : auriez-vous compris que votre père vous prive de votre héritage, de la plantation, de la maison, de la ville fondée par votre famille, quelles qu'aient été ses raisons ?

— Non, admit-elle, mais je regrette qu'il ne l'ait pas fait. Si seulement il ne m'avait pas légué Somerset !

— Pourquoi ? s'insurgea le notaire. Vous avez mené une vie merveilleuse, la vie que vous souhaitiez pour Rachel afin qu'elle perpétue l'héritage familial. Ce testament est tellement… contraire à l'avenir que vous lui prépariez !

La vieille dame encaissa le coup et se voûta légèrement, puis elle posa sa canne sur ses genoux.

— C'est une très longue histoire, vous savez, bien trop longue pour que je vous la raconte. Un jour, Percy vous expliquera.

— Il m'expliquera quoi, Mary ?

Pourquoi un jour ? Pourquoi Percy ? Le notaire observa un instant ses rides creusées, son visage pâle, malgré sa peau mate. Soudain, il fut saisi d'une sombre inquiétude.

— De quoi parlez-vous ? demanda-t-il. J'ai lu tout ce qui concerne les Toliver, les Warwick et les Dumont. Je vis parmi vous depuis quarante ans. Je suis au courant de tout ce qui vous arrive. S'il y avait eu un secret, j'en aurais eu vent.

Elle baissa furtivement ses paupières rougies par la fatigue puis rouvrit les yeux.

— Mon pauvre Amos, dit-elle avec affection. Quand vous êtes entré dans nos vies, nos histoires étaient terminées. Vous nous avez connus au sommet. Nos tragédies, nos actes malheureux étaient derrière nous et nous en assumions les conséquences. Rachel ne doit pas commettre les mêmes erreurs que moi et en payer le prix fort. Pas question de l'exposer à la malédiction des Toliver…

— La malédiction des Toliver ? répéta Amos, alarmé par ce discours qui ne ressemblait en rien à Mary. Je n'ai jamais entendu parler d'une malédiction.

— Vous voyez, répliqua-t-elle en esquissant un sourire.

Amos se dit qu'elle avait toujours les dents d'une blancheur éclatante, alors que les siennes étaient jaunies comme les touches d'un vieux piano.

— Qu'est-ce que vous me racontez ? insista Amos. Vous étiez à la tête d'un empire du coton qui s'étend dans tout le pays. Votre mari, Ollie, possédait l'un des plus beaux grands magasins du Texas, et la société de Percy Warwick figure au classement de *Fortune* depuis des décennies. J'aimerais bien savoir quelles tragédies ont pu engendrer de si belles réussites…

— Croyez-moi, répondit-elle en se redressant, la malédiction des Toliver existe et elle nous a tous frappés. Percy le sait et Rachel en prendra conscience quand je lui en fournirai une preuve irréfutable.

— Vous lui léguez beaucoup d'argent, persista Amos. Imaginez qu'elle achète des terres ailleurs, qu'elle bâtisse un autre Somerset, qu'elle fonde une nouvelle dynastie de Toliver. Serait-elle pour autant libérée de cette… malédiction ?

Une lueur indéchiffrable scintilla dans le regard de la vieille dame qui esquissa une moue teintée d'amertume.

— Pour qu'il y ait une dynastie, il faut des descendants à qui transmettre le flambeau. À cet égard, les Toliver n'ont jamais constitué une dynastie. Ce détail ne vous aura pas échappé, Amos, précisa-t-elle d'un ton sardonique. Dès que Rachel aura coupé le cordon avec la plantation, la malédiction disparaîtra. Aucune autre terre que Somerset n'aura le même pouvoir destructeur. Contrairement à moi, Rachel ne vendra jamais son âme pour les terres familiales.

— Vous avez vendu votre âme pour Somerset ?

— Oh oui, souvent! Rachel aussi. Je vais lui faire perdre cette habitude...

Atterré, Amos se dit que plusieurs chapitres de l'histoire des Toliver lui manquaient. Il tenta un ultime argument.

— Mary, ce testament représente votre dernier geste envers vos proches. Ses termes risquent d'affecter non seulement l'image que Rachel gardera de vous, mais aussi ses rapports avec Percy lorsqu'elle le verra en possession de ce qui lui revenait. Est-ce là le souvenir que vous avez envie de lui laisser?

— Je prends le risque d'être incomprise, répondit-elle en se radoucissant un peu. Vous avez beaucoup d'affection pour Rachel et, à vos yeux, je l'ai trahie. Ce n'est pas le cas, sachez-le. Je l'ai sauvée, au contraire. J'aimerais vous expliquer pourquoi, mais je n'ai pas le temps. Faites-moi confiance, je sais ce que je fais.

— J'ai le reste de la journée, Mary. Susan a reporté mes rendez-vous de l'après-midi. Je vous écoute.

Elle se pencha et couvrit les doigts noueux de l'homme de loi de sa main fine veinée de bleu.

— Vous avez peut-être le temps, mon cher, mais pas moi. Veuillez à présent prendre connaissance de la lettre.

Il observa l'enveloppe blanche qu'il avait extraite de celle qui recelait le nouveau testament.

Le cœur battant, il découvrit l'adresse de l'expéditeur. Soudain, en un éclair d'intuition, il devina pourquoi elle lui avait demandé de la lire en dernier.

— Une clinique de Dallas, marmonna-t-il.

Mary détourna la tête et manipula nerveusement le célèbre collier de perles que son mari lui avait offert. Il comptait cinquante-deux perles de belle taille, une par anniversaire de mariage. Le bijou tombait parfaitement dans le décolleté du tailleur en lin vert. Après avoir lu la lettre, Amos garda les yeux rivés sur les perles, incapable de regarder la vieille dame en face.

— Un cancer du rein avec métastases, commenta-t-il d'une voix rauque. Il n'y a rien à faire?

— Oh, les traitements habituels, répondit-elle en prenant son verre d'eau. Chirurgie, rayons, chimiothérapie… De quoi gagner un peu de temps, mais pas guérir. J'ai décidé de ne pas recevoir de traitement.

Amos fut envahi d'un immense chagrin qui le rongea comme un acide. Mary n'aimait pas la sensiblerie. Il ôta ses lunettes et ferma les yeux pour ravaler ses larmes. Il savait désormais ce qu'elle avait fait à Dallas, le mois précédent, outre procéder à la vente de Toliver Farms, à l'insu de ceux qui l'aimaient : sa petite-nièce, son plus vieil ami, Percy, Sassie, sa gouvernante depuis plus de quarante ans, son notaire dévoué… Cela lui ressemblait bien de sortir ses atouts au dernier moment.

Il remit ses lunettes et se força à croiser son regard qui brillait d'une nouvelle clarté, malgré les rides, à l'image des feuilles emperlées de rosée au petit matin.

— Il vous reste combien de temps ?

— Trois semaines… peut-être.

Incapable de maîtriser son chagrin, Amos prit un mouchoir dans un tiroir.

— Je suis désolé, Mary, dit-il en se tapotant les yeux, mais cela fait beaucoup d'émotions à encaisser…

— Je sais.

Avec une vivacité surprenante, elle accrocha sa canne à sa chaise et contourna le bureau. Doucement, elle posa la tête du notaire sur son épaule.

— Il fallait bien que le moment de se dire au revoir arrive un jour. Après tout, j'ai quinze ans de plus que vous… Je ne suis pas éternelle.

Il serra sa main dans la sienne. Elle était si fine, si frêle…

— Vous savez, je me rappelle le jour de notre première rencontre, au grand magasin Dumont, déclara-t-il, les yeux toujours fermés. Vous avez descendu l'escalier, vêtue d'une robe bleu roi. Sous les lustres, vos cheveux luisaient comme du satin noir.

Il la sentit sourire.

— Je vous revois, en uniforme de soldat. Vous vous demandiez quelle famille avait pu pousser un garçon comme William à s'enfuir de chez lui. Je dois avouer que vous aviez l'air plutôt ébloui...

— Vous étiez renversante.

Elle déposa un baiser pudique sur son crâne dégarni et relâcha son étreinte.

— Votre amitié m'a toujours été précieuse, Amos, dit-elle en retournant vers sa chaise. J'exprime rarement mes sentiments, mais le jour de votre arrivée dans notre petite communauté du Texas fut pour moi un jour de chance.

— Merci, Mary, répondit le notaire, ému aux larmes. Dites-moi : Percy est-il au courant de votre... maladie ?

— Pas encore. Je lui en parlerai, ainsi qu'à Sassie, à mon retour de Lubbock. Je prendrai aussi des dispositions pour mes obsèques. Si je les avais organisées plus tôt, la nouvelle de ma fin prochaine se serait répandue comme une traînée de poudre. Les soins palliatifs commencent une semaine après mon retour. D'ici là, j'aimerais que vous gardiez le secret sur mon état de santé (elle glissa la bandoulière de son sac à main sur son épaule). Maintenant, il faut que je parte.

— Non, non ! protesta-t-il en se levant d'un bond. Il est encore tôt.

— Il est tard, Amos, répondit-elle en actionnant le fermoir de son collier de perles avant de poser le bijou sur le bureau. J'aimerais que vous le remettiez à Rachel. Vous trouverez le bon moment.

— Pourquoi ne le lui donnez-vous pas vous-même, quand vous la verrez ? suggéra Amos.

Sans ses perles, la vieille dame semblait vulnérable. Depuis la mort d'Ollie, douze ans plus tôt, elle ne sortait jamais sans elles, quelles que soient les circonstances.

— Après notre conversation, elle risque de ne pas l'accepter. Qu'en ferais-je, alors ? Pas question de le laisser à la discrétion des membres du comité de sauvegarde. Conservez-le jusqu'à ce que Rachel soit prête. C'est tout ce que je lui laisse de la vie à laquelle elle s'attendait.

Le cœur gros, Amos passa de l'autre côté du bureau.

— Laissez-moi vous accompagner à Lubbock, implora-t-il. Je voudrais être avec vous quand vous lui parlerez.

— Non, mon cher. Vous seriez mal à l'aise tous les deux, si les choses tournaient mal. Rachel doit compter sur votre impartialité. Quoi qu'il arrive, elle aura besoin de vous…

— Je comprends, concéda-t-il d'une voix brisée.

Elle lui tendit la main. Le moment des adieux était venu. Ils n'auraient sans doute plus l'occasion de se dire au revoir en privé. Les yeux embués de larmes, malgré sa détermination à afficher la même prestance dont la vieille dame avait fait preuve toute sa vie, le notaire prit sa paume fraîche entre ses doigts noueux.

— Au revoir, Mary…

— Au revoir, Amos, répondit-elle en prenant sa canne. Veillez sur Rachel et Percy.

— Vous savez que vous pouvez compter sur moi.

Elle opina de la tête, puis s'éloigna avec toute la dignité dont elle était capable. Elle sortit sans se retourner, mais lui adressa un petit signe par-dessus son épaule. Puis elle referma la porte derrière elle.

2

Les joues inondées de larmes, Amos demeura prostré un long moment. Enfin, il poussa un soupir et s'enferma dans son bureau. En enveloppant le collier de Mary dans un mouchoir, il perçut la fraîcheur des perles sous ses doigts. La vieille dame avait dû les nettoyer, car il lui semblait déjà ne plus sentir son empreinte, son âme. À la fin de la journée, il emporterait le bijou chez lui. En attendant de le remettre à Rachel, il le rangerait dans le coffret en bois sculpté, seul souvenir qu'il avait choisi de conserver de sa mère. Accablé, le notaire ôta sa cravate, déboutonna son col et alla s'asperger le visage dans son cabinet de toilette.

— Susan, dit-il dans l'interphone, prenez votre après-midi, fermez le cabinet et branchez le répondeur.

— Tout va bien, Amos ?

— Oui, oui… ça va.

— Et Mme Mary ?

— Elle aussi.

Naturellement, Susan, qui était son assistante depuis vingt ans, n'en crut pas un mot, mais elle n'exprima rien de ses soupçons.

— Profitez de votre après-midi.

— Eh bien, merci… à demain.

— C'est ça, à demain, conclut-il.

Demain. Rachel allait souffrir et cette perspective lui brisait le cœur. La jeune femme était sans doute en train d'inspecter des champs de coton qui, pensait-elle, lui appartiendraient un jour… Et demain, tout serait fini. Elle perdrait tout ce à quoi elle avait consacré sa vie d'adulte. À vingt-neuf ans, elle serait riche et pourrait repartir de zéro loin de Howbutker, à condition d'en avoir le courage. Amos avait souvent envisagé sa vie après la mort de Percy, le dernier membre du trio qui constituait sa seule famille… Il considérait Matt, le petit-fils de Percy, comme son neveu. Mais quand celui-ci se marierait, sa femme ne serait peut-être pas disposée à combler le vide laissé par Ollie, Mary et Percy dans la vie du notaire. Avec Rachel, le problème ne se posait pas, car ils s'adoraient. La maison de la jeune femme aurait toujours été ouverte. Son cœur solitaire rêvait de la voir s'installer à Howbutker, dans la maison des Toliver, perpétuer l'esprit de Mary… Rachel se serait mariée, aurait eu des enfants qu'il aurait pu choyer dans ses vieux jours… Demain, tout serait terminé pour lui aussi.

Amos soupira encore et ouvrit une porte de son placard. Jamais il ne buvait avant dix-huit heures, et il se limitait à deux doigts de whisky dilués dans deux volumes d'eau gazeuse. Ce jour-là, il se servit un demi-verre de Johnnie Walker.

Il se dirigea vers la porte-fenêtre qui donnait sur une petite cour foisonnant de fleurs d'été : primevères roses et plumbagos bleus, lantaniers violets et capucines jaunes grimpantes… Dessiné par Charles Waithe, le fils du fondateur de l'étude, ce jardin se voulait un havre de paix destiné à lui faire oublier les tristes tâches d'un notaire. Si elle se révéla inefficace, la thérapie raviva néanmoins des souvenirs que son entretien avec Mary avait déjà ramenés vers la surface. Il revit notamment le jour où Charles, alors âgé de cinquante ans, s'était détourné de cette porte-fenêtre pour lui proposer un poste d'associé adjoint. Il en avait été à la fois ébahi et ravi. En moins de quarante-huit heures, il avait donné son billet de train à William Toliver, admiré Mary dans l'escalier, rencontré son mari, un notable local, ainsi que le tout aussi puissant Percy Warwick, et reçu cette proposition en or… Le destin lui avait été si favorable qu'il n'en revenait toujours pas. Comme il avait bien fait de se séparer de son billet de train ! Il avait pu réaliser ses rêves et avait trouvé un emploi, un foyer et des amis qui l'avaient pris sous leur aile.

Tout avait commencé un matin d'octobre 1945. Fraîchement sorti de l'armée, sans travail, sans foyer, Amos se rendait à Houston chez une sœur qu'il connaissait à peine, quand son train s'arrêta dans une petite ville. « Bienvenue à Howbutker, au cœur des Piney Woods du Texas », lisait-on au-dessus de la gare. En descendant sur le quai pour se dégourdir les jambes, Amos vit un adolescent se précipiter vers le contrôleur.

— Attendez ! Retenez le train !

— Vous avez un billet, jeune homme ?

— Non, monsieur, je...

— Dans ce cas, il va falloir attendre le train suivant. Celui-ci est complet d'ici jusqu'à Houston.

L'adolescent avait les yeux verts et des cheveux noir de jais. Ses joues empourprées, son souffle court trahissaient le désespoir d'un fugueur. *Ce garçon traîne trop de souffrances derrière lui*, se dit Amos, songeant à sa propre expérience. À quinze ans, il s'était enfui de chez ses parents, mais avait échoué dans son projet.

— Tiens, prends le mien, dit-il en lui tendant son propre billet. J'attendrai le suivant.

Le garçon de dix-sept ans, qui se révéla le neveu de Mary Toliver-Dumont, le salua depuis la plate-forme du train qui l'emmenait loin de Howbutker, où il n'avait plus jamais vécu. Amos, lui, n'en repartit jamais. Son sac sur l'épaule, il se rendit en ville dans l'intention de n'y passer qu'une seule nuit, mais le train du lendemain matin était parti sans lui. Quelle ironie du sort : le départ de William coïncidait avec sa propre arrivée, et pas une fois Amos n'avait eu à le regretter. Jusqu'à ce jour.

Le notaire avala une bonne rasade de whisky dont l'amertume lui lacéra la gorge. *Nom de Dieu, quelle mouche a piqué Mary ? Pourquoi cette attitude impensable ?* Il passa une main nerveuse sur son crâne clairsemé. Qu'est-ce qui avait pu lui échapper qui expliquerait – ou justifierait – ce revirement ? Son histoire, celles d'Ollie Dumont et de Percy Warwick n'avaient pas de secret pour lui. Ce qu'il n'avait pas lu dans les livres, il le tenait des intéressés eux-mêmes. Naturellement, il n'avait pas été témoin de leurs premières années, mais jamais il n'avait découvert quoi que ce soit qui expliquerait aujourd'hui le choix de Mary, pas un ragot, une coupure de presse, un journal intime, un témoignage, rien…

Puis une idée lui vint. La réponse se trouverait-elle dans un livre ? Il n'avait pas relu l'histoire des familles fondatrices de Howbutker depuis ce matin d'octobre où il avait aidé William à s'enfuir.

Plus tard, en ville, il avait appris que le fugitif était activement recherché et qu'il s'agissait du fils du défunt frère de Mary Dumont, qui l'avait adopté et lui avait tout donné. Envahi par le souvenir amer de ses propres souffrances et de son retour forcé chez ses parents, Amos s'était rendu à la bibliothèque en quête d'informations susceptibles de lui indiquer s'il devait informer les autorités de la destination du jeune homme ou bien garder le silence. Le bibliothécaire lui avait tendu *Roses*, un ouvrage de Jessica Toliver, l'arrière-grand-mère de Mary. Cette fois, il remarquerait peut-être un détail négligé quarante ans plus tôt.

Le récit commençait en automne 1836, par l'arrivée au Texas de Silas William Toliver et de Jeremy Matthew Warwick. En tant que fils cadets de deux éminentes familles de planteurs de Caroline du Sud, ils avaient peu de chances de devenir les maîtres des domaines de leurs pères. Ils avaient donc décidé d'établir leurs propres plantations dans une région fertile située dans l'est de la nouvelle république du Texas. Tous deux étaient de sang royal anglais, quoique issus de maisons ennemies : les Lancaster et les York, qui s'étaient livré bataille durant la guerre des Deux-Roses. Au milieu du XVIIe siècle, leurs descendants se retrouvèrent voisins dans le Nouveau Monde, près du futur Charleston, qu'ils contribuèrent à établir en 1670. Désormais tributaires l'un de l'autre, les deux clans avaient enterré la hache de guerre pour ne conserver que les symboles de leur allégeance à leurs maisons respectives en Angleterre : leurs roses. Descendants de la maison d'York, les Warwick ne cultivaient que des roses blanches, tandis que les Toliver se cantonnaient aux roses rouges, emblèmes des Lancaster.

En 1830, dans le Sud, le coton était roi. Les jeunes gens voulaient établir une ville digne des plus nobles idéaux de leurs ancêtres. Se joignirent au convoi des familles de moins noble extraction mais qui partageaient les mêmes valeurs, l'amour du travail, de Dieu et de leur héritage. Ils emmenèrent aussi des esclaves – hommes, femmes et enfants – dont le dur labeur allait leur permettre de réaliser leurs rêves. Ils se mirent en route vers l'ouest, empruntant les pistes qui avaient attiré des pionniers tels Davy Crockett et Jim Bowie. Près de La Nouvelle-Orléans, un cavalier français vint à leur rencontre. Issu lui aussi de la noblesse, Henri Dumont souhaitait être de l'aventure. Vêtu d'un costume bien coupé dans une étoffe de qualité, il était plein de charme et d'élégance. Sa famille avait émigré en Louisiane après la Révolution française. Brouillé avec son père à propos de la gestion de leur commerce de produits de luxe, à La Nouvelle-Orléans, il comptait ouvrir son propre magasin au Texas. Silas et Jeremy l'accueillirent parmi eux.

S'ils avaient poursuivi leur chemin vers l'ouest, vers l'actuelle Corsicana, ils auraient trouvé une terre fertile propice à la culture du maïs et du coton. Mais chevaux et voyageurs étaient épuisés après avoir franchi le fleuve Sabine, qui séparait la Louisiane du Texas. Fourbu, Silas William Toliver scruta les collines tapissées de pins.

— Et si nous restions ici ? proposa-t-il.

La question circula parmi les colons qui, quelles que soient leurs origines, répondirent par l'affirmative. C'est ainsi que la ville prit le nom un peu étrange de Howbutker, dont les sonorités rappelaient la question déterminante (*How about here ?*) de Silas.

Les premiers habitants étaient bien résolus à fonder une communauté digne du mode de vie qu'ils avaient toujours connu ou auquel ils aspiraient. Au milieu des pins, ils respecteraient les traditions du Sud. Peu d'entre eux devinrent planteurs, car il y avait trop d'arbres à abattre pour dégager les terres, et les flancs de colline ne facilitaient pas le travail. Toutefois, un homme capable et motivé pouvait se tourner vers bien d'autres activités : la ferme, l'élevage, le commerce, à condition toutefois de respecter les recommandations des habitants de la jeune bourgade. Jeremy Warwick assura son avenir financier grâce à l'abattage des arbres et la vente de bois. Il visait les marchés de Dallas, de Galveston et d'autres villes en plein essor.

Au centre-ville, Henri Dumont ouvrit une épicerie qui finit par surpasser en raffinement le magasin de son père. Il acquit et développa en outre des locaux commerciaux qu'il loua à des boutiquiers attirés par la réputation de civisme de Howbutker, l'ordre qui y régnait et la sobriété de ses habitants. Silas William Toliver, lui, ne souhaitait pas changer de métier. Convaincu que l'unique vocation d'un homme était la terre, il fit travailler ses esclaves dans ses champs de coton en investissant ses bénéfices pour augmenter son patrimoine. En quelques années, il détenait la plus vaste portion de terre longeant le fleuve Sabine, ce qui lui permettait de transporter son coton vers le golfe du Mexique.

Il ne s'accorda qu'un seul écart au destin qu'il s'était tracé en quittant la Caroline du Sud. Au lieu de construire son manoir sur les terres qu'il déboisait, il s'installa en ville. Sa femme préférait demeurer parmi ses amies qui occupaient les autres manoirs de style sudiste de Houston Avenue, que l'on appelait localement Founders Row, la rue des fondateurs, et où résidaient également les Dumont et les Warwick.

Silas baptisa sa plantation Somerset, du nom du duc anglais dont il descendait.

Dès la première réunion organisée pour discuter du plan de la ville, Silas, Jeremy et Henri se virent confier les rênes du projet. Henri connaissait la guerre des Deux-Roses et le rôle que les familles de ses associés avaient joué dans ce conflit de trente-deux ans. Conscient de l'importance des plants de rosiers que chaque famille avait transportés depuis la Caroline du Sud, il fit, au terme de la réunion, une suggestion aux deux chefs de clan. Et s'ils cultivaient les deux couleurs de roses dans leurs jardins, mêlant le rouge et le blanc, en gage d'unité ?

Dans le silence gêné qui suivit, Henri posa une main sur l'épaule des deux hommes.

— Des différends ne manqueront pas de survenir entre vous. Ces roses les incarnent.

— Ils symbolisent nos ancêtres, nos racines ! protesta Silas Toliver.

— En effet, admit Henri. Ils sont les symboles de ce que vous êtes : des hommes de responsabilités. Or un homme responsable règle les conflits par la discussion et non par la guerre. Tant que vos jardins recèleront le symbole d'une maison à l'exclusion de l'autre, la guerre persistera.

— Et toi ? demanda l'un d'eux. Tu es avec nous, dans cette entreprise. Que comptes-tu cultiver dans ton jardin ?

— Eh bien… (Le Français leva les mains au ciel.) Des roses rouges et blanches, naturellement ! Elles me rappelleront notre amitié et nos projets communs. Si je devais un jour vous offenser, je vous enverrais une rose rouge pour demander pardon. Et si j'en recevais une porteuse du même message, je répondrais avec une rose blanche pour signifier que tout est pardonné.

Les deux hommes réfléchirent à cette proposition.

— Nous sommes fiers, déclara enfin Jeremy Warwick. Il nous est difficile de reconnaître nos offenses.

— Et d'accorder notre pardon, renchérit Silas Toliver. Néanmoins, la présence des deux roses dans nos jardins nous permettrait de demander et d'accorder un pardon sans prononcer un mot. (Il marqua une pause.) Et si… ce pardon n'était pas accordé ? Faut-il également cultiver des roses roses ?

— Des roses roses ? pouffa Henri. Quel terne compromis pour une si noble fleur ! Non, messieurs, je suggère de nous en tenir au blanc et au rouge. Parmi les hommes honnêtes et de bonne volonté, il n'y a ni erreur, ni jugement humain, ni faux pas qui ne puissent être pardonnés. Qu'en pensez-vous ?

Pour toute réponse, Jeremy leva sa coupe de champagne, aussitôt imité par Silas.

— Au rouge et au blanc ! lancèrent-ils en chœur. Qu'ils prospèrent à jamais en harmonie !

Amos poussa un soupir et referma son livre. L'histoire était passionnante, mais il ne servait à rien d'en poursuivre la lecture. L'ouvrage citait les héritiers censés transmettre l'illustre tradition à leurs descendants : Percy Warwick, Ollie Dumont et Miles et Mary Toliver. L'ouvrage datant de 1901, Mary avait un an et les garçons, cinq. Les réponses qu'Amos cherchait devaient résider plus tard dans leur existence. *Roses* ne suggérait rien d'une tragédie qui expliquerait le revirement de Mary.

S'ils se fréquentaient, les trois amis travaillaient chacun de leur côté. Il était établi depuis le départ que chaque entreprise devait prospérer ou péricliter en fonction de ses propres mérites, sans financement extérieur. Cette politique interdisant prêts et emprunts manquait de convivialité mais, à la connaissance d'Amos, le trio n'avait jamais enfreint la règle. Les Toliver cultivaient le coton, les Warwick négociaient le bois et les Dumont vendaient des produits de luxe. Jamais – même quand Mary Toliver avait épousé Ollie Dumont – ils n'avaient mêlé leurs activités ou compté sur les autres.

Pourtant, Mary léguait Somerset à Percy…

Quand vous êtes entré dans nos vies, nos histoires étaient terminées, avait dit Mary. Un seul homme était susceptible de lui fournir les éléments manquants. Amos brûlait de se précipiter à Warwick Hall pour exiger que Percy lui révèle ce qui avait poussé Mary à vendre Toliver Farms et à lui léguer une plantation familiale de cent soixante ans, privant ainsi sa petite-nièce bien-aimée de son héritage.

Hélas, sa fonction lui interdisait d'agir de la sorte. Amos ne pouvait que ronger son frein en espérant des conséquences moins explosives qu'il ne le redoutait. Bonne chance à Mary pour le lendemain, quand elle lâcherait sa bombe sur sa petite-nièce ! Il s'en voulait un peu d'avoir de telles pensées, mais il ne serait nullement étonné que Rachel dépose par dépit des roses roses sur sa tombe. Quel triste hommage ! Quelle fin tragique pour une relation si particulière.

Un peu grisé par l'alcool, il secoua la tête et se leva péniblement, puis il glissa le codicille et la lettre dans leurs enveloppes. L'espace d'un instant, il eut envie de les jeter à la corbeille. Qui le saurait ? Mais il haussa les épaules et alla ranger les documents dans le placard, selon les dernières volontés de Mary Dumont.

3

Voûtée sur sa canne, Mary s'arrêta un instant devant l'étude d'Amos pour reprendre son souffle. La gorge sèche, les yeux brûlants, les poumons comprimés... elle n'en pouvait plus. Cher Amos, si fidèle et dévoué depuis quarante ans ! Cela faisait donc si longtemps qu'elle avait descendu les marches du grand magasin, folle d'inquiétude à cause de la disparition de William, pour croiser le regard de ce jeune capitaine de la 101ᵉ division aéroportée totalement subjugué ?

Dieu se montrait parfois machiavélique en infligeant de petites tortures subtiles aux personnes âgées. Si seulement ces dernières conservaient une perception précise du temps, au lieu d'avoir l'impression que les années passaient en un éclair ! Pourquoi la vie semblait-elle commencer alors qu'elle arrivait à son terme ?

Enfin ! songea-t-elle en haussant les épaules. Les malheureux qui grillaient en enfer devaient avoir envie d'un verre d'eau, eux aussi. Ses pensées revinrent vers Amos. Elle se sentait terriblement ingrate de lui confier une telle tâche, mais c'était un homme courageux et très scrupuleux. Certains notaires, croyant agir pour le mieux, jetteraient le document à la corbeille à papier sans que personne en sache rien, mais pas Amos. Il ne se détournerait pas de son devoir et respecterait ses volontés à la lettre.

Mary chaussa ses lunettes de soleil et scruta la rue en quête de Henry. Elle l'avait envoyé boire un café au palais de justice, mais il en profitait sans doute pour courtiser Ruby, une serveuse de son âge. Or la vieille dame avait une dernière tâche à accomplir à la maison avant le dîner… Elle décida finalement que cela pouvait attendre un peu. Elle se sentait d'attaque pour une ultime promenade dans cette ville qu'elle aimait tant.

Cela faisait longtemps qu'elle n'avait pas arpenté Courthouse Circle, le temps de contempler les vitrines et de saluer les commerçants, pour la plupart des amis de longue date. Mary sortait moins aujourd'hui, mais, pendant des années, elle avait mis un point d'honneur à rester en contact avec ses chers concitoyens : commerçants, employés de banque, secrétaires, sans oublier l'équipe municipale, comme elle l'appelait avec affection. En tant que Toliver, elle avait le devoir de se montrer de temps en temps, toujours tirée à quatre épingles, pour honorer la mémoire d'Ollie.

Il aurait été fier d'elle, ce jour-là, songea-t-elle en inspectant son tailleur haute couture, ses chaussures et son sac en crocodile. Sans ses perles, elle se sentait nue, vulnérable, mais ce n'était qu'une impression, et elles ne lui manqueraient pas longtemps, de toute façon…

Comme prévu, Henry, son chauffeur depuis vingt ans, le neveu de sa gouvernante, était en grande conversation avec Ruby. Naturellement, l'entrée de la vieille dame ne passa pas inaperçue. Un paysan en salopette se leva d'un bond pour lui tenir la porte. En passant devant plusieurs tables, elle fit signe à quelques hommes d'affaires de ne pas interrompre leur repas.

— Bonjour, madame Mary, déclara Ruby. Vous venez me débarrasser de ce vaurien ?

— Pas tout de suite, Ruby, répondit-elle en faisant signe au chauffeur de rester assis. Vous allez devoir le supporter encore un peu. Je voudrais faire un petit tour, voir certaines personnes. Commandez un autre café, Henry. Ce ne sera pas long.

Le chauffeur parut troublé, car c'était l'heure du dîner.

— Vous voulez vous promener par cette chaleur, madame Mary? Est-ce bien raisonnable?

— Non, mais à mon âge, on peut s'accorder une ou deux folies.

Sur le trottoir, Mary hésita. Depuis quelques années, de nouveaux commerces avaient ouvert, suscitant chez elle des réactions variées. Howbutker était désormais une ville touristique. Des revues telles que *Southern Living* et *Texas Monthly* vantaient le charme de son style néohellénique, sa cuisine régionale et la propreté de ses toilettes publiques. Les jeunes loups de la finance venaient y passer le week-end loin de l'effervescence des grandes agglomérations. De nombreux promoteurs souhaitaient transformer les demeures historiques en gîte touristique ou ériger des horreurs commerciales qui viendraient nuire au charme désuet des lieux. Dieu merci, le conseil municipal, dont Amos faisait partie et dont Percy et Mary étaient membres honoraires, avait réussi à repousser motels, chaînes de restauration rapide et grandes surfaces aux limites de la ville.

Cela ne durera pas, songea Mary avec regret en observant une nouvelle boutique gérée par une New-Yorkaise exubérante. D'autres personnages hauts en couleur afflueraient. Quand la vieille garde aurait disparu, Howbutker serait à la merci de Gilda Castoni et de Max Warner, un homme aimable originaire de Chicago qui tenait un bar très prisé, plus haut dans la rue.

Mary fit une moue attristée. Elle pouvait pourtant remercier ces envahisseurs qui avaient fui la pollution, le crime et la circulation: ils assureraient la prospérité de la ville avec plus de zèle que les descendants de ses fondateurs. Matt Warwick était l'un des derniers. Comme Rachel…

Inutile de revenir là-dessus.

Plus tôt, elle avait fait ses adieux – sans le dire – à Rene Taylor, la responsable du bureau de poste. Mary souhaitait également rendre une dernière visite à Annie Castor, la fleuriste, et à James Wilson, président de la First State Bank. Hélas, la boutique de fleurs et la banque se trouvaient dans deux directions opposées et elle n'avait pas la force de marcher aussi loin. En rentrant à la maison, elle devait encore monter au grenier pour fouiller la malle de militaire d'Ollie. Optant pour la banque, elle se mit en route d'un pas lent. Elle en profiterait pour jeter un œil dans son coffret de sûreté. Il ne recelait pas grand-chose, mais elle devait s'assurer de n'avoir rien oublié.

En passant devant le salon de coiffure, elle adressa un signe de tête à Bubba Speer. Étonné, le barbier écarquilla les yeux et abandonna son client drapé d'une serviette pour venir la saluer sur le seuil.

— Bonjour, madame Mary! Quelle bonne surprise. Qu'est-ce qui vous amène en ville?

Mary s'arrêta un instant. Bubba portait une blouse blanche à manches courtes. Elle remarqua un tatouage délavé sur son bras, un souvenir de guerre, sans doute. Corée? Vietnam? Quel âge avait Bubba, d'ailleurs? Soudain confuse, elle cligna les yeux. Elle connaissait Bubba depuis toujours et n'avait jamais vu ce tatouage. Son sens de l'observation s'était aiguisé, ces derniers temps. Elle remarquait des détails qui lui avaient toujours échappé. Toutefois, elle avait du mal à situer personnes et événements dans l'ordre chronologique.

— Quelques détails à voir avec Amos, répondit-elle. Comment allez-vous, Bubba? Et la famille?

— Le petit est accepté à l'Université du Texas. Merci d'avoir pensé à lui, pour son diplôme. Votre chèque lui sera bien utile pour acheter ses livres, en septembre.

— C'est ce qu'il m'expliquait dans son petit mot de remerciement. C'est un bon garçon. Nous sommes fiers de lui.

Le Vietnam, songea Mary. *Ce devait être le Vietnam.*

— C'est qu'il doit se montrer digne de vous autres, madame Mary, assura le coiffeur.

— Prenez soin de vous, répondit Mary avec un sourire. Vous direz… au revoir de ma part à votre famille.

Elle poursuivit son chemin sous le regard médusé de Bubba. N'exagérait-elle pas un peu ? En tout cas, Bubba pourrait se rengorger en racontant cette entrevue. *Elle savait*, expliquerait-il. *Mme Mary savait qu'elle allait mourir. Sinon, pourquoi avoir dit une chose pareille ?* La légende de la vieille dame perdurerait quelque temps, puis elle finirait par disparaître, comme celle d'Ollie. Après les enfants de Bubba, il n'y aurait plus personne pour se rappeler les Toliver.

C'est ainsi ! se dit Mary. Percy serait le seul à laisser un descendant pour perpétuer la tradition familiale. Matt Warwick était vraiment de la trempe de son grand-père ! Il lui rappelait tant son Matthew, même si le fils de Mary avait hérité des traits des Toliver et Matt, de ceux de son grand-père. Parfois, pourtant, en regardant Matt, Mary voyait son propre fils à l'âge adulte.

Elle traversa la rue, empêchant les automobilistes de tourner à droite, mais ne hâta nullement le pas. Personne ne klaxonna. C'était ainsi, à Howbutker. La courtoisie était toujours de mise.

Sur le trottoir opposé, elle s'arrêta pour observer un orme gigantesque, sur la pelouse du palais de justice. Elle se rappela le mois de juillet 1914, l'année où l'édifice fut achevé. Une grande statue de saint François d'Assise se dressait sous les branches. Sur le piédestal était gravée sa célèbre prière : « C'est en mourant que l'on ressuscite à la vie éternelle. »

Mary fit un pas hésitant, les yeux rivés sur un banc, à l'ombre de l'orme, d'où elle avait écouté le discours de son père. Tout à coup, des pans de sa jeunesse la submergèrent. Un sang nouveau coulait dans ses veines, elle se sentait jeune, elle avait toute la vie devant elle… Mary avait quatorze ans. Ce matin-là, elle descendit l'escalier, dans sa robe en broderie anglaise blanche ourlée de satin vert, un ruban assorti dans les cheveux, aussi long que les boucles noires qui sautillaient sur ses épaules. Au bas des marches, son père leva les yeux et affirma avec fierté qu'elle était belle « à couper le souffle », tandis que sa mère tirait sur ses gants blancs en lui rappelant un peu sèchement que « la beauté ne faisait pas tout ».

Lors de cette cérémonie, Mary attira tous les regards... à part celui de Percy. Les autres amis de son frère la taquinèrent gentiment. Ollie trouvait qu'elle faisait plus que son âge et que le vert du satin rehaussait celui de ses iris.

En fermant les yeux, Mary ressentit la moiteur de cette journée. Elle avait cru mourir de soif quand, comme par enchantement, Percy lui avait tendu un soda à la crème glacée provenant de l'épicerie d'en face.

Percy...

Son cœur se mit à battre à tout rompre, comme lorsqu'elle l'avait vu à dix-neuf ans, blond et élancé, si beau qu'elle osait à peine le regarder. À une époque, il hantait ses rêves secrets. Hélas, en devenant « une jeune fille », elle avait perçu un changement dans l'attitude de Percy, qui semblait trouver en elle une source d'amusement. Bien des fois, elle s'était regardée dans le miroir, blessée par la moquerie qu'elle lisait dans ses yeux. Elle était plutôt jolie. Certes, elle n'avait rien d'une poupée de porcelaine : pour une fille, elle était trop grande et son teint mat était un éternel sujet de discorde entre elle et sa mère. Celle-ci ne la laissait pas sortir sans gants ni capeline. Pire encore, alors que d'autres la surnommaient gentiment « agneau », Percy l'appelait « gitane », par allusion au teint des Toliver.

Néanmoins, elle savait que ses cheveux noirs, ses yeux verts, son visage ovale étaient saisissants. Elle avait aussi d'excellentes manières, dignes de son rang, et obtenait de bons résultats scolaires.

Elle ne décelait aucune explication valable au dédain de Percy, si bien qu'elle finit par lui en vouloir. Percy ignorait cette hostilité tout autant que son admiration secrète.

Ce jour-là, elle avait considéré le soda à la crème glacée avec un mépris affiché, alors qu'elle en mourait d'envie. Son favori... Pendant toute cette matinée de juillet, elle avait donné l'impression de ne pas souffrir de la chaleur en gardant les bras légèrement écartés de son corps. Et voilà que, sans crier gare, le sourire et l'offrande de Percy indiquaient qu'il avait deviné sa souffrance sous son masque d'indifférence.

— Tiens, déclara-t-il. Tu es en train de fondre, on dirait.

Elle vit là un affront délibéré. Une Toliver n'avait jamais trop chaud! Haussant fièrement la tête, elle se leva et déclara avec dignité:

— Dommage que tu ne sois pas assez gentleman pour ne pas le remarquer!

— Au diable les convenances! rétorqua Percy en riant. Je suis ton ami. Allez, bois. Inutile de me remercier, surtout!

— Tu as raison sur ce point, Percy Warwick, dit-elle en refusant le gobelet qu'il lui tendait. Tu n'as qu'à l'offrir à quelqu'un qui a soif.

Sur ces mots, elle s'éloigna pour féliciter son père, qui venait de terminer son discours. Lorsqu'elle se retourna, Percy l'observait, toujours souriant, tandis que la crème glacée commençait à lui dégouliner sur la main. Une sensation encore inconnue à cette jeune fille de quatorze ans l'envahit. L'intensité de ce regard rivé au sien lui donna le tournis; c'était comme s'ils étaient très proches malgré la distance qui les séparait. Un cri de surprise et de protestation s'éleva dans sa gorge pour mourir aussitôt. Hélas, Percy l'avait entendu. Son sourire s'élargit et il leva le gobelet en guise de salut, puis il but. La jeune fille goûta la saveur du soda.

Mary la sentait encore, de même que la moiteur de sa transpiration sous ses aisselles et entre ses seins, et cette tension dans son ventre et entre ses cuisses...

— Percy..., murmura-t-elle.

— Mary?

En entendant cette voix familière, elle se retourna avec l'agilité d'une jeune fille de quatorze ans. Comment Percy avait-il pu se glisser derrière elle? Elle venait de le voir sous l'orme, sur la pelouse du palais de justice...

— Percy, mon amour…, souffla-t-elle, abasourdie.

Sa canne et son sac l'empêchaient de tendre les bras vers lui.

— Pourquoi as-tu bu tout mon soda ? demanda-t-elle. Je le voulais, ce jour-là, tu sais. Et je te voulais aussi, mais je l'ignorais. J'étais trop jeune et stupide, une vraie Toliver. Si seulement je n'avais pas été aussi stupide…

Elle sentit qu'on la secouait.

— Madame Mary… c'est Matt !

4

— Matt ? répéta Mary, hébétée, face à la mine inquiète du petit-fils de Percy.

— Oui, c'est moi.

Comme son grand-père, il portait un costume et une cravate, même en été. *Seigneur*, songea la vieille dame, qui se ressaisit aussitôt pour scruter l'expression du jeune homme. Elle venait de faire une révélation compromettante. Comment se sortir de ce pétrin ? Elle n'avait aucune envie de quitter les souvenirs de cette journée d'autrefois, dont les sensations étaient toujours présentes. Comme il avait été bon de revivre ces minutes palpitantes, cette poussée de fièvre, cette passion. De revoir Percy à dix-neuf ans…

Heureusement, la vieillesse avait certains avantages.

— Bonjour, mon petit, dit-elle avec un sourire, en lui tapotant l'épaule. Tu m'as entendue parler toute seule, n'est-ce pas ?

— Vous ne sauriez trouver meilleure personne que vous pour converser, madame Mary, assura Matt, dont les yeux bleus, ceux de sa grand-mère, pétillaient de curiosité et d'étonnement. Ça me fait plaisir de vous voir. Vous nous manquez, depuis un mois. Surtout à grand-père. Je peux vous accompagner ?

— En fait, mon petit, je viens d'émerger, répondit Mary avec un sourire énigmatique. Du passé, ajouta-t-elle face à son air perplexe.

Sans doute l'avait-il observée depuis une fenêtre du palais de justice. Il savait donc qu'elle n'avait pas bougé. Quelle importance ? Matt était assez jeune pour tout surmonter et assez mûr pour comprendre les indiscrétions dont il croyait Mary et son grand-père coupables. Elle posa sur lui un regard plein d'affection.

— Tu n'as pas encore assez vécu pour avoir un passé, mais cela viendra, tu verras.

— Je vais bientôt avoir trente-cinq ans, je ne suis plus un gamin, répondit Matt avec un sourire. Allez, dites-moi où vous vous rendez comme ça.

— Nulle part, je suppose, répondit-elle, soudain lasse.

La faim avait fait sortir Henry, qui vint à sa rencontre. Elle lui désigna sa limousine de la tête.

— Henry est parti chercher la voiture. Tu veux bien me suivre jusqu'au coin de la rue ? Cela fait longtemps que nous n'avons pas bavardé, tous les deux.

Elle glissa une main sous le bras du jeune homme et s'appuya sur sa canne.

— Quand comptes-tu te marier, Matt ? Tu dois avoir l'embarras du choix…

— Ne croyez pas cela. Au fait, comment va votre petite-nièce ? J'espère qu'elle nous rendra bientôt visite. Je ne l'ai pas vue depuis la mort de M. Ollie. Elle avait seize ou dix-sept ans, à l'époque. Elle était déjà ravissante.

— Dix-sept ans, murmura Mary, la gorge soudain nouée. Elle est née en 1956.

Encore un détail qu'elle devrait justifier : les efforts qu'elle avait déployés pour séparer Matt et Rachel. Depuis leur première rencontre, quand Rachel avait quatorze ans, elle redoutait qu'ils ne soient attirés l'un par l'autre. Quelle ironie du sort ! Ils avaient cinq ans de différence. Mary espérait que Matt serait marié lorsque Rachel aurait terminé ses études et songerait à s'installer. Lors de leur deuxième entrevue, à l'occasion des funérailles d'Ollie, trois ans plus tard, ils avaient évolué : Rachel était à la tête d'une plantation et Matt, négociant en bois. Leur couple n'aurait jamais fonctionné… Pas à Somerset.

En lisant l'intérêt dans le regard de Matt, l'admiration dans celui de Rachel, elle avait décidé que ces deux-là ne devaient jamais se trouver à Howbutker en même temps. Ce ne fut pas difficile. Matt avait déjà terminé ses études et son grand-père l'envoyait souvent apprendre le métier sur les différents sites de Warwick Industries. Quand il rentrait pour de courts séjours ou les vacances, Mary faisait en sorte que Rachel soit occupée ailleurs. Elle réprimait toute curiosité de sa petite-nièce envers le séduisant petit-fils de Percy en ne prononçant jamais son nom ou en détournant la conversation.

Naturellement, toutes ces manœuvres remontaient à plusieurs années, avant l'avènement de la tragédie... Avant que Rachel ne se brouille avec sa mère et ne rompe avec son pilote de chasse. Comment prévoir que Rachel, à vingt-neuf ans, et Matt, à presque trente-cinq ans – la même différence d'âge qu'entre elle et Percy – ne seraient mariés ni l'un ni l'autre ? Matt était rentré au domaine et avait pris la direction de Warwick Industries et, sans son codicille, Rachel serait revenue, elle aussi. Et si Mary avait détruit une histoire qui aurait pu exister ? Cette idée lui fit l'effet d'un poignard en plein cœur.

— Madame Mary, que se passe-t-il ? s'enquit Matt en posant une main sur la sienne, le front plissé d'inquiétude. Dites-le-moi, je vous en prie !

Troublée, la vieille dame l'observa. Il avait hérité de la stature de son grand-père et de son charme, un peu moins raffiné, peut-être. Elle avait toujours préféré son visage à celui de Percy, car il réconfortait au lieu d'anéantir et possédait un attrait particulier. Elle n'y retrouvait rien de la femme de Percy, la grand-mère de Matt, à part ses cheveux châtain clair et ses yeux bleu vif.

— Comment va Lucy ? demanda-t-elle.

Abasourdi, Matt esquissa un sourire.

— Eh bien, toujours pleine d'énergie. Je rentre d'une visite à Atlanta. Dois-je lui dire que vous avez demandé de ses nouvelles la prochaine fois que je lui parlerai ?

— Mon Dieu, non! répliqua-t-elle en levant une main au ciel. Elle risque d'avoir une crise cardiaque.

— Vous aussi! railla Matt en riant. Je suppose que je ne saurai jamais ce qui s'est passé entre vous.

Tu en as sans doute une idée assez précise, songea Mary, amusée. Matt interrogerait-il Percy sur ce qu'il avait entendu? Probablement pas, pour éviter les remous. Pourquoi déterrer des souvenirs embarrassants pour son grand-père? Tout cela remontait à si loin, de toute façon.

— Puisque vous refusez de satisfaire ma curiosité, déclara Matt, revenons-en à Rachel. Quand doit-elle venir?

— Oh, dans deux ou trois semaines, je pense..., répondit la vieille dame.

Elle observait la limousine qui approchait, blanche et étincelante, telle que Mary s'était vue elle-même, à une époque.

— Voici Henry. Je dois te dire au revoir, Matt.

Soudain émue, elle leva les yeux vers lui. Matt avait toujours été un bon garçon. Elle se rappelait le jour où lui et sa mère, Claudia, la belle-fille de Percy, étaient venus vivre à Warwick Hall. Matt n'avait que quelques mois. Il lui faisait penser à Matthew, dont il portait le prénom. Matt était leur arc-en-ciel après l'orage. Une douleur envahit le cœur de la vieille dame.

— Matt..., fit-elle, mais des sanglots lui nouèrent la gorge.

— Hé... Qu'est-ce qui vous arrive? demanda-t-il en la prenant dans ses bras. Vous êtes trop merveilleuse pour pleurer.

Elle chercha un mouchoir dans son sac à main.

— Et ta veste est trop belle pour que je l'inonde de mes larmes, se reprit-elle en essuyant son revers. Je suis désolée, Matt. Je ne sais pas ce qu'il m'a pris.

— Les souvenirs ont cet effet, parfois, déclara-t-il d'un air entendu et compréhensif. Et si grand-père et moi passions boire un verre, vers six heures? Vous lui manquez plus que je ne saurais le dire.

— Si tu me promets de ne rien lui révéler sur mon… comportement.

— Quel comportement ?

Henry s'approcha.

— Tante Sassie a prévu du jambon, des haricots secs, du chou et du pain de maïs grillé pour le dîner, annonça-t-il. Ça requinquera Mme Mary.

— Parfait, déclara Matt.

Le regard qu'il échangea avec le chauffeur n'échappa toutefois pas à Mary. Les deux hommes n'étaient pas aussi confiants qu'ils voulaient le paraître. Avant de fermer la portière, Matt se pencha vers la vieille dame.

— Nous nous verrons ce soir, madame Mary. D'accord ?

— D'accord, répondit-elle en lui tapotant la main.

Elle trouverait une excuse et enverrait Sassie à Warwick Hall pour décommander. Après ce mois de séparation, Percy aurait un choc. Elle n'était pas en état de le recevoir, car elle avait besoin de toutes ses forces physiques et mentales pour affronter Rachel. Et il lui restait cette tâche à accomplir, dans le grenier…

— Henry, dit-elle en essuyant ses larmes. J'aimerais que vous fassiez quelque chose pour moi en rentrant à la maison.

Le chauffeur lui adressa un regard alarmé dans le rétroviseur.

— Avant le dîner, madame Mary ?

— Oui. Je veux que vous montiez au grenier pour ouvrir la malle de soldat de M. Ollie. Que Sassie prenne la clé du cadenas dans le premier tiroir de mon secrétaire et qu'elle la laisse en haut. Ce ne sera pas long. Ensuite, vous pourrez manger.

— Vous vous sentez bien, madame Mary ? insista le chauffeur.

— Je suis raisonnable, Henry, si c'est ce qui vous inquiète.

— Oui, madame, répondit-il d'un air sceptique.

Lorsqu'ils s'engagèrent dans Houston Avenue, Mary ne pleurait plus. Ils passèrent devant les somptueuses demeures entourées de pelouses impeccables.

— Vous me déposerez devant la maison.

— Devant la maison ? répéta le chauffeur, de plus en plus inquiet. Vous ne voulez pas que j'aille jusqu'à l'entrée de service ?

— Non, Henry. Devant. Inutile de m'aider à descendre. J'y arriverai.

— À votre guise, madame Mary. Pour ce qui est de la malle de M. Ollie, comment la reconnaîtrai-je ?

— C'est la malle kaki qui se trouve contre le mur. Le nom est imprimé dessus. Capitaine Ollie Dumont, US Army. Il suffit d'enlever la poussière. Elle n'a pas été ouverte depuis longtemps. Il vous faudra sans doute un pied-de-biche.

— Très bien, fit Henry en arrêtant la limousine devant les marches de la véranda.

D'un air préoccupé, il regarda la vieille dame monter doucement vers le porche à colonnes blanches. Au milieu de l'escalier, elle lui fit signe de s'éloigner, mais il attendit qu'elle ait atteint le sommet. Quelques instants plus tard, Sassie Deux, ainsi nommée parce qu'elle était la deuxième Sassie de sa famille à servir les Toliver en tant que gouvernante, apparut.

— Madame Mary, qu'est-ce que vous faites là ? demanda-t-elle en émergeant. Vous savez que la chaleur est mauvaise pour vous.

— Cela ne me dérange pas, Sassie, je vous assure.

Mary prit place dans un profond fauteuil blanc de style plantation, l'un des nombreux sièges qui ornaient la véranda.

— J'ai demandé à Henry de me déposer devant parce que je voulais gravir ces marches de nouveau, avoir l'impression d'entrer chez moi par la grande porte. Il y avait si longtemps… Et cela fait des lustres que je ne me suis pas installée ici à contempler le paysage.

— Il n'y a rien à voir, à part la pelouse. Tout le monde est à l'intérieur, au frais. Pas un brin d'herbe n'a changé depuis la dernière fois que vous vous êtes assise sous le porche, madame

Mary. Et vous choisissez mal votre moment. C'est bientôt l'heure du lunch.

— Dîner, Sassie. Dîner. Depuis quand parlons-nous de lunch, nous, les gens du Sud ?

— Depuis aussi longtemps que tout le monde.

— Eh bien, tant pis. Chez nous, il y a le dîner et le souper. Le lunch, c'est pour les autres.

Les mains sur ses larges hanches, Sassie considéra la vieille dame avec indulgence.

— Comme vous voudrez. À propos de votre dîner, dans dix minutes, ça ira, quand Henry descendra du grenier ?

— Ce sera parfait, répondit la vieille dame. Lui avez-vous remis la clé de la malle de M. Ollie ?

— Oui. Pourquoi diable voulez-vous l'ouvrir ?

— J'ai besoin de récupérer quelque chose que je monterai chercher après dîner.

— Henry ne peut donc pas vous le trouver ?

— Non ! s'exclama Mary en agrippant ses accoudoirs.

Sassie afficha soudain un air inquiet.

— Je suis la seule à savoir ce que je cherche, reprit Mary d'un ton plus doux. Je… Je préfère m'en occuper moi-même.

— Très bien, concéda la gouvernante d'un air sceptique. Je vous apporte du thé glacé ?

— Non merci. Ne vous en faites pas pour moi. Je sais que je me comporte un peu bizarrement, aujourd'hui, mais c'est bon de faire ce qu'on veut, parfois.

— Hum, murmura Sassie. Bon, je reviens vous chercher dès que Henry sera redescendu.

Mary perçut l'inquiétude de sa gouvernante et s'en voulut. Henry et elle devaient se dire qu'elle perdait la tête. Une boisson fraîche lui aurait fait le plus grand bien. Elle regretta de ne pas avoir accepté ce thé glacé, mais elle ne voulait pas déranger de nouveau la pauvre femme.

Depuis la véranda des Toliver, elle jouissait d'une excellente vue sur l'avenue. Son arrière-grand-mère y avait veillé. Comme elle aimait cette maison, cette rue… L'esprit du Sud ne s'était pas totalement envolé, même si les écuries avaient fait place à des garages et si des systèmes d'arrosage automatique remplaçaient les jardiniers d'autrefois. Si quelques vieux arbres avaient fini par mourir, le quartier avait conservé son charme d'antan.

Rachel comprendrait-elle un jour combien il coûtait à Mary de la priver de cette demeure ? Ce qu'elle avait ressenti durant les ultimes semaines de sa vie, sachant qu'elle était la dernière Toliver à vivre dans ce lieu érigé par ses ancêtres ? Sans doute pas. Mary lui en demandait beaucoup.

— Madame Mary, vous parlez toute seule, une fois de plus.

— Comment ?

Mary leva les yeux vers sa gouvernante, qui se tenait devant elle.

— Vous parlez toute seule. Et où sont vos perles ? En partant, vous les portiez.

— Oh, je les ai laissées… à Rachel, répondit-elle en portant une main à son cou.

— À Rachel ? Bon, ça suffit ! Vous allez vous mettre à l'abri de la chaleur.

— Sassie !

Tout à coup, l'esprit de Mary s'éclaircit. Les bribes du passé firent place à un présent limpide. Elle était à nouveau elle-même. Personne ne lui dictait sa conduite, même pas Sassie, qui faisait partie de la famille. Mary pointa sa canne vers elle.

— Je rentrerai quand bon me semblera ! Commencez à manger sans moi. Vous me garderez mon assiette au chaud.

— Vous voulez du thé glacé ? demanda la domestique, nullement offusquée par cette rebuffade.

— Pas du thé glacé. Servez-moi plutôt une coupe de champagne. Il y en a une bouteille au réfrigérateur. Dites à Henry de la déboucher. Et puis non ! Apportez-moi la bouteille, dans un seau à glace.

— Du champagne? répéta Sassie, abasourdie. Par une telle chaleur? Madame Mary, vous ne buvez jamais d'alcool.

— Aujourd'hui, si. Allez, filez avant que Henry ne meure de faim. J'entends d'ici son estomac gargouiller.

Sassie s'éloigna en secouant la tête et revint bientôt avec un plateau qu'elle posa bruyamment sur une table, à côté de Mary.

— Cela ira?

— C'est parfait, répondit la vieille dame. Merci, Sassie. (Elle posa sur sa gouvernante un regard plein d'affection.) Vous ai-je déjà dit combien vous comptez, à mes yeux?

— Pas assez, admit Sassie. Vous pouvez dire ce que vous voulez, je viendrai voir si tout va bien de temps en temps, alors prenez garde à ce que vous vous racontez si vous ne voulez pas révéler vos secrets.

— Je ferai très attention, Sassie. Encore une chose: Henry a-t-il réussi à ouvrir la malle de M. Ollie?

— Oui.

— Tant mieux, fit Mary en hochant la tête.

Dès que Sassie eut disparu, elle se servit une flûte de champagne et la porta à ses lèvres. Depuis sa jeunesse, elle n'avait jamais bu plus que quelques gorgées de champagne au Nouvel An. L'alcool avait le pouvoir de la ramener en des temps et des lieux qu'elle avait, toute sa vie durant, cherché à oublier. À présent, elle voulait y retourner, se rappeler. C'était sa dernière chance, et le champagne allait l'aider. Elle sirota doucement en attendant son tapis volant vers le passé. Au bout d'un moment, elle se sentit flotter, et le voyage commença.

L'HISTOIRE DE MARY

5

Howbutker, Texas, juillet 1916

À seize ans, Mary Toliver était assise avec sa mère et son frère dans l'étude d'Emmitt Waithe, dans une atmosphère de recueillement. Il régnait une odeur de cuir, de tabac et de vieux livres qui lui rappelait le bureau de son père, désormais fermé par un ruban noir en signe de deuil. Sentant des larmes lui monter à nouveau aux yeux, elle serra les poings et baissa la tête, le temps de se ressaisir. Aussitôt, Miles posa une main sur la sienne. À côté de lui, vêtue de noir, le visage dissimulé par une voilette, Darla Toliver émit une petite plainte de compassion.

— Bon, dit-elle, agacée, si Emmitt n'arrive pas bientôt, je renvoie Mary à la maison. Pourquoi lui infliger cette épreuve si rapidement après les funérailles de son père ? Emmitt sait combien ils étaient proches. Je me demande ce qui peut le retarder. Pourquoi ne pas révéler à Mary le contenu du testament quand elle ira mieux ?

— Les héritiers doivent assister à l'ouverture, intervint Miles sur le ton un peu docte qu'il avait adopté depuis son entrée à l'université. Voilà pourquoi Emmitt tient à sa présence.

— Allons ! s'exclama Darla, plus acerbe que de coutume. Nous sommes à Howbutker, chéri, pas à Princeton. Mary est mineure, même si elle figure sur le testament de son père. Rien ne l'oblige à se trouver ici.

Mary les écoutait d'une oreille distraite. Depuis le décès, elle s'était repliée sur elle-même, au point que Miles et sa mère parlaient d'elle comme si elle n'était pas là.

Elle ne parvenait toujours pas à croire qu'elle allait se réveiller le lendemain, et le jour suivant, et tous les autres jours, dans un monde privé de son père. Le cancer l'avait emporté avant même qu'elle ait eu le temps de se préparer. La perte de son grand-père, cinq ans plus tôt, l'avait anéantie. Mais grand-papa Thomas avait vécu soixante et onze ans. Son père, lui, n'avait que cinquante et un ans. Il était trop jeune pour perdre tout ce pourquoi il avait tant travaillé... tout ce qu'il aimait. Mary n'avait presque pas dormi de la nuit. Qu'allaient-ils devenir, sans lui ? Qu'adviendrait-il de la plantation ? Miles n'en voulait pas, car son ambition était d'enseigner l'histoire à l'université.

Quant à sa mère, elle n'avait jamais beaucoup apprécié Somerset et ne savait guère gérer une propriété. Tout ce qui intéressait Darla, c'était être l'épouse de Vernon Toliver et la maîtresse de la demeure de Houston Avenue. À la connaissance de Mary, elle ne s'aventurait que rarement en dehors de la ville, là où commençait la plantation qui s'étendait sur des hectares, au bord d'une route qui menait dans le comté voisin. Au-delà, il y avait Dallas, et Houston, des villes où sa mère aimait se rendre en train pour faire des achats et passer la nuit.

Au fil des mois de juin, sa mère n'avait jamais vu les champs parsemés de fleurs de coton, qui allaient du blanc crème au rouge doux. Mary, elle, ne manquait ce spectacle pour rien au monde. À cette époque seulement, elle pouvait admirer le ballet des fleurs qui se muaient peu à peu en petites balles. En août, çà et là sur cet océan vert, on apercevait une tache claire. Ah, voir la blancheur se répandre ! Partir à cheval, comme elle le faisait souvent avec son père et grand-papa Thomas, dans cette immensité blanche, et savoir que tout appartenait à la famille Toliver !

Aux yeux de Mary, il n'existait pas de plus grande joie ou de plus intense fierté. Et voilà que pointait la perspective terrifiante de voir tout cela disparaître. Avant l'aube, une pensée foudroyante frappa la jeune fille. Et si sa mère vendait la plantation ? En tant que nouvelle maîtresse de Somerset, elle serait libre d'en disposer à sa guise.

La porte s'ouvrit enfin. Emmitt Waithe, notaire de longue date des Toliver, fit son entrée en s'excusant platement. Mary perçut quelque chose d'étrange dans son attitude, qui n'avait rien à voir avec son retard. Était-ce par considération pour leur chagrin ? Il semblait incapable de croiser leur regard et anormalement agité. De plus, il se préoccupait un peu trop de leur confort. Souhaitaient-ils une tasse de thé ? De café ? Sa secrétaire pouvait se rendre à l'épicerie du coin pour acheter un soda à Mary...

— Emmitt, je vous en prie, le coupa Darla. La seule chose dont nous ayons besoin, c'est que vous soyez bref. Nous sommes tous à bout, et je vous demande... Eh bien, finissons-en au plus vite, si vous me passez l'expression.

Le notaire s'éclaircit la voix et posa sur Darla un regard indéchiffrable, puis il commença.

D'abord, il sortit une feuille d'une enveloppe posée sur un document officiel qu'il avait apporté.

— Voici... une lettre de Vernon, écrite peu avant sa mort. Il voulait que je vous la lise avant de procéder à l'ouverture du testament.

Derrière sa voilette, Darla avait les yeux embués de larmes.

— Bien sûr, dit-elle en prenant la main de son fils tandis que le notaire commençait la lecture.

Ma chère femme, mes chers enfants,

Bien que je ne me sois jamais considéré comme un lâche, je me sens incapable de vous informer de vive voix des termes de mon testament. Je tiens à vous assurer que je vous aime de tout mon cœur et que je regrette profondément que les circonstances ne me permettent pas de distribuer plus généreusement mes biens. Darla, ma chère épouse, je te demande de comprendre pourquoi j'agis de la sorte. Miles, mon fils, je ne puis espérer que tu comprennes mais, un jour peut-être, ton fils comprendra. Il sera reconnaissant de l'héritage que je te confie et que, j'en suis certain, tu conserveras intact pour lui.

Mary, je me demande si, en pensant à toi, je n'ai pas prolongé la malédiction qui frappe les Toliver depuis que le premier pin a été abattu à Somerset. Je te confie des responsabilités nombreuses et importantes qui, je l'espère, ne constitueront pas des entraves à ton bonheur.

Votre époux et père aimant,

Vernon Toliver

— C'est étrange, commenta Darla tandis que le notaire repliait la lettre en silence. Que voulait-il dire par « distribuer plus généreusement mes biens » ?

— Nous n'allons pas tarder à le savoir, déclara Miles, la mine grave.

Mary demeurait immobile. Qu'entendait son père par « des responsabilités nombreuses et importantes » ? Avaient-elles un rapport avec ses ultimes paroles qu'elle avait interprétées comme le délire d'un mourant ? *Quoi que tu fasses, quoi qu'il en coûte, tu dois récupérer les terres, Mary*, avait-il murmuré à son oreille.

— J'ai reçu l'instruction d'évoquer une autre question avant de passer au testament, déclara le notaire en prenant un nouveau document, qu'il tendit à Miles. Il s'agit d'une hypothèque. Avant d'apprendre qu'il était condamné par la maladie, Vernon a emprunté de l'argent à la Banque de Boston en hypothéquant Somerset. La somme a servi à régler une série de dettes liées à la plantation, ainsi qu'à l'achat de terres pour la culture du coton.

Miles parcourut le document puis releva la tête.

— Ai-je bien lu ? Dix pour cent d'intérêt pendant dix ans ? C'est du vol !

— Redescendez sur terre, Miles ! répliqua Emmitt en levant les mains au ciel. Dans la région, les fermiers paient le double pour avoir le privilège de s'endetter auprès des grandes banques commerciales de l'Est. S'il avait emprunté sur la récolte, le taux aurait été bien plus élevé. En hypothéquant les terres, l'emprunt était moins coûteux.

Affligée, Mary ne dit rien. Les terres hypothéquées ? Elles n'appartenaient donc plus aux Toliver. Elle comprenait à présent la supplique de son père… et son désespoir. Mais pourquoi s'adressait-il à elle ?

— Et si la récolte est mauvaise ? s'enquit Miles d'un ton brusque. Certes, le prix du coton est élevé, mais si nous faisions une mauvaise récolte ? Risquons-nous de perdre la plantation ?

Emmitt haussa les épaules. Mary observa tour à tour la mine grave du notaire et les joues rouges de colère de son frère. Enfin, elle s'exprima :

— La récolte sera bonne ! s'écria-t-elle, au bord de l'hystérie. Et nous ne perdrons pas la plantation ! N'y songe même pas, Miles !

Celui-ci frappa son accoudoir d'un poing rageur.

— Nom de Dieu ! À quoi pensait donc papa en achetant d'autres terres tout en mettant celles que nous possédions déjà en péril ? Pourquoi nous avoir endettés davantage en achetant ces machines dont il croyait avoir besoin tout de suite ? Moi qui le prenais pour un homme d'affaires avisé…

— Si tu t'étais intéressé de plus près à ses affaires, tu saurais ce qu'il comptait faire, protesta Mary pour défendre son père. Tu es injuste de lui reprocher des décisions alors que tu n'as jamais proposé de l'aider.

Miles parut intrigué par cet éclat. Ils se disputaient rarement, malgré leurs nombreuses différences. Miles était un idéaliste, attiré par le marxisme qui voulait abolir la propriété privée et les privilèges d'une classe dirigeante pour les répartir plus équitablement. Il détestait le principe du métayage qui dominait dans les régions de culture du coton et qui, selon lui, maintenait le métayer dans la pauvreté et la dépendance envers le propriétaire. Son père réprouvait cette vision avec véhémence. Il considérait que le système des planteurs, quand il était géré avec justice, laissait le métayer libre de devenir son propre maître. Mary soutenait son père.

— Miles ne pouvait connaître les décisions de papa, Mary, cela fait quatre ans qu'il est parti faire ses études, déclara Darla derrière sa voilette, d'un ton teinté de réprobation. Ce qui est fait est fait. En cas de besoin, nous n'aurons qu'à vendre une parcelle de Somerset. S'il avait su qu'il était condamné, votre père n'aurait jamais acheté ces terres. De là où il est, il comprendra certainement pourquoi je dois réparer des dégâts qu'il n'a jamais eu l'intention de provoquer. N'est-ce pas, Emmitt ? À présent, veuillez lire le testament. Mary ne se sent pas bien. Nous devons la ramener à la maison.

Le notaire lança un nouveau regard énigmatique à Darla, puis il commença sa lecture. Quand il eut terminé, ses clients demeurèrent muets, incapables de prononcer un mot.

— Je… Je n'arrive pas à y croire, murmura enfin Darla, les yeux pétillants de colère. Vous voulez dire que Vernon lègue toute la plantation à… à Mary, à part une étroite bande de terre, au bord de la Sabine ? C'est tout ce que notre fils reçoit de son père ? Et elle hérite aussi de la maison ? Quant à moi, il ne me revient que le peu d'argent qui se trouve en banque ? Il ne doit pas rester grand-chose, puisque Vernon devait rembourser l'hypothèque…

— Apparemment, répondit le notaire en consultant un registre. Toutefois, comprenez bien que vous avez légalement le droit de vivre dans la maison et de toucher vingt pour cent des profits issus des terres jusqu'à votre remariage ou la fin de vos jours. Vernon le spécifie dans son testament.

— C'est… généreux de sa part, commenta-t-elle, les lèvres pincées.

Mary demeurait bien droite, les mains crispées, espérant ne rien trahir de son soulagement, de la joie intense qui envahissait son cœur, malgré le deuil. La plantation lui appartenait ! Devinant que Darla la vendrait, Vernon avait préféré la confier à la seule Toliver qui ne l'abandonnerait jamais. Peu lui importait que le testament accorde à Miles la gérance de Somerset jusqu'à ce qu'elle atteigne l'âge de vingt et un ans. Pour garantir les vingt pour cent de sa mère, il prendrait soin de ne pas intervenir dans la gestion impressionnante du domaine et la priorité que constituait l'hypothèque.

Miles arpentait nerveusement la pièce, comme toujours, lorsqu'il était agité.

— Vous êtes en train de dire… (exaspéré, il se tourna vers le notaire) que les revenus de ma mère, jusqu'à la fin de ses jours, dépendent des résultats de la plantation, et qu'on la prive même de la propriété de sa maison ?

Emmitt remua quelques feuilles de papier, évitant son regard.

— Confier la maison à Mary garantit à votre mère qu'elle aura un toit sur la tête. Il est fréquent, dans de telles circonstances, qu'une maison soit vendue de façon hasardeuse et que l'argent de cette vente soit dilapidé. Permettez-moi de vous rappeler que ces vingt pour cent des bénéfices ne sont pas négligeables. Le prix du coton est élevé en ce moment, surtout si les États-Unis entrent en guerre, car Somerset en tirerait d'énormes revenus. Votre mère vivra confortablement.

— En dépensant moins, et si la récolte ne chute pas, maugréa Darla.

Emmitt rougit et observa Miles par-dessus ses lunettes.

— Dans votre intérêt, il vaut mieux que votre fils l'évite.

Le notaire réfléchit un instant, comme s'il hésitait, puis il décida de parler. Il posa sa plume et se pencha en arrière.

— En fait, Vernon considérait qu'il n'avait pas d'autre solution que de rédiger ainsi son testament.

— Ah oui ? Et pourquoi ? s'enquit Miles d'un ton chargé de mépris.

Emmitt regarda Darla.

— Il avait peur que vous ne vendiez la plantation, ma chère, comme vous venez de le proposer. Vous pourrez profiter des bénéfices de Somerset, ce qui aurait été le cas si Vernon était resté en vie, de toute façon, et la maison et la plantation resteront dans la famille Toliver.

— Sauf que j'étais entretenue par mon mari. Désormais, je serai dépendante de ma fille, souffla Darla d'une voix à peine audible.

— De plus, il contrarie mes projets pour les années à venir, renchérit Miles, fulminant.

Darla posa les mains sur ses genoux.

— Si je comprends bien, les circonstances auxquelles mon mari fait référence dans sa lettre tiennent à sa crainte de me voir vendre la plantation ou mal la gérer ? Ce sont là les raisons qui l'ont empêché de… « distribuer plus généreusement » ses biens ?

— Je pense que vous avez parfaitement saisi les motivations de votre mari, Darla, répondit le notaire d'un ton conciliant. Vernon trouvait que Mary était la Toliver la plus à même de diriger la plantation, plus tard. Elle semble avoir hérité de son sens des affaires et elle est d'une loyauté sans faille envers Somerset. Selon lui, elle saura faire en sorte que l'entreprise profite à tout le monde et à la génération à venir, dont à vos enfants, Miles.

Miles esquissa une moue de dégoût et vint se placer derrière sa mère. Il posa une main pleine de compassion sur son épaule.

— Je vois…

La voix de Darla n'exprimait aucune émotion. Elle retroussa doucement sa voilette et la glissa sous les plumes noires de son grand chapeau. C'était une très belle femme au teint d'albâtre et aux grands yeux pétillants. Son fils avait hérité de ses prunelles ambre, de ses cheveux auburn et de son petit nez mutin. Mary, en revanche, avait les traits caractéristiques des

Toliver depuis l'arrivée des premiers Lancaster d'Angleterre. Elle ne pouvait être que la fille de Vernon Toliver.

Inquiète, elle vit sa mère se lever, froide et distante dans sa tenue de deuil. Le fait qu'elle ait ôté sa voilette était inquiétant, de même que l'étrange lueur de son regard. Les derniers vestiges de son chagrin s'étaient envolés. Mary et Emmitt se levèrent à leur tour.

— J'ai encore une question à vous poser, Emmitt, puisque vous connaissez si bien votre métier…

— Bien sûr, ma chère, je vous écoute, répondit le notaire en s'inclinant légèrement.

— Les termes de ce testament… seront-ils rendus publics?

Emmitt pinça les lèvres.

— Un testament est un document public, expliqua-t-il à contrecœur. Une fois validé, il devient consultable par tout le monde, notamment les créanciers. De plus… (Le notaire se racla la gorge, visiblement mal à l'aise.) Les testaments en cours de validation sont cités dans les journaux au cas où quelqu'un aurait une requête à formuler.

— Ce qui exclut les membres de la famille, maugréa Miles.

— Ainsi, quiconque est curieux de connaître ses dispositions pourra savoir? insista Darla.

Emmitt se contenta d'un hochement de tête. Darla semblait atterrée.

— Maudit soit-il! lança Miles en repoussant violemment la chaise de sa mère.

— Euh… j'ai fait une autre promesse à Vernon, Darla, reprit le notaire.

Il ouvrit un placard derrière lui, et en sortit un vase contenant une rose rouge.

— Votre mari voulait que je vous remette ceci après la lecture du testament. Vous pouvez garder le vase.

Sous les yeux de ses enfants, Darla prit le délicat objet dans sa main gantée, puis elle le posa sur le bureau et en sortit la rose.

— Gardez votre vase, dit-elle avec un sourire si étrange que tous eurent un mouvement de recul. Venez, les enfants.

En quittant le bureau, Darla Toliver jeta la rose rouge dans une corbeille à papier, près de la porte.

6

Durant le trajet de retour, ils regardèrent défiler le paysage dans un silence pesant, la mine sombre. Si Mary ressentait la même impression de vide que lors des funérailles de Vernon, une menace invisible planait cette fois dans le véhicule. Allait-elle se brouiller avec les siens, désormais privés du souvenir d'un mari et d'un père aimant ?

La jeune fille observa sa mère. Comme tous les Toliver, elle connaissait la légende des roses et comprenait la signification de celle que le notaire avait remise à Darla. Loin de pardonner, celle-ci l'avait jetée à la corbeille… Sa mine pâle et son air tendu suggéraient qu'elle en voudrait à jamais à son mari.

Or, qu'avait-il fait, à part veiller à ce que la plantation et la maison restent entre les mains des Toliver ? Si elle avait hérité, Darla aurait tout vendu aux premières difficultés financières ou dès qu'elle se serait remariée. Si Vernon avait légué le domaine à Miles, Mary aurait été lésée. À travers sa fille, il assurait un patrimoine à ses futurs petits-enfants.

Pourquoi étaient-ils aussi contrariés ? Miles ne voulait-il pas devenir enseignant ? Mary ne perdrait pas son temps en attendant sa majorité. Elle apprendrait à gérer une plantation auprès de Len Deeter. Excellent régisseur, honnête et travailleur, très respecté des métayers, il compléterait la formation qu'elle avait reçue de son père et de son grand-père. Deux ans devraient suffire. Miles n'aurait pas à attendre les vingt et un ans de sa sœur pour partir de son côté et vivre sa vie. Elle lui enverrait les documents à signer par courrier. Alors, elle serait à la tête de Somerset…

En fin d'après-midi, Mary décida de justifier le choix de son père en présentant ces arguments à sa mère. Darla était dans sa chambre, prostrée dans son fauteuil. Elle avait défait son chignon et ses cheveux auburn tombaient en cascade sur ses épaules. Par la fenêtre filtrait la lueur blafarde des derniers rayons de soleil. Fallait-il voir un mauvais présage dans le fait que sa mère avait déjà abandonné sa robe de deuil? Ou l'expression d'un rejet? Les fleurs que sa mère avait fait monter du salon avaient disparu. Plus tôt, Mary avait croisé Sassie les bras chargés de bouquets.

— Qu'est-ce que vous faites? lui avait-elle demandé, étonnée.

— D'après vous? avait répondu la gouvernante, la mine sombre. J'ai l'impression que plus rien ne sera jamais comme avant, dans cette maison…

La jeune fille partageait cette crainte. Darla semblait tellement distante… Elle n'était plus qu'une étrangère inaccessible aux traits tirés, vidée de toute énergie.

— Tu me demandes ce que ton père aurait pu faire? Je vais te le dire: il aurait pu m'aimer plus que ses terres. Voilà ce qu'il aurait pu faire!

— Mais, maman, tu les aurais vendues!

— Il aurait au moins pu répartir ses biens équitablement entre ses deux enfants, poursuivit Darla, les yeux fermés, comme si Mary n'avait pas parlé. Cette bande de terre dont hérite Miles ne vaut rien. Elle est inondée chaque printemps à cause des pluies.

— Elle fait partie de Somerset, maman. Et tu sais très bien que Miles n'a que faire de la plantation.

— Et puis, reprit Darla sur le même ton morne, il aurait pu tenir compte de mes sentiments. Que vont penser nos amis en apprenant que mon sort dépend désormais de ma fille?

— Maman…

— L'amour de ton père m'était précieux, Mary. J'étais fière d'être son épouse, d'avoir été choisie parmi toutes ses prétendantes, certaines plus jolies que moi…

— Il n'y en a pas de plus belle que toi, murmura la jeune fille en ravalant son chagrin.

— Grâce à son amour, j'avais une vie, un statut. J'ai l'impression que tout cela n'était qu'une mascarade. En mourant, il m'a tout repris. Je croyais compter pour lui…

— Mais, maman…

Les mots lui manquèrent. Au plus profond de son cœur de seize ans, elle savait que sa mère avait raison. La sauvegarde de la plantation l'avait emporté sur l'honneur et le bien-être de sa femme. Vernon la laissait pratiquement sans un sou, à la charge de ses enfants et humiliée face aux notables de la ville.

Mary comprenait que sa mère se sente brisée, anéantie, privée des beaux souvenirs qui auraient pu la réconforter. Laissant libre cours à ses émotions, elle s'agenouilla près d'elle et posa la tête sur son épaule, inondant son peignoir de larmes.

— Papa ne voulait pas te faire du mal, j'en suis certaine!

Toutefois, elle se réjouissait intérieurement que Somerset lui revienne. Quoi qu'il lui en coûte, elle n'abandonnerait jamais le domaine. Jamais! Elle trouverait un moyen de consoler sa mère, elle travaillerait dur pour que Somerset lui procure le luxe qu'elle aimait tant. La plantation prendrait de l'ampleur, le nom des Toliver serait si illustre que nul ne se permettrait la moindre remarque désobligeante sur Darla. Avec le temps, les gens oublieraient la trahison de Vernon et trouveraient sa décision avisée. Vénérée par ses enfants et petits-enfants, Darla ne souffrirait plus.

— Maman?

— Je suis là, Mary.

La jeune fille sut d'instinct qu'elle ne serait plus jamais la mère qu'ils avaient connue. Mary aurait tout donné pour la voir belle et forte dans le deuil… tout sauf Somerset… car telle était la limite de son amour. Elle eut alors le sentiment terrible d'avoir perdu sa mère et ressentit une souffrance aussi intense que lorsque son père avait lâché sa main pour toujours.

— Maman! Maman! Ne nous abandonne pas! sanglota-t-elle, prise de panique, agrippée à la silhouette apathique.

Dans la soirée, terrée dans la pénombre du salon, Mary sentit qu'on l'observait depuis le seuil. Percy Warwick ne masquait pas sa réprobation. Miles avait dû lui parler du testament, ainsi qu'à Ollie, et ses deux amis s'étaient ralliés à lui.

Depuis leur plus tendre enfance, Miles Toliver, Percy Warwick et Ollie Dumont étaient aussi inséparables que leurs pères et leurs grands-pères avant eux. Ils n'avaient pourtant pas grand-chose en commun: petit, jovial et trapu, Ollie était un éternel optimiste. Miles était élancé, cérébral, enclin à adopter toutes les grandes causes. Quant à Percy, le plus séduisant, il se montrait prudent, raisonnable… Un Apollon bienveillant. En les observant, au cimetière, Mary les avait enviés. Une telle amitié devait être d'un grand réconfort dans les moments difficiles… Pour sa part, elle n'avait été proche que de son père et de son grand-père.

— Je peux entrer? s'enquit Percy d'une voix grave et vibrante.

— Tout dépend de ce que tu as à me dire.

Il esquissa un sourire amusé. Entre eux, la moindre conversation se transformait en une joute verbale. C'était ainsi depuis quelques années, quand les garçons revenaient de Princeton pour les vacances. Comme Miles et Ollie, Percy avait passé son diplôme en juin avant d'intégrer l'entreprise de bois de son père.

— Tu démarres toujours au quart de tour, commenta-t-il en riant. Je suppose que tu ne veux pas allumer la lampe?

— Tu supposes bien.

Toujours aussi beau, songea-t-elle malgré elle. La nuit tombante rehaussait son teint hâlé et le soyeux de ses cheveux blonds.

À en juger par son corps svelte et ferme, il avait travaillé dehors tout l'été avec ses bûcherons. Les prétendantes ne manquaient pas, sur la côte est. Elle avait entendu Miles et Ollie se gausser de ses conquêtes... Des filles de bonne famille, sages et jolies.

Elle appuya la tête sur le dossier de son siège et referma les yeux.

— Miles est rentré ? demanda-t-elle d'une voix lasse.

— Oui. Il est monté voir ta mère avec Ollie.

— Il t'a sans doute parlé du testament. Naturellement, tu n'es pas d'accord...

— Naturellement ! Ton père aurait dû léguer la plantation et la maison à ta mère.

Furieuse, Mary redressa la tête. Percy avait pourtant la réputation de ne jamais porter de jugement et de ne pas se mêler des affaires des autres.

— De quel droit me dis-tu ce que mon père aurait dû faire ?

Debout près d'elle, les mains dans les poches, il l'observait d'un air grave, le visage plongé dans l'ombre.

— Du droit de quelqu'un qui vous aime beaucoup, ton frère, ta mère et toi.

La colère de la jeune fille s'envola aussitôt. Émue aux larmes, elle détourna la tête.

— Dans ce cas, épargne-nous ton opinion, Percy. Mon père savait ce qu'il faisait. Affirmer le contraire ne fait qu'empirer la situation...

— Cherches-tu à défendre ton père ou bien te sens-tu coupable d'avoir été privilégiée ?

Mary hésita. Si seulement elle avait pu lui confier ses véritables sentiments ! Mais elle redoutait qu'il ne la juge encore plus sévèrement...

— Qu'en pense mon frère ? demanda-t-elle, éludant sa question.

— D'après lui, tu es ravie d'avoir Somerset.

Voilà qui est clair, songea amèrement la jeune fille. Elle avait pourtant tout fait pour ne pas trahir sa joie. Hélas, son frère et sa mère n'étaient pas dupes. Ils devaient la détester... Bouleversée, elle se leva d'un bond et se dirigea vers la fenêtre. La lune pâle et argentée luisait dans le ciel nocturne.

— Gitane..., l'entendit-elle murmurer.

En un éclair, il la rejoignit et la prit dans ses bras. Elle se mit à sangloter sur son épaule.

— Miles m... m'en veut... des termes de ce testament... n'est-ce pas? Maman... aus... aussi. Je les ai perdus, Percy. Co... comme j'ai perdu papa...

— Ils sont sous le choc, répondit-il en lui caressant les cheveux. Ta mère se sent trahie. Quant à Miles, il est en colère pour elle, et non pour lui-même.

— Mais... Je n'y suis pour rien si papa m'a tout légué! Je n'y peux rien si j'aime la plantation, pas plus que maman et Miles ne sont à blâmer s'ils ne l'aiment pas.

— Je sais, souffla-t-il, compréhensif. Cependant, tu peux modifier le cours des choses.

— Comment? l'interrogea-t-elle en levant la tête vers lui, prête à entendre sa proposition.

— Quand tu auras vingt et un ans, tu n'auras qu'à vendre Somerset et à partager l'argent avec eux.

Abasourdie, Mary le repoussa violemment.

— Vendre Somerset? répéta-t-elle en le fixant d'un air incrédule. Tu me suggères de vendre Somerset pour consoler Miles et ma mère?

— Je te suggère de le faire pour garder de bonnes relations avec eux.

— Je dois donc acheter leur affection?

— Tu déformes tout, Mary! Pour apaiser ta conscience, sans doute. Ou alors tu es tellement obsédée par Somerset que tu ne comprends même pas la véritable raison de leur chagrin.

— Si, je la comprends! s'exclama la jeune fille. Je sais ce qu'ils ressentent. Il n'empêche que mon devoir est de respecter les volontés de mon père.

— Il ne t'a pas interdit de vendre la plantation à ta majorité.

— Me l'aurait-il léguée s'il avait pensé que je la vendrais?

— Quand tu seras en âge de te marier, que se passera-t-il si ton mari ne souhaite pas partager sa femme avec une plantation?

— Jamais je n'épouserai un homme qui n'accepte pas mon attachement à Somerset.

Percy se garda de tout commentaire. Le ruban que Mary portait dans les cheveux était tombé à terre. Il le ramassa et le posa sur l'épaule de la jeune fille.

— Qu'en sais-tu? Tu ne connais rien d'autre que Howbutker. Cette plantation est ton unique objet d'intérêt. Tu as un horizon très limité, Mary.

— Mon existence me convient parfaitement.

— Tu n'as pas le moindre point de comparaison!

— Je n'en recherche pas.

Ils entendirent Miles et Ollie descendre les marches. Bizarrement, Mary regretta cette interruption, car les bras consolateurs de Percy lui manquaient déjà. Jamais ils n'avaient été aussi proches l'un de l'autre. Elle ignorait jusqu'alors qu'il avait une tache de rousseur sous l'œil gauche et n'avait jamais remarqué que ses pupilles étaient ourlées d'argent.

— Tu m'as toujours réprouvée, n'est-ce pas? questionna-t-elle malgré elle.

— Réprouver n'est pas le terme, répondit-il, un peu étonné.

— Disons que tu ne m'as jamais appréciée.

Le souffle court, elle attendit qu'il confirme ses propos.

— Ce n'est pas cela non plus...

— Alors de quoi s'agit-il? demanda-t-elle, les joues empourprées, déterminée à savoir ce qu'il pensait d'elle.

Ensuite, il pourrait aller au diable et elle ne se poserait plus de questions. Avant qu'il puisse lui répondre, Miles entra dans la pièce, Ollie sur les talons.

— Ah, te voilà ! lança son frère.

L'espace d'une seconde, elle eut le fol espoir que c'était elle que Miles cherchait. Hélas, c'était Percy. Ignorant sa sœur, il s'adressa à son ami :

— Je me demandais si tu étais parti. Tu restes souper ? Il y a tout ce qu'il faut, mais Sassie veut savoir combien nous serons.

— Moi, je ne reste pas, annonça Ollie en regardant Mary comme s'il le regrettait.

Il lui adressa un sourire plein d'affection, qu'elle lui rendit.

— Moi non plus, hélas, renchérit Percy. Nous avons des invités et ma mère veut que je joue les maîtres de maison.

— Qui est-ce ? s'enquit Miles.

— La fille d'une amie de pensionnat de ma mère, et son père. Cette jeune fille voudrait intégrer à son tour Bellington Hall, cet automne. Sa mère est morte et ils viennent discuter de cette école.

— Du moins est-ce le prétexte que donne son père pour l'amener chez toi, intervint Ollie en adressant un clin d'œil entendu à Miles.

— Il semble en effet avoir une idée derrière la tête. Ma mère pense qu'il s'agit d'un traquenard, admit Percy. Mais toutes les mères ne sont-elles pas persuadées que les jeunes filles à marier ont des vues sur leur garçon ?

Mary ressentit un soupçon de jalousie à l'idée que cette inconnue retienne l'attention de Percy durant le souper.

Elle se tourna vers Ollie et posa une main sur son bras.

— Ollie, tu es certain de ne pas vouloir rester ? Un peu de compagnie nous remonterait le moral.

— J'aimerais beaucoup, Mary, mais je dois aider mon père à faire l'inventaire d'été, au magasin. Demain peut-être, si l'invitation tient toujours…

— Pour toi, elle est toujours valable.

— Nous reprendrons cette conversation une autre fois, gitane, déclara alors Percy avec un sourire, nullement offusqué.

— Si ça ne m'est pas sorti de la tête, répliqua Mary, qui détestait ce surnom.

— Tu n'oublieras pas.

— À propos de cette invitée... Quel est son nom ? Et comment est-elle ? s'enquit Miles en emboîtant le pas à ses amis.

— Lucy Gentry. Plutôt jolie... Mais je n'aime pas beaucoup son père, répondit Percy.

Mary n'entendit pas la suite. Depuis la fenêtre, elle regarda les garçons descendre l'allée vers leurs automobiles flambant neuves, cadeaux de leurs pères. En juin, Miles avait été déçu de ne pas en trouver une. Il fallait encore convertir les écuries en garage, car les Toliver ne possédaient pas de véhicule automobile. Mary comprenait désormais pourquoi son frère avait dû se contenter d'une série d'encyclopédies destinées à sa future carrière de professeur d'histoire.

Une étrange tristesse l'envahit. Si seulement Percy et elle avaient pu terminer leur conversation... Percy aurait sans doute tout oublié dès qu'il aurait franchi la grille. Elle ne saurait jamais ce qu'il ressentait pour elle. Toutefois, elle le devinait sans peine : il éprouvait de la pitié parce qu'elle était attachée à son héritage. Pourquoi Percy se montrait-il aussi léger avec le sien ? Il était le seul héritier de sa famille. S'il était détendu et enjoué, Ollie prenait ses responsabilités bien plus au sérieux. Ce qui agaçait surtout la jeune fille, c'était le dédain de Percy pour son amour de Somerset, car il ne ressentait pas la même passion pour l'entreprise Warwick.

Voilà ce qu'il se produisait quand on ne respectait pas ses racines... Si les Warwick et les Toliver étaient arrivés au Texas en tant que planteurs, la famille de Percy s'était convertie au bois alors que les Toliver étaient restés fidèles à leur vocation.

Percy considérait sa société comme un gagne-pain alors que, pour elle, Somerset était toute sa vie.

Plus déterminée que jamais, elle gagna la salle à manger. Son frère était déjà attablé à sa place habituelle. Dans la lueur dorée des lampes à pétrole, ils soupèrent en silence. Leurs parents brillaient par leur absence. Qui diable était cette Lucy Gentry ? se demandait Mary. Et avait-elle vraiment des vues sur Percy, comme le soupçonnait la mère de ce dernier ?

7

— Mary, viens dans mon bureau, veux-tu, j'ai à te parler, déclara Miles, sur le seuil de la cuisine.

La jeune fille, qui éboutait des haricots, s'interrompit.

— Bien sûr, répondit-elle, à la fois étonnée et alarmée par son ton brusque.

Sassie et elle échangèrent un regard intrigué. Ces derniers temps, il n'était plus le frère gentil et taquin d'autrefois et la gouvernante ne se gênait pas pour dénoncer ouvertement son attitude honteuse.

Mary le suivit donc vers la pièce attenante à la bibliothèque. « Son bureau », désormais, et non plus « le bureau de papa ». Ce n'était pas le seul détail inquiétant. Les registres de Somerset sous le bras, il se livrait à de mystérieuses allées et venues. Mary aurait aimé les consulter, mais le moment était mal choisi pour revendiquer son droit de propriété. Miles était-il en train de mettre en œuvre une de ces théories utopistes qui lui valaient les foudres de leur père ?

Pour Vernon Toliver, un propriétaire terrien devait exercer un contrôle strict sur son domaine. Il ne voyait rien de mal à louer des terres à un paysan n'ayant pas les moyens d'en posséder en échange d'une partie des récoltes, système que son fils jugeait despotique et inhumain. S'il ne se sentait pas responsable des méfaits des autres planteurs, Vernon s'efforçait de montrer l'exemple. Les métayers de Somerset n'étaient-ils pas les mieux habillés, les mieux nourris et les mieux logés du Texas ?

Pour Miles, ils demeuraient des serfs à la solde d'un seigneur. Il rêvait d'une loi qui leur permette de racheter les terres qu'ils cultivaient.

Et si Miles cherchait à démontrer qu'une plus grande souplesse était bénéfique pour tous ? La récolte était prévue dans moins d'un mois, et chaque sou gagné servirait à racheter l'hypothèque. Mary aurait aimé s'entretenir avec Len, le régisseur, mais son frère prenait la voiture attelée tous les jours, ne laissant aux écuries qu'une vieille jument peu adaptée pour sillonner la plantation. La jeune fille brûlait aussi de se familiariser avec les méthodes de gestion de son père. Hélas, les registres se trouvaient soit entre les mains de son frère, soit dans un tiroir du bureau dont Miles détenait la seule clé.

Mary commençait à voir en lui un obstacle à la réalisation de ses rêves, et surtout des dernières volontés de son père. Deux camps s'étaient formés chez les Toliver, et seule Sassie s'était ralliée à elle. Les domestiques, sa mère et tous leurs amis, à part Ollie qui restait neutre, soutenaient Miles. La jeune fille en venait presque à espérer que quelque incident contraigne son frère à lui céder les rênes de la plantation. Pourvu qu'il se lasse de ses nouvelles fonctions et se rende compte qu'il n'était pas taillé pour être planteur !

— C'est à propos de maman ? s'enquit-elle.

Elle s'assit devant l'imposant bureau en pin que Robert Warwick avait offert à James Toliver en 1865.

— C'est à propos de toi, répliqua Miles du ton pédant qu'il avait adopté depuis qu'il était maître à bord.

Les coudes sur le bureau, ses longs doigts croisés, droit comme un I, il affichait un air grave.

— Mary, comme tu le sais, nous traversons tous une période difficile.

Elle opina de la tête, attristée par le gouffre qui se creusait entre eux.

— Ce deuil qui devrait nous rassembler nous a divisés. Le testament de papa nous lèse, maman et moi. Nous sommes amers, trahis. Maman est humiliée. Je sais, notre rancœur te donne l'impression que tu es coupable, et je le regrette sincèrement, mais je ne peux m'empêcher de penser que tu es en partie responsable des termes de ce testament.

— Miles…

Il la fit taire d'un geste.

— Laisse-moi finir ! Ensuite, tu pourras t'exprimer. Dieu sait si je ne voulais pas de cette plantation, mais elle aurait dû revenir à notre mère, avec le droit de la vendre ou de la conserver. C'est elle qui aurait dû avoir la priorité dans le cœur de papa, et non Somerset ou toi. Sans compter que tu sembles ravie de la décision de papa…

— Seulement parce que je vais pouvoir m'occuper de notre patrimoine ! répondit Mary. Je prendrai soin de maman. Elle ne manquera jamais de rien.

— Pour l'amour du ciel, elle ne veut pas de ta charité ! Tu ne le comprends donc pas ? Mets-toi à sa place. Que ressentirais-tu si ton mari privilégiait ta fille en te laissant à sa merci ?

— Je ne reprocherais pas à ma fille une décision de mon mari ! s'exclama-t-elle.

Désormais, sa mère se détournait chaque fois qu'elle entrait dans sa chambre.

— Je comprends ce que tu ressens, concéda Miles, et j'en suis vraiment désolé.

— Au cours du mois qui vient de s'écouler, j'aurais aimé un peu d'affection maternelle et fraternelle, Miles. Papa me manque terriblement…

— Je sais, dit-il d'une voix plus douce. Mais ce n'est pas pour cela que j'ai demandé à te parler. Je veux que tu m'écoutes jusqu'au bout avant de monter sur tes grands chevaux et de m'envoyer au diable. C'est compris ?

Le regard dur de Miles lui signifiait qu'il était responsable de Somerset pendant encore cinq ans et qu'elle et la plantation dépendaient de lui. Elle hocha donc la tête. Miles s'installa plus confortablement et prit une pose un peu docte.

— Il faut que tu t'éloignes de maman pendant quelque temps. Je vais t'envoyer au collège. Il y a à Atlanta un excellent pensionnat qui te conviendra à merveille. J'ai de quoi payer une année de scolarité avec l'argent qu'il me reste de grand-père Thomas.

Abasourdie, Mary le fixa d'un air incrédule. Il comptait l'envoyer dans cet établissement que la mère de Percy avait fréquenté… loin de la plantation…

— Il s'agit de Bellington Hall, poursuivit Miles, indifférent à sa détresse. Rappelle-toi, Percy en a parlé à propos de Lucy Gentry, son invitée. Soit dit en passant, tu aurais dû en profiter pour la rencontrer, car tu vas partager sa chambre. Tu partiras dans trois semaines. Je vais dire à Sassie de préparer tes affaires.

Enfin, la jeune fille se ressaisit:

— Miles, je t'en prie, ne me chasse pas! s'écria-t-elle. Je dois rester pour aider Len. Plus vite j'apprendrai, mieux cela vaudra. Loin de Howbutker, je ne pourrai rien faire. Maman et moi surmonterons nos différends.

— La seule solution est de me laisser vendre la plantation. (En voyant la jeune fille crisper les mains sur ses accoudoirs, Miles brandit un index menaçant.) Tu es mineure, donc incapable de vendre ou d'acheter. En tant que tuteur, j'ai ce pouvoir. Naturellement, je ne ferai rien contre ta volonté.

Mary se leva d'un bond, le cœur battant à tout rompre.

— Il est hors de question que j'accepte!

— J'en suis conscient, petite sœur. Tu iras donc à Bellington Hall.

— Tu ne peux pas me faire ça!

— Bien sûr que si, et je ne vais pas me gêner…

Mary le dévisagea comme s'il avait perdu la raison. Comment pouvait-il se montrer aussi cruel?

— C'est Percy qui t'a mis cette idée en tête, n'est-ce pas? C'est également lui qui t'a parlé de Bellington Hall?

Miles esquissa un rictus.

— Je suis tout de même capable de prendre mes propres décisions en ce qui concerne ma famille. Percy n'a rien suggéré de tel. J'ai entendu sa mère évoquer Bellington Hall, mais toute autre école aurait fait l'affaire. À présent, assieds-toi !

Mary eut un mouvement d'hésitation mais resta debout.

— Tu commets une énorme erreur !

— Ma décision est prise, Mary. Je songe avant tout à maman. Console-toi en pensant aux terres qui te reviendront quand tu auras vingt et un ans. Maman, elle, n'a plus rien. Tu iras donc à Bellington Hall le temps qu'elle se remette de cette injustice et qu'elle réfléchisse à ses sentiments pour toi. Cet éloignement vous fera du bien à toutes les deux.

Affligée, la jeune fille sentit ses jambes se dérober. Venait-il de dire que, si elle restait, sa mère ne l'aimerait plus jamais ? C'était absurde ! Les sentiments d'une mère ne s'envolaient pas comme ça. Comme pour se protéger, la jeune fille enroula les bras autour d'elle-même.

— Et si je refuse de partir ?

Miles esquissa un sourire.

— Je préfère ne pas évoquer les conséquences.

— Dis-moi quand même…

Son frère avança vers elle et riva les yeux sur le visage mutin de la jeune fille.

— J'utiliserai l'argent de grand-père Thomas pour emmener maman à Boston, où je n'aurai aucune difficulté à trouver un poste de professeur. Je connais plusieurs hommes d'affaires d'âge mûr, de bons partis, qui courtiseront maman. C'est une femme superbe. Elle se remariera très vite et ce… (il désigna la maison) souvenir pénible fera partie du passé. J'ai besoin de vivre ma vie, moi aussi, et maman a le droit de refaire la sienne. Si je dois pour cela jouer mon rôle de tuteur à distance, tant pis. Je vendrai ma bande de terre, le long de la Sabine, pour gagner un peu d'argent. Mary, je te garantis que, si tu refuses tout compromis, je mettrai mes menaces à exécution.

La jeune fille baissa les bras. Son frère ne lançait pas de menaces en l'air. Il avait manifestement réfléchi. Seul un semblant de loyauté envers Somerset et son père le retenait d'emmener leur mère à Boston. Même sans l'hypothèque à rembourser, Mary et Len n'étaient pas à même de gérer la plantation. De plus, le départ de Darla ne ferait que confirmer les ragots sur l'injustice dont elle était victime.

— Alors ? fit Miles d'un air suffisant.

Mais Mary n'était pas prête à capituler.

— Qu'est-ce qui t'empêche de vendre ta bande de terre ?

Miles ne répondit pas tout de suite.

— Papa voulait que je la garde pour mon fils, admit-il enfin.

Touchée, Mary ne put retenir ses larmes.

— Miles, qu'est-ce qu'il nous arrive ? Nous étions si heureux, avant…

— C'est cette plantation, maugréa son frère en se levant pour lui signifier la fin de l'entretien. Une véritable malédiction pour quiconque en est obsédé, et elle le sera toujours. Elle a poussé un homme honorable à désavouer une épouse aimante et à briser sa famille. Il savait ce qu'il faisait.

Mary contourna le bureau et leva vers Miles des yeux embués de larmes.

— Miles, je vous aime tant, maman et toi…

— Je sais, petite sœur. Notre bonheur me manque, à moi aussi. Il en est de même pour maman et les garçons. Tu nous étais si chère…

— Étais ? répéta-t-elle avant de fondre en larmes. Je ne le suis plus ?

— Eh bien… Tu es devenue tellement… Toliver.

— C'est donc un défaut ?

— Tu connais ma réponse, soupira Miles. Ce sera encore pire si tu subis la malédiction dont parle papa dans sa lettre.

— Quelle malédiction ? Je n'ai jamais eu vent de la moindre malédiction !

— Les propriétaires de Somerset n'ont jamais pu engendrer ou garder beaucoup d'enfants, répondit-il sèchement.

Il se retourna pour prendre un volume relié de cuir.

— Tout est expliqué dans cet album qui présente la généalogie et les portraits de la famille. Je l'ai trouvé dans les affaires de papa. J'ignorais son existence. Et toi ?

— Moi aussi. Il ne m'en a jamais parlé…

Mary en découvrit le titre : *Histoire familiale des Toliver depuis 1836*.

— En te léguant les terres, papa craignait de te condamner à ne pas avoir d'enfants ou à les perdre prématurément. Avant nous, il n'y a toujours eu qu'un unique héritier par génération. Mais qui sait ? Tu es très jeune (une lueur sardonique apparut dans son regard). Grand-père Thomas était seul, et papa aussi. Quand tu auras lu ce livre, tu comprendras mieux ses… préoccupations.

Un étrange malaise s'empara de la jeune fille. Son père et son grand-père avaient eu des frères et sœurs, mais ils étaient tous morts jeunes. Où donc se trouvait cet album pendant toutes ces années ? Son père l'avait-il délibérément caché ?

Miles souleva son menton de ses longs doigts fins.

— Alors, iras-tu à Bellington Hall ? demanda-t-il.

— Oui, souffla-t-elle d'une voix brisée.

— Bien. L'affaire est réglée.

Il ajusta ses manchettes et se rassit pour lui indiquer que l'entretien était terminé.

— Lucy affirme que tu vas aimer Bellington Hall, ajouta-t-il lorsqu'elle atteignit le seuil.

— Comment est-elle, cette Lucy ? s'enquit-elle en se retournant.

— Pas aussi jolie que toi, si c'est ce que tu veux savoir.

— Bien sûr que non ! s'exclama-t-elle, les joues empourprées.

— Mais si ! Elle est petite et menue, avec des rondeurs là où il faut. Mignonne, je dirais… Je l'aime bien, mais je pense que ce ne sera pas ton cas. Pourquoi ne l'as-tu pas rencontrée lors de son séjour chez les Warwick ?

— Je suis en deuil, au cas où tu ne l'aurais pas remarqué.

— Allons ! Tu me déçois... Tu étais simplement jalouse parce qu'elle passe du temps avec Percy.

— Ne dis pas de bêtises, reprit Mary avec dédain. Si tu penses que je ne vais pas l'apprécier, pourquoi me faire partager sa chambre ?

Miles plongea sa plume dans l'encrier.

— C'est préférable pour vous deux, répondit-il en écrivant.

— Qui a dit cela ? demanda-t-elle, voyant qu'il évitait son regard. Toi ? Percy ? Sa mère ?

— Ni Beatrice, ni Percy. C'est Lucy qui l'a suggéré quand j'ai évoqué la possibilité de t'envoyer à Bellington. Et c'est moi qui ai décidé que vous partageriez la même chambre. Ainsi, vous veillerez l'une sur l'autre. Vous avez de nombreux points communs, tu sais. Le manque d'argent, par exemple. De plus, vous avez le même âge. C'est une excellente idée. J'en ai déjà parlé à la directrice.

Mary foudroya du regard son frère penché sur sa lettre. Tous les hommes étaient-ils donc des imbéciles ? De nombreux points communs ? *Tu parles !* songea-t-elle. Elle avait appris de Sassie, grâce à la cuisinière des Warwick, que cette fille était folle amoureuse de Percy. Celui-ci était leur seul point commun. Lucy ne voyait en elle qu'un moyen d'entrer à Warwick Hall.

— Autre chose ? s'enquit Miles d'un ton las.

Mary ressentait l'hostilité pesante de son frère. Serrant l'album sur son cœur, elle ouvrit vivement la porte sans même répondre.

— Bonne lecture, petite sœur ! lança Miles juste avant que la porte ne claque. Pourvu qu'elle ne te fasse pas peur...

La jeune femme passa la tête dans l'entrebâillement.

— Je ne crois pas aux malédictions. J'ai d'ailleurs l'intention d'avoir de nombreux enfants.

— C'est ce que nous verrons...

Dans sa chambre, Mary s'assit près d'une fenêtre. Ravalant son appréhension, elle ouvrit l'album à la première page. La reliure en cuir usé était maintenue par un cordon de cuir passé dans deux œillets.

Si elle connaissait certains aspects de sa généalogie, elle en ignorait d'autres. Né en 1806, Silas Toliver, son arrière-grand-père, patriarche du clan, avait trente ans en arrivant au Texas avec sa femme et son fils Joshua. Un an plus tard, en 1837, naquit un second fils, Thomas, le bien-aimé grand-père de Mary. Joshua mourut à l'âge de douze ans à la suite d'une chute de cheval. En 1865, à la mort de Silas, Thomas prit possession de Somerset. La même année, il eut Vernon, le père de Mary. Plus tard, vinrent deux autres enfants : un frère, tué par une morsure de vipère à l'âge de quinze ans et une sœur décédée en couches à vingt ans, après la naissance d'un bébé mort-né. Vernon était l'unique héritier de Somerset.

Des photos jaunies illustraient cette chronique. Ces enfants qui semblaient en bonne santé avaient tous connu une fin brutale. Émue, Mary referma l'album et le rangea dans un tiroir. Ensuite, elle ôta son tablier et sa robe et s'observa dans le miroir. Elle n'était peut-être pas menue et mignonne, avec « des rondeurs aux bons endroits », mais elle ne manquait pas d'atouts. Elle glissa les mains entre ses seins fermes puis sur ses hanches. Elle était faite pour donner la vie et aurait de nombreux enfants, c'était certain. Miles avait tort d'en douter. Peu importait ce que suggérait le livre : il n'existait pas de malédiction Toliver. La mortalité infantile était élevée, à l'époque. Percy et Ollie n'étaient-ils pas les seuls héritiers à reprendre l'entreprise familiale ? Subissaient-ils une malédiction, eux aussi ? Bien sûr que non ! De plus, Percy Warwick se trompait. Jamais elle ne tomberait amoureuse d'un homme qui refuserait de la partager avec la plantation. Son mari devrait la soutenir et prolonger la lignée des Toliver. L'idée d'une malédiction était absurde.

8

Atlanta, juin 1917

Mary sangla sa dernière valise et la posa sur son lit avec un soupir de satisfaction. Son enfermement à Bellington Hall touchait à sa fin. Dans trois jours, elle foulerait de nouveau sa terre natale pour ne plus jamais la quitter. Cette année de pensionnat n'avait fait que renforcer sa détermination : elle ne vivrait pas ailleurs qu'à Howbutker, sur sa plantation de coton.

Où diable était passée Lucy ? La directrice l'avait sans doute chargée de quelque tâche. Si elle croyait qu'elle allait manquer son train uniquement pour dire au revoir à sa compagne de chambrée, Mlle Peabody ne la connaissait pas.

Mary déposa ses bagages dans le couloir à l'intention du concierge. Ultime brimade, Mlle Peabody avait fait en sorte qu'elle soit la dernière à partir. Toutes les chambres étaient désertées. Dans le silence résonnait encore l'écho des conversations. Déjà, les visages des pensionnaires s'estompaient. Elles avaient son âge, mais elles étaient immatures, la tête pleine de ces frivolités dont les professeurs leur bourraient le crâne. Elles avaient jubilé en apprenant que Mary serait la dernière à quitter les lieux.

Toutes sauf Lucy.

Mary sentit son cœur se serrer. Elle avait un peu honte d'espérer que Lucy ne revienne pas avant son départ, mais elle détestait les adieux larmoyants et en avait assez de cette sensiblerie.

Son retour à la maison serait riche en émotions. Les habitants de Somerset se déchiraient. Miles avait sans doute appliqué ses grands principes, ce qui ne serait pas sans conséquence… En mars, désireuse d'avoir des nouvelles de la plantation que Miles évoquait avec parcimonie dans ses lettres, Mary avait écrit à Len. D'une écriture laborieuse tracée au crayon, le régisseur lui avait fait part de la triste situation.

Mary imaginait le tableau : Miles avait ordonné à Len d'oublier ses quotas et son autorité pour aller à la pêche. Selon lui, les métayers n'avaient pas besoin d'être surveillés. Il suffisait de traiter un homme dignement pour qu'il se gère et décuple son efficacité.

En conséquence, rapportait Len, les plus désinvoltes s'étaient laissés aller, sans parler des pertes dues au charançon du coton… Les méthodes de M. Miles n'étaient pas très efficaces. Mlle Mary devrait peut-être rentrer à la maison pour le raisonner…

« Maudit soit-il ! » s'était-elle écriée après avoir lu la lettre, des larmes plein les yeux, arpentant rageusement la pièce. Elle s'en doutait ! Sans la surveillance constante de Len, la production ne pouvait que chuter. Les graines, les engrais, le matériel, l'entretien… Tout cela avait un coût. Il ne resterait pas grand-chose pour l'hypothèque. « Maudit soit-il ! Maudit soit-il ! » avait-elle répété, prête à rentrer sur-le-champ en découdre avec Miles. Il n'avait aucun droit d'appliquer ses principes au détriment de la plantation !

Plus tard, au moment de faire ses bagages, Mary avait reçu une lettre de Beatrice Warwick. Dans son style direct, elle lui écrivait qu'elle tenait de Miles que la jeune fille ne se plaisait pas à Bellington Hall. Elle la soupçonnait de vouloir rentrer à la maison avant la fin du trimestre, ce que Beatrice lui déconseillait fortement, car l'état de sa mère avait empiré. Darla ne voyait plus que Miles, Sassie et Toby Turner, leur homme à tout faire, et rejetait tous ses amis, y compris elle-même. La maison demeurait fermée. Mary n'avait rien à y faire en ce moment. Sa présence n'avait pour seul effet que d'ajouter aux épreuves de Miles et de ralentir la guérison de Darla. Mary devait lui accorder le temps de s'habituer au testament, qui suscitait de nombreux ragots.

Cette lettre provoqua chez Mary désespoir et colère. À moins d'être sollicité, jamais un membre d'une famille n'intervenait dans les affaires des deux autres. Miles avait dû l'appeler à l'aide. Sans doute avait-il dépeint un sombre tableau de la révolte de sa sœur contre Bellington.

Le cœur gros, Mary replia la missive. Il ne lui restait qu'à attendre la fin de l'année scolaire en priant pour sa mère et Somerset. Le prix du coton augmentait à cause de la guerre qui faisait rage en Europe. Les bénéfices compenseraient l'inconséquence de Miles et elle serait de retour avant les prochaines semences.

En avril, les États-Unis entrèrent en guerre. Tous les hommes valides de dix-huit à quarante-cinq ans furent mobilisés. Comme Mary le redoutait, Len Deeter fut parmi les premiers à recevoir son ordre de mobilisation. Qui allait le remplacer ?

Le 1er juin, Mary reçut une lettre de Miles l'informant que Percy, Ollie et lui s'étaient engagés et commenceraient leur formation d'officiers en Géorgie dès le mois de juillet. La première réaction de la jeune fille fut de se demander comment Miles remplirait désormais sa fonction de tuteur. Ensuite, seulement, elle se rendit compte que les garçons risquaient d'être blessés, voire tués. Dévastée, elle fondit en larmes. Comment Abel Dumont et les Warwick acceptaient-ils cette situation ? En tant que soutiens de famille, leurs fils pouvaient se faire réformer. Pourquoi Miles infligeait-il cette épreuve à sa mère et à sa sœur ? Il fallait qu'elle rentre pour le raisonner...

— Je vois que vous êtes prête, déclara Elizabeth Peabody d'un ton sec.

La directrice se tenait sur le seuil, ses petites lunettes sur le nez, un bloc-notes sous le bras.

— En effet, répondit Mary.

Elle ne s'attendait pas à être libérée par Mlle Peabody en personne. La gouvernante et ses assistantes s'étaient occupées des autres élèves. *Mlle Peabody est assez méchante pour venir me porter un ultime coup bas,* songea-t-elle en se détournant pour enfiler sa veste.

— Combien de bagages ?

— Quatre.

La directrice prit quelques notes d'une main vive et précise. Puis elle entra dans la chambre qu'elle scruta d'un œil critique : les lits, les murs, les tiroirs béants et les placards vides.

— Êtes-vous certaine de n'avoir rien égaré ? L'école n'est pas responsable des effets oubliés lorsque l'élève a définitivement quitté l'établissement.

— Je n'ai rien oublié, mademoiselle Peabody.

La directrice porta son attention sur la jeune fille. Ses yeux d'agate se mirent à pétiller. Mary y lut de l'hostilité. Elle y répondit par cette indifférence froide qui l'avait démarquée des autres élèves depuis le départ.

— Je n'en doute pas, déclara la directrice. Jamais une élève n'a si peu apporté à notre établissement et si peu reçu de notre enseignement.

— Ce n'est pas vrai, mademoiselle, répondit la jeune fille après réflexion. J'aurai au moins appris que la phrase que vous venez de prononcer est parfaitement structurée.

— Vous êtes impossible ! s'exclama la directrice en crispant les doigts sur son crayon. Une enfant butée et égoïste !

— À vos yeux, peut-être…

— Fiez-vous à mon expérience. Ce que je vois, à présent, c'est une jeune fille qui va amèrement regretter sa décision.

— J'en doute, mademoiselle.

La directrice faisait allusion à son refus de laisser les responsables de Bellington Hall jouer les entremetteuses. De nombreux parents inscrivaient leur fille afin qu'elle trouve un mari fortuné parmi les frères, cousins et jeunes oncles de leurs camarades, voire leurs pères veufs. Or Mary avait rejeté Richard Bentwood, riche fabricant de textile de Charleston, frère de l'une des rares camarades de Mary.

— Amanda reste ici une année encore, vous auriez plus de succès en présentant son frère à quelqu'un de plus approprié, suggéra-t-elle.

— M. Bentwood n'a pas besoin de moi pour rencontrer de beaux partis, mademoiselle Toliver. Dans son entourage, les jeunes filles de bonne famille ne manquent pas. Alors que vous… Vous avez peu de chances de croiser un autre Richard Bentwood.

Mary se détourna pour épingler son grand chapeau et surtout pour cacher à Mlle Peabody qu'elle avait fait mouche. La directrice n'avait pas tort. Percy, Ollie et Charles, le fils d'Emmitt Waithe, étaient dignes de Richard Bentwood. Hélas, aucun de ces garçons ne lui était destiné. En refusant d'épouser Richard, elle s'était demandé si une telle chance se représenterait un jour. Il était l'homme idéal à tous les points de vue, sauf le plus important : après leur mariage, il lui aurait demandé de confier Somerset à un régisseur pour l'emmener à Charleston. C'était impensable. Le soir de leur séparation, elle avait failli céder à la panique. Et si elle ne rencontrait jamais plus un homme qui la trouble autant que Richard ? Et qui soit digne d'être son mari et le père de ses enfants ?

Mary entendit le concierge prendre ses valises. Hélas, la directrice n'en avait pas encore terminé.

— Je crois savoir que les fringants héritiers de vos familles partent à la guerre, reprit-elle tandis que Mary enfilait ses gants. Espérons que le destin les épargnera, afin qu'ils perpétuent leurs lignées. Toutefois, d'après ce que j'ai lu sur la guerre de tranchées, il y a des raisons d'en douter. Si ces garçons périssaient… (elle posa une main sur sa joue en feignant l'effroi), il ne vous resterait guère de choix.

Mary se sentit pâlir. Les images qui la hantaient depuis qu'elle avait appris la nouvelle de leur mobilisation ressurgirent.

Les garçons gisaient dans une mare de sang, sur quelque champ de bataille, Miles les bras en croix, la tête blonde de Percy immobile à jamais, le regard pétillant d'Ollie éteint…

Elle ouvrit son sac à main en perles et en écaille de tortue, l'un de ses derniers achats au grand magasin Dumont.

— Voici la clé de la chambre, déclara-t-elle sans l'ombre d'un regret. Je pense que nous en avons terminé, mademoiselle. J'ai un train à prendre.

Elle s'attendait à ce que Mlle Peabody la retienne. La garce était capable d'inventer un prétexte pour l'empêcher de partir : des frais à régler, un dégât, un livre perdu… Mais la directrice se réjouissait autant qu'elle de ce départ. Mary se précipita dans l'escalier, vers la liberté. Au bas des marches, elle trouva Samuel, le concierge, qui la salua d'un large sourire.

— Je savais que vous étiez impatiente de partir, mademoiselle Mary. La voiture arrive. Cela fait combien de temps que vous n'êtes pas rentrée à la maison ?

— Trop longtemps, répondit-elle en lui tendant une pièce. Avez-vous vu Mlle Lucy ?

— Elle est partie il y a environ vingt minutes en direction du Hill.

— Le Hill ? répéta Mary. Pourquoi y aller maintenant ?

Il s'agissait du bureau de poste, qui se trouvait un peu à l'écart de l'école. Lucy ne recevait jamais de courrier, mais elle accompagnait toujours Mary au cas où il y aurait des nouvelles de Percy.

Une voiture attelée franchit l'imposante grille en fer forgé.

— La voici ! annonça Samuel.

Toute pensée de Lucy s'envola comme par enchantement.

— Dieu soit loué ! s'exclama la jeune fille.

Le concierge venait de charger ses bagages et d'aider Mary à s'installer sur le siège quand une voix familière s'éleva :

— Mary ! Mary ! Samuel ! Attendez !

— C'est Mlle Lucy, crut bon de déclarer le concierge.

— Je le crains, soupira Mary.

Elle regarda la frêle silhouette courir dans leur direction en soulevant le bas de sa robe démodée. Comme toujours, Mary fut un peu agacée, puis elle se sentit légèrement coupable. Depuis son arrivée à Bellington Hall, la jeune fille ne la quittait pas d'une semelle, mais elle était aussi la seule, avec Amanda, qui se soit montrée aimable.

— Pourquoi vas-tu à la poste alors que j'ai un train à prendre ? lança Mary, exaspérée.

— Je suis allée chercher ceci, répondit-elle en brandissant une enveloppe. Je viens avec vous. Samuel ! Prévenez M. Jacobson, que le camion du laitier vienne me chercher à la gare, voulez-vous ?

— Mlle Peabody va vous étriper, prévint le concierge.

— Qui s'en soucie ? rétorqua Lucy en poussant Mary à l'intérieur de la voiture avant de prendre place à son côté.

Mary s'écarta de mauvaise grâce pour loger les volumineux jupons de sa camarade.

— Qu'est-ce que c'est ? s'enquit-elle en désignant l'enveloppe.

Lucy en sortit une lettre.

— Je viens de trouver un emploi ! annonça-t-elle fièrement. Tu as devant toi la nouvelle professeure de français de l'école Mary Harden Baylor à Belton, au Texas !

Mary masqua à grand-peine sa contrariété. Elle espérait secrètement que Lucy n'obtienne pas ce poste car, Belton ne se trouvant qu'à une demi-journée de train de Howbutker, la jeune fille allait devenir encombrante. Les fins de semaine, pendant que Mary s'affairerait à remettre de l'ordre à Somerset et à s'occuper de sa mère, Lucy logerait chez elle. Si sa camarade venait au moins la voir par amitié pour elle… hélas, toutes deux savaient que ce n'était pas le cas. Lucy avait le béguin pour Percy, ce qui était ridicule, car ils ne s'étaient vus qu'une fois. Elle cherchait donc une entrée à Warwick Hall.

— Je ne comprends pas, dit Mary. Pourquoi veux-tu cet emploi puisque Percy entre dans l'armée ? Mlle Peabody ne te propose donc pas un poste mieux rémunéré ?

— C'est l'endroit idéal pour attendre le retour du guerrier, non ? répondit Lucy, dont les yeux bleus pétillaient d'enthousiasme. Je pourrai le voir quand il sera en permission. Car tu m'accueilleras à Houston Avenue, n'est-ce pas ?

Lucy était bien présomptueuse ! Qu'est-ce qui lui faisait croire que Percy voudrait la voir ?

— Lucy, les garçons partent pour la France ! Ils seront absents jusqu'à la fin de la guerre…

Lucy fit la moue et rangea sa lettre dans l'enveloppe.

— Peu importe. Je viendrai quand même et je me promènerai près de sa maison. J'enverrai des baisers en direction de sa chambre, de son lit…

— Lucy !

— Ne prends pas cet air réprobateur, Mary. Ce sont des petites attentions qui le protégeront, affirma-t-elle en rougissant. Tous les jours, j'irai allumer un cierge en priant pour qu'il revienne sain et sauf. Je réciterai cinquante « Je vous salue Marie » tous les soirs et je verserai un dixième de mon salaire à la paroisse afin que le prêtre célèbre une messe pour Percy. Et pour ton frère et Ollie Dumont aussi, bien sûr.

Lucy était catholique, ce qui ne jouait pas en sa faveur pour séduire un Percy fervent protestant, même si sa famille était connue pour sa tolérance.

— Dès que j'en aurai terminé ici, reprit Lucy, je me rendrai à Belton pour trouver un logement. De là… Ma chère amie m'invitera peut-être à passer une semaine chez elle afin que je puisse voir tu-sais-qui…

— Je ne voudrais pas te décourager, répondit Mary, mal à l'aise, mais j'ignore comment se porte ma mère, et avec le départ de Miles, la récolte…

L'enthousiasme de Lucy fit place à une moue d'enfant capricieuse.

— La récolte a lieu au mois d'août !

— Ce qui me laisse peu de temps pour accomplir les mille et une tâches qui m'attendent pour réparer les erreurs de Miles.

Mary soupira. Lucy était consciente de son inquiétude concernant la gestion de Somerset.

— Je n'ai pas de temps à te consacrer, conclut-elle.

— Mais comment verrai-je Percy avant son départ ? Mme Warwick ne m'invitera pas. La famille voudra profiter de sa présence.

Pourquoi ne pensait-elle pas aux priorités des Toliver ? Quel manque de considération de la part de Lucy alors que la situation était délicate ! Raison de plus pour que Percy ne s'intéresse pas à elle.

— Je ne te dérangerai pas, Mary, c'est promis, insista Lucy d'un air implorant. Tu n'auras pas à te détourner de tes tâches pour moi.

— Parce que tu seras occupée à envoyer des baisers à Warwick Hall ? railla Mary.

À la réflexion, un dernier contact avec Percy serait peut-être une bonne chose. Obligé de faire face aux sentiments de Lucy pour lui, il couperait court sans tarder. Jamais il ne partirait à la guerre en la laissant se bercer d'illusions.

Rassurée, Mary tapota la main de sa camarade.

— Ta compagnie me fera sans doute du bien. Indique-moi le jour de ton arrivée. J'enverrai quelqu'un te chercher à la gare.

Face au regard plein d'espoir de Lucy, elle ajouta :

— Non, je ne peux pas te garantir que ce sera Percy.

9

Enfin installée dans le train, Mary salua sa camarade puis, au détour d'un virage, le quai disparut. La jeune fille ôta son chapeau et poussa un soupir de lassitude. Dieu que cette Lucy Gentry était assommante !

Elle n'était toujours pas remise de la scène de l'avant-veille, lorsque Lucy avait appris que Percy intégrait l'armée. Elle avait demandé s'il y avait des nouvelles de « la maison », comme elle disait de façon arrogante. Mary s'était contentée de lui tendre la lettre de Miles en guettant sa réaction. Comme prévu, Lucy fondit en larmes. En plein désespoir, elle se mit à jeter ses livres contre le mur, ses vêtements en tous sens. Elle lança même son ours en peluche par la fenêtre. Jamais Mary n'avait assisté à une telle démonstration de rage et de chagrin, sans parler du langage fleuri de sa camarade… Les autres élèves de l'étage affluèrent dans la chambre, ainsi que la surveillante, qui tenta en vain de calmer la jeune hystérique. Lucy repoussait quiconque l'approchait pour tenter de la consoler.

Elle finit par se recroqueviller dans un coin de la pièce, le visage ruisselant de larmes. Les autres se retirèrent. Mary assura à la surveillante qu'elle pouvait aller se coucher. Puis elle berça sa camarade comme une enfant. Sous son fin peignoir, son corps était brûlant. Mary attendit que ses sanglots se calment.

— P… Pourquoi ne s'est-il… p… pas fait réformer ? hoqueta Lucy. Il en avait… le droit.

— Les autres aussi, répondit Mary en écartant ses cheveux de son visage. Ils ne sont pas hommes à se défiler.

— Il ne mourra pas! affirma Lucy en agrippant la main de sa camarade. Je sais qu'il rentrera, je le sais! Je vais conclure un pacte avec Dieu. Je promets d'être bonne. Je renoncerai…

— Aux jurons? suggéra Mary avec un sourire.

Elle fut soulagée de voir son amie prendre un air penaud.

— Aussi, s'il le faut…

Le lendemain matin, à son réveil, Mary constata l'absence de Lucy. Son lit n'était pas fait. « Partie à la messe », disait un petit mot.

Toujours sidérée par l'émotion de sa camarade, Mary fit son lit. Comment pouvait-on éprouver des sentiments aussi profonds envers un homme que l'on connaissait à peine? Et s'accrocher à l'espoir que cet amour soit réciproque?

Lucy Gentry n'avait pas une chance de plaire à Percy Warwick! Il choisirait une femme superbe, intelligente et cultivée. Lucy était captivante à bien des égards, mais elle n'était pas à la hauteur, avec sa spontanéité, sa vulgarité parfois. Elle était bonne élève, mais plus astucieuse qu'intelligente. Lucy donnait l'impression d'être instruite, mais sa culture demeurait superficielle. Mary la soupçonnait de tricher pour obtenir de bonnes notes.

Même ses difficultés financières n'étaient qu'une mascarade. Si elle bénéficiait d'une bourse, Lucy avait tout de même de quoi remplacer les vieilles robes qui pendaient dans son armoire. Ces vêtements étaient une sorte d'étendard: si elle ne pouvait briller par le luxe, elle brillerait par son dénuement. Mary y voyait une pose un peu ridicule, mais ces tenues démodées lui attiraient en tout cas la sympathie des élèves et du personnel.

Ces petits défauts étaient certes pardonnables, mais Percy choisirait une épouse plus raffinée.

Un jour, exaspérée, Mary avait informé Lucy qu'elle était au courant de son béguin et que tout projet d'avenir avec lui était illusoire. Lucy avait réagi de façon absurde:

— Tu veux le garder pour toi, c'est ça?

— Comment ? répliqua Mary, abasourdie.

— Tu as très bien entendu, reprit Lucy, boudeuse. Ne le nie pas ! Tu t'intéresses à lui depuis toujours.

La voix de Lucy résonnait dans la tête de Mary. Elle, s'intéresser à Percy Warwick ? Même Lucy avait plus de chances qu'elle de le séduire !

— C'est ridicule, protesta-t-elle. Je ne m'intéresse pas du tout à lui mais, même si c'était le cas (elle leva une main pour faire taire sa camarade), il ne s'intéresse pas à moi. Il ne m'apprécie même pas.

— Vraiment ? fit Lucy, étonnée. Pourquoi ?

— Nous n'avons pas la même conception de la famille, du devoir.

— Tu veux dire les Toliver et les Warwick ?

— Oui. C'est un peu compliqué, mais, crois-moi, nous ne nous entendons pas vraiment. Je te le laisse volontiers. Sauf que…

— Que quoi ? interrogea Lucy.

Mary pinça les lèvres. Elle brûlait d'envie de lui répondre : « Tu n'es pas son genre de femme. Tu ne possèdes ni la beauté, ni l'intelligence, ni la délicatesse susceptibles de lui plaire. »

Lucy l'observa avec attention, puis elle se mit à rire à gorge déployée.

— Je ne suis pas assez bien pour lui, c'est cela ?

Le moment était peut-être bien choisi pour lui avouer la vérité, mais Mary n'en avait pas le courage.

— Il ne s'agit pas d'être « bien », Lucy. Tu es assez « bien » pour n'importe quel homme. Je connais les goûts de Percy, voilà tout.

— Et je ne leur corresponds pas.

— Eh bien… non.

— Quel est son type de femme ?

— Les poupées de porcelaine douces et délicates, les jeunes filles sages.

— Quel ennui ! s'exclama Lucy. Que fait-il de la passion ? Du sexe ?

Mary en demeura bouche bée. Que savait Lucy de ces questions ? Si Mlle Peabody l'entendait...

— Je suppose que Percy trouve la douceur sexuellement stimulante.

— Mary Toliver ! lança Lucy en tapant du pied. Tu veux dire que tu as toujours vécu à côté de Percy sans jamais te rendre compte du genre de femme qu'il apprécie ? Il recherche le feu de la passion. Au diable les poupées de porcelaine ! Il lui faut une femme qu'il n'aura pas peur de briser, qu'il pourra serrer dans ses bras et qui épousera le rythme de ses coups de reins...

— Lucy !

Les joues empourprées, Mary se leva d'un bond, le cœur battant à tout rompre, comme ce jour d'été où elle avait soutenu le regard de Percy, devant le palais de justice.

— Ne dis rien de ces pensées à personne, surtout ! Comment peux-tu en savoir autant sur les préférences sexuelles de Percy alors que tu le connais à peine ? Tu as peut-être raison, mais j'en doute.

— Pourquoi ? s'enquit Lucy.

— Parce que tu es trop... trop petite pour lui.

Lucy rit de plus belle.

— Nous verrons, dit-elle. Il existe des moyens de surmonter ce problème, et je parie que Percy les connaît.

Cette conversation eut le don de détendre l'atmosphère. Elles étaient si souvent ensemble qu'elles passaient pour les meilleures amies du monde, mais ce n'était pas le cas. Jamais Mary ne confierait les secrets de son cœur à une jeune fille aussi peu fiable que Lucy. Quant à cette dernière, elle sentait que Mary réprouvait ses ambitions concernant Percy. Elle garda néanmoins le sourire.

— Je ne suis peut-être pas assez bien pour lui, Mary, mais mon amour l'aveuglera.

— Il a souvent connu l'amour, mais personne n'a encore réussi à l'aveugler.

— Il n'a jamais connu un amour tel que le mien. Il sera tellement ébloui que je deviendrai la femme qu'il mérite.

Dans le train qui la ramenait à la maison, Mary ferma les yeux. Pauvre Lucy… Elle n'avait aucune chance d'être aimée de Percy.

10

Le lendemain matin, après une nuit épouvantable, Mary fut prête dès six heures pour le premier service du déjeuner. Elle avait fait un cauchemar: elle était condamnée à passer le reste de ses jours dans le wagon, à voir Howbutker à travers la vitre, tandis que le train passait en sifflant sans marquer l'arrêt. Elle s'était réveillée mal à l'aise dans la chaleur étouffante du compartiment. À peine s'était-elle assoupie de nouveau que les visions cauchemardesques avaient ressurgi. Cette fois, Lucy Gentry lui souriait sur le quai, en lui faisant signe.

Un copieux déjeuner et trois tasses de café chassèrent à peine le goût amer de cette nuit agitée. Mary regagna son compartiment pour la dernière partie du voyage. Elle n'épinglerait son chapeau qu'une fois visibles les maisons blanchies à la chaux des Hollows, où vivaient les ouvriers du moulin. Alors, seulement, elle saurait qu'elle était proche du but.

Elle n'était pas rentrée à la maison depuis le mois d'août. Miles avait eu l'air gêné quand elle avait parlé de revenir pour Noël.

— Attends que je te dise de rentrer. Au cas où ce ne serait pas possible, fais-toi inviter par une amie pour les fêtes.

— Mais, Miles, Noël…

Honteux, il l'avait prise dans ses bras un peu maladroitement.

— Mary, maman ne va pas bien. Tu as pu le constater quand elle a refusé de te voir, avant ton départ. Seul l'éloignement arrangera les choses… Reste en retrait jusqu'à ce qu'elle se remette.

Soudain affolée, elle étreignit son frère.

— Maman ne me déteste pas, hein ? demanda-t-elle d'une petite voix.

Le silence de Miles fut éloquent.

— Non…

— Chut, ne pleure pas. Tu es trop jolie pour pleurer… Essaie de tirer profit du reste de l'année, que nous soyons fiers de toi.

— Je l'ai vraiment perdue, n'est-ce pas ? interrogea-t-elle encore d'un air qui l'implorait d'affirmer le contraire.

— Tu vas t'y faire, Mary. Tu accepteras toutes les épreuves de la vie car une seule chose a de l'importance à tes yeux, et elle ne te quittera jamais. (Il esquissa un sourire triste.) Cette plantation risque de te trahir, de te décevoir, de t'épuiser, mais elle ne te quittera jamais. D'une certaine façon, tu as plus de chance que nous tous. En tout cas, tu as plus de chance que maman…

— Je risque de perdre Somerset, lui rappela-t-elle. Si l'hypothèque n'est pas remboursée…

Miles lui effleura le bout du nez d'un geste taquin et se dégagea de son étreinte.

— Tu vois ! Tu oublies vite ta mère quand survient la possibilité de perdre ce qui compte le plus à tes yeux !

Il ne plaisantait qu'à moitié. Son frère lui était devenu un étranger… Dès qu'elle fut installée dans son compartiment, il lui adressa un vague signe de la main et s'éloigna avant même que le train ne s'ébranle.

Elle avait passé les fêtes de fin d'année chez Amanda, à Charleston. Richard, son séduisant frère aîné, lui avait offert son premier baiser sur les lèvres. Sous le houx, il l'avait prise par le menton sans lui laisser le temps de résister. Peu à peu, elle avait réagi au contact de ses lèvres et de son corps viril plaqué contre le sien, subjuguée et gênée à la fois.

Les yeux pétillants, Richard affichait un sourire plein d'assurance, comme s'il avait découvert un filon qu'il entendait exploiter. Mary s'était vivement écartée.

— Vous n'auriez pas dû…

— Je n'ai pas pu m'en empêcher. Vous êtes si belle… Vous me pardonnez ?

— Promettez de ne pas recommencer.

— Je ne fais jamais de promesses en l'air, déclara-t-il avant de l'escorter dans la salle à manger.

Cette expérience l'avait troublée. Elle devrait dorénavant se protéger de ces sensations, de peur qu'un homme ne s'en serve contre elle. Elle s'était juré de ne plus jamais laisser Richard l'embrasser. Hélas, elle n'avait pu s'y tenir…

Mary chassa vite ces souvenirs. À travers les pins filtraient les premières maisons des Hollows, tandis que le train contournait la bourgade en sifflant. Elle aperçut une structure moderne portant l'enseigne « Warwick, bois et scierie » à la peinture fraîche. Dans une lettre, Miles avait évoqué l'agrandissement des locaux et la construction de nouveaux bureaux. Mais son esprit était ailleurs…

Son frère devait venir la chercher, or elle n'avait reçu aucune réponse au message qu'elle lui avait envoyé quelques semaines plus tôt pour l'informer de la date et de l'heure de son arrivée. Comment achèterait-elle son billet si Miles ne lui envoyait pas d'argent ? Incapable de supporter l'attente, elle avait adressé un télégramme implorant à Miles, même si son budget ne le lui permettait guère. En une semaine, il lui avait fait parvenir la somme nécessaire, sans commentaire, ce qu'elle avait trouvé d'une grossièreté impardonnable. Depuis, elle appréhendait l'accueil qu'il lui réservait.

Le train siffla de plus belle. Le cœur battant, Mary ajusta son chapeau en se regardant dans le miroir. Il était aussi démodé que ses autres effets, quoique pas autant que ceux de Lucy. Depuis la mort de son père, elle n'avait guère fait d'emplettes.

Les difficultés financières des Toliver étaient notoires, à Howbutker. Peu après l'arrivée de Mary à Bellington, Abel Dumont lui avait proposé de servir de mannequin pour les vêtements qu'il vendait dans son grand magasin. « Tu as une silhouette et un port magnifiques. Tu nous rendrais un immense service. Naturellement, tu garderais toilettes et accessoires en remerciement. »

Mary avait caressé les superbes vêtements, puis elle les avait renvoyés à contrecœur avec ce mot :

« Je vous remercie de votre aimable proposition, mais nous savons tous deux que vos produits n'ont nullement besoin de publicité à Bellington, où les jeunes filles connaissent toutes la qualité de vos articles. Soyez assuré que, tant que mes moyens me le permettront, je ne me fournirai que chez vous. »

Elle vérifia son aspect une dernière fois dans la glace. Avait-elle changé, au cours de cette année de pensionnat ? Richard avait évoqué la symétrie parfaite de ses traits. Le dernier soir, il avait tracé de son index la ligne de son front à la fossette de son menton.

— Vous voyez…

Il embrassa sa joue gauche.

— Chaque moitié est le reflet de l'autre…

Il embrassa sa joue droite et prit son visage à deux mains pour l'attirer vers lui. La jeune fille se crispa et eut un mouvement de recul.

— Non, Richard.

— Pourquoi pas ? insista-t-il, contrarié.

— Parce que c'est… inutile.

— Inutile ?

— Vous savez très bien pourquoi. Je vous l'ai répété maintes fois.

— À cause de Somerset ? énonça-t-il avec un rictus de dédain. Je pensais vous éloigner de cette rivale.

— Vous vous mépreniez, Richard. Je suis désolée.

— Pas aussi désolée que vous le serez peut-être un jour…

Le train s'arrêta enfin. Sur le quai, Mary respira à pleins poumons l'air de sa ville natale en cherchant Miles des yeux. En ce samedi, il y avait foule. Elle salua d'un signe de tête le chef de gare et plusieurs personnes de sa connaissance, dont la mère d'une ancienne camarade de classe. Un an plus tôt, cette femme, coiffée du même chapeau, partait pour son voyage annuel en Californie, chez sa fille, tandis que Mary venait chercher Miles, de retour de Princeton. Darla était restée à la maison pour s'occuper de leur père souffrant. Tout était prêt pour le retour de Miles : la table était dressée, le champagne au frais et la maison embaumait les fleurs. Un mois plus tard, leur père était mort et plus rien ne fut jamais pareil.

— Bonjour, madame Draper, dit-elle. Vous vous rendez chez Sylvie, comme tous les ans au mois de juin, je suppose...

Où diable se trouvait Miles ?

D'une main gantée, Mme Draper effleura son camée, feignant l'étonnement. Mary détestait ces minauderies qui visaient à faire bonne impression.

— Mais... C'est Mary Toliver ! Vous rentrez de cette école où ils vous ont envoyée... Vous avez bien changé ! Enfin, mûri serait plus exact...

— Si vous le dites, répondit Mary en esquissant un sourire poli. Quant à vous, vous êtes toujours la même. Et Sylvie aussi, sans doute.

— Vous êtes trop gentille.

Mary devinait ses pensées. Un jour, elle l'avait entendue se confier à une commerçante. Selon elle, sa Sylvie et cette pimbêche de Mary Toliver ne s'étaient jamais bien entendues, comme on aurait pu s'y attendre. Son Andrew gagnait pourtant bien sa vie grâce à son entreprise de sellerie et de botterie. Il n'y avait pas de honte à vivre de son commerce, non ? N'était-ce pas ce que faisait Abel Dumont à plus grande échelle ? Mary se sentait supérieure aux autres parce qu'elle était une Toliver. Chacun savait qu'ils se considéraient comme l'élite de la ville, avec les Warwick et les Dumont. Mais ces gens qu'elle méprisait payaient leurs factures, alors que les Toliver avaient du mal à joindre les deux bouts.

Toujours en quête de son frère, la jeune fille mit plusieurs secondes à saisir les sous-entendus perfides de Mme Draper.

— … Nous étions atterrés quand nous avons appris… La pauvre… Si nous pouvons faire quelque chose… J'ai peine à le croire : Darla Toliver dans… une telle adversité.

Mary reporta soudain son attention sur Mme Draper.

— Pardon ? De quoi parlez-vous ?

Mme Draper tripota de plus belle son camée.

— Oh, mon Dieu ! fit-elle en jubilant intérieurement. Vous n'êtes pas au courant ? Pauvre petite… Je crois que j'en ai trop dit.

Son visage s'illumina en voyant quelqu'un arriver derrière la jeune fille.

Miles, songea Mary, soulagée.

— Tiens ! Bonjour, Percy ! minauda Mme Draper. Je souhaitais justement la bienvenue à notre Mary !

II

— C'est ce que j'entends, rétorqua Percy d'un ton acerbe. Bonjour, ma gitane ! lança-t-il avec bien plus de chaleur, avant de prendre la jeune fille dans ses bras. Bon retour à la maison !

Ce surnom qu'elle détestait résonna pourtant dans sa tête comme une douce mélodie.

— Je suis heureuse de te voir, avoua-t-elle en acceptant son baiser sur la joue. Tu es venu à la place de Miles ?

Avec son costume crème et sa cravate impeccablement nouée, il était plus séduisant et plein d'allant que jamais.

— Il est resté à la maison pour préparer ton arrivée. Il n'aurait confié cette tâche à personne. J'en profite pour être le premier à t'accueillir.

Ce n'était qu'un mensonge destiné aux oreilles indiscrètes de Mme Draper, mais Mary lui en fut reconnaissante. Il avait dû se passer quelque chose. Darla refusait sans doute que sa fille rentre à la maison et Miles s'efforçait de régler le problème. Percy s'était apparemment interrompu dans son travail pour venir à la gare. Jamais il n'aurait mis un si beau costume pour elle…

— Comme c'est gentil ! répondit Mary avec un regard entendu.

La tenant toujours par la taille, Percy se tourna vers Mme Draper.

— Si vous voulez bien nous excuser… Je vais emmener cette jeune fille à la maison. Sa mère l'attend avec impatience.

— Vraiment ? railla Mme Draper. Elle a beaucoup changé, alors… Je suis sûre que la présence de Mary l'aidera dans sa guérison.

— Sans l'ombre d'un doute. Bon et long voyage, madame Draper.

— Merci beaucoup, Percy.

La main sur son camée, elle battit les cils, une coquetterie stupide que le jeune homme semblait provoquer chez les femmes.

— Merci d'être venu à mon secours, dit Mary dès qu'ils se furent éloignés. Quelle mégère !

— La pire de toutes, admit Percy en lui offrant son bras. J'aurais préféré arriver à temps pour l'empêcher de t'agresser.

— En fait, c'est moi qui suis allée vers elle. Elle ne semblait pas me reconnaître.

— Je comprends pourquoi.

— Ah bon ?

Percy s'arrêta et feignit l'étonnement.

— Allons, Mary, tu n'es pas du genre à aller à la pêche aux compliments, et de ma part, en plus !

Mary faillit monter sur ses grands chevaux, jusqu'à ce qu'elle croise le regard de Percy. Elle y lut de l'amusement et non de la moquerie. Il était même admiratif et fier.

— Ne compte pas sur moi pour jouer ton jeu, Percy, répondit-elle avec un rire, en se remettant en marche. Explique-moi plutôt ce que cette bonne femme insinuait en parlant de ma mère. C'est à cause d'elle que tu remplaces Miles ?

Il prit sa main dans la sienne comme pour l'empêcher de tomber.

— Ta mère a un problème d'alcool. Elle… est dépendante.

— Quoi ? s'exclama Mary en s'arrêtant brutalement. Tu veux dire que maman est… alcoolique ?

— Je le crains.

— Mais comment en est-elle arrivée là ? Où s'est-elle procuré de l'alcool ?

— Ton père avait constitué une réserve dans la cave, en cas de prohibition. Elle l'a trouvée et, quand Sassie et Miles ont compris son manège, il était trop tard.

La jeune fille fut saisie d'effroi. Elle voyait les alcooliques comme des êtres dépourvus de volonté, vils et répugnants.

— Tout le monde est au courant sauf moi. La ville entière le sait…

L'expression de Percy se durcit.

— C'est donc là ton souci majeur ? Que le nom des Toliver soit sali ?

Bien sûr que non ! eut-elle envie de crier, piquée au vif. Elle s'inquiétait pour sa mère, que ce scandale allait inciter à rester enfermée à jamais. Mary lâcha le bras de Percy. En son absence, rien n'avait changé entre eux.

— Il fallait me le dire.

— Miles ne voulait pas que tu le saches. Qu'aurais-tu pu faire ?

— Rentrer à la maison. Il ne servait à rien que je reste éloignée.

— Cela valait la peine d'essayer, Mary. Ce n'était pas un énorme sacrifice…

À quoi bon discuter ? Son opinion était faite. Affligée, elle ouvrit son sac et déclara d'un ton hautain digne de Bellington Hall :

— Voici les reçus de mes bagages. Quatre valises, si tu veux bien aller les chercher dans la gare…

Percy prit sa main dans la sienne.

— Je suis désolé. Ce n'est pas l'accueil que tu espérais, ma gitane.

— J'apprends à ne rien espérer de ce que je ne peux pas contrôler, rétorqua-t-elle en luttant contre ses larmes.

Il prit les reçus et leva la main gantée à ses lèvres.

— Pourvu que je sois l'exception qui confirme la règle, dit-il en plongeant son regard dans le sien.

Mary écarta la main.

— Il me reste l'espoir de ne pas être jugée par les gens que j'aime. Alors, nous y allons ?

Percy secoua la tête comme s'il était impossible de raisonner la jeune fille.

— J'ai une Pierce-Arrow rouge et jaune. Elle est garée sous les arbres, dans la cour des écuries. Attends-moi là-bas, à l'ombre.

La décapotable rutilante détonnait comme un pur-sang parmi des mules. Mary attendit tristement du côté passager, remarquant à peine l'élégance de l'engin. Toute joie s'était envolée. Elle appréhendait de revoir sa mère et Miles. Comme elle avait été stupide de le guetter par la fenêtre, lors de son entrée en gare ! Elle s'imaginait déjà rentrant dans la voiture attelée, prenant des nouvelles du quartier et de la plantation… Elle espérait presque que sa mère serait heureuse de la voir et qu'ils formeraient à nouveau une famille quand Miles partirait pour la guerre.

— Est-elle suivie par un médecin ? demanda-t-elle à Percy tandis qu'il chargeait ses bagages sur le siège arrière. Reçoit-elle un traitement ?

— Le Dr Tanner n'est pas spécialisé dans ce domaine. Il préconise une abstinence totale, ce que Miles et Sassie tentent d'appliquer.

— Seigneur…, commenta Mary en imaginant leurs difficultés. Elle se remet ?

— Pas de son besoin d'alcool. Mais, au moins, elle n'en consomme plus. Il faut la surveiller pour qu'elle ne mette plus la main sur une bouteille. Sassie et Miles se relaient et ma mère vient prendre la relève de temps en temps. Parfois, pour se reposer ou pour permettre à Miles d'aller à la plantation, ils ont dû l'attacher à son lit. Désolé, Mary. Je te dis cela pour que tu sois préparée. Il faut que tu saches ce qui t'attend.

Mary se sentit oppressée.

— Tout l'alcool a sans doute été jeté…

— Ce qu'elle n'a pas bu ni caché. Il reste des bouteilles disséminées dans la maison. (Il ouvrit la portière du passager.) J'ai une couverture pour protéger tes vêtements et ton chapeau. Et des lunettes. Personnellement, je me contente des lunettes. La route est très poussiéreuse en cette saison.

— Il fait trop chaud. De plus, j'aime admirer le paysage.

— Je vais m'efforcer de rouler à moins de quarante-cinq kilomètres-heure, promit Percy en démarrant.

Fascinée, Mary écouta le moteur ronronner sous le capot étincelant. Ce n'était que la deuxième fois qu'elle roulait en automobile. La première fois, c'était dans la Rolls-Royce importée d'Angleterre de Richard Bentwood.

— J'espère que Miles n'a pas dépensé d'argent pour une automobile, déclara-t-elle sous les regards admiratifs des passants.

— Mais non, répondit Percy en riant. Tu connais Miles. À ses yeux, c'est un signe extérieur de richesse. Tu sais, j'étais sincère en te souhaitant un bon retour.

— Tu es mal placé sachant que, dans moins d'un mois, tu t'en iras pour Dieu sait combien de temps. (Elle se garda d'ajouter « peut-être à jamais ».) Mon frère et ses nobles causes ! reprit-elle. Il vous a entraînés avec lui, Ollie et toi, n'est-ce pas ?

— Ollie considérait que quelqu'un devait veiller sur lui, gitane. Sinon, il risque de se faire tuer.

— Et toi, tu veilleras sur les deux.

— C'est à peu près cela.

Quelle tristesse, quel gâchis ! C'était insupportable. Mary en voulait énormément à Miles. Comment pouvait-il infliger cette épreuve à ses deux amis et à leurs familles, laisser leur mère dans cet état, abandonner ses responsabilités envers la plantation ? Mais elle préférait ne pas se confier à Percy, qui ne jurait que par Miles.

— Que deviendra ton automobile quand tu partiras pour l'Europe ? s'enquit-elle.

— Soit je la vendrai, soit je la confierai à papa jusqu'à mon retour. Ma mère refuse de monter dedans, mais je ne serais pas étonné que mon père s'en serve, histoire de faire tourner le moteur.

Sentant les larmes lui monter aux yeux, elle s'efforça de contempler le paysage.

— Confie-la à ton père, déclara-t-elle au bout d'un moment.

Elle le sentit tourner la tête vers elle, comme s'il était surpris.

— Très bien, dit-il.

Ils roulèrent en silence. Mary resta tournée de son côté de la route. La saison des cornouillers était terminée, mais les glycines étaient encore resplendissantes et cascadaient sur les murs et grilles. À Somerset, les champs de coton étaient en fleur.

Mary se concentra sur cette image. Elle avait perdu tous ceux qu'elle aimait, son grand-père, son père, son frère et sa mère… Il ne lui restait que Somerset, qui l'attendait. C'était à elle de s'occuper des terres. Miles l'avait bien dit : Somerset ne l'abandonnerait jamais, malgré le charançon, la sécheresse et les inondations. La grêle pouvait anéantir une récolte en quelques minutes, mais les terres, elles, seraient toujours là. Les terres étaient porteuses d'espoir, au contraire des humains.

— Je suppose que ta priorité sera de partir à cheval voir Somerset, dit enfin Percy.

C'était étrange comme il avait le don de lire dans ses pensées.

— En effet.

À entendre Percy, cet empressement constituait la pire des inconvenances.

— Avant que tu ne t'en prennes à Miles pour sa mauvaise gestion du domaine, j'ai deux ou trois choses à te dire.

— Vraiment ? rétorqua-t-elle, perplexe.

Rien de ce que Percy lui raconterait ne pourrait atténuer les erreurs de son frère.

— N'oublie pas qu'il a le dernier mot jusqu'à tes vingt et un ans.

— Inutile de me le rappeler.

— Il est en droit de modifier la nature de la plantation de façon à ce qu'elle ne soit plus le Somerset que tu entends sauvegarder.

Mary se figea.

— Que veux-tu dire ? demanda-t-elle, alarmée.

— Ces terres peuvent rapporter de l'argent autrement qu'avec le coton, tu sais.

— Percy, qu'est-ce que tu racontes ? Qu'a donc fait Miles ? Qu'envisage-t-il ?

Elle laissa éclater sa colère et se rendit compte qu'ils criaient. Toute conversation était impossible à bord de ces maudits engins.

— Veux-tu m'écouter, petite imbécile, avant de t'enflammer ? Je t'explique ce qu'il n'a pas fait, et uniquement à cause de toi.

— Je t'écoute, concéda-t-elle en respirant profondément.

— Il aurait pu planter de la canne à sucre. Juste après ton départ, un producteur de La Nouvelle-Orléans est venu le voir pour lui faire une offre très intéressante. Il l'a déclinée, tout comme celle de mon père, qui voulait louer la plantation et l'exploiter pendant dix ans pour produire du bois.

Mary demeura sans voix. Ravalant ses larmes, elle déclara :

— Si cela arrivait, je ne pourrais jamais récupérer ces terres.

— Serait-ce vraiment un drame, Mary ?

Percy tendit la main gauche et chercha celle de la jeune fille.

— Le coton est mort, de toute façon. Les fibres synthétiques se développent. D'autres pays commencent à nous concurrencer sur les marchés mondiaux. Et comme si cela ne suffisait pas, le charançon du coton a fait des ravages dans tout le Sud.

— Tais-toi ! lança Mary en repoussant sa main, tais-toi donc ! Tu ne sais pas ce que tu dis ! Seigneur, qu'est-ce qui m'attend à la maison ?

Les yeux rivés sur la route, le jeune homme garda le silence.

— Je suis désolé, Mary, déclara-t-il au bout d'un long moment, sans la regarder.

— Tu peux l'être, rétorqua la jeune fille. Le simple fait que ton père cherche à profiter de la situation en proposant à Miles, si crédule et vulnérable, de cultiver des arbres… Je peux te dire une chose : il neigera en juillet à Howbutker le jour où un pin des Warwick prendra racine dans la terre des Toliver !

Sans crier gare, Percy s'arrêta au bord de la route dans un crissement de pneus et un nuage de poussière. Surprise, Mary saisit la poignée de la portière pour s'échapper, mais Percy l'agrippa par le poignet tout en ôtant ses lunettes de protection. C'était la première fois que Mary le voyait en colère. Beatrice avait décrit à sa mère les accès de rage dont il était capable. « Il ne s'emporte pas souvent mais c'est un spectacle terrifiant. Il a la mâchoire crispée, les yeux presque transparents… Et il dégage une telle puissance ! Seigneur, il pourrait briser quelqu'un en deux. Dieu merci, il ne s'emporte jamais sans raison. »

— Comment oses-tu prêter à mon père de mauvaises intentions alors qu'il ne cherchait qu'à venir en aide à ta famille ! gronda-t-il, les dents serrées, rouge de colère, le regard glacial. Tu es encore plus têtue que je ne le pensais !

— Il n'aurait pas dû faire une telle proposition derrière mon dos, répliqua Mary en tentant de se dégager de l'emprise de Percy. Il connaît l'importance qu'avait le coton pour mon père. C'est d'ailleurs pour cela qu'il m'a légué Somerset, à moi et non à Miles !

— Mon père ignore que tu es aussi obsédée que Vernon. Il te prend pour une jeune femme qui entend consacrer sa vie à autre chose qu'à une plantation ravagée par le charançon du coton. Il croit peut-être que, quand nous serons mariés, Somerset se tournera vers le bois de toute façon.

— Comment ? s'exclama Mary, bouche bée.

— Tu as très bien entendu.

— Nous... mariés ? Somerset dans le bois ? Tu plaisantes, j'espère !

— J'en ai l'air ?

Il se pencha vers elle. Elle était tellement sous le choc de cette affirmation qu'elle ne réagit pas quand il posa ses lèvres sur les siennes. Puis elle se débattit, elle gémit et se plaignit, en vain. Contrairement à la jeune fille chaste qui avait repoussé les avances de Richard, la femme qui était en elle s'épanouit sous l'assaut de Percy. Son corps s'embrasa. Toute prudence, toutes convenances s'envolèrent tant elle le désirait. Elle s'offrit à lui autant que le lui permettaient leurs vêtements. Enfin, elle redescendit sur terre et elle demeura brûlante dans ses bras, la robe froissée, échevelée, les lèvres frémissantes. Son chapeau gisait quelque part, à l'extérieur de la voiture.

— Mon Dieu..., souffla-t-elle, trop troublée pour relever la tête de son épaule.

— Essaie d'affirmer que nous ne sommes pas faits l'un pour l'autre !

Elle ne pouvait prétendre le contraire. En s'installant dans cette voiture, elle était crispée, mais elle venait de s'abandonner à ce baiser. Ils en étaient tous deux conscients. Or ce n'était pas possible : ils ne pourraient jamais être ensemble.

— Cela n'a pas d'importance, dit-elle. Je ne t'épouserai pas. Je suis sincère, Percy.

— Eh bien, nous verrons à mon retour d'Europe, quand tu te seras occupée des milliers d'hectares de plantations, de centaines de familles, quand tu auras lutté contre le charançon du coton, essayé d'empêcher ton régisseur de boire... Sans parler de ta mère et du quotidien à gérer. Il serait injuste de t'épouser avant mon départ, et je le déplore, mais... (il l'embrassa sur le front et laissa sa phrase en suspens) au moins, mes parents pourront veiller sur toi.

— Tu es bien présomptueux! pouffa la jeune fille en luttant pour ne pas se jeter dans ses bras. Et si je n'ai pas changé d'avis à ton retour?

— Tu changeras d'avis, assura-t-il avec un sourire, non pas satisfait, comme celui de Richard, mais confiant.

Elle parvint à retrouver sa place et remit de l'ordre dans sa tenue.

— Ôte-toi cette idée de la tête, Percy.

Elle chercha son chapeau des yeux. Hélas, il avait volé dans un champ et une vache était en train de s'en délecter.

— Tu verras, insista Percy en démarrant.

Mary avait désormais un nouvel ennemi, plus insidieux que le charançon du coton, plus ravageur que la grêle, les inondations ou la sécheresse, plus effrayant que les banquiers de Boston et leur hypothèque sur Somerset. Elle comprenait désormais son hostilité envers Percy: il avait le pouvoir de se faire aimer d'elle, de mettre à mal sa volonté. S'ils se mariaient, les terres des Warwick se développeraient au détriment de Somerset. La lignée des Toliver serait absorbée par les Warwick et disparaîtrait. Miles était le fils de sa mère, un Henley, un doux rêveur. La seule véritable Toliver, c'était elle. Elle devait donc engendrer des fils. Pour cela, il lui fallait un mari qui partage son engagement. Percy Warwick n'était pas cet homme.

— Il vaut mieux que cela ne se reproduise pas, dit-elle en regardant droit devant elle.

— Je ne te promets rien, ma gitane.

Devant chez elle, elle lui tendit poliment la main.

— Merci d'être venu me chercher à la gare, Percy. Il est inutile que tu entres.

Ignorant sa main tendue, Percy l'enlaça.

— Ne te tourmente pas. Nous en reparlerons à mon retour.

Enfin, elle le regarda droit dans les yeux.

— Je souhaite de tout mon cœur que tu reviennes, Percy, mais pas pour m'épouser.

— Je ne peux en épouser aucune autre. Sois indulgente envers Miles. Il est aux abois. S'il a appris une chose, en ton absence, c'est qu'il n'est pas planteur. Il a semé une sacrée pagaille, tu vas vite t'en rendre compte, mais il a fait de son mieux.

Mary opina de la tête.

— C'est bien, reprit Percy en effleurant ses lèvres d'un baiser.

Sentant monter la passion, la jeune fille se crispa, ce qui amusa Percy.

— À plus tard, conclut-il en descendant les marches du perron.

Derrière elle, Mary entendit la porte s'ouvrir, puis le cri de joie de Sassie, mais elle s'attarda un instant sur la vision de Percy qui s'éloignait vers sa voiture.

12

Howbutker, octobre 1919

Le train avait du retard. Pour la centième fois, Mary consulta la petite montre épinglée au revers de sa veste un peu démodée, puis elle scruta de nouveau la voie.

— Le convoi a sans doute quitté Atlanta plus tard que prévu, hasarda Jeremy Warwick, histoire de détendre l'atmosphère.

Les Warwick, Abel Dumont et Mary patientaient sur le quai parmi la foule venue accueillir les soldats de retour de la guerre. La fanfare était prête à entonner *Stars and Stripes Forever* dès qu'un uniforme apparaîtrait. À l'entrée de la gare, une banderole souhaitait la bienvenue aux enfants du pays, tandis qu'une autre annonçait une parade devant le palais de justice.

La guerre était finie depuis presque un an, mais Miles, Ollie, Percy et les milliers de membres des forces expéditionnaires américaines déployées en France avaient encore eu une mission d'occupation à accomplir en Allemagne. De plus, les navires manquaient pour ramener les militaires aux États-Unis.

Seul Percy rentrait en bonne santé. Un peu avant la fin des hostilités, Miles avait inhalé les gaz ennemis. Solidaires, les capitaines Warwick et Dumont étaient restés après l'armistice pour participer à la démilitarisation de la Rhénanie. Peu après Noël, Ollie avait été blessé par une grenade qui lui avait presque arraché la jambe.

Ces vingt-six mois avaient été interminables. Les journaux décrivaient des conditions de combat effroyables, sans parler de l'épidémie de grippe qui faisait dix mille victimes par semaine… Les blessés quittaient les hôpitaux pour une convalescence douloureuse dans des campements sans surveillance médicale.

Les familles perdaient espoir. Il leur était déjà pénible d'imaginer leurs garçons dans les tranchées, à grelotter de froid, mais savoir Miles et Ollie blessés, si loin de chez eux… Quant à Percy, il affrontait chaque jour le danger, ce qui était un pire cauchemar, encore.

Le courrier était rare, ce dont les soldats se plaignaient amèrement. Les proches s'échangeaient les messages qu'ils recevaient et lisaient leur solitude entre les lignes.

Beatrice Warwick cédait aux suppliques de Lucy, qui insistait pour lire les lettres de Percy. La camarade de chambrée de Mary s'était attiré les bonnes grâces des Warwick et passait les fins de semaine à Howbutker. Elle préférait leur hospitalité forcée à l'atmosphère pesante qui régnait chez les Toliver.

Naturellement, Lucy est là, songea Mary, sur le quai. Vêtue d'une robe mauve à la dernière mode et qui soulignait ses courbes, elle vérifiait son apparence dans la vitre de la gare. Cette fille avait décidément le don de se faufiler partout… D'après la cuisinière des Warwick, Beatrice, une femme au caractère bien trempé, n'en pouvait plus de cette importune.

Quand les parents de Percy étaient passés chercher Mary dans leur Packard flambant neuve, Lucy trônait sur le siège arrière.

— Tu es superbe ! s'écria-t-elle en voyant Mary relever le bas de sa vieille robe pour monter en voiture. Cela fait des années que je t'admire dans cette tenue !

— Percy aussi, intervint Beatrice. Comme c'est gentil d'avoir choisi cette toilette chargée de souvenirs, Mary ! Tant de choses ont changé…

Beatrice venait de remettre Lucy à sa place, comme en témoignait la mine déconfite de la jeune fille. La mère de Percy avait de l'affection pour Mary. Jamais elle ne laisserait quiconque s'en prendre à elle, surtout pas cette intruse qui avait des vues sur son fils.

Coiffée d'un élégant chapeau noir, les mains gantées, elle était installée à l'avant, à côté de son mari. Depuis le départ des garçons, elle portait le deuil. C'était pour elle une façon de manifester son indignation contre la guerre, contre la bêtise et la barbarie humaine en général, et pour toutes les femmes dont les fils ne rentreraient pas à la maison.

Mary porta son attention sur Abel Dumont, veuf depuis les dix ans d'Ollie. À en juger par son expression, il imaginait son fils appuyé sur des béquilles. Il avait déjà contacté les plus grands chirurgiens de Dallas dans l'espoir de faire opérer sa jambe meurtrie. Pleine de compassion, Mary lui prit le bras. Abel esquissa un sourire forcé. Pourvu qu'il ne lui en veuille pas de ne pas avoir choisi de porter la superbe robe et sa capeline assortie qu'elle avait dans son armoire... Elle avait servi de mannequin lors d'un défilé de mode organisé par le grand magasin Dumont. En remerciement, on avait permis aux modèles de conserver leur toilette. Ce défilé n'avait d'autre objectif que de lui offrir une jolie tenue à porter pour le retour des garçons. Elle avait apprécié le geste, mais les Toliver refusaient la charité.

Enfin retentit le sifflement tant attendu du train à l'approche.

— Il arrive!

Dans un brouhaha, la foule encercla le quatuor de notables.

Une spirale de fumée s'éleva au loin et le train siffla de plus belle. Le cœur de Mary menaçait d'exploser. Percy avait dû changer... Serait-il aussi désinvolte et enjoué, aussi confiant? Voudrait-il toujours l'épouser?

Le souvenir de leurs adieux, deux ans plus tôt, sur ce même quai de gare, la troublait encore. Sous les yeux de tous, il l'avait prise dans ses bras pour un dernier moment d'intimité. Entre le jour où il l'avait raccompagnée chez elle, à son retour du pensionnat, et son départ, elle l'avait à peine vu. Même si elle n'avait pas passé ses journées dans les champs de coton et ses soirées à vérifier les registres, il n'aurait pas cherché à la rencontrer. Il espérait sans doute qu'elle se lasse de la plantation et de ses contraintes.

— À mon retour, j'ai l'intention de t'épouser, Mary, lui dit-il ce jour-là.

— Jamais ! répliqua-t-elle avec fougue. Jamais je ne renoncerai à Somerset !

— Tu en reviendras, tu verras.

— Jamais, Percy ! Il va falloir l'accepter.

— Notre mariage est la seule chose acceptable, à mes yeux.

— Pourquoi ? lança-t-elle en admirant les reflets dorés de ses cheveux, sa peau hâlée, ses yeux clairs. J'ai bien réfléchi et j'en suis arrivée à la conclusion qu'il n'y avait entre nous que… du désir. Tu n'as même pas de sympathie pour moi…

— Que vient faire la sympathie là-dedans ? s'esclaffa-t-il. Bien sûr qu'il y a du désir entre nous ! Mais si je veux t'épouser, c'est parce que je t'aime. Je t'aime depuis ton premier sourire. Je n'ai jamais songé à épouser une autre femme que toi.

Elle n'en croyait pas ses oreilles. Percy pouvait séduire n'importe quelle fille, or il était amoureux d'elle… Comment des sentiments aussi profonds avaient-ils pu lui échapper ?

Au cours de ses vingt-six mois d'absence, Mary avait mille fois revécu leur baiser passionné, sur le quai. Ils s'étaient séparés ivres de désir, chacun noyé dans le regard de l'autre, indifférents à la stupeur de Miles, à la mine ahurie de Beatrice, à la gêne d'Abel et au sourire résigné d'Ollie.

— Ne t'inquiète pas, Mary, lui avait promis ce dernier. Je veillerai à ce qu'il rentre sain et sauf.

— Ollie… (La voix de Mary se brisa. Quel aveuglement, quel égoïsme ! Ollie était amoureux d'elle, lui aussi. Et il s'effaçait devant Percy…) Prends soin de toi, lui avait-elle répondu en l'étreignant.

En pensant à Ollie, Mary fut envahie d'un effroyable soupçon qui la hantait depuis l'arrivée du télégramme annonçant simplement qu'il était blessé. Les lettres ne fournissaient guère de précisions. Percy et Ollie étaient en patrouille lorsqu'une grenade avait explosé. Ollie s'était-il sacrifié pour Percy ?

Lucy réapparut au côté de Mary qui, exaspérée, se tourna vers elle.

— Accorde au moins aux Warwick la chance d'être les premiers à embrasser leur fils !

— Pour qui me prends-tu ? rétorqua Lucy, blessée. Tu devrais comprendre ce que je ressens pour Percy.

— Tout le monde comprend ce que tu ressens pour Percy !

— Arrête, souffla Lucy pour ne pas être entendue des Warwick. Les autres pensent peut-être que je crois avoir une chance avec Percy, mais je sais que c'est perdu d'avance. Pour autant, qu'est-ce qui m'empêche de l'aimer, de prier pour lui, de me réjouir de son retour jusqu'à ce qu'il tombe amoureux d'une autre ?

— Ta fierté, peut-être, suggéra Mary.

Comment Lucy pouvait-elle s'exposer délibérément à une cruelle déception ? Elle tendait vraiment le bâton pour se faire battre.

— Ma fierté ? Allons, Mary ! La fierté n'est qu'une illusion qui nous confine dans un espace réduit. Tu devrais te méfier de ta fierté, car elle risque de provoquer ta perte.

— Ils arrivent !

Tous les regards se tournèrent vers la locomotive qui ralentit dans un vacarme assourdissant. La main crispée sur sa canne, Abel se redressa fièrement. Oubliant Lucy, Mary sentit les larmes lui monter aux yeux. Jeremy Warwick pleurait déjà. Beatrice sortit de son sac un mouchoir dont elle se couvrit la bouche. Le responsable de la fanfare brandit son bâton tandis que le chef de gare se postait solennellement sur le quai.

— Je les vois! cria un fermier qui avait perdu son fils aîné.

Il se mit à agiter son chapeau en hurlant à l'adresse des passagers penchés aux fenêtres. Mary regretta l'absence de sa mère. Hélas, Darla n'était plus que l'ombre d'elle-même. Sa longue bataille contre l'alcoolisme était terminée, mais à quel prix? L'avenir le dirait. Tout dépendait désormais de sa volonté de vivre. Le retour de Miles les aiderait peut-être à former à nouveau une famille unie.

Lucy se mit à lui hurler dans l'oreille. Enfin, le train s'immobilisa. Chacun se mit en quête d'un visage familier. Ben, le chef de gare, monta à bord.

— Qu'est-ce qui les retient? s'enquit Lucy.

— Ils sont sans doute groupés dans le couloir, dit Beatrice.

— Ben prévient les garçons qu'une foule les attend, suggéra Jeremy.

— Ou alors mon fils a besoin d'aide, intervint Abel.

— Mais qu'est-ce qu'ils fabriquent? gémit Lucy.

La foule commençait à s'agiter. Le chef de gare réapparut et leva une main.

— Mesdames et messieurs, les capitaines Toliver, Warwick et Dumont ne vont pas tarder! Je vous demande de reculer, à part les familles. N'oubliez pas qu'ils ne sont pas les seuls passagers.

— Pour l'amour du ciel, Ben! lança Beatrice, taisez-vous donc et faites descendre nos garçons!

L'employé s'inclina et se posta sur le quai.

— Messieurs!

La foule retint son souffle. À l'apparition de Percy, une clameur s'éleva au son de la fanfare. Les Warwick et Lucy se précipitèrent vers lui, mais il semblait chercher quelqu'un des yeux. Dès que Mary leva la main, le visage de Percy s'illumina. Il attendit un long moment avant de poser le pied sur le quai. Derrière le chapeau de Beatrice et la carrure de Jeremy, Mary ne distinguait que le sommet de son képi. La pauvre Lucy sautillait derrière lui, incapable de franchir la barrière de leurs embrassades.

Quel soulagement! Il était sain et sauf! Et il était de retour…

Au bout d'une longue minute, Ollie surgit à son tour, toujours souriant. Abasourdie, Mary porta une main à ses lèvres. Abel étouffa un cri d'effroi.

— Mon Dieu… Ils l'ont… amputé.

13

Miles apparut à son tour, ébloui comme un prisonnier qui voit la lumière après un long enfermement. D'une maigreur inquiétante, très pâle, il portait les bagages. Mary et Abel ne dirent mot. Ollie salua la foule soudain silencieuse en agitant une béquille, puis il descendit sur le quai, la jambe droite de son pantalon repliée à la hauteur du genou.

Enfin, Abel offrit son bras à Mary avant d'aller à leur rencontre.

— Miles ? fit la jeune femme, un peu hésitante, de peur qu'il refuse de l'embrasser.

— Mary ! C'est toi ? répondit-il, le regard vague. Tu es superbe ! Moi aussi, tu ne trouves pas ? (Il esquissa un sourire ironique.) Où est maman ?

— À la maison. Elle est très impatiente de te voir. Comme moi…

En voyant les larmes lui monter aux yeux, Miles posa les bagages et tendit les bras vers elle.

— Allez, viens embrasser ton grand frère !

Elle se jeta à son cou.

— Tu n'as plus que la peau et les os, gémit-elle en l'étreignant. Sassie va avoir du mal à te remplumer.

— Comment va Sassie ?

Si elle avait répondu franchement, elle aurait dit : « Elle est épuisée à force de veiller sur maman, de diriger la maison, de tirer le diable par la queue pour préparer chaque repas. » Mais Miles avait livré des combats bien plus difficiles.

— Toujours la même, déclara-t-elle. Mais elle n'a plus vingt ans...

— Et maman ?

— Toujours la même, elle aussi, hélas. Nous en parlerons tout à l'heure.

— Bonjour, mon agneau !

Malgré son infirmité, Ollie n'avait pas vraiment changé. Comme les autres, il flottait dans son uniforme, mais il avait le regard vif. Son père, qui avait réussi à se contenir jusqu'alors, se tourna vers Miles et l'étreignit dans un sanglot.

— Cher Ollie ! dit Mary, très émue, en l'embrassant. Bienvenue à la maison.

— Je ne regrette pas d'être rentré, répondit-il avec un sourire. Tu es encore plus belle que dans mes souvenirs. N'est-ce pas, Miles ?

— Absolument, admit son frère, touché par l'accueil d'Abel. Si je ne la connaissais pas, j'aurais peur que sa beauté ne lui tourne la tête.

— Cela fait partie de son charme, reprit Ollie.

Miles désigna à Abel le bagage de son fils, sans lâcher la main de la jeune femme.

— Merci pour tes lettres, lui dit-il.

— Tu les as reçues ?

— J'en ai eu quatre. Percy était fou de jalousie, mais je le laissais toujours mijoter un peu avant de lui donner de tes nouvelles.

— Elles vous étaient destinées à tous les trois. Peut-être aurais-je dû vous écrire individuellement...

— Pas du tout ! De toute façon, il a reçu du courrier d'un tas d'autres filles.

— Vraiment ?

Au loin, Percy cherchait à s'extirper de l'étreinte de Lucy.

— Mais il espérait toujours une lettre de toi, souffla Ollie à l'oreille de Mary.

Soudain alarmée, elle chercha sur son visage la confirmation de ses soupçons.

— Ollie, tu n'aurais pas fait une bêtise… te sacrifier pour Percy et moi ?

Et si je me trompais ? songea-t-elle aussitôt.

— Comment pourrais-je me sacrifier pour vous? demanda-t-il en effleurant d'une caresse sa fossette au menton.

— Chacun son tour, Ollie, déclara Percy, derrière Mary.

Elle crut que ses jambes allaient se dérober.

— Je t'en prie, fit le jeune homme en s'écartant avec un sourire plein de regret.

Mary avait souvent imaginé leurs retrouvailles. Elle avait pensé à ce qu'elle dirait, ce qu'elle ferait… Tout le monde les regarderait, s'attendant à un baiser romantique, mais elle était décidée à ne susciter aucun ragot. Il ne fallait pas donner à Percy le moindre espoir, au cas où il souhaiterait toujours l'épouser.

Face à lui, ses bonnes résolutions s'envolèrent. Sans réfléchir, elle tendit la main pour caresser sa joue.

— Bonjour, Percy.

À la fois troublée et soulagée, elle ne put en dire plus.

— Bonjour, ma gitane, répondit-il, détendu, les mains dans les poches de son pantalon.

Manifestement, il avait l'intention de jouer au chat et à la souris.

— Pourquoi ne m'as-tu pas écrit ?

— Je… Je…

Elle sentit les autres s'éloigner, Ollie avec son père, pour empêcher Lucy de les importuner, et Miles en direction de Jeremy et Beatrice.

— J'avais peur, avoua-t-elle.

— Peur ?

— Je… J'étais incapable de t'écrire ce que tu voulais lire. Je redoutais que mes lettres ne te déçoivent plus qu'une absence de courrier.

— Eh bien, tu te méprenais.

— Sans doute, admit-elle, honteuse.

Sur le front, les nouvelles de la maison étaient précieuses… Timidement, elle tendit à nouveau la main vers sa joue émaciée.

— Tu es si maigre…

— S'il n'y avait que cela !

Elle lisait sur leurs visages à la fois familiers et inconnus qu'ils avaient perdu leur innocence. Chaque matin, avant de commencer une nouvelle journée à la plantation, elle constatait dans son miroir qu'elle-même avait perdu sa jeunesse. Comme Percy ne prenait pas sa main dans la sienne, elle s'écarta.

— Je ne t'ai pas écrit, mais j'ai prié pour toi, tu sais. Et je suis heureuse que mes prières aient été entendues.

Il ne l'avait toujours pas touchée, mais semblait se retenir à grand-peine.

— Au prix de la jambe d'Ollie, affirma-t-il.

— Que veux-tu dire ?… bredouilla-t-elle, désemparée.

— Cette grenade allemande m'était destinée. Ollie m'a sauvé la vie.

Avant que Mary puisse prononcer un mot, Miles réapparut, le front soucieux.

— Mary, rentrons, maintenant. Je veux voir maman.

— Les garçons ont du sommeil à rattraper, renchérit Percy.

— Toi aussi, non ? ajouta Miles en lui donnant une tape sur l'épaule.

Abasourdie par la révélation de Percy, la jeune fille scruta la foule. Beatrice marchait vers elle tel un grand oiseau noir, Lucy dans son sillage. Jeremy portait les bouquets de fleurs offerts aux soldats pour leur retour.

— Je suis venue avec les Warwick, expliqua Mary, sous le regard appuyé de Percy. Beatrice va nous indiquer comment nous rentrons.

— Je m'en doutais! lança Beatrice, irritée. J'ai demandé au maire de programmer le défilé plus tard dans la semaine, le temps que tout le monde se remette de ses émotions, mais il préfère éviter aux gens de se déplacer une seconde fois. Abel veut ramener Ollie à la maison. Il est épuisé, le pauvre…

— Miles aussi, déclara Mary. Et il veut voir maman.

— Nous ne tiendrons pas tous dans la Packard, signala Lucy en se postant à côté de Percy.

— Nous le voyons bien, Lucy! s'emporta Beatrice avec un regard réprobateur. Miles, mon cher, Mary et toi irez avec Abel. Retrouvons-nous tous à la maison vers quatre heures pour revenir en ville. Les garçons auront eu le temps de se reposer un peu.

Tandis qu'ils chargeaient les bagages, Beatrice prit les fleurs des bras de son mari et tendit un bouquet à Lucy.

— Aidez-moi plutôt à porter ceci dans la voiture, ordonna-t-elle.

— Mais je…, bredouilla la jeune fille.

— Allons! insista Beatrice en adressant un clin d'œil complice à Mary et Percy tandis qu'elle entraînait Lucy.

Percy prit enfin Mary par les épaules.

— Ce soir, après la fête, je vous raccompagnerai, Miles et toi. Il faut que nous parlions, tous les deux. Surtout, ne refuse pas.

— D'accord, souffla-t-elle, ivre de joie.

Pour la première fois, il lui sourit.

— Je te reconnais bien, dit-il en effleurant sa fossette.

Sur ces mots, il suivit ses parents et Lucy vers la Packard.

14

Pendant que Miles montait voir leur mère, Mary se réfugia au salon. Désemparée, elle contempla la roseraie par la porte-fenêtre ouverte. Naguère, les rosiers étaient luxuriants. Hélas, seules quelques plantes avaient survécu à l'accès de violence de Darla, quelques jours après la lecture du testament. Pendant que la maisonnée était endormie, elle avait saccagé la roseraie à coups de pelle. À l'aube, Toby avait retrouvé les fleurs rouges et blanches déchiquetées. De peur que Darla ne s'en prenne à Mary, il s'était empressé de cacher l'arme.

Les lieux furent vite envahis par des mauvaises herbes qui, Dieu merci, étaient dissimulées par un treillage. En cette fin de saison, quelques rares fleurs poussaient néanmoins çà et là.

Il ne restait plus une goutte d'alcool dans la maison. Mary aurait volontiers sablé le champagne pour le retour de son frère. Ils n'auraient pas pu trinquer avec leur mère, bien sûr, mais ils auraient célébré l'événement tous les deux…

Toutefois, personne n'avait vraiment le cœur à la fête. Miles était malade, affaibli, plus distant qu'avant la guerre. Lors du trajet de retour, il s'était muré dans un silence ponctué de violentes quintes de toux. À la maison, il avait déposé ses bagages dans l'entrée, comme s'il était de passage pour prendre des nouvelles de sa mère avant de repartir vers un autre combat. Il avait embrassé Sassie avec chaleur, mais laissé son repas refroidir sur la table, affirmant qu'il n'avait pas faim.

Et le pauvre Ollie! Son entrain s'était envolé dès qu'il s'était retrouvé dans la voiture neuve que lui avait achetée son père, l'un des premiers modèles C de chez Ford, un cadeau qu'il était incapable de conduire, avec une jambe en moins. Sous le choc de cette amputation, Abel semblait vieilli.

Et il y avait Percy, qui devait la vie à son ami. Percy était-il au courant de sa promesse faite à Mary? Les deux hommes s'aimaient comme des frères. Ollie avait peut-être agi d'instinct pour son meilleur ami, sans penser à Mary... Mais si Ollie l'avait sauvé pour elle, que devait-elle à chacun, désormais?

Après son entrevue avec Percy, elle y verrait plus clair. Elle connaissait déjà la réponse à sa question la plus pressante: ses sentiments pour elle n'avaient pas changé.

Les siens non plus. L'absence de Percy les avait même renforcés.

Chaque matin, sa première pensée était pour lui, et elle s'endormait chaque soir en voyant son visage. Sa pire crainte n'était plus de perdre la plantation, mais d'apprendre la mort de Percy.

Mary était en proie à un cruel dilemme. Percy s'attendait sans doute à ce qu'elle renonce à Somerset, or elle était plus déterminée que jamais à garder le domaine. Elle avait fait tant de sacrifices... Après le départ de Miles, elle avait choisi Emmitt Waithe comme tuteur et congédié Jethro Smart, son régisseur. En travaillant parfois dix-huit heures par jour et avec l'aide d'Emmitt, elle avait fini par rendre l'exploitation assez rentable pour rembourser plus vite l'hypothèque.

En vérité, il ne lui restait d'argent que pour l'essentiel. Miles allait lui en vouloir en découvrant l'état de délabrement de la maison et le manque de personnel, mais ils finiraient par faire des travaux et troquer leur attelage contre une automobile.

Si la santé de leur mère ne nécessitait plus de soins coûteux, et si la récolte était aussi abondante que prévu, ils investiraient pour rendre les terres plus productives. La guerre étant finie, l'industrie et la science se mettaient au service de l'agriculture: nouvelles méthodes de culture, matériel plus efficace, semences de meilleure qualité, sans oublier une substance appelée insecticide, arrivaient sur le marché. Tout cela leur serait accessible dès le remboursement de l'hypothèque.

Quelle place accorder à Percy dans ces conditions? Accepterait-il Somerset? S'était-il fait à l'idée de partager la vie d'une femme passionnée par sa plantation? À bientôt vingt-cinq ans, il était temps pour lui de s'installer, d'avoir des enfants et de reprendre l'affaire familiale.

C'était aussi le souhait de la jeune femme, mais pas au prix de Somerset. Elle refusait de trahir son père et tous les Toliver; ceux-ci avaient lutté pour cultiver le coton, ils avaient donné leur vie pour ces terres qui faisaient leur fierté. Jamais Mary ne sacrifierait Somerset pour flatter l'orgueil d'un homme! Toutefois... elle aimait Percy, malgré ses efforts pour combattre cet amour. Aurait-elle la force de lui résister?

— Elle a mauvaise mine.

Mary sursauta.

— Désolé, je ne voulais pas t'effrayer.

Miles avait enfilé des vêtements civils. Il entra dans la pièce d'un pas nonchalant, les mains dans les poches de son pantalon trop large. Il balaya le salon du regard comme s'il ne savait pas où s'asseoir.

— Maman n'a pas l'air bien du tout. Cette maison de santé l'a littéralement épuisée.

Mary maîtrisa son indignation.

— Elle allait bien en quittant le sanatorium, répliqua-t-elle en pesant ses mots. Mais elle a pris froid dans le train du retour et a contracté une pneumonie qui l'a affaiblie.

— Elle affirme que tu l'as envoyée à Denver pour te débarrasser d'elle pendant la récolte.

— C'est faux! lança Mary. Elle avait besoin de soins médicaux. Tu n'imagines pas ses stratagèmes pour dénicher de l'alcool. Elle agressait toutes les infirmières que j'engageais. Sassie n'en pouvait plus.

— Et toi, où étais-tu ?

— Tu le sais très bien. Il fallait faire rentrer la récolte ! Tu connais le travail qu'implique une plantation. On s'échine de l'aube au crépuscule.

— Rien ne t'y oblige, rétorqua Miles avec un regard incisif. Si nous avions vendu ces terres à la mort de papa, rien de cela ne serait arrivé.

Mary ravala une réplique cinglante. Elle refusait même d'envisager ce cas de figure.

— Veux-tu un peu de café ? proposa-t-elle en saisissant une cafetière en argent. Sassie a préparé un gâteau au gingembre spécialement pour toi.

— Non merci. Parle-moi plutôt de maman. Tu crois qu'elle guérira un jour ?

— Elle n'est pas encore abstinente, répondit la jeune fille en avalant une gorgée de café. Elle a toujours envie d'alcool et nous avons été prévenus…

— Nous ?

— Emmitt Waithe et moi. Il m'a aidée à m'occuper d'elle. J'ignore ce que j'aurais fait sans lui. C'est lui qui a trouvé le sanatorium et qui m'a accompagnée à Denver pour la ramener à la maison.

— Par sentiment de culpabilité, sans doute.

— Par compassion, corrigea Mary. Maman devra encore faire l'objet d'une surveillance pendant plusieurs années avant de pouvoir aller et venir à sa guise. Miles, assieds-toi. Il faut que nous parlions. Mais tu préfères peut-être monter dans ta chambre te reposer un peu…

— Parlons, répondit-il en s'asseyant sur le divan, la tête baissée. Elle… m'a demandé de lui donner de l'alcool.

— Oh, non…

Mary n'avait pas envisagé que sa mère tenterait de soudoyer son fils. Depuis qu'elle connaissait la date d'arrivée de Miles, Darla avait meilleure mine, le regard plus vif, comme si elle dissimulait quelque secret. En fait, elle espérait obtenir de l'alcool de la part de Miles.

— Que lui as-tu répondu? demanda Mary en observant son frère d'un œil méfiant, car elle connaissait sa faiblesse.

— J'ai refusé, bien sûr.

— Comment a-t-elle réagi?

Miles passa une main nerveuse dans ses cheveux ternes et clairsemés.

— Elle n'a pas piqué de crise, si c'est ce qui t'inquiète. Elle a au moins franchi ce stade. On dirait une poupée de chiffon qui aurait perdu son rembourrage.

Mary prit place à côté de lui.

— Je croyais que c'était ton retour qui la rendait heureuse, et non l'espoir que tu lui procures une bouteille...

— Eh bien, ce n'est pas le cas, commenta-t-il amèrement, les mains crispées, les yeux baissés.

Mary posa une main sur son épaule.

— Que se passe-t-il, Miles? Tu sembles tellement déçu... Tu n'es pas heureux d'être à la maison?

Il se leva d'un bond et se mit à arpenter la pièce, les épaules voûtées. De toute évidence, il cherchait à dire quelque chose mais n'en avait pas le courage.

— Je ne reste pas, déclara-t-il enfin. Je vais retourner en France. J'y ai rencontré une infirmière qui m'a redonné goût à la vie... pour le peu qui me reste... (Il eut une quinte de toux.) Mes poumons sont atteints, Mary. J'ignore combien de temps je survivrai.

— Miles...

Il l'interrompit d'un geste.

— Je ne m'apitoie pas sur mon sort. Tu me connais. Je te dis la vérité. Je veux finir ma vie avec Mariette. Et il y a autre chose. Je... Je me suis engagé en politique, au sein du Parti communiste.

— Miles! s'exclama sa sœur en se levant d'un bond.

L'intensité de sa propre réaction étonna la jeune fille. L'annonce n'avait pourtant rien de surprenant: son frère adoptait systématiquement toutes les idées nouvelles, quitte à changer d'avis ensuite.

— Je savais que tu réagirais de la sorte, reprit-il. Tu penses sans doute que c'est encore une de mes lubies, mais tu te trompes. La révolution bolchevique sera la plus grande de l'histoire de l'humanité. Le monde en sera…

— Arrête! s'écria-t-elle en se bouchant les oreilles. Je ne veux plus entendre un mot sur un système politique qui ne vaut pas mieux que celui qu'il remplace. Et qui est cette Mariette? Partage-t-elle tes convictions politiques?

— Elle est membre du parti.

— Mon Dieu! souffla Mary en se détournant d'un air las. Tu retournes donc en France faire de la politique?

— Je veux aller là-bas pour épouser Mariette.

— Fais-la venir ici.

— Non. Il nous est plus facile de défendre nos idées en France.

— Je vois. Et maman? Je comptais sur toi pour m'aider, soulager Sassie. Elle, Toby et Beatrice sont les seules personnes qu'elle accepte de voir. Elle me rejette.

— Dans son état, elle ne rêve que d'une chose: trouver la délivrance dans l'alcool. Elle n'a pas besoin de moi. Et toi non plus, d'ailleurs. Je suppose que Somerset n'a jamais autant prospéré depuis la mort de papa. Tu imposes sans doute à ces malheureux des cadences de cueillette infernales. Réjouis-toi de te débarrasser de moi: je ne sèmerai plus la pagaille.

— Ce n'est pas la plantation qui a besoin de toi, c'est maman et moi. Il faut que nous redevenions une famille.

— Je pars, Mary, affirma son frère, déterminé. Je dois penser à Mariette et à moi. Je suis rentré uniquement pour accompagner les garçons et veiller sur eux, et pour vous voir une dernière fois.

Des larmes de déception embuèrent les yeux de la jeune fille. Comment Miles pouvait-il se passionner à ce point pour la politique, alors que rien dans son éducation ne l'y prédisposait ? Cette fois, il allait perdre les siens, car il n'aurait pas la force de traverser de nouveau l'océan. Il fallait qu'elle trouve un moyen de le retenir, le temps que Percy et Ollie l'infléchissent. Elle caressa sa joue mal rasée.

— Reste au moins jusqu'à ce que tu aies repris des forces… Accorde-nous encore un peu de temps avec toi.

Miles prit ses mains dans les siennes et inspecta les paumes de sa sœur.

— Elles ont déjà beaucoup travaillé, et tu es si jeune… Mary…, souffla-t-il d'un ton plein de sollicitude qu'elle n'avait pas entendu depuis des années. Si tu étais avisée, tu épouserais Percy. C'est le plus beau parti du Texas et il est fou de toi. À quoi bon faire une récolte abondante si tu ne peux rien partager avec un être aimé ? Ton cœur de planteur te dit que tu peux avoir Percy et Somerset, mais c'est faux. La fierté de Percy l'interdit.

Le visage empourpré, elle glissa ses mains meurtries dans ses poches.

— Pourquoi devrais-je me sacrifier ? Pourquoi Percy ne renoncerait-il pas à ce qui lui est cher ?

— Parce que c'est un imbécile, lui aussi, répondit amèrement Miles. Ce n'est pas mon cas. Voilà pourquoi je retourne auprès de Mariette.

Sur ces mots, il tourna les talons et s'éloigna, comme toujours, depuis la lecture du testament.

— Quand tu iras chez les Warwick, lança-t-il depuis le seuil, dis-leur que je ne viendrai pas. Je refuse de participer à la mascarade du maire.

15

Accablée de tristesse, Mary s'attarda au salon. Que dirait son père s'il voyait sa famille brisée, sans espoir de réconciliation… Tout cela parce que sa femme et son fils n'étaient pas conscients de l'importance de Somerset.

Miles ne lui avait fourni aucune précision sur la blessure d'Ollie. En fait, elle ne voulait pas savoir. Elle avait décidé de ne pas voir Percy en tête à tête, ce soir-là. Elle n'avait pourtant qu'une envie, s'abandonner dans ses bras afin qu'il lui prouve qu'il était bel et bien de retour. Hélas, Miles avait raison : jamais Percy n'épouserait une femme qui aurait deux passions. Le seul moyen de savoir ce qu'il pensait était de lui parler, mais elle était trop fatiguée, trop seule, trop vulnérable. Elle ne pouvait prendre le risque de l'affronter, de peur de tout accepter. Juste avant l'heure du rendez-vous, elle enverrait aux Warwick un message annonçant l'absence de Miles et leur souhait à tous deux de se retirer de bonne heure. Lucy serait ravie. Quant à la réaction de Percy, elle n'osait l'imaginer…

Plus tard, dans son lit, incapable de trouver le sommeil, elle écouta les bruits de la fête, au loin, la fanfare, les pétards… En chemise de nuit, elle se rendit dans le salon pour guetter le retour des voitures. Si Percy conduisait la Pierce-Arrow de son père, elles seraient au nombre de trois. À onze heures, elle entendit un premier véhicule, puis un autre, remonter Houston Avenue. En jetant un coup d'œil derrière le rideau, Mary reconnut la Cadillac d'Abel suivie de peu par la Packard. Le silence revint, mais un troisième véhicule s'engagea dans l'allée des Toliver pour s'arrêter devant la véranda. Le cœur de la jeune fille s'emballa.

Dans la pénombre, Mary demeura en alerte. Le bruit de la portière, doux et ferme, lui suggérait un homme déterminé, mais pas pressé. Elle entendit un tintement de clés, puis des pas dans les feuilles mortes. Elle brûlait d'impatience de voir Percy surgir des ombres. Le spectacle fut aussi dévastateur qu'elle le redoutait. Au clair de lune, il était radieux, avec ses cheveux blonds, ses larges épaules, son élégant costume sombre. Il portait des boutons de manchette en or et une montre au poignet, la dernière tendance de l'élégance masculine. Sans parler de ses chaussures sur mesure. Un prince rendant visite à une pauvresse…

Devant la véranda, il s'arrêta net, puis il gravit les marches à la hâte.

Mary l'entendit arracher le petit mot qu'elle avait accroché à la porte. Il recula pour le lire sous la lanterne du porche. Abasourdi, il fixa la porte-fenêtre derrière laquelle se trouvait la jeune fille angoissée.

— Nom de Dieu, Mary ! Comment peux-tu me faire ça ? demanda-t-il en s'adressant à elle, la voix brisée par la rage et la déception. Tu sais à quel point j'ai envie de te voir. Tu me l'avais promis, bon sang ! (Il froissa la feuille de papier et se dirigea vers la fenêtre.) Mary, sors tout de suite ! Je sais que tu es là !

Il appuya le front contre la vitre et guetta une réaction.

Mary n'osait pas bouger. Elle dut fermer les yeux et crisper les poings pour ne pas ouvrir la fenêtre et se jeter dans ses bras.

— À ta guise, dit-il en se redressant, déterminé. Le moment est peut-être mal choisi. Nous parlerons plus tard. À demain.

Immobile, elle vit les phares de la Pierce-Arrow balayer la rue. Enfin, la jeune femme souffla. Le lendemain, ils seraient tous deux plus sereins. Elle dirait à Sassie d'inviter Percy pour le café et rentrerait tôt pour se rendre présentable.

Mary se leva de bon matin et gagna les champs dès sept heures. Les ouvriers effectuaient un ultime passage pour récolter les dernières balles avant les pluies d'automne. Elle vidait un sac de coton dans la charrette qui emporterait la récolte à la pesée quand un métayer lui tapa sur l'épaule.

— Mademoiselle Mary, vous avez de la visite.

Elle se protégea les yeux de sa main et suivit du regard la direction indiquée.

— Oh non ! soupira-t-elle.

Percy marchait vers elle d'un pas déterminé. Elle n'était vraiment pas à son avantage, mais elle n'avait pas le choix. Résignée, elle ôta son chapeau, s'épongea le front et alla à sa rencontre.

Il s'arrêta et l'attendit. *Naturellement...*, songea Mary, agacée. Elle croyait qu'il la toiserait d'un œil réprobateur. Ce ne fut pas le cas. Il glissa les mains dans ses poches, l'air impassible.

Pourquoi ne réagissait-il pas comme n'importe quel autre homme ? Elle portait une vieille chemise en flanelle de son père et un pantalon taché rentré dans ses grosses bottes. Depuis quelque temps, elle portait aussi un chapeau, car elle ne voulait pas être trop bronzée pour le retour des garçons. En revanche, elle se passait toujours de gants, ils la gênaient pour la cueillette. Ses cheveux étaient retenus par une simple ficelle et elle était barbouillée de terre. Aux yeux de Percy, elle avait certainement tout d'une mendiante ou d'une vagabonde.

Tiré à quatre épingles, il s'arrêta à quelques mètres de la jeune femme. Tous les ouvriers s'étaient interrompus pour les observer, étonnés par la présence de l'héritier de la société Warwick.

— Je te salue Mary, pleine de grâce! railla-t-il.

— J'ignorais que la moquerie faisait partie de ton répertoire, rétorqua-t-elle en se redressant fièrement.

— Il y a encore un tas de choses que tu ignores. Pourquoi ne m'as-tu pas ouvert, hier soir?

— Mon message était clair, il me semble.

— Tu affirmais vouloir te coucher de bonne heure, mais tu étais au salon, à m'épier, n'est-ce pas?

— Oui, avoua-t-elle.

— C'est une façon de traiter un soldat qui rentre de la guerre?

— Non, mais nous savons tous les deux ce qu'il se serait passé si je t'avais ouvert la porte.

— Bon sang, Mary! s'exclama-t-il en faisant un pas vers elle. Quel mal y aurait-il eu? Nous sommes deux adultes!

Gênée, Mary scruta les alentours. Les ouvriers s'étaient remis au travail mais leur lançaient des regards curieux. Avaient-ils entendu leurs propos?

— Mieux vaut poursuivre cette conversation plus loin, proposa-t-elle en désignant la Pierce-Arrow garée sous un arbre.

— D'accord, fit Percy qui la prit par le bras au cas où elle chercherait à s'échapper.

Il avait apporté des tasses et une bouteille Thermos, un produit nouveau sur le marché américain. Les Warwick étaient toujours à l'avant-garde du progrès. Percy leur servit du café, mais la jeune fille refusa de boire dans la voiture. Le souvenir de leur dernière entrevue en automobile était trop vivace. Ils étalèrent donc une couverture sous un arbre, à l'abri des regards.

— Bon, dit-elle, tu vois dans quelles conditions je travaille. Tant que l'hypothèque ne sera pas levée, tous les bras seront utiles.

— Rien ne t'y oblige.

— Si.

— Mary, regarde-moi, dit-il en posant sa tasse pour prendre la jeune fille par le menton. M'aimes-tu?

Troublée, elle opina de la tête.

— Oui, oui, je t'aime.

— M'épouseras-tu ?

Elle ne répondit pas tout de suite.

— Je veux t'épouser, lâcha-t-elle enfin face à l'intensité de son regard. Mais j'ai une question à te poser : m'accepteras-tu avec Somerset ?

Il soutint son regard.

— Compte tenu de mes sentiments pour toi, oui, Mary. Pendant la guerre, je n'ai pensé qu'à toi. Je ne veux pas vivre sans toi. Alors oui, je suis prêt à tout accepter pour que tu m'épouses.

C'était la réponse qu'elle espérait. Pourtant, Mary était triste à pleurer. Percy avait cinq ans de plus qu'elle, une meilleure instruction, il était plus aguerri, plus expérimenté. Or elle était plus clairvoyante que lui quant à l'avenir de leur couple. Au cours de la nuit, juste avant l'aube, elle avait pris une décision.

— Percy, dit-elle en posant la main du jeune homme sur son cœur. C'est ce que tu ressens maintenant mais, une fois la passion retombée… Que se passera-t-il ?

Elle l'empêcha de l'interrompre d'un doigt sur ses lèvres.

— Je vais te le dire, reprit-elle. Tu me reprocheras mon amour pour Somerset. Tu seras jaloux et frustré car mon domaine vous privera de ma présence, toi et nos enfants. Tu en viendras à me détester. Il ne peut en être autrement.

Elle s'exprimait d'une voix douce mais déterminée et pleine de regret. Comment renoncer à cet homme ? Elle guetta sa réaction. Percy la transperça du regard. Un jour, Somerset serait prospère et Mary arborerait des toilettes enfin dignes de son rang. Au bout de deux ans à gérer les métayers paresseux, le charançon du coton, les caprices de la nature et les fluctuations du marché du coton, elle envisageait son avenir d'une façon bien plus pragmatique mais, quoi qu'il arrive, elle resterait fidèle à sa plantation. Elle savait désormais qu'elle en était capable.

— Veux-tu que je te dise comment j'imagine notre vie de couple ?

— Si tu y tiens, concéda-t-elle en lâchant sa main d'un air résigné.

Il écarta une mèche de cheveux qui s'était échappée de sa queue-de-cheval.

— Tu vas me trouver arrogant, voire présomptueux, mais je me sens capable de te faire renoncer à Somerset. À moins que ce ne soit la force de l'amour… Je peux faire en sorte que la femme l'emporte sur la propriétaire. Quand tu découvriras ce que j'ai à t'offrir, tu préféreras t'occuper de notre foyer et de nos enfants. Tu auras envie d'être là, fraîche et pimpante, quand je rentrerai, chaque soir. Tu passeras tes dimanches matin à faire la grasse matinée, au lieu de te lever à l'aube pour finir tes comptes. Ton sang de Toliver aura moins d'importance quand il sera mêlé au mien, dans les veines de nos enfants. Avec le temps… (Avant que Mary puisse réagir, il l'attira vers lui et l'embrassa comme dans son souvenir.) Avec le temps, répéta-t-il en la relâchant avec un sourire, tu te demanderas comment tu as pu croire qu'une plantation remplacerait un mari et des enfants.

Il était en plein conte de fées ! La propriétaire et la femme ne faisaient qu'un en elle… Exaspérée, elle écarta vivement sa mèche rebelle.

— Percy, tu ne comprends pas qui je suis vraiment.

— Mais si, répondit-il, comme s'il allait l'embrasser de nouveau. Et je vais te le prouver, ajouta-t-il avec une lueur mystérieuse dans le regard. Nous nous le devons à tous les deux.

Nous nous le devons. Mary songea à Ollie et à la question qui l'avait hantée toute la nuit. Aurait-elle le courage de la poser ? Il le fallait, désormais.

— Que devons-nous à Ollie ?

— Ollie ? répéta-t-il. Moi, je sais ce que je lui dois à titre personnel, mais nous deux…

Comprenait-il à quoi elle faisait allusion ? Il semblait perplexe.

— Parle-moi de ce jour-là, dit-elle en posant une main sur son bras.

Il s'écarta légèrement, but une gorgée de café et se tourna vers les champs.

— Notre garnison escortait des prisonniers ennemis en Allemagne. La plupart se réjouissaient de la fin de la guerre et voulaient simplement retrouver leur vie, mais quelques-uns se battaient encore pour leur patrie. Ceux-là, il fallait les avoir à l'œil. Ils se cachaient au bord des routes et tentaient de nous tuer dès que nous nous écartions de la colonne. C'est l'un d'entre eux qui a lancé la grenade. (Percy jeta le reste de son café dans l'herbe et grimaça comme s'il gardait un goût amer dans la bouche.) Elle est tombée juste derrière moi, mais je ne l'ai pas vue. Quelqu'un s'est mis à hurler. Le temps que je réagisse, il aurait été trop tard. Ollie m'a poussé sur le côté et s'est jeté sur la grenade. (La mine sombre, Percy croisa enfin le regard de Mary.) C'est un geste vraiment admirable, tu sais.

Il n'est pas au courant, songea la jeune fille, à la fois soulagée et horrifiée. Percy n'avait pas évoqué la promesse d'Ollie. À ses yeux, ce dernier avait simplement sauvé un ami au risque de sa propre vie. Peut-être était-ce la vérité… Dans ce cas, Mary n'était pas tenue d'épouser l'homme qui était rentré sain et sauf grâce à ce sacrifice.

— Je lui en suis très reconnaissante, déclara-t-elle.

— Vraiment ?

— Tu le sais très bien.

Ils se toisèrent longuement, puis une lueur apparut dans le regard de Percy.

— Tu sais ce que j'aimerais faire, maintenant ?

— Je n'ose le deviner.

— J'aimerais t'emmener dans la cabane, te faire prendre une bonne douche pour te débarrasser de cette boue, te savonner partout et ensuite…

— Chut…

Ivre de désir, elle posa une main sur la bouche de Percy pour l'empêcher d'en dire davantage, de peur qu'on ne l'entende.

— Ensuite, je t'essuierais, poursuivit-il, je te porterais sur le lit et je te ferais l'amour toute la journée. Qu'en dis-tu ?

— C'est impossible, souffla-t-elle en sautant sur ses pieds. Je dois retourner travailler.

— Attends ! fit-il en la retenant par la cheville. Notre conversation n'est pas terminée, ma gitane. Celle que nous avions commencée avant que tu ne parles d'Ollie. Tu n'as pas entendu ma proposition.

— Tu viens de l'énoncer, il me semble.

— J'en ai une plus sérieuse à te faire.

— Je croyais l'avoir entendue également.

— Pas celle-là, dit-il en se levant. Mais d'abord, j'ai une question à te poser.

Elle jeta un coup d'œil vers les métayers qui les épiaient encore discrètement.

— Dépêche-toi. Les ragots vont bon train, tu sais.

Il ôta une petite motte de terre de sa joue.

— La plantation risque de sombrer, mon amour. Que ferastu, alors ?

Elle eut l'impression qu'un nuage venait d'obscurcir le soleil. Il ne l'interrogeait pas sur sa ruine financière, mais sur ce qu'elle ressentirait si elle les perdait, lui et la plantation. Elle n'y avait jamais réfléchi…

— Cela t'arrangerait que je perde Somerset, n'est-ce pas ?

— Gagner par forfait ? dit-il avec froideur. Cela ne m'irait pas du tout. J'accepte de partager, mais pas de passer en second. Je veux que tu viennes à moi non pas par nécessité, mais par choix. Revenons-en à ce que nous nous devons à nous-mêmes.

— Que proposes-tu ? demanda-t-elle, inquiète.

— Que nous déterminions qui de nous deux a raison. Voyons si nous pouvons vivre l'un sans l'autre.

— Comment comptes-tu procéder ?

— Pas comme tu le penses. Passons du temps ensemble, à bavarder, à partager des repas, à se promener…

Je n'ai pas le temps, songea-t-elle en plein désarroi.

Il s'approcha d'elle.

— Tu gagnerais sur les deux tableaux, dit-il d'un ton sardonique. C'est moi qui ai le plus à perdre.

Elle sentit son cœur s'emballer. Oserait-elle accepter cette proposition en risquant de céder au magnétisme de Percy et à ses propres désirs perfides ? Ou bien était-ce l'occasion de lui prouver qu'ils n'étaient pas faits l'un pour l'autre et de régler ce problème une fois pour toutes ?

— J'accepte, mais tu dois comprendre que je ne serai pas disponible à ta guise. Et promets-moi de ne pas me brusquer ou profiter de mon… inexpérience.

— Je serai un modèle de compréhension et de patience.

C'est bien ce que je crains, pensa-t-elle, à la fois enthousiasmée et effrayée.

— Et j'ai encore une requête à formuler…

— Je t'écoute.

— Arrête de m'appeler ta gitane.

Il éclata de ce rire chaleureux qui avait tant manqué à la jeune fille.

— C'est promis. Alors, marché conclu ?

— Marché conclu, répondit-elle, en plein émoi. À présent, je dois me remettre au travail.

Elle regagna son champ sous le regard appuyé de Percy. Et s'il changeait d'avis ? Ce serait logique. Comment pouvait-il la trouver désirable avec son pantalon trop grand et sa chemise en flanelle, les cheveux décoiffés ? Soudain, une idée lui vint. Elle fit volte-face.

— Au fait, et Lucy ?

— Lucy ? répéta-t-il en fronçant les sourcils, comme s'il ignorait de qui il s'agissait. Ah oui… Hier soir, je lui ai dit qu'il y avait quelqu'un d'autre.

— Tu lui as précisé qui ? demanda Mary, en alerte.

— Non. Je lui ai épargné ce détail. Elle semblait ne pas vouloir le savoir, de toute façon. J'ai déclaré que c'était quelqu'un que j'aimais depuis toujours et que je voulais épouser. Elle est partie tôt ce matin. Nous ne la reverrons plus.

16

Miles partit moins d'une semaine plus tard. Étonnée de ne pas le voir descendre prendre son déjeuner, Mary monta dans sa chambre. « Je regrette, mais je dois m'en aller. Tu l'expliqueras à maman. Baisers, Miles », disait un message, sur son oreiller, accompagné d'une rose rouge.

Un symbole que leur mère détestait. Les yeux embués de larmes, Mary porta la fleur à ses lèvres. Des souvenirs du passé lui revinrent. Comme ils avaient été heureux, tous les quatre… Elle entendait le rire de sa mère, la voix de son père et ses propres cris de joie tandis que Miles la projetait en l'air avant de la rattraper dans ses bras. Mary s'attarda un moment dans la chambre, puis elle ordonna à Toby d'aller chercher Percy.

Il se présenta au bout de quelques minutes. Sassie l'introduisit au salon, où la jeune femme l'attendait, prostrée, la rose rouge à la main. En le voyant debout à côté d'elle, elle eut une sensation de déjà-vu.

— Il est parti, annonça-t-elle. Miles est retourné en France retrouver Mariette et la politique.

— Je sais. Il est passé me voir. Ollie est au courant également.

Elle fronça les sourcils, une lueur accusatrice dans le regard.

— Et tu ne m'as pas prévenue ?

Il soupira et s'accroupit près de sa chaise. Mary eut de nouveau l'impression d'avoir déjà vécu cette situation. C'était le lendemain de la lecture du testament. Percy affichait la même expression posée.

— Il t'a laissé ceci ? demanda-t-il en effleurant la rose.

Elle opina imperceptiblement de la tête.

— Alors tu dois lui pardonner.

— Il va mourir en France, répondit-elle d'un ton las. Il ne reviendra jamais et je dois l'annoncer à ma mère. Tu m'avais promis de lui faire entendre raison.

Les larmes lui montèrent aux yeux.

— Je t'ai promis d'essayer, ma git… Mary, mais sa décision était prise. Il veut vivre auprès de cette femme qui le rend heureux. Oublie la politique : il change d'avis comme de chemise. Son histoire avec Mariette ne durera pas non plus.

— Il aurait dû rester ici, insista-t-elle, furieuse, en s'essuyant les yeux. Plus que jamais, nous avons besoin de lui. Il a toujours fui ses responsabilités envers sa famille.

Percy frappa rageusement l'accoudoir.

— Tu es injuste ! lança-t-il en se relevant. Ce n'est pas parce qu'il a une autre conception de la famille qu'il est irresponsable.

Mary était de plus en plus en colère. Elle regrettait d'avoir fait venir Percy. Depuis leur entrevue à la plantation, ils avaient eu un avant-goût de ce que seraient leurs rapports s'ils respectaient leur accord. Par deux fois, ils avaient fait des projets pour la soirée, mais la jeune fille avait été retenue à la plantation. La première fois, elle était rentrée trempée et pleine de boue à cause des pluies d'octobre. À son message d'excuse, il avait répondu qu'il était au bureau pour régler quelques dossiers. Assis au coin du feu, Miles avait secoué la tête comme si sa sœur était la dernière des imbéciles. La seconde fois, Percy avait décidé de sortir avec Miles et Ollie.

Quand Mary était libre, c'était Percy qui n'était pas disponible. L'entreprise Warwick négociait de nouveaux contrats et les réunions de travail se prolongeaient souvent tard dans la soirée. Ce matin-là, alors qu'ils ne s'étaient pas vus depuis longtemps, ils étaient sur le point de se quereller. À bout de forces, Mary se leva et posa la rose.

— Je dis simplement, reprit-elle d'un ton conciliant, que Miles aurait pu attendre quelques mois de plus, par considération pour Sassie, pour l'aider à s'occuper de maman.

— Il ne lui reste sans doute pas plusieurs mois à vivre, répondit Percy.

— Raison de plus pour les passer auprès de sa mère.

— Je vois…

— Qu'est-ce que tu vois, Percy ? s'exclama-t-elle, exaspérée. Quelque chose m'aurait échappé ?

Il semblait indifférent à sa colère.

— Si ta mère te permettait de prendre le relais de Sassie, le ferais-tu ?

— La question ne se pose pas. Tu sais bien qu'elle m'interdit l'accès de sa chambre.

— Mais… si c'était le cas ? À qui consacrerais-tu ton temps, à ta mère ou à Somerset ?

— Et c'est reparti !

— J'essaie de t'expliquer que Miles est aussi libre que toi de ses choix.

Ulcérée, elle se tourna vers la cheminée. L'été indien touchait à sa fin pour faire place au froid de l'automne. Mary aurait eu besoin de réconfort. Percy venait de lui dire que Miles avait autant qu'elle le droit d'être égoïste. Jamais ils ne surmonteraient leurs différends.

— Je regrette ce qui est arrivé à ma mère plus que tu ne l'imagines, déclara-t-elle, le dos tourné. Mais comment prévoir qu'elle réagirait de la sorte au testament de mon père ? S'il avait su qu'elle se sentirait bafouée, papa se serait sans doute organisé autrement.

— Vraiment ? Alors pourquoi a-t-il chargé Emmitt de lui remettre une rose rouge ?

Elle fit volte-face. Percy brandissait la rose telle une cape devant un taureau. Elle s'en empara brutalement.

— C'est l'affaire des Toliver ! Va-t'en, Percy, je t'en prie ! Je regrette de t'avoir demandé de venir.

— Mary, je…

— Sors d'ici !

— Écoute, tu es épuisée… Je t'en prie, réglons ce problème.

— Il n'y a rien à dire. Je ne veux pas être aimée malgré ce que je suis, mais pour ce que je suis… Ce qui est impossible, apparemment.

— Je me moque des apparences ! lança-t-il, les joues empourprées. Je t'aime et c'est tout. Nos différends n'ont rien à voir avec l'amour.

— À mes yeux, si. Notre accord est annulé ! (Sur ces mots, elle quitta la pièce, en ajoutant :) Tu saignes ! (Elle avait remarqué un filet de sang sur sa main, là où il s'était piqué sur une épine de rose.) Va donc soigner tes blessures et je soignerai les miennes.

— Mary…, implora-t-il.

Elle gravit les marches quatre à quatre. Arrivée au niveau de la chambre de sa mère, elle entendit le claquement de la porte d'entrée. Tout espoir était perdu.

Le lendemain, elle reçut une rose rouge accompagnée d'un message : « Pardonne-moi. J'ai été stupide et maladroit. Tu avais besoin de réconfort, pas de reproches. Je regrette de ne pas avoir su exprimer mon amour pour toi. Percy. »

Mary cueillit la dernière rose blanche du jardin et chargea Toby de la livrer à Warwick Hall avec le message suivant : « Inutile de demander pardon pour avoir énoncé la vérité telle que tu la vois. Cela prouve que nos différends sont insurmontables. Mary. »

Elle s'attendait à le voir surgir en trombe pour la contredire, mais la Pierce-Arrow demeura invisible. Le lendemain soir, alors qu'ils bavardaient sous la véranda, Ollie lui apprit que Percy était en déplacement dans l'Oregon pour affaires.

— Vraiment ? fit-elle, piquée au vif. Il ne m'en a rien dit…

— Il avait sans doute ses raisons. Sa société a acheté des forêts et les bûcherons sont durs en affaires. Percy saura leur faire entendre raison. Il ne voulait pas t'inquiéter, voilà tout.

Cher Ollie… L'éternel diplomate avait entendu parler de leur querelle et devait avoir l'impression de s'être sacrifié pour rien.

— Merci de me l'avoir dit, déclara Mary. Ainsi, je ne le chercherai pas.

Après le départ d'Ollie, elle s'attarda sur la balancelle, un peu perdue. Deux départs en une semaine… il ne restait personne pour la consoler. Elle se rappela la mort de son grand-père Thomas, lorsqu'elle avait onze ans. Elle était accablée de chagrin. Après les funérailles, son père l'avait emmenée dans les champs de coton. À l'approche de la récolte, ils étaient d'une blancheur éclatante. Son père l'avait prise par la main et ils avaient marché jusqu'au coucher du soleil. Pas une fois, son père n'avait évoqué la mort, mais il avait su apaiser son chagrin.

Comme elle aurait aimé glisser la main dans celle de son père, en cet instant…

La semaine suivante, elle reçut un bref message de Lucy :

Je songe à me présenter pour le poste de Bellington Hall à la fin de l'année scolaire, si la vieille Peabody veut bien me réengager. Comme tu l'as sans doute appris, Percy m'a envoyée promener le lendemain de son retour, ce qui ne t'étonnera pas. Il est amoureux d'une autre, qu'il aime depuis toujours, paraît-il. Sais-tu de qui il s'agit ? Non, ne me dis rien ! Je ne veux pas le savoir. Je serais folle de jalousie. J'imagine qu'elle a toutes les qualités qu'il admire chez une femme. Je m'étonne que tu ne m'aies jamais parlé d'elle, histoire de m'éviter une cruelle désillusion. Néanmoins, tu as fait de ton mieux pour me dissuader. Quoi qu'il en soit, nous ne nous reverrons sans doute jamais, sauf si le destin s'en mêle. Bonne chance. Lucy.

Mary replia le message. Un sentiment de culpabilité se mêlait à son soulagement. À moins qu'elle n'épouse Percy, Lucy ne saurait jamais que c'était elle qu'il aimait depuis toujours. Pourvu qu'elle ne l'apprenne jamais! Lucy croirait qu'elle lui avait menti délibérément et se sentirait trahie jusqu'à la fin de ses jours.

À son retour, trois semaines plus tard, Percy adressa un message à Mary depuis son bureau. Pensant qu'il lui annonçait sa venue, Mary se hâta de le lire. En fait, il l'informait simplement qu'il était bien rentré et qu'il serait occupé à diverses tâches durant les semaines qui suivraient. Déçue, Mary ne put réprimer un sourire amer. Percy avait donc appris à se mêler des affaires de sa famille…

Quelques jours plus tard, son père se blessa et Percy se trouva contraint de prendre la tête de l'entreprise, dont les intérêts s'étendaient désormais jusqu'au Canada. Même s'ils avaient voulu se voir, ils auraient eu du mal à concilier leurs emplois du temps. Finalement, le destin s'en mêlait: ils allaient voir s'ils pouvaient vivre l'un sans l'autre, ce dont la jeune femme ne doutait guère.

En novembre, l'activité était plus calme à Somerset. Les champs étant sous un manteau de neige, les métayers et Mary profitaient d'un repos bien mérité. Elle déclina les invitations des Dumont et des Warwick pour l'Action de grâce, espérant que sa mère se laisserait tenter par la dinde farcie de Sassie. Hélas, Darla refusa de descendre, de sorte que la jeune femme soupa à l'office, avec Sassie et Toby.

Noël fut tout aussi triste et austère. Percy, qui lui avait donné des nouvelles de temps en temps, l'invita au bal organisé par le country club. Une fois de plus, elle déclina, arguant qu'elle n'avait rien à se mettre. «Tu serais la plus belle de la soirée même vêtue d'un sac de toile», répondit-il d'une écriture vive.

En fait, elle s'était complètement retirée du monde tant elle avait du mal à supporter les ragots: l'on reprochait à son père d'avoir abandonné sa mère et l'on s'étonnait que la jeune femme n'ait rien fait pour rétablir la justice. Elle avait eu vent des racontars la décrivant en plein labeur, « attifée comme un ouvrier », dans les champs. Elle se sentait d'autant plus déterminée à redorer le blason des Toliver.

Percy lui manquait tellement qu'elle en venait à se demander si tel n'était pas l'objectif du jeune homme. Il avait déjà joué à ce petit jeu. Cherchait-il à lui démontrer combien elle était seule ? Dans ce cas, sa méthode était efficace. Pire encore, elle envisageait la possibilité qu'il fréquente d'autres filles, ce qui la terrifiait.

Une visite d'Ollie la contraignit à accepter une petite cérémonie pour la veille de Noël.

— Pas question que tu refuses, dit-il. Percy et moi passerons te voir le 24 avec des cadeaux et du champagne. Alors, sors ta plus belle robe, mon agneau, et demande à Sassie de nous préparer ses délicieux amuse-bouche. Vers vingt heures, d'accord ?

Mary s'exécuta et décora même un petit sapin. Elle se fit les ongles et passa un long moment dans un bain parfumé. Puis elle enfila sa robe de velours vert foncé, celle qu'elle portait le soir où Richard Bentwood l'avait embrassée sous le houx. Avec l'aide de Sassie, elle releva ses cheveux en chignon et emprunta les perles de sa mère. En se regardant dans le miroir, elle eut peine à se reconnaître.

Percy et Ollie furent tout aussi subjugués.

— Que vous arrive-t-il ? leur demanda-t-elle en riant. Vous n'avez jamais vu une femme en robe de soirée ?

Lors des échanges de cadeaux et des toasts, Mary fit mine de ne pas remarquer leurs coups d'œil appuyés. Si Percy adoptait une attitude réservée, Ollie était fasciné. Mary se sentait un peu comme une biche aux abois. Ne sachant comment gérer cette attention, elle évita leur regard.

— Ollie, comme c'est gentil ! s'exclama-t-elle en découvrant un élégant crayon en argent pouvant servir de broche. Tu t'es souvenu que je perds sans cesse mes crayons! (Elle sortit l'objet de son écrin.) Je veillerai à ne pas égarer celui-ci, assura-t-elle avec un sourire, avant d'embrasser la joue rubiconde du jeune homme.

Percy lui offrit une paire de gants de travail très féminins, en cuir clair, délicats mais solides.

— Toi aussi, tu as pensé à moi, dit-elle en rougissant de plaisir. Mais ils sont bien trop coûteux pour l'usage que je veux en faire.

Il y avait un petit message dans l'un des gants. Elle fit semblant de ne pas le voir, préférant le lire plus tard, loin du regard inquisiteur de Percy.

— Mais pas pour tes mains, répondit-il avec un regard mystérieux qui fit battre le cœur de la jeune fille.

Elle se pencha pour l'embrasser à son tour.

Pour Ollie, elle avait choisi un recueil de poèmes d'Oscar Wilde, son auteur favori, et pour Percy, un ouvrage sur les arbres d'Amérique du Nord.

À l'issue de la soirée, elle les raccompagna. Percy semblait décidé à s'attarder pour lui dire deux mots en privé.

— Dommage que tu ne viennes pas avec nous, déclara Ollie.

— L'année prochaine, peut-être, répondit-elle avec un sourire pour cacher sa solitude.

Ils étaient attendus chez Ollie, où Abel organisait sa fête traditionnelle avec ses amis et sa famille. Cela faisait si longtemps que les Toliver ne s'y étaient pas rendus, main dans la main, sa mère en manteau de fourrure et elle-même les mains dans son manchon de renard blanc…

— Nous te prendrons au mot, Mary, assura Percy.

Après leur départ, elle demeura appuyée contre la porte pour les écouter descendre les marches. Puis elle regagna le salon, attisa le feu et emporta le reste de la bouteille de champagne dans la cuisine, où elle la vida dans l'évier. Dans sa chambre, elle s'installa près de la fenêtre pour lire enfin le petit mot de Percy: « Pour les mains que je veux tenir toute ma vie dans les miennes. Affectueusement, Percy. »

17

— Mademoiselle Mary ! Votre maman demande à vous voir.

En ce 1er janvier 1920, elle travaillait sur les comptes de la plantation. Étonnée, Mary leva les yeux de son registre.

— Vraiment ? Pourquoi ?

— Allez savoir..., répondit Sassie en haussant les épaules. En tout cas, elle est assise dans son lit, fraîche et pimpante. Ce matin, elle a pris un bain et s'est coiffée. Elle a même noué un joli ruban bleu dans ses cheveux. Après sa sieste, j'irai l'aider à s'habiller. Figurez-vous qu'elle veut descendre !

Méfiante, Mary se leva et consulta la pendule de la cheminée. Si sa mère se livrait encore à un de ses petits jeux perfides, la jeune femme n'avait vraiment pas de temps pour ça. Il fallait qu'elle termine ses calculs, puis elle avait rendez-vous avec Jarvis Ledbetter, un planteur voisin.

— Qu'est-ce qui lui prend ? demanda-t-elle à la gouvernante.

— Je l'ignore, mais elle mijote quelque chose...

— J'aimerais bien savoir quoi. Elle n'est pas sortie et n'a vu personne depuis un an. Aurait-elle reçu une lettre de Miles ?

— Pas à ma connaissance...

— Je vais aller voir. Apportez-nous du café, voulez-vous ? Ce sont bien vos fameux roulés à la cannelle qui embaument la maison ? Ma mère en mangera peut-être un.

— M. Ollie doit passer, cet après-midi. Vous savez combien il est friand de mes roulés à la cannelle... (La gouvernante suivit la jeune femme dans le couloir.) Je cuisinerais bien pour lui tous les jours… Et pour M. Percy aussi, même s'il est moins gourmet…

Mary se garda de répondre aux sous-entendus de Sassie. Certes, elle était en âge de se marier, mais même la gouvernante semblait avoir abandonné tout espoir de la voir épouser Percy, qui ne venait plus que très rarement.

En pensant à lui, Mary sentit son cœur se serrer. Avait-il vraiment perdu tout intérêt pour elle ? Attendait-il qu'elle se jette dans ses bras ? Son silence signifiait-il que leur union était impossible ? Chaque jour, elle se rappelait le petit mot glissé dans son cadeau de Noël.

Au moment de frapper à la porte, Mary hésita : elle redoutait chaque affrontement avec sa mère, dont la voix brisée avait le don de l'agacer. Ollie, lui, vivait son handicap avec dignité, sans s'apitoyer sur son sort. Au terme d'une brève hospitalisation à Dallas, il avait repris son travail dans les bureaux du magasin Dumont. Il avait fait de ses béquilles ornées d'onyx et d'argent un accessoire à la mode seyant à merveille à sa garde-robe.

— Entre ! lança Darla d'une voix forte.

Mary passa d'abord la tête dans l'entrebâillement de la porte.

— Maman… Tu es superbe, bredouilla-t-elle, abasourdie.

Après ses abus d'alcool, sa mère ne serait plus jamais « superbe ». Ce jour-là, apprêtée comme autrefois, elle semblait pimpante et reposée. En s'approchant, la jeune femme remarqua toutefois ses cheveux striés de gris.

— Que se passe-t-il ? demanda-t-elle.

Sa mère se mit à rire et désigna la fenêtre. Sassie avait ouvert les rideaux sur le pâle soleil de janvier. Depuis la mort de son mari, Darla était restée dans la pénombre.

— Une nouvelle année qui commence… J'ai envie de fêter l'événement, de quitter cette chambre, de sortir au grand air pour sentir le soleil sur mon visage. J'ai envie de revivre ! Crois-tu qu'il soit trop tard, mon agneau ?

Mon agneau... Cela faisait quatre ans que sa mère ne l'avait plus appelée ainsi.

— Maman..., murmura-t-elle, touchée.

Elle avait déjà eu droit à des changements d'humeur et des bonnes résolutions de la part de Darla. Chaque fois, il s'agissait de ruses d'alcoolique.

— Tu es sceptique, reprit celle-ci avec un regard plein de tendresse. Tu crois que je cherche à sortir pour me procurer une bouteille. Eh bien, tu te trompes. Je veux simplement... me sentir à nouveau femme, chérie.

Mary ravala ses larmes. Ces marques d'affection lui avaient tant manqué...

— Je comprends, chérie... (Elle repoussa ses couvertures, révélant des jambes maigres et d'une pâleur effrayante.) Je comprends..., répéta-t-elle en tendant les bras vers sa fille.

Mary s'y réfugia et se laissa consoler comme une enfant, sans perdre de vue qu'il s'agissait peut-être d'un stratagème dont seule Darla connaissait l'objectif.

Elles prirent place sur le divan.

— Qu'est-ce qui te ferait plaisir, maman ?

— D'abord, un tour de la maison, histoire de me dégourdir les jambes. Ensuite, je donnerai peut-être un coup de main à Toby, au jardin.

Mary ne décelait aucun signe de fourberie, pas un regard fuyant qui trahirait des intentions cachées. Avait-elle oublié que Toby avait déterré la dernière bouteille de bourbon cachée dans le potager ?

Consciente de son inquiétude, Darla serra ses mains dans les siennes.

— Rassure-toi, chérie. Je sais qu'il ne reste plus de bouteilles. J'ai envie de sentir le contact de la terre. Je suis certaine que Toby a besoin d'aide.

— Tu devras être accompagnée en permanence, lui rappela doucement Mary.

— Toby me surveillera le matin. Après le dîner, je ferai une sieste, enfermée dans ma chambre, comme d'habitude. L'après-midi, Sassie montera la garde au salon pendant que je lirai. Nous recevons toujours le *Woman's Home Companion,* j'espère?

Darla décrivait sa triste condition sans amertume, d'un ton presque détaché.

— Hélas, non, répondit la jeune femme. Mais il nous en reste de vieux exemplaires. Nous n'avons pas jugé bon de renouveler l'abonnement...

Mary s'attendait à une réaction courroucée de sa mère, qui réagit tout autrement:

— Sage décision. De toute façon, j'étais la seule à le lire. Je sais que nous manquons d'argent. Autant éviter les dépenses inutiles. (Elle dégagea ses mains de celles de sa fille.) Je ne te demande pas comment se porte Somerset. Aussi bien que possible, je suppose, puisque tu t'en occupes. Tu y passes le plus clair de ton temps, n'est-ce pas?

Mary guetta un signe de rancœur, mais Darla semblait simplement curieuse. Peut-être avait-elle enfin surmonté son ressentiment...

— En effet. Nous préparons les champs pour le printemps.

— Il ne faut pas te sentir coupable à cause du temps que tu consacres à la plantation. Quand Sassie et toi serez occupées, Beatrice me tiendra compagnie. Elle l'a souvent proposé. Comment va-t-elle, au fait?

— Bien mieux, depuis le retour de Percy. Elle a quitté sa tenue de deuil.

— J'ai toujours pensé que c'était une comédie, une façon de se faire remarquer, d'attirer la compassion. Elle n'était pas la seule à avoir un fils au front! Néanmoins, j'aimerais beaucoup la voir. Peux-tu l'inviter pour demain? J'ai un service à lui demander.

Son petit air espiègle d'autrefois raviva bon nombre de souvenirs dans l'esprit de Mary.

— S'agit-il de quelque chose que je puisse faire? proposa la jeune femme, qui craignait le pire.

En ville, tout le monde avait fait des réserves d'alcool en prévision de la prohibition, qui entrait en vigueur dès le 16 janvier.

— Allons, allons, je ne vais pas quémander une bouteille, dit-elle, comprenant où sa fille voulait en venir. En fait, j'aimerais qu'elle m'aide à organiser une réception.

— Une réception?

— Oui, mon agneau. Tu sais ce que nous fêtons, au début du mois prochain?

Darla rit de l'expression ahurie de sa fille.

— Ton anniversaire! Tu pensais que j'avais oublié, n'est-ce pas? J'envisage une soirée élégante et sobre, avec les Warwick, Ollie et Abel et même les Waithe, si tu veux. Cela fait longtemps que je n'ai pas vu les garçons.

— Plusieurs années, en effet, répondit doucement Mary.

Bien sûr qu'elle n'avait pas oublié son vingtième anniversaire! Dans un an, elle prendrait enfin possession de Somerset. Elle s'étonnait seulement que sa mère s'en souvienne. Dans l'escalier, elle entendit les pas lourds de la gouvernante et le tintement des tasses en porcelaine.

— Sassie nous apporte du café et des roulés à la cannelle, annonça-t-elle. Tu m'expliqueras ton projet.

— Volontiers! s'exclama Darla en tapant des mains. Mais je ne peux pas tout te révéler, mon agneau. Je te réserve une surprise pour te prouver mon amour pour toi.

Plus tard, en descendant le plateau à la cuisine, Mary interrogea la gouvernante sur le comportement étrange de Darla.

— Elle mijote quelque chose, mademoiselle Mary. Je connais votre maman. Aussi sûr que mes rhumatismes se réveillent pour annoncer la pluie, elle a une idée derrière la tête.

La jeune femme n'en était pas si certaine. La maison, le jardin, les terres, le pavillon, les écuries avaient été fouillés en quête de bouteilles cachées. Sa mère croyait peut-être qu'il en restait une ou deux... Mais, dans ce cas, pourquoi avoir attendu si longtemps pour quitter son lit? S'échapper lui était impossible, car elle n'avait pas d'argent et aucun moyen de s'en procurer. En revanche, elle paraissait regretter son comportement des dernières années et être déterminée à se racheter.

— Avez-vous remarqué que les portraits de famille avaient disparu de la cheminée, à part celui de M. Miles en uniforme? reprit Sassie.

— Bien sûr. Elle les a enlevés après la mort de mon père.

— Eh bien, votre maman aura beau se pomponner et ouvrir les rideaux, tant que je ne verrai pas les portraits sur la cheminée, je ne croirai pas un mot de ce qu'elle raconte.

— Ce serait en effet un gage de sincérité...

Comme la gouvernante, Mary doutait fortement de revoir un jour les sourires des siens au-dessus de l'âtre.

18

En fin de matinée, en se rendant à Fair Acres à bord du dernier attelage utilisé au sein de l'élite de Howbutker, Mary s'interrogeait sur le regain d'énergie de sa mère et l'étrange invitation de Jarvis Ledbetter. Une grande banque de la côte est ainsi que d'autres investisseurs désireux d'acheter les terres fertiles de la Cotton Belt avaient fait une offre au vieil homme. Ses deux filles étant mal mariées, il préférait vendre sa plantation et mener la grande vie plutôt que de tout léguer à ses enfants. Sans doute voulait-il proposer à Mary d'acheter ses terres jouxtant la bande de la Sabine, de quoi agrandir son territoire...

Le père de Mary avait toujours rêvé d'acquérir ces deux parcelles enclavées dans Somerset. Il imaginait un océan de coton s'étendant à l'infini... Hélas, Mary avait beau refaire ses calculs, ce projet était irréalisable. Le peu d'argent qu'il lui restait servait de réserve en cas de coup du sort. Si la récolte était anéantie, elle devait être en mesure de payer les vampires de Boston qui, chaque année, attendaient sa dégringolade.

Avant deux ans, les Toliver seraient de nouveau les seuls maîtres de la plantation. Mary ne vivait que pour le jour où l'hypothèque serait levée. Elle donnerait une fête somptueuse pour montrer à tout Howbutker que son père avait été avisé de lui léguer Somerset et que, sous sa houlette, la plantation prospérait. Peu à peu, la famille sortirait de la tourmente. Mary engagerait du personnel pour soulager Sassie et ferait installer des sanitaires modernes. Peut-être même s'offrirait-elle une automobile… Le vieux Shawnee, leur dernier cheval, prendrait sa retraite. Quant à sa mère, elle ne manquerait de rien et marcherait à nouveau la tête haute. Quand elle serait vêtue à la dernière mode, elle se moquerait d'être entretenue par sa fille.

Si Jarvis Ledbetter voulait être payé avant la fin de la cueillette, Mary serait contrainte de décliner son offre, car elle ne pouvait puiser dans ses économies. Mais il ne coûtait rien d'écouter ce qu'il avait à lui dire…

Ils prirent le café dans le salon de la modeste demeure. Abasourdie, Mary dévisagea le planteur.

— La First Bank de Boston, dites-vous ? Elle veut acquérir Fair Acres ?

— C'est bien cela, Mary. Jusqu'au dernier mètre carré. Toutefois (coureur de jupons notoire, malgré ses soixante-dix ans, Ledbetter tapota son accoudoir d'un air enjoué), je n'ai pas encore accepté. Je vous accorde la priorité afin que vous puissiez réunir vos parcelles.

Mary était au désespoir. La First Bank de Boston était détentrice de l'hypothèque sur Somerset ! Tels des charognards, les banquiers guettaient sa chute. S'ils récupéraient à la fois Fair Acres et Somerset, ils détiendraient la plus belle plantation de l'est du Texas et tripleraient leur investissement. Pour quelle autre raison convoiteraient-ils cette parcelle précisément alors qu'ils étaient à même d'absorber facilement d'autres exploitations ?

À ses yeux, la banque était une ennemie vouée à détruire des familles telles que la sienne et le système qu'elles incarnaient. Dans tout le pays, des planteurs vendaient à des acquéreurs de la côte est et sacrifiaient leurs métayers en les privant de leur gagne-pain. Certes, d'autres produits étaient plus rentables que le coton. Les caprices du temps, les coûts d'entretien, les marchés à la baisse, les maladies, le manque de motivation des héritiers qui ne souhaitaient pas prendre la relève… Autant de raisons de se libérer de ces contraintes.

Mary ne put s'empêcher de jauger ce petit homme au regard libidineux, mais sa décision était prise :

— Si vous acceptez d'attendre la récolte, je veux bien acheter, déclara-t-elle.

Le vieux planteur grisonnant secoua la tête.

— Désolé, ma chère, mais je ne peux pas attendre. Et si votre récolte ne rentrait pas ? Ce sont des choses qui arrivent. Je vends tout ce que j'ai pour partir en Europe. J'ai toujours rêvé d'aller à Paris, de voir le monde avant de mourir. Autant commencer par le Moulin Rouge. Miles vit-il toujours là-bas ?

— Aux dernières nouvelles, oui. Monsieur Ledbetter… Combien demandez-vous pour Fair Acres ?

Elle eut le souffle coupé : c'était bien moins que ce à quoi elle s'attendait.

— C'est un prix très raisonnable, bredouilla-t-elle, l'esprit en ébullition.

— Bien plus raisonnable que je ne le serai avec les requins de Boston, répondit Jarvis, les yeux pétillants.

— Pourquoi me faites-vous une offre aussi généreuse ?

Pendant tout le repas, elle avait eu l'impression que le vieil homme allait lui faire des avances.

Il soupira, prit un cigare dans la poche de sa veste et en arracha l'extrémité avec ses dents.

— Pour soulager ma conscience, peut-être. Vendre aux banquiers de l'Est, c'est ouvrir la porte de la région à tous ces chacals. Ce serait dommage. Mais si je ne vends pas, mes filles et leurs vauriens de maris s'en chargeront. En vous permettant d'acquérir Fair Acres, je sauve les meubles. Si quelqu'un peut s'en sortir, c'est bien vous. Des héritiers de votre trempe, on n'en fait plus, Mary ! Je veux bien empocher un peu moins pour sauver le coton. De plus…, ajouta-t-il, une lueur malicieuse dans le regard, vous n'avez pas les moyens de dépenser plus.

— En effet, admit Mary, qui commençait à se détendre.

Il fallait être folle pour passer à côté d'une telle occasion ! Plus jamais elle ne pourrait acquérir des terres à un prix aussi bas.

— Monsieur Ledbetter, reprit-elle vivement, j'ai peut-être une solution ! Quand voulez-vous ma réponse ?

— J'espérais conclure cette semaine. Je sais, c'est court, mais je veux partir à la fin du mois. Si vous achetez, je veillerai à ce que les champs soient labourés. Et vous me verserez des espèces. Je ne peux me permettre de courir le moindre risque. Il me faut de l'argent tout de suite pour solder mes comptes avant de prendre le bateau.

Mary se leva et tendit la main à son hôte.

— Je vous donnerai ma réponse d'ici peu. Je vais d'abord consulter Emmitt Waithe, qui gère mon héritage.

Jarvis posa son cigare et se leva à son tour.

— Ma chère, si vous parvenez à convaincre Emmitt, vous êtes encore plus forte que je ne le pensais. Bonne chance !

Mary se remit en route. La partie n'était pas gagnée. Il lui faudrait des arguments solides pour persuader Emmitt de débloquer ses derniers avoirs. Le notaire n'était jamais intervenu dans ses dépenses mais, cette fois, il allait s'arracher les cheveux. Il avait pour elle de l'estime et admirait ses qualités de gestionnaire, son autorité, et sa loyauté envers son père, dont il était le meilleur ami. Il refuserait de sacrifier le Somerset de Vernon Toliver pour ce qu'il considérerait comme un caprice.

Mais plus elle y réfléchissait, plus elle trouvait que l'achat de Fair Acres était avisé. Il lui suffisait de présenter l'opération comme un investissement, car ces terres avaient une valeur supérieure au prix demandé. Si la récolte était mauvaise, elle pourrait toujours hypothéquer Fair Acres. Certes, ils avaient déjà du mal à joindre les deux bouts… Pourvu qu'Emmitt soit sensible à ses arguments !

L'étude était fermée pour le dîner, mais le notaire était dans son bureau. Quand elle eut expliqué le motif de sa visite, il ne parut guère étonné.

— Mary, mon petit, je ne comprends pas comment cette idée a pu t'effleurer. Tu es si raisonnable, d'ordinaire ! Cette réserve d'argent est vitale. Je ne peux te permettre de la dépenser pour acquérir d'autres terres.

— Mais, maître, implora la jeune femme, trop agitée pour s'asseoir, vous ne connaissez pas ces banquiers ! Pourquoi veulent-ils acheter Fair Acres si ce n'est dans l'espoir de saisir Somerset ?

— Tu as raison. Je ne nie pas les intentions des banquiers, mais, après tout, pourquoi pas ? C'est leur droit et la manœuvre est habile.

— Peu importe. Je n'ai aucune envie de les avoir pour voisins. Depuis Fair Acres, ils pourraient me faire beaucoup de tort dans le but de me ruiner.

— Comment cela ? s'enquit le notaire, perplexe.

— Eh bien, ils pourraient saboter le système d'irrigation de la Sabine. Les Toliver et les Ledbetter ont toujours coopéré. Il leur suffirait de détourner ou de bloquer le flux. Sans irrigation, Somerset est condamné. Et les parasites ? M. Ledbetter et moi avons toujours traité nos champs en même temps. Sinon, tout effort est inutile. Les banquiers disposent certainement d'autres armes pour m'éliminer. Le feu, par exemple.

De toute évidence, Emmitt n'avait aucune envie de discuter avec elle.

— Mary, la First Bank convoite ces terres, mais cela n'a rien de personnel. Elles sont très bien situées grâce à la Sabine. Ils achètent pour revendre à bon prix.

— Ils ont les moyens d'attendre, maître. Ils peuvent laisser germer pendant un an, puis vendre et réaliser quand même un bénéfice.

— Seulement si la First Bank a de mauvaises intentions, comme tu le soupçonnes, ce dont je doute fortement.

Le notaire était néanmoins en pleine réflexion. Il fronça les sourcils et s'installa plus confortablement dans son fauteuil. Mary se pencha vers lui pour donner plus de poids à son propos.

— Si j'ajoute Fair Acres à ma réserve de sécurité, celle-ci prend de la valeur, argumenta-t-elle. Et n'oubliez pas que je n'aurai de problèmes que si la récolte est mauvaise, ce qui est improbable. Nous attendons au contraire un gros rendement, cette année. Je pourrai reconstituer une réserve pour l'an prochain. Et si l'année suivante est bonne… Réfléchissez ! Si Somerset est unifié grâce à ces parcelles, le rêve de mon père deviendra réalité !

Emmitt secoua tristement la tête.

— Non, Mary. Tu es mue par l'avidité, le désir de possession. Excuse ma franchise, mais c'est ta fierté qui te pousse à acquérir Fair Acres. Tu détiendrais alors la plus vaste plantation du Texas, ce qui prouverait que Vernon ne s'était pas trompé. Tu ne cherches en rien à réaliser un rêve. Ta fierté t'aveugle sur les dures réalités de ta situation.

Blessée par ses paroles, Mary refusait de croire qu'il puisse se méprendre à ce point sur ses motivations.

— Non, maître ! C'est vous qui êtes aveugle ! Si la First Bank achète ces terres, elle détruira Somerset. Seriez-vous prêt à parier sur le contraire ?

— Et toi, es-tu prête à parier tout ce que tu possèdes sur cette hypothèse ? répliqua Emmitt. Tu joues sur ce que tu crois savoir des intentions de la First Bank. Si les deux prochaines récoltes sont mauvaises, tu hypothéqueras Fair Acres pour emprunter. Or, tu n'as que vingt ans. Il faut avoir vingt et un ans pour contracter un emprunt. Et qui se portera caution ?

Le notaire refusait manifestement cette responsabilité, faute de moyens pour couvrir un échec financier.

— Espérons que mon nom suffira, répondit-elle en redressant fièrement la tête. Chacun sait que les Toliver n'ont qu'une parole.

Emmitt soupira.

— Ma pauvre petite… Tu oublies un autre détail : comment gérer à la fois Somerset et Fair Acres sans régisseur ? Tu es déjà à bout de forces. Auras-tu les moyens de garder le régisseur de Ledbetter ? Pense au surcroît de travail ! Tu devrais y consacrer ton temps, ton argent, ton énergie et, je dois bien le dire, ta jeunesse ! ajouta-t-il avec une sollicitude presque paternelle.

— M. Ledbetter m'a promis de labourer les champs avant de partir, répliqua Mary, avec cependant un peu moins de conviction dans la voix.

Elle finit par s'écrouler sur une chaise. Non, elle n'avait pas pensé au dur labeur qu'impliquerait un tel achat, ni à l'avenir du régisseur de Ledbetter. Quant à sa jeunesse perdue… Elle dévisagea le notaire consciencieux et obstiné.

— Je sais que vous veillez à mes intérêts, maître, mais si j'avais raison et vous, tort ?

— Ce serait terrible, soupira Emmitt, mais moins que si j'avais raison et toi, tort. Si tu as raison, je pourrai au moins plaider que mon bon sens m'a poussé à refuser de débloquer tes réserves d'argent. Si mes craintes sont avérées, je n'aurai même pas cette excuse.

— Papa serait d'accord, assura Mary en soutenant le regard de l'homme de loi. Il aurait tenté sa chance. Si la First Bank achète ces terres, j'aurai beaucoup de mal à vous pardonner.

Emmitt pinça les lèvres. La jeune femme eut l'impression qu'elle avait trouvé l'argument décisif en évoquant son père.

Au bout de quelques secondes, il esquissa un sourire pensif.

— Tu lui ressembles tellement, Mary. Parfois, j'ai même l'impression de lui parler. Oui, ton père aurait tenté le coup. Et j'aurais essayé de l'en dissuader.

— Auriez-vous réussi ?

— Non.

Le notaire se pencha vers elle, comme s'il était prêt à rendre son jugement.

— Tu as jusqu'à la fin de la semaine pour répondre à Jarvis, dis-tu ? Je vais réfléchir. Je te ferai part de ma décision vendredi, et tu pourras contacter M. Ledbetter. Sache que, si j'accepte et que mes craintes se révèlent fondées, c'est moi qui aurai beaucoup de mal à te pardonner.

19

En se rendant dans son bureau pour recommencer ses calculs, Mary entendit la voix de sa mère, au salon :

— C'est toi, Mary ? Viens voir !

Perplexe, la jeune femme se dirigea vers la porte ouverte. Tirée à quatre épingles, Darla était assise dans son fauteuil à bascule, devant la porte-fenêtre. Sassie, qui montait la garde sur le divan, semblait contrariée. Mary avait promis de rentrer plus tôt pour prendre le relais auprès de sa mère. La gouvernante devait se rendre au marché, une sortie qu'elle appréciait car c'était aussi un moment d'évasion.

— Sassie t'attendait !

Son ton réprobateur était le signe d'un retour à une certaine normalité. Darla toisa d'un œil critique la tenue d'équitation que Mary avait choisie pour se rendre à Fair Acres.

— Je suppose que ce sont là tes vêtements de travail… Où diable étais-tu passée ?

— Je… Une affaire à régler en ville. Désolée d'être en retard. Pour la peine, Sassie, vous irez en ville demain matin. Je me chargerai du souper. Prenez votre temps. Maman, quel plaisir de te voir au salon…

— Vous pouvez disposer, Sassie, dit Darla. Et attention de ne pas faire brûler le pain de maïs !

— Bien, madame, répondit la gouvernante en croisant le regard de Mary avant de se retirer.

Mary approcha une chaise du fauteuil de sa mère. La *Howbutker Gazette* était posée sur ses genoux. Cela faisait quatre ans qu'elle n'avait pas lu un journal. Dans la pénombre de cette fin d'après-midi, Mary fut frappée par les ravages de l'alcool. Sa mère avait été parmi les premières à utiliser du rouge à lèvres. Il ne faisait désormais que souligner ses joues flasques et ses cheveux ternes tombant sur des épaules d'une telle maigreur que l'on en devinait les os sous son châle.

— Beaucoup de choses ont changé, depuis la dernière fois que tu as lu la *Gazette*...

— J'ai l'impression d'entrer dans un nouveau monde! répondit Darla en montrant une page à sa fille. Regarde ces toilettes dont Abel fait la publicité! Des jupes qui arrivent à mi-mollet! Et Howbutker a un cinéma, maintenant.

— Très fréquenté, paraît-il. Voudrais-tu y aller, un soir?

— Pas tout de suite. Je dois garder mes forces, rétorqua sa mère en ôtant ses lunettes. As-tu parlé à Beatrice?

— Je suis désolée, fit Mary avec une moue, j'ai complètement oublié. Je le ferai ce soir.

— C'est inutile, déclara Darla en resserrant son châle sur ses épaules. J'ai changé d'avis. Je n'ai pas besoin de son aide pour organiser la réception. Autant que ce soit une surprise pour tout le monde. Mais avant cela, j'ai un autre objectif.

Mary ressentit une certaine appréhension.

— Tu penses toujours à aider Toby au jardin? s'enquit-elle.

— Eh bien, le parc et le potager sont dans un triste état. Je vais devoir ressortir mon tablier et ma capeline. J'imagine que tu ne te protèges toujours pas du soleil, à en juger par ton teint hâlé. Tu te négliges! Qu'y a-t-il de si drôle?

— Toi! fit Mary avec un large sourire. C'est bon de t'entendre me réprimander de nouveau.

— Tu ne m'as jamais écoutée! Je ne vois pas pourquoi je m'escrime à te faire entendre raison.

— Parce que tu m'aimes, je suppose.

Sa note d'espoir n'avait pas échappé à Darla, dont l'expression s'adoucit.

— Oui, c'est parce que je t'aime. À présent, voici mon projet : j'ai l'intention de te tricoter un cadeau d'anniversaire et le temps presse. Emmène-moi en ville pour acheter de la laine. J'espère que nous avons les moyens de nous offrir quelques pelotes…

— Oui, maman. Je dépose régulièrement tes vingt pour cent des bénéfices sur ton compte en banque.

Elle redouta un instant de raviver la rancœur de sa mère. Or l'expression de Darla n'exprima que de l'inquiétude.

— Oh, je ne voudrais pas te faire perdre du temps à la banque. Peux-tu me prêter de l'argent et déduire la somme sur mes revenus du mois prochain ?

— Bien sûr, répondit Mary, soulagée. Tu sais, rien ne t'oblige à me tricoter un cadeau, maman. Le fait que tu aies quitté ta chambre est mon plus beau cadeau.

— J'y tiens, insista Darla en caressant la joue de sa fille. Cela fait longtemps que je ne t'ai pas offert un ouvrage réalisé de mes mains. L'article auquel je pense te rappellera mon souvenir à jamais.

— Mais tu es là.

— Je ne suis pas éternelle, chérie. J'aimerais commencer dès que possible. Me conduiras-tu en ville demain après-midi ? Nous n'irons pas chez Abel. C'est trop cher.

En voyant Mary tiquer, elle fronça les sourcils.

— Quel est le problème ? demanda Darla. Tu n'es pas disponible ?

— Si, bien sûr, assura-t-elle avec un sourire forcé.

Mary avait accordé sa matinée à Sassie. Si elle conduisait sa mère en ville dans l'après-midi, elle perdrait toute une journée de travail à la plantation. Or elle avait prévu le nettoyage des canaux d'irrigation… Ses hommes s'en chargeraient sans elle. Il était essentiel que sa mère sorte de la maison.

— Nous allons passer une bonne journée ! promit-elle. Et en rentrant, nous boirons un chocolat chaud, comme avant.

— Parfait, répondit Darla.

Elle reprit son magazine. Mary en conclut qu'elle souhaitait mettre un terme à cette conversation et ne pas évoquer le passé.

Plus tard, dans la cuisine, Mary interrogea Sassie sur la promenade de sa mère.

— Est-elle allée à la roseraie ?

— Oui…, maugréa Sassie.

— Croyez-vous qu'elle se rappelle son accès de violence ?

— Hum… Comment oublier un tel massacre ? D'après Toby, elle s'est arrêtée quelques minutes devant les roses rouges de Lancaster, puis elle a continué sans rien dire. Je vous le répète : elle mijote quelque chose.

— Pour l'amour du ciel, Sassie ! gronda Mary. Que voulez-vous qu'elle dise ? Qu'elle regrette amèrement et qu'elle a honte ? Soyez indulgente ! Elle a beaucoup souffert.

— Je vais essayer, pour vous faire plaisir, grommela la gouvernante.

Le lendemain après-midi, à l'heure prévue, Darla était apprêtée pour sa première sortie depuis la lecture du testament. Son large chapeau et sa tenue étaient dépassés. En la voyant enfiler ses longs gants, dans l'escalier, Mary fut un peu gênée. Sa mère n'avait pas conscience d'être démodée.

— Seigneur ! s'exclama-t-elle lorsqu'elles s'engagèrent dans la rue principale. Regarde toutes ces voitures sans attelage ! Elles ont pris le pouvoir sur Courthouse Circle.

— Un jour, nous aurons une automobile, nous aussi, maman.

— Pas de mon vivant, mon agneau.

Elles se rendirent chez Woolworth. Pour le grand soulagement de Mary, le magasin était presque désert. Avec l'aide d'une vendeuse, Darla choisit une laine de couleur crème. Soucieuse de ne pas perdre sa mère des yeux, Mary resta néanmoins à l'écart de leurs messes basses.

— Retourne-toi, Mary ! ordonna sa mère. Je ne veux pas que tu saches ce que je vais acheter maintenant.

Mary obéit. La jeune femme entendit le bruit d'un rouleau, d'une paire de ciseaux, puis le bruissement du papier de soie.

— C'est fini ! annonça Darla, satisfaite. Tu peux regarder.

En remontant Houston Avenue, Darla affichait un large sourire. Soudain, elle poussa un cri de joie.

— Tu es heureuse, maman ?

— Je n'ai pas été aussi heureuse depuis bien longtemps, mon agneau !

Mary fit claquer les rênes sur la croupe de Shawnee et se promit d'écrire à Miles pour lui faire part de cette renaissance. Darla Toliver venait de retrouver le monde des vivants.

20

À la fin de la première semaine de janvier, Mary acheta Fair Acres. De mauvaise grâce, Emmitt Waithe ouvrit son étude un samedi après-midi pour réaliser la transaction. À dix-sept heures, l'acte était signé. D'ordinaire, le notaire offrait une tournée de whisky et portait un toast. Cette fois, la bouteille resta dans le placard.

Dès le lundi, la nouvelle était connue de tous. Si Ollie et Charles Waithe passèrent féliciter leur amie, Percy demeura invisible. Un journaliste de la *Gazette* sollicita un entretien que Mary ne lui accorda que parce qu'elle le connaissait depuis l'enfance. Il souhaitait rédiger un article sur le rôle de la femme moderne dans la société du point de vue de la jeune propriétaire de l'une des plus vastes plantations du Texas. La photographie qui illustrait l'article ne donnait en rien une image de modernité. En voyant sa mine grave, son corsage aux manches bouffantes, son col haut, ses cheveux tirés en arrière, Mary prit conscience de ses sacrifices.

Elle s'échinait de l'aube au crépuscule. Outre assurer la surveillance des tâches d'hiver à Somerset, elle devait se familiariser avec sa nouvelle propriété. Elle se rendit sur chaque parcelle à la rencontre des paysans et de leur famille, dans leurs cabanes misérables, qu'elle espérait un jour remplacer par de petites maisons de trois pièces semblables à celles que Vernon Toliver avait érigées pour ses métayers. Elle inspecta ses champs, ses clôtures, son matériel, ses hangars, et visita la maison que Jarvis était en train de vider avant son départ pour l'Europe.

La nuit, elle ne trouvait pas le sommeil, malgré la fatigue. Elle s'inquiétait de l'attitude de Percy, qui n'avait toujours pas donné de nouvelles. Le jour de Noël, il était venu l'inviter à dîner avec sa famille, mais elle avait refusé sous le prétexte qu'elle devait rester auprès de sa mère. Sassie n'ayant guère envie de préparer un repas de fête pour leurs appétits d'oiseau, Mary l'avait envoyée chez sa petite-fille. Quant à Toby, il séjournait chez son frère. Percy et Ollie partirent à Dallas pour le mariage d'un ancien camarade de l'armée et ne rentrèrent que la veille du Nouvel An. Mary apprit plus tard que, lors du bal du country club, Percy avait été le cavalier d'Isabelle Withers, la fille d'un banquier.

Malgré les soucis que lui donnait sa plantation, Mary brûlait de jalousie. Isabelle était une jolie blonde aux yeux bleus, l'épouse idéale qu'elle avait décrite à Lucy. Celle-ci s'était esclaffée en affirmant que Percy préférerait une partenaire qu'il ne risquait pas de briser à la première étreinte…

Mary chassa vite ces images troublantes de son esprit. Percy avait le droit de fréquenter d'autres femmes, s'il avait des pulsions qu'elle-même refusait de satisfaire… Mais pourquoi cette idiote d'Isabelle ? Percy lui reprochait certainement l'achat de Fair Acres, à cause de ce que cela impliquait en matière d'engagement et de travail. Cette folie marquait sans doute la fin définitive de leur accord.

Lorsqu'il viendrait à sa fête d'anniversaire, elle saurait enfin où ils en étaient. Elle attendait cette réception avec une impatience teintée d'appréhension, même si elle n'avait pas de temps à perdre à ces futilités.

« Il faut que je me remplume un peu », disait sa mère en se servant une seconde fois, à table. « Je dois faire de l'exercice pour reprendre des couleurs », expliquait-elle quand sa fille la trouvait en train de manier la bêche. Peu à peu, Darla retrouvait son caractère impérieux.

— Avant, au moins, elle me laissait tranquille, maugréa la gouvernante au terme d'une journée particulièrement éprouvante.

Mary sourit avec compassion, un peu alarmée par les exigences de sa mère, qui avait repris la direction de la maison.

— Je comprends, Sassie, mais cessez de vous plaindre.

La jeune femme était heureuse des marques d'affection qu'elle recevait de Darla, qui avait désormais une raison de se lever chaque matin. Depuis leur sortie en ville, elle était debout dès l'aube pour se mettre à son tricot. Chacun s'interrogeait sur la nature de son ouvrage.

— Qu'allez-vous faire de toute cette laine? s'enquit la gouvernante.

— Cela ne vous regarde pas. C'est une surprise pour les vingt ans de Mary. Vous verrez bien le moment venu!

Sassie confia ses doutes à Mary.

— Je sais que je vais vous contrarier, mademoiselle, mais tout cela ne me dit rien qui vaille. Elle me fait peur, dans son fauteuil à bascule, à agiter ses aiguilles avec un sourire béat, comme si elle avait un secret. Je vous le répète: il y a anguille sous roche.

— Elle est simplement perdue dans son passé et revit des moments agréables de sa jeunesse, quand elle était belle et insouciante. Laissez-la trouver le réconfort dans ses souvenirs. Vous avez remarqué? Les portraits de famille ont retrouvé leur place sur la cheminée.

Sassie et Toby se préparaient pour la fête. Ils avaient envoyé les invitations, élaboré le menu, acheté les victuailles et astiqué la maison de fond en comble. Pour accueillir les Warwick, Ollie et Abel, plusieurs autres voisins ainsi qu'Emmitt Waithe et sa famille, Mary sortit une vieille robe en taffetas rouge de son armoire. Abel ne manquerait pas de lever les yeux au ciel. Pour Darla, elle avait toutefois commandé une création en velours ambre chez Dumont.

— Mon Dieu! s'était exclamée Sassie au moment de la livraison, de quoi allons-nous devoir nous priver pour payer cette folie?

— De viande pendant un mois, répondit Mary en portant la boîte à l'étage.

Le soir de la réception, Mary se prépara sans joie. Épuisée, elle n'était pas d'humeur à festoyer. Sa robe nécessitait le port d'un corset, ce qui ne se faisait plus du tout depuis l'avènement des soutiens-gorge. Ses mains étaient présentables, même si les gants que Percy lui avait offerts pour Noël étaient rangés avec soin, avec leur message. En se regardant dans la glace, elle sut qu'elle n'avait aucune chance contre Isabelle. Elle releva ses tresses en chignon tandis que Sassie s'affairait aux ultimes préparatifs.

— Chassez donc cette triste mine et oubliez vos soucis ! ordonna la gouvernante. C'est votre soirée et je veux vous voir briller !

— Je n'ai pas très envie de m'amuser, avoua-t-elle. Vous êtes allée voir maman ?

— J'ai essayé, mais elle a refusé de m'ouvrir. Elle préfère s'habiller seule pour son entrée.

— Je me demande ce qu'elle compte faire de ces longues bandes de tricot. On dirait des écharpes…

— Si seulement je le savais ! Nous devrons patienter pour découvrir de quoi il s'agit.

— Quand j'aurai ouvert mon cadeau, je viendrai vous le montrer. En attendant, je vais m'assurer que tout va bien.

Dans le couloir, Mary songea à ces heures de tricot. Sa mère avait fourni de gros efforts pour obtenir son pardon, alors qu'une simple rose rouge aurait suffi. Elle lui aurait naturellement répondu d'une rose blanche. Quoi qu'il arrive, elle remercierait Darla pour son cadeau et se réjouissait de son rétablissement.

— Maman ! lança-t-elle en frappant à la porte. Tout va bien ? Tu as besoin d'aide ?

— Absolument pas ! répondit sa mère avec un rire cristallin. La robe est magnifique. Tu vas l'adorer ! File et laisse-moi préparer mon entrée.

Déçue, Mary fit demi-tour. Elle aurait voulu être la première à voir de nouveau sa mère en grande tenue.

En descendant les marches, elle aperçut Percy par la fenêtre. Il remontait l'allée, seul. Soudain, le sentiment de panique qui grondait en elle depuis des semaines enfla. Le souffle court, elle hâta le pas et ouvrit la porte avant même que le jeune homme n'actionne la cloche.

Elle lut aussitôt dans son regard ce qu'il était venu lui dire.

— Je suis en avance, Mary, mais j'aimerais te parler avant l'arrivée des autres. Mes parents prendront la voiture. Je suis venu à pied histoire de respirer un peu.

— Tu dois en avoir, des choses à raconter, répondit-elle avec un sourire hésitant.

— Je le crains.

— Le jour de mon anniversaire?

— Je n'y peux rien, c'est ainsi.

— Eh bien, entre. Ma mère est encore en haut. Donne-moi ton manteau.

— C'est inutile, je ne reste pas.

Elle eut l'impression de recevoir un coup de couteau en plein cœur.

— Percy, tu ne parles pas sérieusement! C'est mon anniversaire.

— Tu t'en moques éperdument... même s'il te rapproche du jour où tu prendras pleinement possession de Somerset.

— Tu m'en veux d'avoir acheté Fair Acres? demanda-t-elle, sur le point d'exploser. Selon toi, mon engagement envers Somerset est scellé.

— N'est-ce pas le cas?

— Percy... (Mary chercha désespérément une explication valable.) Mon acquisition de Fair Acres n'est en rien une façon de choisir entre toi et Somerset. C'était une aubaine que je ne pouvais pas laisser filer. J'ai... J'ai eu très peu de temps pour réfléchir. Sur le moment, je n'ai même pas pensé à toi, à ce que tu ressentirais, aux conséquences pour nous deux...

— Cela aurait-il changé quelque chose ? N'aurais-tu pas acheté de toute façon ?

Elle se sentit prise au piège. Comment lui faire comprendre qu'elle était acculée ? Folle d'angoisse, elle le dévisagea, à court d'arguments.

— Réponds-moi ! ordonna Percy.

— Si, bredouilla-t-elle.

— C'est bien ce que je pensais, fulmina-t-il. Bon sang, Mary !

Il la toisa d'un regard si intense qu'elle eut un mouvement de recul. Quelle allure elle devait avoir dans sa vieille robe en taffetas vert, en comparaison avec les toilettes d'Isabelle Withers… Ses seins débordaient presque de son décolleté en dentelle. La mode était aux robes droites et aux décolletés sages.

— Tu es en pleine jeunesse et tu n'en profites pas ! lança Percy avec dédain. Tu devrais aller à des réceptions, porter de jolies robes, flirter avec les garçons, et regarde-toi ! Tu es épuisée, tu travailles dix-huit heures par jour, et pour quoi ? Pour vivre dans la pauvreté, avec le souci éternel du lendemain, porter des tenues démodées, lire à la lueur d'une lampe à pétrole, dans une maison dépourvue du confort moderne ! Tu as perdu un frère, une mère, et tu es sur le point de perdre un homme qui t'aime, un homme qui pourrait tout te donner ! Tout ça pour une plantation qui ne vaudra jamais de tels sacrifices.

— Ce ne sera pas toujours ainsi ! protesta la jeune femme en tendant les bras vers lui. Dans quelques années…

— Bien sûr que si ! Qui crois-tu tromper ? Et je n'ai pas plusieurs années à perdre !

— Qu'est-ce… Qu'est-ce que tu cherches à me dire ?

Il lui fit dos, le visage ravagé par la douleur. Jamais elle ne l'avait vu pleurer. Elle voulut s'approcher, mais il leva une main.

— Ce que j'essaie de te dire depuis le début. Je pensais pouvoir te détourner de Somerset, mais je comprends à présent que c'est impossible. Tu me l'as prouvé en achetant Fair Acres. Je suis resté en retrait pour que tu te rendes compte que tu avais besoin de moi. Or tu as acquis des terres supplémentaires… (Il s'essuya les yeux et lui fit face à nouveau.) Eh bien, je ne veux pas de cette vie ! Tu avais raison, Mary. Il me faut une femme qui nous aimera, moi et nos enfants, plus que tout le reste. Je ne peux partager mon épouse avec une entreprise qui l'accapare. Je veux qu'elle soit disponible. Si tu ne peux me donner cela…

Il lui adressa un regard plein d'espoir. Mary sut que, si elle le laissait partir, elle le perdrait à jamais.

— Je croyais que tu m'aimais…, souffla-t-elle.

— C'est le cas. C'est bien le plus tragique. Que choisis-tu… Somerset ou moi ?

— Percy, ne me demande pas de choisir…, implora la jeune femme.

— Il le faut. Quel est ton choix ?

Elle le dévisagea longuement, dans un silence résigné.

— Je vois…, fit-il.

Des claquements de portières et des bruits de voix s'élevèrent dans l'allée. Sassie surgit de la cuisine, portant un tablier amidonné sur la robe noire qu'elle sortait pour les enterrements.

— Monsieur Percy… Pourquoi avez-vous toujours votre manteau ?

— Je m'en vais, répondit-il. Tu salueras ta mère de ma part, Mary et… Bon anniversaire.

Intriguée, Sassie le vit tourner les talons et quitter la maison sans un regard en arrière.

— M. Percy s'en va ? Il ne reviendra pas ?

— Non, fit Mary d'une voix blanche. M. Percy ne reviendra pas.

21

Lorsque les invités se présentèrent, parés de leurs plus beaux atours, Mary était toujours sous le choc. Tous étaient enchantés de revoir Darla heureuse dans une maison qui revivait enfin. En découvrant Mary dans sa robe en taffetas, Abel eut toutes les peines du monde à masquer sa surprise. Charles Waithe, qui venait d'intégrer l'étude de son père, était quant à lui béat d'admiration.

— Votre robe est époustouflante, Mary, dit-il en s'inclinant. Cette couleur vous sied à merveille. Joyeux anniversaire !

Mary les accueillit avec un sourire un peu figé que seul Ollie parut remarquer. Il resta en retrait tandis que Sassie introduisait les invités au salon.

— Qu'est-ce qui ne va pas entre toi et Percy ? Pourquoi est-il parti ?

— Nous nous sommes… disputés.

— Encore ? Que s'est-il passé ?

— C'est à cause de Fair Acres.

— Ah…, dit-il comme si toute explication était superflue. Percy était vraiment furieux quand il a appris que tu avais acquis une autre plantation. Il en a conclu que tu avais choisi entre lui et Somerset.

— C'était une décision, pas un choix.

— Alors nous devons l'en persuader.

Mary le dévisagea, touchée par son amitié, son affection pour eux deux. Elle posa une main sur son épaule.

— Ollie, tu t'es suffisamment sacrifié pour Percy et moi. Ne perds pas plus de temps pour deux personnes qui ne sauront pas en tirer profit.

Le jeune homme prit sa main dans la sienne.

— Je ne vois pas à quoi tu fais allusion, mais aucun sacrifice n'est trop grand pour deux êtres si chers.

Il y eut un mouvement au sommet du grand escalier. Mary et Ollie levèrent les yeux. Une main sur la rampe, Darla avait adopté une pose digne du temps de sa splendeur. Dans le salon, Beatrice attira l'attention de tous.

— Voici Darla ! annonça-t-elle.

Tous se rassemblèrent au bas des marches.

La robe lui allait à merveille. Sa couleur ambre, sa coupe droite qui adoucissait la silhouette chétive, ses manches en mousseline qui masquaient les ravages des ans et de l'alcool… Le maquillage ne dissimulait pas ses joues émaciées, mais elle affichait le port d'une reine. Petite, Mary l'avait toujours admirée lorsqu'elle descendait les marches pour rejoindre ses invités.

— Bonsoir à tous ! Comme c'est gentil d'être venus !

Les applaudissements crépitèrent parmi les invités émus et ravis.

— Tu as choisi la robe idéale, souffla Abel à l'oreille de Mary.

— Bien joué, commenta Ollie.

Aux anges, Darla déambula parmi ses invités. Elle caressa la joue de Mary pour rappeler à tous qu'ils fêtaient son anniversaire. Mary était soulagée de voir sa mère attirer tous les regards. Ainsi, sa propre tristesse était moins flagrante… Ollie se chargea de la conversation. Les sujets d'actualité ne manquaient pas : prohibition, campagne présidentielle, 19e amendement…

— J'espère ne jamais voir le jour où les femmes auront le droit de vote, déclara Jeremy Warwick.

Son épouse lui donna une tape sur le bras.

— Non seulement tu verras ce jour, mon cher, mais ta femme votera pour ton adversaire.

— Tu confirmes ma théorie, renchérit son mari, provoquant l'hilarité générale.

Quand vint le moment pour Mary d'ouvrir son cadeau, le silence se fit. Le mystérieux tricot se trouvait dans la boîte dorée qui avait contenu la robe de Darla. Dès que Mary souleva le couvercle, des exclamations admiratives fusèrent.

— Mon Dieu, je n'ai jamais rien vu d'aussi beau ! déclara Beatrice.

— Darla, ma chère ! lança Abel en découvrant le jeté de lit. Je serais ravi de vous acheter quelques pièces. Elles se vendront comme des petits pains.

Elle esquissa un sourire un peu las, comme si cette proposition même la fatiguait.

— Merci, Abel, mais je l'ai tricoté spécialement pour ma fille afin de marquer son vingtième anniversaire. Je n'en tricoterai pas d'autre.

Elle laissa les invités examiner les détails de l'ouvrage, constitué de bandes de tricot reliées par des rubans de satin rose joliment noués.

— Maman… Je ne trouve pas les mots…, bredouilla la jeune femme, impressionnée et ravie, en caressant le couvre-lit. Tu as fait cela pour moi ?

— Rien que pour toi, chérie, répondit-elle avec un regard plein de tendresse. Quelle meilleure façon d'exprimer ce que tu représentes à mes yeux ?

Se rappelant sa promesse, Mary laissa les invités déguster le gâteau et se précipita à l'office pour montrer son cadeau à Sassie et à Toby. La gouvernante resta de marbre.

— D'après vous, pourquoi a-t-elle choisi des rubans roses alors que votre chambre est dans les tons bleus et verts ? Ce n'est pas du tout assorti. Je me demande ce qu'elle a en tête.

— Vous savez bien qu'elle a toujours essayé de me faire aimer les couleurs pâles. Son choix est une façon subtile de me le rappeler. Je ferai redécorer ma chambre en rose et crème.

— Rose et crème! Vous détestez ces tons ternes et trop sages. Ce sont les couleurs de votre maman!

Perplexe, la jeune femme regagna le salon.

— Donne-moi ce couvre-lit, lui dit sa mère. Je vais le ranger et je monterai la boîte plus tard.

Les invités échangèrent des regards amusés.

— Mary, ta mère a travaillé très dur et très longtemps sur ce cadeau, commenta Beatrice. C'est normal qu'elle veuille le garder un peu.

Le reste de la soirée se déroula dans une certaine tension. Darla semblait vidée de toute énergie. Distante, lasse, très pâle, elle resta assise dans son fauteuil. Mary avait toutes les peines du monde à garder le sourire. Le désespoir commençait à l'emporter, avec la certitude d'avoir perdu Percy à jamais.

Soudain, sans crier gare, Darla se leva, serrant la boîte dorée contre sa poitrine.

— Je vais me retirer, chers amis! annonça-t-elle. Je vous en prie, restez et festoyez aussi longtemps que vous le voudrez.

Les invités se groupèrent autour d'elle pour la remercier et la féliciter. Mary attendit que l'agitation cesse pour embrasser sa mère à son tour.

— Merci, maman, dit-elle avec gratitude.

— Je suis heureuse d'avoir offert à ma fille un anniversaire inoubliable, répondit Darla.

— Jamais je ne l'oublierai. Ton cadeau en sera le plus beau souvenir.

— C'était mon objectif, affirma Darla en se libérant de son étreinte. Quand les invités seront partis, reste en bas pour aider Sassie à ranger la cuisine. Elle n'a plus vingt ans...

Serrant toujours la boîte contre elle, elle se tourna vers les invités et leur adressa un signe.

— Bonne nuit à tous!

Ce fut Ollie qui donna le signal du départ.

— Désolé, mais j'ai un peu trop bu. Papa et moi allons rentrer.

Dans le hall, chacun récupéra ses effets.

— Tu veux que je reste ? demanda-t-il à Mary, à voix basse.

La jeune femme eut envie d'accepter. Elle aurait apprécié sa compagnie, mais Abel serait alors contraint de revenir le chercher en voiture, et il était déjà tard.

— Merci, Ollie, ça ira. Ne t'en fais pas, pour Percy et moi. Nous… n'étions pas faits l'un pour l'autre.

Il porta sa main à ses lèvres.

— Si, vous êtes faits l'un pour l'autre. Mais vous êtes si différents qu'il n'est pas facile de vous unir. Vous êtes comme l'huile et le vinaigre.

Elle avait toujours aimé sa façon d'exprimer les choses. Malgré sa tristesse, elle sourit.

— J'ai l'impression que rien ne saurait nous réunir…

Après le départ des invités, Mary envoya Sassie et Toby se coucher et porta les plats à la cuisine. Faire la vaisselle lui éviterait de chercher le sommeil en pensant à son avenir sans Percy. Elle n'avait cessé de se répéter qu'ils ne pouvaient vivre ensemble mais, au fond de son cœur, elle gardait l'espoir qu'ils trouveraient une solution, car Percy l'aimait.

Elle songea un instant à aller voir si sa mère allait bien, mais elle était épuisée et n'avait aucune envie de lui expliquer pourquoi elle avait les yeux rouges. De plus, la porte de sa mère grinçait et elle risquait de la réveiller si elle dormait déjà. Elle décida d'attendre le lendemain matin.

Bien après minuit, elle monta enfin se coucher. La boîte dorée était posée sur sa coiffeuse. Elle s'endormit rapidement, sans l'ouvrir.

Elle rêvait de champs de coton enneigés quand, à l'aube, Sassie la réveilla sans ménagement.

— Qu'est-ce… Qu'est-ce qui se passe ?

— Oh, mademoiselle Mary! gémit la gouvernante, les yeux écarquillés, c'est votre maman…

— Quoi?

En voyant Sassie prise d'un malaise, Mary rejeta les couvertures. Elle courut vers la chambre de sa mère et s'arrêta net devant la porte ouverte.

— Maman! hurla-t-elle.

Toujours vêtue de sa robe de velours ambre, Darla s'était pendue à l'aide d'un cordon de laine crème. Sous ses pieds gisait un tas de rubans roses. Comprenant enfin, Mary s'agenouilla pour ramasser les rubans.

— Maman…, sanglota-t-elle.

Ils lui tombèrent des mains comme des pétales de roses…

22

Secouée de sanglots incontrôlables, Mary serrait les rubans contre son cœur quand Percy apparut à son côté.

— Sassie, fermez la porte et allez chercher le Dr Tanner, ordonna-t-il en prenant la jeune femme dans ses bras. Et pas un mot à Toby de ce qui s'est passé !

— Bien, monsieur Percy.

— Vous monterez du lait chaud pour Mlle Mary. Elle est en état de choc.

— Maman… Maman…

— Chut…

Il l'allongea dans son lit et remonta les couvertures sur elle.

— Elle… me détestait, Percy. Elle me détestait…

— Ta mère était malade, répondit-il en lui caressant le front.

— Les… rubans roses…

— C'est très cruel, je sais.

— Mon Dieu, Percy… Mon Dieu…

Il attisa le feu dans la cheminée et alla chercher d'autres couvertures. Quand Sassie apporta le lait chaud, il aida la jeune femme à en boire quelques gorgées.

— Allons, Mary, fais un effort.

— Le docteur sera là dans quelques minutes, monsieur Percy ! Que dois-je faire à son arrivée ?

— Qu'il monte. Je lui parlerai dans le couloir.

Mary lui agrippa la main et le dévisagea avec effroi.

— Que faire ? Que va-t-il se passer, maintenant ?

— Ne t'inquiète pas, je m'occupe de tout. Cette histoire restera entre nous, Sassie et le Dr Tanner. Personne d'autre ne doit savoir, même pas Toby. J'enverrai un câble à Miles.

— Que… Que lui diras-tu ?

— Que votre mère est morte dans son sommeil. C'est ce que le Dr Tanner inscrira sur le certificat de décès.

En échange de sa complicité, Percy rappellerait au médecin la générosité sans faille des Warwick envers ses bonnes œuvres. Mary détestait le mensonge. Elle reposa la tête sur l'oreiller et se détourna.

— Merci, bredouilla-t-elle.

Plus tard, elle entendit les messes basses de Percy et du Dr Tanner, dans le couloir, tandis que Sassie s'affairait dans la chambre de Darla. La gouvernante réapparut pour annoncer que la dépouille était enveloppée d'un drap.

— Les pompes funèbres vont venir la chercher, expliqua-t-elle en remontant les couvertures sur Mary. M. Percy veillera à ce que le cercueil soit fermé lors de la veillée funèbre. Il suffira d'affirmer que la défunte était trop marquée par la maladie et que sa fille préfère sauvegarder le souvenir de sa beauté d'antan.

Le temps des formalités, Percy resta aux côtés de la jeune femme sans porter de jugement ni d'accusation. La signification des rubans roses planait entre eux comme une menace qu'ils avaient, d'un accord tacite, décidé d'ignorer. Le silence de Percy ne faisait que renforcer Mary dans sa conviction d'être responsable de ce suicide. Encore une conséquence de son obsession de Somerset…

Le lendemain, la jeune femme erra dans la maison, toujours en état de choc.

— Que dois-je faire de ces bandes de laine et de ces rubans, mademoiselle Mary ? s'enquit Sassie. M. Percy m'a dit de les brûler.

— Non! s'écria Mary. C'était un ouvrage de ma mère. Donnez-les-moi.

Elle en forma une boule qu'elle entoura de papier de soie, puis elle rangea le tout au fond de son armoire.

Lors des obsèques, elle perçut dans l'assistance une certaine réprobation. Sans connaître la véritable cause du décès, les gens lui reprochaient la déchéance de Darla. À leurs yeux, elle était morte de chagrin à cause de la décision de Vernon et parce que Mary n'avait rien fait pour rétablir la justice. Même Emmitt Waithe secoua tristement la tête, comme s'il imputait lui aussi la tragédie au testament.

— Je m'installe provisoirement dans la maison des Ledbetter, annonça Mary quelques jours plus tard. Il me sera plus facile de gérer la plantation de là-bas. Et si vous en profitiez pour rendre visite à votre fille, Sassie? Toby s'occupera de tout. Voici mon numéro de téléphone.

— Mademoiselle Mary, allez-vous vous en sortir toute seule, là-bas?

— Bien sûr.

— M. Percy et M. Ollie ne vont pas apprécier…

— Je sais, mais j'ai besoin de m'éloigner un peu de leur sollicitude bienveillante.

Et du jugement tacite de Percy, songea-t-elle.

Se protégeant les yeux du soleil d'avril, Mary scruta les rangées de coton qui s'étendaient à l'infini, avant la germination. Derrière elle se tenaient Hoagy Carter, le régisseur de Ledbetter, et Sam Johnson, un métayer de Somerset, dont le père avait labouré ces terres en tant qu'esclave. Lors de l'égrenage, Sam et les autres recevraient un tiers des bénéfices de la récolte. Chapeau à la main, les deux hommes attendaient le verdict de Mary.

— Cela me semble parfait, Sam. Nous n'avons jamais fait mieux, déclara-t-elle. Nous devrions obtenir une récolte record.

— Merci, mademoiselle Mary…, souffla Sam, ravi. J'ose à peine y penser. Si le ciel reste clément pendant la cueillette, nous aurons de bonnes rentrées d'argent.

— Nous avons de la chance, admit la jeune femme. Des pluies au moment propice et pas de gelées tardives… Cependant, je ne serai tranquille que lorsque la dernière balle sera cueillie.

— Ensuite, nous commencerons à nous inquiéter pour l'année prochaine, railla Hoagy, soudain préoccupé. À condition que le vent ne vous emporte pas, mademoiselle Mary…

Elle ne fit aucun commentaire. Les hommes remirent leur chapeau et lui emboîtèrent le pas vers la cabane de Sam.

— M. Hoagy a raison, mademoiselle Mary, déclara ce dernier, tout aussi inquiet. Il faut vous remplumer un peu. Et si vous déjeuniez avec nous ? Bella a préparé du porc aux haricots.

— Et je viens de sortir une tarte aux cassis du four, ajouta son épouse, qui les attendait sous le porche.

Hoagy posa sur la jeune femme un regard plein d'espoir. La tarte toute chaude dégageait un fumet appétissant.

— C'est très gentil, mais nous devons nous rendre dans plusieurs autres maisons. Hoagy, vous êtes prêt ? demanda-t-elle.

Cette tarte lui retournait l'estomac. Depuis le suicide de sa mère, elle ne supportait plus la moindre nourriture.

Daisy, la fille des Johnson, âgée de quatorze ans, vint à leur rencontre.

— Maman, il y a une belle automobile qui arrive !

— Une de ces voitures sans attelage ? s'enquit Bella. Qui peut bien nous rendre visite en automobile ?

Mary vit le véhicule s'arrêter sous un pacanier du jardin.

— Tiens, c'est ce Percy Warwick, commenta Hoagy, intrigué. Qu'est-ce qu'il fait ici, d'après vous ?

— C'est à moi qu'il veut parler, répondit Mary. Attendez-moi ici.

Il avait fini par la débusquer, songea-t-elle, résignée. Il avait dû la traquer tout au long de sa tournée d'inspection. Elle le trouva nonchalamment appuyé sur une Pierce-Arrow flambant neuve.

— Bonjour, Percy, dit-elle sans enthousiasme. Je sais ce que tu vas me raconter...

— Ollie avait raison, lança-t-il en la toisant d'un œil critique. Tu es squelettique.

— Tu mens! Il ne dirait jamais une chose pareille.

— Je ne fais qu'interpréter ses propos. Quand il t'a croisée, l'autre soir, il a trouvé que tu n'avais que la peau et les os.

Leur ami l'avait effectivement interceptée alors qu'elle changeait le harnais de Shawnee.

— Ollie ne devrait pas perdre ses soirées à guetter mon retour sous la véranda. Il a besoin de repos après son travail au magasin.

— Il se demande pourquoi tu fuis le réconfort des gens qui t'aiment.

Percy, lui, comprenait pourquoi elle s'était coupée de son entourage pour vivre en ermite: elle était traumatisée à jamais par le spectacle de sa mère pendue. Percy lui rappelait ce souvenir et ravivait son sentiment de culpabilité. Ce jour-là, il portait une tenue décontractée alors qu'en semaine, il arborait toujours un élégant costume. Il n'en était pas moins séduisant. Or la jeune femme restait de marbre...

— Ollie m'a appris que tu vivais chez Ledbetter. Pas étonnant que tu ne sois jamais chez toi. Toby n'a rien voulu nous dire.

Il grimaça comme s'il imaginait la maison vide et crasseuse, le vieux matelas, les boîtes de conserve qu'elle réchauffait, si elle avait un tant soit peu d'appétit. Au moins, elle bénéficiait du confort de sanitaires modernes.

— C'est plus pratique, expliqua-t-elle. J'ai envoyé Sassie chez sa fille et Toby garde la maison.

Percy poussa un soupir exaspéré.

— Mary, il faut que cela cesse! Ce que tu t'infliges est intolérable.

— Il va falloir t'y faire.

Elle lança un regard furtif vers Hoagy, sans doute impatient de terminer la tournée afin de pouvoir se restaurer.

— Je sais que vous êtes tous inquiets, mais vous ne pouvez rien faire pour moi. Je suis bien comme cela et je fais ce qui me plaît. Sans vouloir jouer les ingrates, après tout ce que vous avez fait pour moi, j'aimerais qu'on me laisse tranquille.

— C'est impossible.

— Percy, écoute-moi bien, murmura-t-elle pour ne pas être entendue. Il n'y a rien que tu puisses faire.

— Si. C'est d'ailleurs la raison de ma venue. Écoute au moins ma proposition.

— Je la connais déjà.

— Pas celle-ci, insista Percy, une lueur presque menaçante dans le regard. Écoute-moi ! Tu me dois bien cela, non ?

Il avait raison : elle lui devait bien cela. Elle lui était même redevable à vie…

— Parle moins fort, gronda-t-elle. Je ne veux pas que notre conversation fasse le tour de la région.

— Alors va expliquer à Hoagy que tu as à faire en ville et monte en voiture. Un repas nous attend. Tu récupéreras ton attelage chez Hoagy plus tard.

Elle le fixa comme s'il avait perdu la raison.

— Pas question ! Il me reste deux visites à effectuer, et je dois discuter du désherbage avec Hoagy.

— Tu vas venir avec moi ! insista Percy, sinon je te fais monter de force dans la voiture. Les ragots iraient bon train…

Il ne plaisantait pas. Son regard lui intimait même qu'elle ne disposait que de quelques secondes pour s'exécuter.

— Très bien, concéda-t-elle.

Elle tourna les talons pour se diriger vers la cabane. Trois paires d'yeux disparurent aussitôt derrière la porte-moustiquaire. Hoagy dévisagea la jeune femme d'un air curieux. Il en avait assez entendu pour comprendre qu'il se passait quelque chose entre elle et le tout-puissant Percy Warwick.

— Hoagy, je dois me rendre en ville avec M. Warwick, annonça-t-elle d'un ton qui se voulait désinvolte. Vous continuerez la tournée tout seul puis vous irez manger. Je viendrai chercher mon attelage chez vous.

— Ce doit être important pour que vous partiez en milieu de journée, grommela-t-il, sceptique.

— Je n'ai pas le choix, rétorqua-t-elle, agacée, mais je reviendrai cet après-midi.

Hoagy sembla déçu. Sans doute espérait-il avoir le reste de la journée libre. Se promettant de le renvoyer à la première occasion, Mary s'éloigna en direction de la Pierce-Arrow.

— Cette visite va faire les choux gras des métayers, commenta-t-elle en claquant la portière.

— Ne sommes-nous pas un sujet de conversation bien plus intéressant que le charançon du coton ?

23

Ils démarrèrent en trombe dans un nuage de poussière.

— Où m'emmènes-tu?

— À la cabane, en pique-nique, histoire de discuter…

— La cabane…

N'était-ce pas là-bas que Percy rêvait de lui savonner le corps, d'après ce qu'il avait affirmé le jour où il l'avait surprise en plein travail, dans les champs de Somerset, vêtue comme une souillon?

— Je m'en sers encore pour la pêche et la chasse.

— Tu y emmènes tes conquêtes, je suppose.

— Si tu veux…

— Eh bien, je ne veux pas, Percy. Je n'ai pas l'intention de devenir l'une d'elles.

— Il n'est pas question de faire de toi une de mes conquêtes. Je veux t'épouser.

— C'est impossible, rétorqua-t-elle, soudain tendue.

— Je l'ai cru pendant un moment, mais je suis prêt à faire des concessions.

Mary n'en croyait pas ses oreilles.

— Un compromis? C'est donc cela, ta proposition?

— Absolument. Je t'en dirai davantage après le repas.

Mary réfréna les battements de son cœur. Ils avaient déjà eu cette conversation: Percy se croyait capable de la faire renoncer à Somerset. N'avait-il toujours pas compris qu'il se trompait? Si le suicide de sa mère n'avait pas réussi à ébranler la détermination de Mary, rien de ce qu'il pourrait faire ou dire n'y parviendrait. Elle avait désormais une motivation supplémentaire. Jamais elle n'accepterait un compromis susceptible d'entraver ses projets.

Pourquoi diable voudrait-il toujours l'épouser ? Jamais elle ne chasserait de son esprit l'image de Darla pendue à l'aide des bandes de laine qu'elle avait elle-même tricotées. Malgré son visage enflé et grotesque, sa langue protubérante, elle affichait un air triomphant qui n'avait pu échapper à Percy.

Miles, Ollie et Percy étaient encore enfants lorsqu'ils avaient construit cette hutte au bord du lac Caddo. Ils avaient passé plusieurs étés à la peaufiner. Mary se rappelait leurs débats et la mise en garde de sa mère : « Miles, n'oublie pas que tu devras t'y conduire comme tu le ferais dans ta propre chambre, à la maison. »

Du haut de ses cinq ou six ans, elle avait trouvé cette idée absurde, car ils avaient construit cette cabane précisément pour être libres. Plus tard, elle avait imaginé un antre où ils emmenaient des filles et buvaient de l'alcool en cachette.

— Voici donc la fameuse cabane, dit-elle en découvrant une porte en pin brut. Je n'y étais jamais venue…

— Même pas par curiosité ?

— Non.

La pièce d'environ soixante-dix mètres carrés comprenait une cuisine, un salon et un coin nuit, avec deux couchettes superposées et un lit double dissimulés par un rideau. Percy laissa la jeune femme visiter les lieux pendant qu'il allait chercher « une boisson fraîche » dans le puits. Mary reconnut l'ancien canapé du bureau de son père, quelques chaises ayant meublé le petit salon des Warwick et une table de toilette ancienne provenant sans doute de la maison Dumont. Alors qu'elle s'attendait à un espace sombre, confiné, infesté de moustiques et de mouches, la pièce était propre, fraîche et lumineuse. Des ventilateurs brassaient l'air du lac.

Le couvert était mis pour deux avec une minutie touchante : il ne manquait ni les serviettes ni les fleurs.

— Pourquoi m'as-tu amenée ici ? demanda-t-elle en le voyant revenir avec une bouteille de vin. Espérons que le shérif Pitt ne viendra pas fouiner par ici. S'il trouve ta réserve d'alcool dans le puits...

— Le shérif sait se mêler de ce qui le regarde, répondit Percy en débouchant la bouteille.

— Les Warwick seraient-ils au-dessus des lois ?

Elle regretta aussitôt cette remarque. Les événements récents prouvaient que les Toliver eux-mêmes n'étaient pas irréprochables.

— Seulement celles que l'on peut enfreindre sans danger, rétorqua-t-il en la servant. Assieds-toi, Mary. Tu as besoin de te détendre. Bois pendant que je déballe les victuailles. Ensuite, nous parlerons.

— Je préfère discuter tout de suite, répliqua-t-elle en acceptant le verre sans intention aucune de le boire. Pourquoi veux-tu m'épouser ? Surtout... après ce que tu as vu.

Il l'invita à s'asseoir et s'installa en face d'elle. Leurs genoux se touchaient presque.

— Écoute-moi bien, dit-il en lui prenant les mains. Tu crois savoir ce que je pense de cette histoire, mais tu te trompes. Tu n'es pas responsable du suicide de ta mère. Certes, elle serait encore en vie si ton père n'avait pas rédigé ce testament. Là encore, tu n'y es pour rien.

— Oserais-tu affirmer que tu ne me reproches pas d'avoir hérité ? C'est le sujet de toutes nos disputes. Tu penses que je suis à l'origine de la maladie de ma mère et de sa mort.

— Ce que je te reproche, c'est ton obsession de Somerset. Ta mère a décidé de se suicider, mais elle aurait pu choisir de vivre, de t'aimer et de te soutenir, même si ton père t'a favorisée.

— Selon toi, elle méritait d'obtenir Somerset ! lança-t-elle.

— Bien sûr. Toutefois, elle n'aurait pas dû te laisser croire que tout était de ta faute.

Les yeux de la jeune femme s'embuèrent de larmes.

— Tu... tu le penses vraiment, Percy ?

— De tout mon cœur, chérie. (Il la prit dans ses bras pour la bercer comme une enfant qui aurait fait un cauchemar.) Je n'ai pas su te comprendre... C'est l'une des raisons pour lesquelles je t'ai amenée ici. Je tiens à lever ce malentendu. Bien des différends nous séparent, mais le drame de ta mère n'en fait pas partie.

— Oh, Percy...

Dans ses bras, elle se sentait à la fois en danger et au paradis. Percy lui donnait de la force et... le début d'un pardon.

Il l'embrassa sur le front et l'écarta de lui.

— Tu es si maigre..., reprit-il en palpant ses épaules. D'abord, tu vas manger. Ensuite, nous discuterons. Le vin t'ouvrira l'appétit.

Mary se sentait plus légère. Elle commençait même à avoir un peu faim. Elle regarda Percy faire la cuisine en chantonnant. Il semblait si sûr de lui, si détendu... Pouvaient-ils être heureux ensemble ? Comme Vernon, Percy était un homme de fer qui pouvait se permettre d'épouser une femme telle que Darla. Mais elle était différente. Percy et elle ne pouvaient que se heurter.

L'alcool commençait à faire effet. Voilà pourquoi sa mère avait sombré dans l'alcoolisme : pour se sentir mieux, atténuer sa souffrance, retrouver l'appétit. Prudence, songea-t-elle.

— Tu as besoin d'aide ? demanda-t-elle tandis qu'il cassait un bloc de glace dans l'évier.

— Non, merci. Détends-toi.

Autant savourer ces trop rares moments de sérénité... Elle s'installa plus confortablement et détailla la décoration. Les garçons avaient chacun apporté des objets de chez eux. Sur un mur, elle reconnut une coiffure indienne qui ornait autrefois la chambre de Miles. Chaque fois qu'elle pensait à son frère, Mary sentait son cœur se serrer. Elle n'avait pas reçu de réponse à sa lettre relatant les derniers jours de leur mère, un tableau idyllique évoquant ses heures passées à tricoter.

— Madame est servie !

Percy s'inclina, ce qui amusa la jeune femme, et la prit par la main pour l'emmener à table. L'estomac noué, elle réprima une moue.

— Comme c'est… appétissant, dit-elle en prenant une première bouchée d'un mets inconnu.

Il s'agissait d'une salade de poulet aux amandes grillées avec une sauce aigre-douce.

— C'est délicieux, commenta-t-elle en toute sincérité.

— Ensuite, tu goûteras ceci. (Il lui tendit une corbeille contenant d'étranges petits pains au feuilletage léger.) Ce sont des croissants, expliqua-t-il. Mon péché mignon, quand j'étais en France. Grâce à la cuisinière des Dumont, je continue à me régaler.

Mary termina sa salade et dévora deux croissants.

— Je n'ai plus de place pour les pêches à la crème, déclara-t-elle ensuite, repue.

— Ce n'est pas grave. La crème est au frais dans la glace. Nous prendrons le dessert plus tard.

Pendant tout le repas, ils avaient parlé des nouvelles du quartier, de la famille, des amis, mettant de côté leur préoccupation principale.

— Percy, il est temps pour toi d'évoquer ta proposition.

— Je vais d'abord faire la vaisselle. Nous finirons la bouteille de vin sous le porche.

Ne se sentant pas la force de discuter, Mary le suivit. À l'ombre des cyprès, le porche était un havre de fraîcheur.

— Je ne veux plus de vin, prévint-elle en consultant sa montre. Il est plus de trois heures. Il faut que j'y aille.

— Pourquoi ? Hoagy est incapable de s'en sortir seul ?

— Mieux vaut le surveiller. Il apprécie un peu trop les pauses-café.

— Les joies de la plantation…

— Ne gâchons pas ce pique-nique avec ce genre de sous-entendu.

— Oh, mais il le faut ! La plantation est l'élément principal de ma proposition.

Mary se crispa.

— Et quelle est-elle, cette proposition ?

— Eh bien, j'ai réfléchi à mes priorités. Et j'ai décidé que… (Il fit tournoyer son vin dans son verre.) Je peux vivre avec une plantation infestée par la maladie, mais je ne peux pas vivre sans toi.

Mary crut avoir mal compris.

— Qu'est-ce… Qu'est-ce que tu dis ?

— Marions-nous tels que nous sommes : un bûcheron et une planteuse de coton.

— Tu nous acceptes tous les deux, Somerset et moi ? demanda-t-elle, abasourdie.

— C'est bien ce que je te propose. M'épouseras-tu si je m'engage à ne pas critiquer Somerset ?

— Je ne te crois pas, souffla-t-elle.

Il posa son verre et tendit une main vers elle.

— Tu peux me croire, Mary. Je t'aime.

— Pourquoi ce revirement ? demanda-t-elle, prudente.

— Après ce qui nous est arrivé… (Il serra sa main dans la sienne.) Combien de fardeaux crois-tu pouvoir porter ? Combien d'années devrais-je encore attendre ? Nous avons des journées bien remplies, mais nos vies sont vides.

— Que fais-tu de l'épouse idéale qui donne la priorité à son mari et à ses enfants ?

— Eh bien, je te promets de ne rien te reprocher. Vivre ensemble sous le même toit me suffira, je te le jure.

Mary oscillait entre joie et incrédulité :

— Tu fais des concessions, mais à quoi dois-je renoncer ? Quelle promesse exiges-tu en échange ?

— Promets-moi que, si Somerset fait faillite, tu abandonneras la bataille, que tu ne me demanderas pas d'argent. Je serais contraint de refuser la mort dans l'âme. Les problèmes éventuels de Somerset ne doivent pas affecter notre couple. Tu sais ce que je pense du coton. Pour moi, les plantations font partie du passé.

Elle posa une main sur la bouche de Percy.

— N'en dis pas davantage. Je sais ce que tu penses et je ne te demanderai jamais de voler à mon secours. Ce serait violer les règles de nos familles.

— J'ai ta promesse ? s'enquit-il, retenant sa joie.

— Bien sûr ! s'exclama Mary. Percy… Tu es sincère, n'est-ce pas ?

— Absolument ! répondit-il en riant. Mais tu n'as toujours pas dit oui…

Mary enroula les bras autour de son cou.

— Oui ! Oui ! s'écria-t-elle, aux anges, avant de l'embrasser avec fougue. Je me suis souvent demandé comment ce serait d'être mariée avec toi…

— Eh bien, je vais te le montrer…

24

Percy porta la jeune femme vers l'alcôve et la déposa sur les draps frais du lit. Il avait tout prévu… Elle ne s'en offusqua pas, car lui seul était capable d'apaiser le feu qui brûlait en elle.

— Percy… j'ai…

— Tu as peur ? murmura-t-il en déboutonnant son corsage. Il n'y a aucune raison.

— Mais je ne sais pas quoi faire…

— Ne t'inquiète pas. Nous y arriverons ensemble.

Quelques heures plus tard, elle était blottie contre lui, sous le clair de lune.

— Tu sais ce que j'ai ressenti ?

— Non, mon amour, répondit-il en lui caressant les cheveux.

— Comme une impression de rentrer à la maison…

— Je comprends.

Aux premières lueurs de l'aube, ils se baignèrent dans le lac, tels Adam et Ève au paradis. Ivre de bonheur, Mary caressa le torse bronzé de Percy en murmurant son nom. Il n'en fallut pas davantage pour qu'il l'entraîne à nouveau vers la cabane.

Au matin, Percy prépara des œufs au bacon. Mary fit preuve d'un tel appétit qu'ils dégustèrent même les pêches qu'ils n'avaient pas mangées la veille.

— Heureusement que j'ai des vêtements de rechange… Les apparences seront sauves quand je te conduirai chez Hoagy, déclara-t-il. Et toi ?

Mary toucha du doigt le col de son corsage et observa sa jupe marron.

— C'est ma tenue de tous les jours lorsque je ne remplace personne dans les champs. Hoagy n'y verra que du feu.

Au moment de partir, elle contempla le lac depuis le porche. Percy l'enlaça et enfouit le visage dans ses cheveux.

— Tu te sens bien ? s'enquit-il.

— Oui, répondit-elle. Tu es un homme très doux.

— Je passerai te voir dans l'après-midi.

— Tu ne me trouveras pas. J'ignore encore quels secteurs je vais inspecter.

— Ce soir, alors, insista-t-il en resserrant son emprise. Seras-tu à la maison ?

— Oui. Je nous préparerai un souper et… Tu pourras rester. Toby dort chez son frère, le jeudi.

— Je laisserai la voiture à l'écart et je viendrai à pied, souffla-t-il d'une voix rauque. (Il la fit pivoter dans ses bras et la prit par le menton.) Tu es heureuse ?

— Plus que je n'aurais pu l'imaginer…

Subjuguée, elle effleura sa barbe naissante. *C'est de l'amour,* songea-t-elle, *pas de la luxure*. Pourquoi avait-elle eu peur de l'aimer ? Ils surmonteraient leurs différences car ils avaient besoin l'un de l'autre. Jamais il ne regretterait de l'avoir épousée. Elle sentit le désir renaître en elle, mais il fallait qu'elle rejoigne son régisseur.

— Je dois partir, dit-elle en s'écartant de lui. Hoagy risque d'avoir des soupçons. Je suis sûre qu'il n'a pas même nourri le cheval.

Percy la regarda nouer ses cheveux en arrière.

— Et si nous fixions la date du mariage dès ce soir ? suggéra-t-il. Je veux t'épouser au plus vite.

Mary se tourna vers lui d'un air désolé. Elle n'avait pas songé qu'il voudrait se marier avant que le coton ne soit rentré. Or c'était impossible, car elle passerait toutes ses journées à travailler à Somerset.

— Je… Je pensais attendre que la récolte soit terminée, répondit-elle d'un air implorant, de peur de le contrarier. Comme tu le sais, elle est cruciale. Le moindre retard serait fatal. Je dois me trouver en permanence à la plantation. Je croyais que tu l'avais accepté…

— Et quel serait le bon moment, d'après toi ? interrogea-t-il, visiblement déçu.

— Fin octobre, peut-être ?

— Fin octobre ? Mais c'est très loin, Mary !

— Je sais, admit-elle en enroulant les bras autour de son cou. En attendant, nous pourrons nous voir, à condition d'être discrets. Et je saurai me faire pardonner, tu verras. Je t'aime…

Percy rendit les armes et l'enlaça à son tour.

— Très bien… J'aimerais que ce soit demain. J'ai pourtant le sentiment qu'attendre est une erreur.

— Ce serait une erreur de ne pas attendre, répliqua Mary. Nous aurons le temps d'organiser un superbe mariage et une vraie lune de miel.

Le mois d'avril s'écoula, puis le mois de mai. Le temps chaud et sec était inquiétant. Au début de juin, une pluie providentielle se mit à tomber sur les champs immaculés, détrempant les plantes assoiffées. Mary n'était pas totalement rassurée mais, à moins d'une catastrophe naturelle, les Toliver allaient enfin pouvoir relever la tête.

Prudente, Mary imaginait déjà sa récolte rentrée, l'hypothèque presque remboursée, l'argent en banque… Sa vie de couple avec Percy s'annonçait sous les meilleurs auspices. Tant qu'il respectait sa promesse, elle veillerait à ce qu'il ne souffre pas de sa passion pour Somerset. Sa priorité serait d'engager un régisseur fiable qui la déchargerait de certaines tâches.

Déjà, ils envisageaient leur avenir ensemble, dans la maison des Toliver. Les Warwick seraient ravis de les avoir pour voisins. Percy ferait installer l'électricité et le téléphone sans tarder, ainsi que des salles de bains et une cuisine moderne. Les écuries seraient transformées en garage. La maison serait repeinte, la roseraie replantée… Sassie et Toby resteraient à leur service, naturellement, mais ils engageraient d'autres domestiques, sans oublier un comptable pour soulager Mary.

Pour l'heure, ils tenaient à garder leur amour secret. Soucieuse de sa réputation, Mary voulait éviter tout scandale. Elle avait beau être une Toliver, son nom ne la protégerait en rien si l'on découvrait leur liaison. Quant à Percy, il redoutait qu'on lui reproche d'avoir consommé leur union avant le mariage.

En général, ils se retrouvaient au bord du lac. Nul ne soupçonnait ce qui se déroulait derrière les rondins de la cabane. À l'approche de la récolte, Sassie était de retour, mais elle croyait la jeune femme dans la maison des Ledbetter. Hoagy, de son côté, était persuadé qu'elle rentrait à Houston Avenue à la fin de ses longues journées de travail.

Le jeudi, Sassie et Toby étaient de repos. Les amoureux passaient alors la nuit dans la maison des Toliver. À peine avaient-ils avalé un repas sur le pouce qu'ils se précipitaient dans la chambre de la jeune femme en arrachant leurs vêtements. Après avoir vécu uniquement pour ses journées à Somerset, Mary attendait désormais ses nuits avec Percy.

Le dimanche après-midi, ils sacrifiaient au rituel du bridge avec Ollie et Charles Waithe. Ces parties dominicales étaient indispensables pour donner le change. Toutefois, il suffisait de les regarder pour se rendre compte qu'ils mouraient d'envie d'être ailleurs. À la table de jeu, Percy était parfois son partenaire, parfois son adversaire. Le moindre de ses mouvements mettait ses sens en émoi, au point qu'elle n'osait risquer un sourire ou un regard. C'était avec un grand soulagement qu'elle entendait la vieille horloge grand-père sonner quatre heures, car c'était le moment où les invités se retiraient.

Percy comprenait l'importance de ce secret qui les protégeait des rumeurs. Dès l'annonce des fiançailles, Beatrice serait sur des charbons ardents. De plus, ils devaient tenir compte d'Ollie, dont ils avaient longuement discuté.

— Il va falloir le lui dire bientôt, Mary.

— Pourquoi ?

— Parce qu'il est amoureux de toi, imbécile ! Depuis aussi longtemps que moi.

— J'ai bien eu des soupçons, mais je pensais que ses sentiments avaient fait place à de l'amitié.

— Crois-moi, il n'en est rien ! Si j'avais pensé qu'il avait la moindre chance d'être aimé en retour, je ne t'aurais jamais courtisée. Sans Ollie, je serais six pieds sous terre.

— Je sais, répondit Mary. Crois-tu qu'il a encore de l'espoir ?

— Pas consciemment, tant qu'il ne verra pas une bague à ton doigt.

— Alors accorde-moi jusqu'à la mi-août, puis offre-moi une bague.

25

À la mi-août vint le moment de la cueillette.

— Lundi matin à l'aube, annonça Mary à ses ouvriers dès le samedi. Reposez-vous bien. Nous commencerons par le sud avant de passer à l'est. Mardi, nous travaillerons de l'ouest au nord. Soyez prêts à partir à quatre heures et demie.

Dimanche après-midi, incapable de se concentrer sur sa partie de bridge, elle surestima par deux fois son jeu.

— Espérons que ce ne soit pas un mauvais présage, commenta Ollie.

Mary vit dans cette remarque un sous-entendu.

— Que veux-tu dire? demanda-t-elle d'un ton sec qui étonna les trois hommes.

— Je pensais à l'issue de la partie, pas à ta récolte, affirma Ollie avec un sourire contrit. Je suis certain que tu maîtrises la situation à Somerset. Tu seras bientôt la femme la plus heureuse du comté.

— Buvons à cette perspective, proposa Charles en leur servant du champagne provenant de la cave des Dumont.

La prohibition est pour ceux qui l'ont votée, pensaient-ils. Naturellement, Mary s'abstint, mais elle leva son verre d'eau.

— À notre reine du coton! lança Charles. Qu'il soit toujours roi!

S'ils trinquèrent de bon cœur, la réflexion d'Ollie avait appesanti l'atmosphère, car chacun se demandait si Mary ne voyait pas trop grand.

Invoquant qu'elle devait se lever tôt, elle congédia ses invités de bonne heure, y compris Percy, qui avait coutume de revenir après le départ des autres.

— J'ai les nerfs à fleur de peau, lui expliqua-t-elle.

En signe de compréhension, il serra sa main dans la sienne.

Quelques heures après minuit ce jour-là, son instinct la réveilla. Il régnait un silence inquiétant. Assise dans son lit, Mary dressa l'oreille, puis elle rejeta les couvertures.

— Oh non! s'écria-t-elle, saisie d'effroi, en ouvrant la porte-fenêtre donnant sur la véranda.

À l'est, au-dessus de Somerset, des éclairs zébraient le ciel. Mary huma l'air: il sentait la pluie. Au loin, le ciel se mit à gronder. Mais ce n'était pas tout... La poussière volait. *Seigneur, non! Non, pas cela... Non... Papa, à l'aide!*

Prenant à peine le temps de lacer ses bottines et d'enfiler un peignoir, la jeune femme se précipita dehors et sella Shawnee. Elle talonna sa monture le long de l'avenue pour s'engager sur la route menant à la plantation.

— Hue! hurla-t-elle, penchée sur la crinière du vieux cheval.

En chevauchant dans la nuit, elle fit le point. Ses hommes savaient quoi faire. Dans la semaine, ils avaient écouté ses recommandations en cas de pluie. « Bien, mademoiselle Mary. Nous sortirons tous dans les champs avec des sacs et nous cueillerons le plus vite possible. Dès les premières gouttes, nous mettrons nos sacs à l'abri sous les bâches des chariots. »

Sur place, Hoagy avait réuni sa famille. Par chance, ses deux grands fils étaient présents.

— Bonjour, mademoiselle Mary! lancèrent-ils en chœur.

Des sacs de coton sur les épaules, ils firent mine de ne pas remarquer qu'elle était en chemise de nuit.

— C'est grave, Hoagy?

— Aucune idée, répondit-il, perplexe.

— Donnez-moi un sac.

Il faisait encore nuit noire quand sept membres de la famille Carter et Mary, chacun dans une rangée, se mirent à cueillir le coton. Il ne tombait pas une goutte de pluie, mais des éclairs zébraient le ciel et l'air était lourd. Si seulement le vent pouvait se lever… Cette pesanteur la terrifiait. Dans les champs, c'était un véritable défilé de lampes à pétrole. Penchés au-dessus de cet océan blanc, les ouvriers cueillaient de leurs mains expertes sous le ciel menaçant.

La grêle frappa trente minutes plus tard, suivie par la pluie. Mary et les Carter se trouvaient trop loin pour rejoindre les charrettes.

— Protégez-vous sous les sacs ! Les grêlons sont gros comme des pierres !

Dans la tourmente, Mary continua à cueillir, jusqu'à ce qu'elle comprenne que c'était en vain. Elle glissa alors son sac sous son corps, et se protégea la tête de ses bras. Au bout d'un certain temps, elle ne sentit plus que les battements effrénés de son cœur.

Il tombait des cordes quand la famille parvint à s'éloigner.

— Mademoiselle Mary, dit Hoagy, on ne peut rien faire. Portons nos sacs à la maison.

La chemise de nuit collée à la peau, les bottines crottées, Mary empoigna son sac et courut vers la cabane du régisseur.

— Vous allez attraper la mort, mademoiselle Mary ! s'exclama son épouse.

Si seulement…, songea la jeune femme.

Sous le porche où ils s'étaient réunis avec leurs sacs, Mary scruta les visages de ses compagnons. Tous semblaient attendre qu'elle parle… ou qu'elle agisse, car elle tenait leur avenir entre ses mains. Hoagy comptait sur elle. Incapable de le rémunérer pour son travail de régisseur, Mary lui avait promis un meilleur pourcentage des bénéfices sur la récolte. Elle leva les yeux vers le ciel nocturne, comme pour chercher les conseils de son père et de son grand-père, mais elle n'entendit que la pluie moqueuse tandis que ses rêves s'écroulaient.

— Nom de Dieu! jura le régisseur en s'essuyant le visage. Encore une année de fichue!

— Qu'est-ce qu'on va faire, papa? demanda une fillette en larmes.

— Pour l'heure, nous allons sécher le coton, déclara Mary en se tournant vers la femme de Hoagy. Faites du feu pour sécher les sacs. Au matin, nous les remplirons.

Avant l'aube, ils tentèrent de trier le coton pour déterminer sa valeur.

— Ça s'annonce mal, mademoiselle Mary, constata Hoagy.

La pluie avait cessé et le jour se levait quand Mary accepta enfin une tasse de café. Elle sortit pour observer ses champs criblés par la grêle qui, hier encore, regorgeaient de coton. Tiges brisées, plants écrasés, balles décapitées se mêlaient aux grêlons. Pas un plant n'avait été épargné.

— Un massacre, commenta amèrement l'un des fils Carter.

— Tais-toi donc! gronda sa mère en regardant Mary.

Celle-ci entendit une portière de voiture s'ouvrir et se refermer. Aussitôt, le silence se fit, comme à l'entrée du directeur d'école dans une salle de classe. Sans lui laisser le temps de réagir, quelqu'un lui posa un manteau sur les épaules.

— Je suis venu te ramener à la maison, Mary, fit une voix familière à son oreille. Il ne sert à rien de rester ici.

Mary observa les Carter. Muets, ils avaient les yeux rivés sur le tout-puissant Percy Warwick. S'ils avaient eu le moindre soupçon sur la nature de leurs relations, le doute n'était plus permis...

— Hoagy, dit-elle en ignorant Percy, vous ferez la tournée de Fair Acres. Que tout le monde porte son coton à la pesée des Ledbetter. Sam et moi étudierons la situation à Somerset. Retrouvez-moi à la maison à dix heures.

— Bien, mademoiselle Mary.

— Bonne journée à tous, conclut-elle en cherchant à se dégager de l'emprise de Percy. Vous avez bien travaillé. Mattie, merci pour le café et veuillez m'excuser pour le désordre.

Percy relâcha la jeune femme et adressa un signe de tête aux Carter. Puis ils rejoignirent la Pierce-Arrow. Malgré son envie de le réprimander pour cette apparition gênante et inutile, elle se ravisa en voyant des impacts de grêle sur la carrosserie.

— Pourquoi es-tu venu, Percy? demanda-t-elle avec un soupir.

Il resserra le manteau sur ses épaules.

— Pour m'assurer que tu allais bien et te ramener à la maison.

— Qu'est-ce qui te fait croire que je peux rentrer? On a besoin de moi, ici. De toute façon, je suis venue avec Shawnee.

Trempé, le cheval attendait patiemment, attaché à la barrière. En entendant son nom, il tourna la tête d'un air maussade.

— L'un des fils Carter le ramènera.

— Tu ne comprends pas! Ils doivent rester ici. J'ai besoin de Shawnee pour faire le tour de Somerset. Quand j'en aurai terminé ici, je me rendrai en ville voir Emmitt Waithe.

— Mary, pour l'amour du ciel, je t'emmènerai chez Emmitt!

— Non! s'exclama-t-elle. Je tiens à y aller seule!

Les Carter les observaient sans vergogne.

— Dans cette tenue? demanda Percy en désignant ses vêtements trempés. Laisse-moi au moins te ramener à la maison pour que tu te changes. Tu vas attraper froid.

Mary réfléchit un instant. Percy avait raison. Elle était frigorifiée. Si elle tombait malade, par-dessus le marché...

— Très bien, concéda-t-elle de mauvaise grâce.

Ils attachèrent le cheval au pare-chocs de la voiture. Ils gardèrent le silence tandis que Percy manœuvrait avec précaution dans la boue. Pour entrer dans Howbutker, ils empruntèrent la route pavée au lieu du chemin de terre plus discret. Par chance, seuls quelques commerçants médusés les virent contourner Courthouse Circle.

— Quelle est l'étendue des dégâts? s'enquit Percy en s'arrêtant devant la maison. La récolte est fichue?

— J'ai encore quelques cartes à jouer, répondit-elle sans le regarder.

Il posa une main sur son épaule.

— Je regrette, chérie, mais un accord est un accord.

— Ai-je prétendu le contraire ? Je déplore que cette catastrophe te fasse plaisir, reprit-elle.

— Ce n'est pas le cas. Mary, pour l'amour du ciel…

Percy alla détacher Shawnee.

— Comment peux-tu penser une chose pareille ? Chérie, je sais ce que tu ressens…

— Non, tu ne sais pas ! Voir Somerset ravagé, c'est comme perdre un enfant, à mes yeux. Il n'y a pas de mots pour décrire à quel point je suis anéantie.

— Tu connaissais les risques dès le départ.

— Ne me donne pas de leçons ! rétorqua-t-elle, rouge de colère. Épargne-moi ta logique de Warwick ! Va donc travailler et laisse-moi m'occuper de mes affaires !

Sur ces mots, Mary saisit les rênes de Shawnee et se dirigea vers l'écurie pour le bouchonner et le nourrir. Percy regarda la femme qu'il aimait s'éloigner au moment où elle avait le plus besoin de lui.

26

En fin de matinée, le soleil brillait et les oiseaux chantaient comme si rien ne s'était passé quand Mary se présenta à l'étude d'Emmitt Waithe.

À son entrée, le notaire grommela et lui fit signe de s'asseoir avant de s'installer à son tour d'un air las. Il semblait plus voûté que de coutume, comme si la catastrophe lui pesait sur les épaules.

— Somerset n'est pas encore mort, affirma Mary, prête à débiter le discours qu'elle avait répété. Nous avions envisagé cette situation et j'ai encore une carte à jouer : Fair Acres. Je veux contracter un emprunt avec Fair Acres en garantie.

Elle parlait trop vite, mais elle ne supportait pas l'expression du notaire qui semblait lui dire « Jamais je n'aurais dû t'écouter ».

— Il est de votre responsabilité de m'aider à obtenir ce prêt. C'est le seul moyen…

Emmitt l'interrompit en frappant du poing sur son bureau.

— Ne viens pas me parler de ma responsabilité ! Il n'y a pas si longtemps, tu étais disposée à la jeter aux orties ! Si je m'étais tenu à mes responsabilités, tu ne serais pas là ce matin et je ne me mordrais pas les doigts d'avoir cédé à tes caprices. Le pauvre Vernon doit se retourner dans sa tombe !

— Pas du tout ! protesta Mary en maîtrisant sa rage. Papa aurait compris. D'accord, j'ai pris un risque et j'ai perdu. Désormais, il faut sauver les meubles. Le seul moyen est d'hypothéquer Fair Acres. Je devrais obtenir la somme dont j'ai besoin. L'année prochaine, avec une bonne récolte… (Face au regard noir du notaire, elle s'interrompit et haussa les épaules.) Je n'ai pas le choix, de toute façon, reprit-elle.

— Il existe pourtant une solution évidente.

— Pas question de vendre Somerset !

Emmitt ôta ses lunettes, exaspéré.

— Que veux-tu que je fasse ?

— Que vous m'obteniez un rendez-vous à la banque dès aujourd'hui et que vous m'aidiez à négocier un prêt.

— Pourquoi se précipiter ? Rentre chez toi te reposer. Tu as passé une nuit blanche. Demain, tu auras les idées plus claires. Pourquoi aller à la banque dès aujourd'hui ?

— Je ne serai pas la seule à solliciter un crédit. Leurs fonds sont limités. Je tiens à figurer parmi les premiers. J'espère que votre emploi du temps n'est pas trop chargé…

— Cela ferait-il une différence ?

Emmitt poussa un long soupir, remit ses lunettes et décrocha son téléphone. En quelques minutes, il exposa la situation au directeur de la State Bank de Howbutker, qui accepta de les recevoir en fin d'après-midi.

Vêtue d'une vieille jupe élimée et d'un corsage démodé, les bottines toujours crottées, Mary entra dans l'agence. Pour son grand malheur, elle croisa l'élégante Isabelle Withers, qu'elle considérait comme sa rivale dans le cœur de Percy. Son père n'était autre que le directeur de la banque.

— Tiens, tiens, minauda-t-elle, n'est-ce pas Mary Toliver ?

D'un œil amusé, elle la toisa avec dédain.

— En effet, répondit Mary, tout aussi hautaine.

— C'est terrible, cette grêle, en pleine période de récolte ! Je suppose que Somerset a beaucoup souffert…

— Un peu, mais nous nous en sortirons.

— Vraiment ? fit Isabelle en jouant avec la ceinture en perles qui ornait sa robe à taille basse. C'est donc une visite de courtoisie que vous rendez à mon père. Il en sera ravi ! Il me racontera votre entrevue dès ce soir. Quel plaisir de vous revoir, maître Waithe. Vous aussi, vous êtes passé dire bonjour ?

De ses lèvres maquillées à la mode des vedettes hollywoodiennes, elle esquissa un sourire, puis elle s'éloigna, laissant dans son sillage un léger parfum fleuri.

— Seigneur…, souffla le notaire, troublé par cet échange tendu.

Dans le bureau de Raymond Withers, il laissa Mary exposer sa requête en s'appuyant sur un document chiffré griffonné à la hâte.

— J'ai apporté l'acte de propriété de Fair Acres et je suis disposée à mettre ce bien en gage, conclut-elle.

Le banquier l'avait écoutée avec attention. Derrière lui figuraient des portraits d'Isabelle à tous les âges, dans des cadres dorés. Il garda le silence pendant quelques secondes interminables égrenées par la pendule de la cheminée. Mary ne parvint pas à déchiffrer son visage impassible.

— Nous pouvons vous aider dans une certaine mesure, déclara-t-il enfin, mais vous n'aurez pas de quoi couvrir tous vos besoins.

— Que voulez-vous dire ? s'enquit la jeune femme, alarmée.

Emmitt grommela et se redressa légèrement.

— La banque ne peut vous prêter que quarante pour cent de la valeur de votre garantie. Avec la guerre et la chute vertigineuse du prix du coton… Voyons… Nous parlons de deux parcelles. Actuellement, avec la maison, les dépendances, le matériel, elle doit tourner autour de…

Comme s'il ne parvenait pas à énoncer la somme à haute voix, il inscrivit un nombre sur une feuille de papier qu'il fit glisser sur le bureau.

— Fair Acres vaut le double ! s'écria Mary.

Un rapide calcul lui fit comprendre que l'estimation de la banque ne lui permettrait jamais de s'en sortir. Elle repoussa la feuille vers le notaire.

— À vos yeux, peut-être, mais pas pour le comité directeur, hélas, expliqua le banquier.

— Allons, Raymond, intervint Emmitt. Vous pouvez certainement faire un effort. En cas de non-paiement, même si vous prêtez à Mary cinquante pour cent de la véritable valeur de Fair Acres, vous pourrez vendre et réaliser un bénéfice.

Raymond Withers réfléchit un instant.

— Eh bien, un élément pourrait faire pencher la balance en faveur de Mlle Toliver, à condition qu'elle l'accepte, bien sûr.

— Lequel ? demanda-t-elle, pleine d'espoir.

— Oubliez le coton. C'est trop risqué. Arachide, sorgho, canne à sucre, maïs, riz, le choix ne manque pas. Nous pourrions vous prêter la somme dont vous avez besoin si vous acceptiez de changer de culture, car la banque aurait ainsi une meilleure garantie de remboursement.

— C'est hors de question, répliqua Mary, choquée qu'il puisse faire une telle suggestion à une Toliver. Somerset est une plantation de coton…

— C'était une plantation de coton, l'interrompit Withers, à bout de patience. Vous seriez avisée d'accepter, mademoiselle Toliver. Le temps du coton est révolu au Texas. D'autres pays en produisent de bien meilleure qualité et le vendent moins cher. Connaissez-vous cette nouvelle matière synthétique qui remplace la soie, en France ? Très bientôt, elle arrivera aux États-Unis. Le synthétique est plus léger, plus économique et plus solide que le coton. Une sacrée concurrence pour une exploitation exposée au charançon ou, vous en avez été témoin, à une catastrophe naturelle. (Le banquier se pencha en arrière et croisa les doigts sur son ventre.) Si vous êtes disposée à planter autre chose que du coton, je crois pouvoir persuader le comité d'augmenter le prêt de dix pour cent.

Mary en eut le souffle coupé.

— Sinon, comment obtenir ce qu'elle demande, Raymond ? interrogea le notaire.

— Eh bien… (Le banquier s'adressa à Emmitt comme si la jeune femme n'était pas là.) Avec la signature d'une personne de confiance, nous pourrions lui prêter la somme voulue. La banque fera appel à ce garant en cas de défaillance de Mlle Toliver. Comme elle a moins de vingt et un ans, on ne peut la contraindre à rembourser car, aux yeux de la loi, un mineur n'est pas responsable d'un emprunt. (Il reporta son attention sur Mary.) Vous connaissez une personne susceptible de signer dans ces conditions, je crois…

Il est au courant, pour Percy et moi, songea-t-elle, alarmée. *Il pense que j'ai privé Isabelle de toute chance de devenir Mme Percy Warwick.* Toute la ville était-elle informée de leur liaison ?

— À qui faites-vous allusion ? demanda-t-elle en soutenant son regard.

Le banquier esquissa un sourire ironique.

— Eh bien, la banque apprécierait la signature de Percy Warwick. Vous ne devriez pas avoir trop de mal à l'obtenir, mademoiselle Toliver. Vos… familles sont si proches…

— Merci de m'avoir reçue, monsieur Withers, le coupa Mary. Maître Waithe et moi-même allons réfléchir. Nous vous contacterons très rapidement.

— N'attendez pas trop longtemps, mademoiselle, rétorqua le banquier en se levant. Nous disposons de fonds limités et j'ai déjà d'autres demandes.

En quittant la banque, le notaire semblait secoué.

— Que vas-tu faire, mon petit ?

— Une chose que je regretterai sûrement toute ma vie, répondit-elle avec un soupir.

27

En regagnant Houston Avenue, Mary réfléchit au risque qu'elle était sur le point de prendre en sollicitant la signature de Percy. Hélas, elle n'avait pas le choix. Jamais elle ne planterait autre chose que du coton à Somerset! « Un accord est un accord », avait-il déclaré, et il s'attendait à ce qu'elle le respecte. N'était-ce pas elle qui avait évoqué la tradition voulant que leurs familles ne se prêtent jamais d'argent? Heureusement, ce n'était pas de l'argent qu'elle lui demandait, mais une signature. Même si la récolte était mauvaise, il ne perdrait pas un sou, car elle renoncerait à Fair Acres pour le rembourser. Elle n'osait l'envisager, mais elle serait contrainte de se défaire également d'une partie de Somerset pour régler les banquiers de Boston. Le jeu en valait néanmoins la chandelle.

Il lui suffisait de convaincre Percy que sa requête ne brisait en rien sa promesse et ne trahissait pas les règles familiales. Bercée par le bruit des sabots de Shawnee, elle se demanda pourquoi leurs ancêtres avaient instauré ce principe, qui témoignait d'une conception assez égoïste de l'amitié. Qui était mieux placé qu'un ami pour aider son prochain? Les Toliver et les Warwick formaient presque une famille. Pourquoi cette règle?

Puis la réponse lui vint, claire comme de l'eau de roche: emprunter, c'était perdre du pouvoir. Pire encore, c'était une entrave susceptible d'affecter, voire de détruire, une amitié. Être redevable envers un ami, c'était ne plus être à égalité avec lui, même après le remboursement de la dette. Telle était la nature humaine…

Peu importe, songea-t-elle, *une signature, ce n'est pas un prêt.*

Mary s'arrêta chez un voisin pour appeler Percy à son bureau. De peur d'être espionnés par la standardiste ou l'opératrice, ils communiquaient toujours par formules codées.

— Mary Toliver ! Quelle surprise ! dit-il, soulagé d'avoir de ses nouvelles. Je suis désolé de ce qui t'arrive. Les dégâts sont-ils réparables ?

— Absolument, Percy. Les champs sont dévastés, mais la maison a à peine été touchée. C'est la raison de mon appel. Il y aura des travaux à prévoir. Peux-tu envoyer quelqu'un évaluer les réparations ?

— Avec plaisir. À quelle heure ?

— Disons vers cinq heures ?

— Il sera là.

Mary raccrocha. Malgré leur prudence, leur liaison n'était sans doute plus un secret. Il suffisait que la cuisinière des Warwick raconte qu'elle préparait des repas pour deux pour M. Percy qui les emportait à la cabane… Comme il ne s'affichait avec personne, il ne pouvait que fréquenter Mary Toliver, qu'il avait embrassée devant tout le monde, le jour de son départ à la guerre.

Quelle importance, s'ils se mariaient ? Comment cela, *si* ? se reprit-elle aussitôt dans ses pensées.

À son arrivée à la cabane, Percy s'y trouvait déjà. Il n'avait pas pris le temps de se changer, mais avait ôté sa veste et dénoué sa cravate. Il vint à sa rencontre pour l'aider à descendre de voiture.

— Dieu que c'est bon de te prendre enfin dans mes bras, soupira-t-il après un long baiser.

Elle enfouit le visage dans son cou.

— Pour moi aussi…

À l'intérieur, Percy leur servit du thé glacé. La brise soufflant du lac atténuait l'humidité, après la pluie.

— Je suis content de te retrouver, mais tu dois être épuisée. Tu ne veux pas rentrer chez toi te reposer ?

— Il fallait que je te voie, répondit-elle.

— À en juger par le ton de ta voix, ce n'est pas pour la raison habituelle.

— En effet. Percy, j'ai des ennuis.

Intrigué, il s'assit sur le divan, à distance de la jeune femme. C'était mauvais signe : il avait deviné ses intentions.

— Je t'écoute.

Elle but une gorgée de thé, en essayant de calmer les battements effrénés de son cœur.

— Aujourd'hui, je suis allée à la banque avec Emmitt afin de négocier un prêt. Nous avons parlé avec Raymond Withers.

Percy ne réagit pas à l'évocation du père de la jeune femme qu'il avait courtisée. Mary lui fit part du peu de valeur qu'il accordait à ses terres en omettant délibérément la condition posée par le banquier concernant l'abandon du coton.

— La somme qu'il est disposé à me prêter ne couvre même pas le prix des graines, dit-elle en exagérant. Quant à tenir un an de plus…

— Alors ? interrogea-t-il en la regardant dans les yeux.

Au mépris de toute prudence, elle déclara :

— Il me prêtera la somme dont j'ai besoin si tu acceptes de te porter garant.

Dans le silence qui suivit, le tintement de la glace dans le verre de thé de Percy semblait assourdissant.

— Que lui as-tu répondu ?

— Que… Que je le tiendrais au courant.

— Pourquoi n'as-tu pas dit non tout de suite ? Nous avons conclu un accord.

— Je sais, mais il ne s'agit pas de revenir sur notre accord. Je ne te demande qu'une signature, pour l'amour du ciel ! Ce n'est pas comme si je sollicitais de l'argent. Tu ne risques rien, sur le plan financier.

— Comment cela ?

— Si la prochaine récolte est mauvaise, je vendrai Fair Acres et même une partie de Somerset, au besoin. Tu ne perdras pas un sou. Je t'en donne ma parole.

Lorsqu'il se leva lentement, Mary eut l'impression terrifiante de voir un taureau fulminant sur le point de charger.

— Ta parole, répéta-t-il. Tu m'as donné ta parole, ici même, que tu ne me demanderais jamais de sauver Somerset. En cas de problème financier, tu t'es engagée à renoncer à la plantation pour te contenter d'être ma femme.

— Percy, c'est différent. Il ne s'agit pas de racheter l'hypothèque de Somerset, mais de signer un document.

— Tu joues sur les mots. Je déplore sincèrement ce qui t'arrive, mais je m'en tiendrai à notre accord.

La jeune femme se leva à son tour, soudain très pâle.

— Tu… Tu refuses de m'aider ?

— Je refuse de me porter garant, précisa-t-il en commençant à dérouler les manches de sa chemise.

Il s'en allait ! Horrifiée, Mary lui barra la route, les mains sur son torse.

— Percy, je sais que je te donne l'impression de renier notre accord, mais essaie de voir les choses autrement.

Elle sentit qu'il la désirait, mais il attacha ses boutons de manchette.

— Suppose que tu obtiennes ton prêt et que l'année prochaine soit mauvaise. Que se passerait-il ? Sans Fair Acres, tu n'aurais plus aucune garantie.

— Je te l'ai dit, je vendrai une partie de la plantation. Je te le jure, Percy ! Il faut me croire !

— Si seulement je le pouvais…

Il se dégagea de son emprise pour serrer son nœud de cravate.

— Cela ne s'arrêtera jamais, reprit-il. Tu le sais bien. Tu voudras une réserve d'urgence, comme avant d'acheter Fair Acres. D'après toi, combien de temps cet argent restera-t-il en banque face à la tentation de nouveaux produits, machines, systèmes d'irrigation, sans oublier les terres ? Tu te retrouveras dans la même situation qu'en ce moment.

— Il n'est pas question de l'avenir, mais d'aujourd'hui !

— Les choses ne changeront jamais. (Il fit un pas vers elle, le regard sombre, désespéré.) Je ne parle pas d'argent, Mary. Il s'agit de notre accord. J'ai promis de tolérer ton… obsession de Somerset. Mais en cas d'échec, tu devais renoncer. Prouve-moi que tu étais sincère.

Elle lui tourna le dos, les mains crispées, les larmes aux yeux. Il vint se placer derrière elle.

— C'est injuste ! Tu essaies de me forcer la main alors que je ne veux que ta signature sur une feuille de papier.

Elle savait ce qu'il voulait entendre, ce qu'il avait besoin d'entendre.

— Que se passerait-il si tu devais te tourner vers moi, après notre mariage, et si je refusais, si tu étais forcée de vendre Somerset pour régler tes dettes ?

Une fois de plus, Mary se retrouvait au pied du mur. Une petite voix intérieure lui soufflait que son avenir se décidait en cet instant.

— Dis-le-moi, nom de Dieu ! s'exclama-t-il en la faisant pivoter vers lui.

Elle croisa les bras comme pour se protéger.

— Je… Je te détesterais, murmura-t-elle en baissant la tête.

Au bout d'une éternité, Percy reprit :

— C'est bien ce que je pensais. Tu n'as donc jamais eu l'intention de tenir ta promesse.

Elle releva la tête et lut sur le visage de Percy la souffrance qu'elle avait ressentie en voyant ses champs dévastés par la grêle.

— Somerset et moi sommes indissociables, Percy, dit-elle. Je n'y peux rien. Me séparer de ma plantation serait comme me couper en deux. En revanche, si tu acceptes de me partager, je resterai moi-même.

— Tu veux dire que je ne peux avoir l'une sans l'autre? Que, si je ne signe pas, je te perdrai ? demanda Percy, incrédule.

— Sans Somerset, tu me perdras de toute façon, admit-elle, non sans émotion.

— Mary…, soupira-t-il en la prenant par les épaules. Somerset n'est qu'une plantation. Moi, je suis un homme, un être de chair et de sang!

— Je t'aime, répondit-elle. Pourquoi refuses-tu d'accorder une place à Somerset dans ta vie?

Il baissa les bras.

— Je le pourrais peut-être si tu m'aimais autant qu'elle. Tu parles de partage, mais Somerset aura toujours la priorité, tu me l'as prouvé. (Il recula, le visage crispé de douleur.) Tu te rends compte de ce que tu es en train de faire? Tu es sur le point de tout perdre, la plantation et moi. Où est ton intérêt? (Soudain, une idée germa dans son esprit. Il se figea, le regard dur.) Tu n'as aucune intention de perdre Somerset, n'est-ce pas?

Une fois de plus, Mary baissa la tête.

— Non…, reprit-il doucement, ne me dis pas que tu vas te tourner vers Ollie…

Son silence et ses bras croisés en disaient long. Percy poussa un cri de rage et de dégoût.

— Tu es décidément prête à toutes les bassesses pour garder ces maudites terres! (Il saisit sa veste et glissa dans sa poche le petit écrin qu'il en avait sorti en arrivant.) Avant de partir, rassemble tes affaires, ordonna-t-il. Tu ne reviendras plus ici.

À quoi bon discuter? Prostrée, elle le regarda s'éloigner, puis elle entendit claquer la portière de la Pierce-Arrow. Les pneus crissèrent dans l'allée. On était à la mi-août, elle se dit que l'écrin recelait sans doute sa bague de fiançailles.

28

Le lendemain matin, Mary donna rendez-vous à Ollie à dix heures au magasin. Dans l'espoir que Percy vienne frapper à la porte, elle avait passé la nuit au salon et se rendait sans cesse dans la véranda pour regarder en direction de Warwick Hall. Elle était même sortie dans la rue en peignoir pour voir si la chambre de Percy était éclairée. Peut-être cherchait-il le sommeil en pensant à elle... Mais la maison était restée plongée dans l'obscurité.

Déterminée, elle enfila un tailleur et releva ses cheveux en chignon, puis elle attela Shawnee pour se rendre en ville. Au grand magasin, Ollie guettait son arrivée au sommet des marches.

— Je suis désolé de ce qui t'arrive, Mary, assura-t-il en prenant ses mains dans les siennes, ses béquilles glissées sous son bras. C'est aussi grave qu'on le raconte ?

L'espace d'un instant, Mary crut qu'il faisait allusion à Percy, puis elle comprit qu'il se souciait des dégâts provoqués par la grêle. Il ne devait pas être au courant de leur dispute. Elle l'aurait lu sur son visage.

— Pire encore, répondit-elle. C'est la raison de ma venue...

Dans son bureau, la jeune femme lui exposa la situation, sans omettre les conditions fixées par la banque pour l'obtention du prêt.

— Je me rends compte que, en te demandant d'être mon garant, je vais à l'encontre des règles de nos familles.

— Allons ! fit Ollie avec un geste désinvolte. C'est une convention archaïque. Somerset doit rester dans le coton. Raymond Withers devrait savoir qu'il y aura toujours un marché pour les fibres naturelles, malgré les progrès du synthétique. Je serai honoré de signer.

Touchée, comme toujours, par sa générosité sans faille, Mary déclara :

— Je dois t'avouer que j'ai d'abord sollicité Percy.

— Ah… Et il a refusé ?

— Oui.

— C'est peut-être mieux ainsi, dit-il d'un ton résigné. Mieux vaut ne pas démarrer sa vie de couple par des… complications.

— Tu… Tu es au courant ? demanda Mary, les yeux écarquillés.

Ollie se mit à rire.

— Cela se voit comme le nez au milieu de la figure ! Bien sûr que je suis au courant ! Charles aussi, d'ailleurs. Quand vous mariez-vous ?

Mary baissa les yeux.

— Oh, non ! s'exclama Ollie, désemparé. C'est donc pour cela que Percy est parti ce matin pour Dieu sait où. Il m'a appelé vers six heures pour m'annoncer qu'il prenait le train vers quelque chantier des Warwick au Canada et qu'il ne savait pas quand il reviendrait. Vous avez dû sacrément vous disputer !

Percy était parti ? Au Canada, de surcroît ? La peur l'envahit. Être séparés dans la même ville était une chose, mais dans deux pays différents…

— Il savait que j'allais m'adresser à toi, admit-elle.

— Et il s'y opposait ?

— Il pense que je profite de ton affection.

Ollie soupira et secoua la tête. Une mèche de ses cheveux châtains clairsemés tomba sur son front.

— Ah, ces hommes pleins d'orgueil ! commenta-t-il en dévisageant Mary. Sans parler des femmes ! Je déplore d'être l'objet de votre querelle.

— Tu ne l'es pas, assura Mary. Percy et moi sommes les seuls responsables. Nous avons… des différences de vues apparemment impossibles à surmonter. Si tu préfères ne pas aller plus loin…

— Ne dis pas de bêtises, coupa Ollie en lui faisant signe de se rasseoir. Il s'en remettra dès qu'il aura franchi la frontière et sautera dans le premier train de retour. Vous n'êtes jamais restés brouillés très longtemps. Après son refus, il est naturel que tu t'adresses à moi. Je lui parlerai dès son retour et je lui ferai comprendre qu'il se conduit comme un idiot. À présent, conclut-il, détends-toi le temps que j'appelle Raymond.

Alors qu'il allait décrocher, Mary lui saisit le poignet.

— Je suis mal placée pour poser des conditions, Ollie, mais il faut que tu me fasses une promesse avant de t'engager.

— Tout ce que tu voudras, répondit-il.

— Voilà. Si tu te retrouves un jour en difficulté financière et moi en position de te secourir, tu devras l'accepter. Promets-le-moi, Ollie.

Il lui tapota la main avec un sourire indulgent.

— Très bien, si tu insistes, je te le promets.

Le ton de sa voix suggérait néanmoins que cette situation ne risquait pas de se présenter. Elle sortit son mouchoir et s'essuya les yeux. Elle avait les nerfs à fleur de peau, ces derniers temps.

— Ollie, tu es le meilleur des amis ! Je ne te demande qu'une signature. Tu seras dégagé de toute responsabilité dès l'année prochaine, après la récolte.

— Espérons que le temps soit clément.

Quand il en eut terminé avec le banquier, Ollie accompagna la jeune femme jusqu'à l'escalier.

— Tu es certain que Percy n'a pas indiqué de date de retour ? l'interrogea-t-elle.

— Certain, mais tu vas tellement lui manquer qu'il ne tardera pas à rappliquer.

Hélas, Percy demeura invisible. Pendant toute la semaine, en inspectant ses champs en cours de déblaiement, la jeune femme guetta sa voiture rouge. Chaque soir, elle cherchait un message, sur la table de l'entrée. Quand elle engageait Shawnee dans l'allée, elle scrutait la rue en quête de la Pierce-Arrow. Un soir, elle se rendit même à la cabane, au bord du lac. Tout était fermé, comme si les moments qu'ils avaient partagés n'avaient jamais existé. La déprime s'abattit sur elle, la privant de toute énergie.

Vint le mois de septembre. Percy lui manquait terriblement. Ollie n'était même pas là pour la réconforter, car il assistait aux défilés de mode de New York. Il ne rentrerait qu'en octobre, avant de se rendre à Paris pour sélectionner de nouveaux modèles. Il en profiterait pour voir Miles et ses anciens camarades de combat et serait donc absent une bonne partie de l'année.

La jeune femme étant en proie à des nausées matinales, Sassie décréta qu'elle souffrait de la « fièvre des eaux », une étrange maladie touchant ceux qui buvaient l'eau des rivières. Mary ne démentit pas son diagnostic. Après tout, elle s'était souvent baignée dans le lac avec Percy. Un matin, elle finit par se demander avec angoisse si elle ne devait pas consulter le Dr Tanner, car elle avait les seins enflés et douloureux…

Affolée, elle courut chercher un ouvrage dans les rayonnages de la bibliothèque. Le manuel de médecine familiale était paru en 1850, mais les symptômes qui l'inquiétaient n'avaient, hélas, pas changé depuis la nuit des temps. Mary eut rapidement la confirmation de ses soupçons : elle était enceinte !

Il était hors de question qu'elle consulte le Dr Tanner pour en avoir le cœur net. Mieux valait trouver un médecin en dehors du comté. Mais pour cela, il faudrait prendre rendez-vous par téléphone. Les ragots iraient bon train parmi les opératrices : Mary Toliver délaissait le Dr Tanner.

Au désespoir, elle se rendit chez Beatrice, qu'elle trouva dans la cuisine, en train d'ébouter des haricots verts.

— Mary ! s'exclama-t-elle. Quelle bonne surprise ! Qu'est-ce qui t'amène ?

— Je cherche Percy, souffla-t-elle. C'est très important. Il faut que je lui parle…

— Eh bien, moi aussi, j'aimerais bien lui parler, répliqua sa voisine en tendant ses haricots à sa cuisinière.

Elle entraîna la jeune femme dans le petit salon.

— Il est au Canada où il travaille avec nos équipes de bûcherons. Il est parti depuis deux semaines sans donner de nouvelles. Qu'est-ce qu'il t'arrive ?

— Je… Je dois lui parler, c'est tout, bredouilla Mary.

Beatrice était perspicace. Elle n'aurait sans doute aucun mal à deviner les raisons de son angoisse.

— Nous nous sommes disputés, avoua-t-elle. Je voulais m'excuser et lui dire que… enfin, il me manque beaucoup…

Beatrice sourit.

— Je suis ravie de l'entendre, et il le sera aussi. En le voyant partir, je me suis doutée que vous vous étiez querellés. Quand il appellera, je lui transmettrai ton message. Il reviendra aussitôt, tu verras. Il serait temps de vous marier, tu ne trouves pas ? Si vous attendez encore longtemps, je serai trop vieille pour être grand-mère !

En dépit de ses tourments, Mary ne put réprimer un sourire radieux.

— Nous y veillerons. Je vous en prie, dites à Percy de rentrer au plus vite. Je… J'ai besoin de lui.

— Je n'y manquerai pas, mon petit ! promit Beatrice en tendant les bras vers elle.

Les semaines défilèrent. Vint le mois d'octobre et toujours pas de nouvelles de Percy. Chaque matin, Mary examinait son ventre pour voir s'il s'arrondissait. Elle ne décelait aucun signe visible de sa grossesse, mais un sentiment étrange enflait en elle. Elle avait lu qu'une grossesse pouvait affecter l'humeur et les émotions d'une femme. Mais elle en venait presque à croire que la nature avait délibérément cherché à briser ses rêves et ses espoirs sous une pluie de grêle. Souvent, en parcourant les rangées de coton avec Shawnee, une main sur son ventre, elle croyait entendre la voix de Percy : « Somerset n'est qu'une plantation. Moi, je suis un homme, un être de chair et de sang. »

À la mi-octobre, elle avait acquis la certitude de pouvoir vivre sans Somerset, mais pas sans Percy.

La nuit, quand elle ne trouvait pas le sommeil, elle regardait par la fenêtre, vers le nord, vers le Canada. Mon Dieu, priait-elle, faites que Percy rentre à la maison… Je renoncerai à Somerset. Je serai sa femme et la mère de notre enfant jusqu'à la fin de mes jours. Je sais ce qui compte vraiment, désormais. Je sais que tout bonheur est impossible, sans lui…

Un matin, Sassie monta informer la jeune femme que Beatrice était en bas et souhaitait lui parler. Son soulagement fit place à de l'incrédulité quand Beatrice l'informa que Percy n'avait pas regagné Seattle avec son équipe de bûcherons. Il était parti en repérage dans les Rocheuses canadiennes et ne reviendrait pas avant un mois. Distraite, Mary entendit à peine la complainte de Beatrice :

— À quoi pensait-il donc en laissant son père s'occuper de tout ? Jeremy n'est pas tout à fait guéri et nous avons besoin de notre fils à l'usine ! Vous avez dû vous disputer très violemment, tous les deux.

Mary se sentit défaillir et chercha un siège. Puis elle posa les mains sur son ventre. *Que faire ?* se demanda-t-elle, au désespoir.

La réponse ne tarda pas à lui venir.

29

Ce soir-là, Ollie répondit à une invitation de Mary. Il était rentré quelques jours plus tôt de New York et lui avait rapporté un superbe ours en peluche de chez Macy's.

— J'aurais préféré t'acheter un cadeau chez Tiffany's, déclara-t-il, mais tu l'aurais refusé.

Il faisait un temps idéal pour s'installer dans le jardin, sur la balancelle. Buvant une gorgée de chocolat, Ollie attendit que la jeune femme lui expose son problème.

— Je sais que tu ne veux pas seulement entendre le récit de mon voyage…, commença-t-il. Que se passe-t-il ?

— Je suis enceinte, avoua-t-elle de but en blanc. De Percy.

Un lourd silence s'établit, rompu par le bruissement des feuilles et les oiseaux nocturnes.

— Eh bien…, bredouilla enfin Ollie, c'est merveilleux !

— Je préférerais que Percy soit là, dit-elle sans le regarder.

— Il est au courant ?

— Il est parti avant que je ne m'en rende compte.

— Quel est le problème, Mary ? demanda-t-il, la mine soucieuse. Vous êtes amoureux l'un de l'autre depuis toujours. Dès que tu le lui annonceras, il reviendra pour t'épouser. À te voir te morfondre depuis son départ, je suis sûr que vous seriez plus heureux ensemble que séparés. Qui d'autre que toi a pu l'inciter à s'exiler ?

— Le problème, c'est qu'il m'est impossible de le joindre. Hier, il a fait savoir à ses parents qu'il restait un mois de plus.

— Tu veux dire… Oh non…, fit Ollie en tendant une main vers elle. Tu es enceinte depuis combien de temps?

— Je ne sais pas, au juste. Je dirais deux mois, trois tout au plus. Cela commence à se voir.

— Il va falloir trouver une solution. Tu… Tu ne songes pas à t'en débarrasser, j'espère.

— Bien sûr que non! Je n'y pense même pas.

— Nous devons trouver Percy, voilà tout. (Il s'agita sur la balancelle comme s'il comptait se lancer à la recherche de son ami.) Je pourrais engager des détectives.

— Non, Ollie, dit Mary en posant une main sur son bras. Nous n'avons pas le temps. Cela pourrait prendre des semaines, voire davantage. Le temps de nous marier, il serait impossible de faire croire que l'enfant est prématuré.

— Que vas-tu faire? s'enquit Ollie, désemparé.

Elle prit une profonde inspiration et se tourna vers lui:

— Ollie… accepterais-tu… de m'épouser et d'élever l'enfant comme si c'était le tien? Percy n'en saurait rien. Il ne doit pas savoir. Je serai une bonne épouse, je te le promets. Tu ne le regretteras pas.

— T'épouser? répéta-t-il, abasourdi. Toi, Mary… Jamais…

Son refus lui fit l'effet d'un coup de tonnerre. Elle ne parvenait pas à y croire. L'espoir céda la place à la honte.

— Je te demande pardon. Je suis désolée de te mettre dans une telle position. C'est très indélicat et ingrat de ma part, après tout ce que tu as fait…

— Non, non, Mary! Tu ne comprends pas! (Il faillit tomber de la balancelle.) Jamais dans mes rêves les plus fous je n'aurais imaginé avoir une chance de t'épouser. Je t'aime depuis toujours, mais… (Il rougit violemment.) Vois-tu, je ne peux pas t'épouser. Je ne peux épouser personne.

— À cause de ta jambe? Ollie, tu n'en es pas moins un homme. Tu es tellement courageux… C'est encore plus admirable.

— Je n'ai pas seulement perdu une jambe, avoua-t-il, gêné. Vois-tu, la grenade a aussi touché… ma virilité. Je ne peux pas avoir d'enfants ni être un vrai mari. Tout ce que je peux faire, c'est t'aimer.

Pétrifiée, elle se rappela les mots de son père, dans son testament: *Mary, je me demande si, en pensant à toi, je n'ai pas prolongé la malédiction qui frappe les Toliver depuis que le premier pin a été abattu à Somerset.* Elle voyait Ollie remuer les lèvres, mais n'entendait que les voix prophétiques de Miles et de Mlle Peabody. Elle porta les mains à ses joues. *Seigneur, non… Pas ça…*

— Tu vois… il m'est impossible de t'épouser, même si c'est ce que je désire de toute mon âme, conclut Ollie, atterré.

Elle s'efforça de ne rien trahir de son trouble.

— Percy connaît-il la gravité de tes blessures?

— Non. Il ne doit jamais le savoir. Cela ne ferait qu'ajouter à son sentiment de culpabilité.

— Que demander de plus que d'être aimée à ce point? reprit Mary, avec un sourire forcé.

— Cela signifie que tu… Tu veux toujours m'épouser?

— Oui, si tu veux bien de moi.

— Si je veux bien de toi? répéta Ollie, dont le visage rayonnait de joie. Bien sûr que je veux bien de toi! Jamais je n'aurais espéré… Mais… Et Percy? Que va-t-il en penser? Il sera anéanti. Pour lui, ce sera une trahison.

— Pas du tout, assura la jeune femme. Il se dira que c'est moi qui l'ai trahi, que je t'ai poussé à m'épouser pour garder la plantation en bénéficiant de ton soutien financier. À ses yeux, je suis prête à tout pour sauver Somerset. C'est d'ailleurs la raison de notre brouille.

— Comment peux-tu le laisser croire une chose pareille? C'est absolument faux.

— Je le lui laisserai croire pour lui épargner la vérité sur notre mariage. Il souffrira moins en étant persuadé que j'ai épousé son meilleur ami pour sauver Somerset. Tu le comprends, n'est-ce pas, Ollie?

— Mary, je veux t'épouser et je veux élever cet enfant plus que tout au monde, mais faire du mal à Percy…

Sans hésitation, elle s'agenouilla devant la balancelle et prit les mains d'Ollie.

— Écoute-moi bien. Percy ne te reprochera jamais de m'avoir épousée. Il sait ce que tu ressens pour moi. Nous devons lui faire croire que je t'ai épousé pour sauver Somerset. C'est le seul moyen de protéger l'enfant du scandale. Imagine les souffrances d'un enfant illégitime, les conséquences pour la réputation des Warwick et la mienne. Tu pars bientôt pour l'Europe. Je t'accompagnerai. À notre retour, le bébé sera encore assez petit pour que nous fassions croire qu'il est né un peu plus tard. Si nous tardons, nous n'aurons plus cette possibilité.

— Mais Percy nous aime… Comment pouvons-nous lui faire une chose pareille ?

Mary prit le visage d'Ollie entre ses mains et plongea son regard dans le sien.

— Nous nous rachèterons. Nous lui donnerons toute notre amitié.

— Mais maintenant que vous… vous vous êtes… connus, comment supporteras-tu la séparation ? Je suis incapable de te partager, même avec Percy. Comment rester amis, tous les trois ?

— Il le faudra, répondit la jeune femme en l'embrassant sur le front. Pour tous ceux que nous aimons, ton père, Beatrice et Jeremy, Percy, l'enfant et… nous-mêmes. Percy se mariera, il aura des enfants, et notre histoire ne sera plus qu'un souvenir.

C'était un mensonge, mais elle y croyait sincèrement.

— Je te serai toujours fidèle, Ollie. Je te le promets.

Ollie prit un mouchoir dans sa poche et se tapota les yeux.

— Quand je pense que… Tu es prête à m'épouser… Mon rêve le plus fou se réalise. La seule ombre au tableau est Percy. Il sera anéanti, mais je ne vois pas d'autre solution.

— Absolument, confirma Mary en s'asseyant à côté de lui.

Il y aurait une place dans son cœur pour cet homme, songea Mary en ravalant ses larmes. Il ne manquerait ni d'affection ni de respect, mais une partie d'elle-même appartenait au seul homme qu'elle aimerait jamais.

30

Une semaine plus tard, un juge de paix célébra leur union dans le salon des Dumont. Mary portait une robe ample en satin blanc, une tenue peu conventionnelle dans une petite ville comme Howbutker. Seuls Abel, Jeremy et Beatrice Warwick, Emmitt Waithe, sa femme et son fils Charles étaient présents. Les invités se contentèrent de gâteaux et d'un excellent rhum de contrebande. Le soir même, le couple partit pour New York avant d'embarquer pour l'Europe.

Le mariage fut annoncé bien après leur départ. Chacun se dit qu'il avait fallu précipiter la cérémonie afin que la lune de miel coïncide avec le voyage d'affaires du fils Dumont. Le choix de Mary en surprit plus d'un, car on la disait promise à Percy Warwick. Les gens s'étonnaient aussi de la voir partir en confiant sa précieuse plantation à un régisseur réputé velléitaire. De là à en conclure que la jeune femme avait épousé Ollie pour sauver Somerset ravagé par la grêle... Mary espérait que les Warwick seraient moins chagrinés par cette version.

Elle s'attendait à la réprobation affichée de Beatrice, qui avait pourtant fait preuve de résignation.

— Tu es certaine de ne pas vouloir attendre le retour de Percy pour te marier ? Il sera tellement déçu...

— Non, Beatrice. Il sera trop tard.

Mary en venait à se demander si la mère de Percy n'avait pas deviné qu'elle était enceinte. Au terme de la réception, seul Jeremy se montra un peu froid lorsque Mary voulut l'embrasser.

Le couple venait à peine de s'installer à l'hôtel Ritz, à Paris, quand Ollie fit examiner la jeune femme par un obstétricien de sa connaissance. Il était trop tôt pour estimer le terme de la grossesse, mais Mary pensait que c'était pour la fin du mois d'avril. Lorsqu'elle en fit part au médecin, lors de sa visite suivante, il secoua la tête.

— D'après mes constatations, votre enfant naîtra deux ou trois semaines plus tard.

— Comment? glapit Mary, abasourdie. Ma grossesse est donc bien moins avancée que je ne le croyais?

— En effet. La conception est intervenue plus tard que vous ne le pensiez.

Le souvenir de ce moment était si vivace que Mary dut s'appuyer contre le mur pour ne pas défaillir. C'était une semaine avant la cueillette. Impatiente de rembourser ses dettes, elle avait passé sa première véritable « bonne journée » depuis le suicide de sa mère. Percy l'attendait à la cabane, une cuillère en bois à la main. Elle exprimait un tel désir qu'il avait esquissé un sourire entendu. Puis il avait posé sa spatule, enlevé la casserole du feu, dénoué son tablier et...

Ce jour-là, ivres de passion, ils avaient conçu leur enfant. Mary se laissa glisser vers le sol et se recroquevilla sur elle-même. *Percy, qu'est-ce que j'ai fait? Qu'est-ce que j'ai fait?*

Ollie la ramena à l'hôtel, pâle et tremblante. Elle resta alitée pendant deux jours, ne se nourrissant que de pain sec et de bouillon. Moins de deux mois après leur départ de Howbutker, Abel Dumont annonça qu'il allait être grand-père lors d'un souper auquel étaient conviés les Warwick. L'enfant était attendu pour juillet 1921, à Paris, car Ollie souhaitait qu'il naisse dans le pays d'origine de sa famille. Matthew Toliver-Dumont naquit en réalité en mai. Grâce à des relations haut placées et à grand renfort de pots-de-vin, il ne fut déclaré que deux mois plus tard.

Soulagé et fier, Ollie observa l'enfant cramponné au sein de sa mère. Au lieu de la blondeur que Mary et lui redoutaient tous les deux, il avait les boucles noires de sa mère, ainsi que ses yeux verts, et même un début de fossette au menton. Tous s'accordaient à dire qu'il était le portrait de Mary.

— Tu l'as, ton petit Toliver, déclara Ollie, sous le charme du nourrisson.

Un soir, en voyant son mari le bercer et le cajoler, Mary se demanda s'il avait conscience de l'ironie de la situation. Il avait perdu une jambe et la possibilité d'avoir des enfants pour sauver la vie d'un ami dont il allait désormais élever le fils.

La jeune femme pensait constamment à Somerset. Chaque semaine, elle envoyait des instructions à Hoagy Carter. Avant son départ, ils avaient conclu un accord. Si, à son retour, il avait géré le domaine avec efficacité, sous la surveillance d'Emmitt Waithe, elle lui céderait tous les bénéfices de son coton pendant trois ans. S'il avait mal travaillé, elle le chasserait de ses terres, avec sa famille, sans indemnité.

Un soir, tandis qu'ils admiraient Matthew endormi, Ollie déclara :

— Je me demande si nous faisons bien de garder Matthew pour nous seuls.

Mary l'éloigna du berceau.

— Il n'y a pas de mal à le protéger d'une erreur que Percy et moi avons commise. Tu es son père, désormais, et tu n'as pas à te sentir coupable. Percy aura d'autres fils. Toi et moi n'aurons que Matthew. Songe à ce que Percy ressentirait s'il apprenait qu'il est de lui.

Son argument fit mouche.

— Très bien, nous n'en reparlerons plus. Ce n'était qu'une idée en l'air…

Huit semaines après la date de naissance supposée de Matthew, ils retrouvèrent Miles et organisèrent un dîner. Laissant Mary se préparer, Ollie descendit à la réception pour répondre à un appel du concierge. Il remonta deux lettres.

— Elles viennent de mon père, expliqua-t-il, la mine grave. Elles nous ont suivis à travers nos déplacements en Europe. Celle-ci date de quatre mois.

— Qu'est-ce qui ne va pas ? s'enquit Mary.

— Percy est… marié.

Elle était assise devant sa coiffeuse. Son collier lui tomba des mains.

— Avec qui ? murmura-t-elle en fixant le miroir.

— Lucy.

La jeune femme crut s'évanouir.

— Lucy ?

— Oui. Lucy Gentry.

— Mon Dieu ! s'exclama-t-elle avant d'éclater d'un rire hystérique. Percy a épousé Lucy ? Comment est-ce possible ?

— Percy a dû se poser la même question à notre propos, répliqua Ollie d'un air réprobateur qui ne lui était pas coutumier.

Il ouvrit la seconde lettre. Après l'avoir parcourue, il croisa le regard de Mary.

— Prépare-toi à recevoir un nouveau choc. Lucy est enceinte. Ils attendent un enfant pour le mois d'avril.

Plus tard, en retrouvant Miles, Mary se montra distraite. Elle toucha à peine à son assiette. Ollie dut se charger de la conversation. Mariette n'était pas présente à cause d'un « empêchement ». Miles avait le regard fuyant. Sa sœur lui trouva mauvaise mine, le teint blafard.

Lorsque Ollie s'absenta un instant, il regarda enfin sa sœur dans les yeux.

— J'ai toujours cru que tu épouserais Percy.

— Eh bien, ce n'est pas le cas.

— Toi et Ollie…, reprit Miles en secouant la tête. Percy et Lucy… Tout cela ne rime à rien. Que s'est-il passé ?

La jeune femme ne dit mot.

— Laisse-moi deviner, reprit-il avec un sourire. Après l'orage de grêle, tu as vu en Ollie un moyen de sauver Somerset.

Tu savais que Percy ne te donnerait pas un sou pour la plantation. Mais il t'aurait épousée. Et toi, comme une idiote, tu as choisi Somerset.

— Et si nous parlions d'autre chose? répliqua Mary, crispée.

— De quoi? De maman? Je sais bien qu'elle n'est pas morte dans son sommeil.

— Si tu avais été là, tu l'aurais constaté par toi-même...

Miles passa une main noueuse dans ses cheveux clairsemés.

— Je ne t'accuse de rien, Mary, mais cela ne lui ressemble pas de sortir de son isolement, au bout de plusieurs années, pour organiser une fête d'anniversaire.

— Cela m'a étonnée moi aussi. Visiblement, elle n'a pas résisté. Et j'espère bien que tu ne m'accuses de rien, Miles. Un homme qui a abandonné sa mère et sa sœur est mal placé pour donner des leçons à qui que ce soit.

Malgré leurs efforts, le lien était rompu entre eux. Miles était un étranger, au point que Mary regretta de l'avoir retrouvé. Elle ne voulait pas garder une mauvaise image de son frère. La courtoisie voulait qu'elle l'invite à rencontrer son neveu, à l'hôtel, mais elle espérait qu'il refuserait.

Ollie réapparut.

— Sois gentille avec lui, dit Miles en voyant son ami peiner avec ses béquilles. C'est un ange. J'espère que tu t'en rends compte.

— Absolument, assura Mary.

Miles déclina l'invitation à faire la connaissance de Matthew. Les Dumont quittèrent l'Europe sans jamais le revoir. Fin septembre, ils arrivèrent à Somerset, à temps pour la première cueillette. Leur fils avait presque cinq mois, mais tous ceux qui se penchèrent sur son berceau crurent sans peine qu'il était arrivé sur terre huit semaines plus tard.

Sous la véranda, Mary Toliver-Dumont ouvrit les yeux. Le soleil était moins éblouissant. La jupe de son tailleur en lin vert était froissée. L'espace d'un instant, elle se demanda où et en quelle année elle se trouvait… Sur la table, elle vit un seau à champagne. Dans la glace fondue, la bouteille était presque vide. La flûte portait une trace de rouge à lèvres : elle avait bu, et toute seule !

Alors elle se rappela : août 1985, la véranda…

Elle avait voyagé dans le temps. Le souvenir de la naissance de son fils, ainsi qu'une sensation étrange, dans son dos, l'avait ramenée dans le présent. Son périple était terminé. Elle voulait descendre de son tapis volant. Son cœur se serra, comme toujours quand elle pensait à Matthew. Quelle imbécile elle avait été de ne pas avoir su déterminer la date de sa conception ! À l'époque, les jeunes filles ne savaient pas grand-chose sur ces questions. Et elle n'avait plus de mère pour la conseiller… Si elle avait su, elle aurait pu attendre quelques semaines de plus le retour de Percy et sa vie aurait été différente…

Percy était arrivé par le train le lendemain du départ de Mary et d'Ollie. Si seulement il avait averti ses parents de son retour, Mary aurait annulé son mariage. Percy et elle auraient eu le temps de tout arranger. Si seulement elle n'était pas allée à la cabane, cet après-midi-là, ivre de désir, si seulement il avait accepté de se porter caution… La récolte suivante fut si abondante qu'elle récupéra Fair Acres. En un an, elle avait remboursé la première hypothèque et Somerset lui appartenait de nouveau.

Mais ce n'était pas une question d'argent.

La supercherie fonctionna à merveille. Tout le monde était persuadé qu'elle avait épousé Ollie pour sauver Somerset. Leur couple était fondé sur le respect, la compréhension, l'humour. On aurait pu s'attendre à ce qu'Ollie soit une marionnette entre ses mains, mais il n'en fut rien. En dépit de ses manières aimables, il avait du caractère. Mary lui demeura fidèle, même après sa mort, alors qu'elle aurait pu retrouver Percy. Mais il était trop tard…

Mary secoua tristement la tête. *Avec des si…* Les conséquences de ses choix avaient affecté tout le monde : Percy et Lucy, Matthew et Wyatt, le fils de Percy, Miles et sa mère,

William et Alice, et elle-même bien sûr. Tous avaient perdu au profit de Somerset.

Il restait à Mary une vie à sauver de la malédiction des Toliver. Une vie qu'elle devait protéger des regrets qu'elle-même emporterait dans sa tombe. Elle avait perdu beaucoup de temps à comprendre ce qu'elle devait faire, mais il n'était pas trop tard. Demain, elle se rendrait à Lubbock pour raconter à Rachel la véritable histoire des Toliver, celle qu'Amos n'avait jamais lue, les vérités cachées… Rachel comprendrait qu'elle était en train de commettre les mêmes erreurs qu'elle, en faisant les mêmes sacrifices. Et pour quoi ? « Ce n'est pas la terre qui compte, ce sont les leçons qu'elle nous donne. » Elle avait ri, en lisant cette phrase, mais elle y croyait, désormais. Somerset lui avait donné des leçons qu'elle n'avait pas écoutées. Rachel, elle, les retiendrait.

La vieille dame avait une ultime tâche à accomplir, au grenier, puis elle serait en paix. Elle n'avait pas faim, elle avait même mal au cœur. Sa douleur à la poitrine se propageait dans tout son corps. Par chance, Sassie approchait.

Elle se leva maladroitement.

— Madame Mary ! Madame Mary ! entendit-elle au loin, tandis qu'une douleur vive la foudroyait.

Elle agrippa la balustrade.

— Non ! souffla-t-elle, comprenant ce qu'il se passait. Je dois monter au grenier… Sassie, je dois…

Ses jambes se dérobèrent. L'espace d'un instant, elle crut voir un visage familier. *Ollie !* pensa-t-elle. Non, Rachel, superbe et furieuse.

— Rachel ! cria-t-elle.

La vision se dissipa. Les flèches qu'elle avait décochées toute sa vie lui revinrent de plein fouet.

DEUXIÈME PARTIE

31

Sa serviette à la main, Amos s'apprêtait à quitter son étude quand la sonnerie du téléphone retentit. N'ayant aucune envie de répondre, d'autant qu'il avait un peu bu, il laissa le répondeur s'enclencher.

— Amos, si tu es là, décroche ! souffla une voix familière.

— Percy ? dit le notaire en s'emparant du combiné. Je peux faire quelque chose pour toi ?

Un silence pesant s'installa.

— Qu'est-ce qui se passe, Percy ? insista le notaire.

— C'est Mary... Elle... Elle vient d'avoir une crise cardiaque.

Abasourdi, Amos contourna son bureau pour s'écrouler sur son fauteuil.

— C'est grave ?

— Elle est morte, Amos... Il y a quelques minutes... dans la véranda... Sassie a envoyé Henry nous chercher, Matt et moi. J'ai préféré t'annoncer la nouvelle moi-m...

Sa voix se brisa dans un sanglot.

Mary, morte ? Rachel n'obtiendrait donc jamais les explications de sa grand-tante, à propos du testament...

— Amos ?

— Ne bouge pas, j'arrive ! déclara le notaire. Vous êtes à Warwick Hall ?

— Oui. L'ambulance vient de l'emmener. Tu vas devoir informer Rachel.

— Je l'appellerai de chez toi, répondit le notaire, au désespoir.

Rachel gara son imposante BMW verte à la place qui lui était réservée sur le parking de Toliver Farms West. Son contremaître l'attendait sous l'auvent. C'était étrange car, en ce milieu de journée, il était censé livrer un nouveau compresseur dans le secteur sud. La jeune femme rentrait d'un rendez-vous avec le représentant d'une filature de New York avec qui elle travaillait depuis des années et qui n'avait pas renouvelé son contrat. Par courtoisie, il était venu lui présenter des excuses, mais pas d'explications. Une fois de plus, Rachel fut prise d'un terrible pressentiment…

— Un problème, Ron ? lança-t-elle.

À sa façon de se lever et de glisser les mains dans les poches de son jeans, elle comprit que quelque chose n'allait pas.

— Ce n'est peut-être pas grave, répondit-il avec son accent traînant du Texas, mais, en venant chercher la facture, j'ai pris un appel d'Amos Hines. Il semblait très agité. Il vous demande de le contacter dès que possible. J'ai préféré vous attendre, au cas où ce serait une mauvaise nouvelle. Buster s'est chargé de la livraison à ma place.

— Amos est à son étude ? s'enquit-elle vivement.

— Non, chez un certain Percy Warwick. Vous trouverez le numéro sur votre bureau.

Se préparant au pire, la jeune femme posa son sac et saisit le combiné. S'il était arrivé malheur à Percy, elle se rendrait immédiatement auprès de sa tante Mary. Comment allait-elle vivre sans lui ?

— Rachel ? fit le notaire dès la première sonnerie.

— Oui, c'est moi. Que se passe-t-il ?

Elle croisa le regard de Ron et s'arma de courage.

— Rachel, j'ai une mauvaise nouvelle à t'annoncer, hélas… C'est Mary… Elle vient de nous quitter… une crise cardiaque.

La jeune femme eut l'impression que le ciel lui tombait sur la tête. Son cœur se serra tandis qu'une douleur intense se propageait en elle. Ron dut l'aider à s'asseoir.

— Oh non… Amos…

— Mon petit, si tu savais comme je suis triste…

En entendant la voix du notaire se briser de chagrin, Rachel tenta de se ressaisir.

— Comment est-ce arrivé?

— Elle était dans la véranda, vers une heure, après quelques courses en ville. Sassie l'a trouvée terrassée dans son fauteuil. Elle est partie en une minute…

Rachel ferma les yeux et imagina la scène: sa grand-tante, tirée à quatre épingles, contemplant cette rue qu'elle aimait tant. Elle n'aurait pu quitter ce monde dans de meilleures conditions.

— A-t-elle dit quelque chose?

— D'après Sassie, elle tenait absolument à monter au grenier. Elle avait demandé à Henry d'ouvrir une malle. Sans doute voulait-elle récupérer un objet. À la fin, elle a crié ton nom, tu sais.

Incapable de retenir ses larmes, Rachel ferma les yeux. Sans un mot, Ron lui tendit une boîte de mouchoirs en papier.

— Quelqu'un est là pour te soutenir, au moins?

Rachel se tapota les yeux. Amos n'ignorait pas qu'elle avait des relations tendues avec sa famille, qui ne lui serait pas d'un grand réconfort.

— Oui, je suis avec mon contremaître et Danielle, ma secrétaire. Je suis contente que Matt et vous soyez auprès de Percy. Comment va-t-il?

— Il est sous le choc, naturellement. Il est monté se reposer, mais il t'embrasse. Matt se propose de t'aider, quand tu arriveras à Howbutker.

Matt… Ce nom raviva un souvenir. Elle ne l'avait pas revu depuis l'adolescence, quand elle avait pleuré sur son épaule.

— Dites-lui que j'accepte avec plaisir. Et vous, Amos, ça va ?

Il ne répondit pas tout de suite, comme s'il cherchait ses mots.

— Je suis… dévasté, mon enfant. Surtout pour toi…

— Ça ira, assura-t-elle, touchée par sa compassion. Il me faudra du temps. Tante Mary disait toujours que le temps ne sert qu'à surmonter les coups durs.

— Espérons que ce soit le cas… As-tu une idée de ton heure d'arrivée ? Si tu veux, je peux me charger des premières formalités, prendre un rendez-vous avec les pompes funèbres. L'avion est prêt à décoller. Mary comptait venir te voir demain.

— Je l'ignorais, avoua-t-elle, étonnée.

— Elle n'a sans doute pas eu le temps de te prévenir. Elle m'en a parlé dans la matinée, lorsqu'elle est venue… me voir.

— Vous l'avez vue ce matin ? Quelle chance d'avoir pu lui parler une dernière fois ! Vous a-t-elle indiqué pourquoi elle venait me voir ? Elle n'était pas du genre à faire des surprises.

— Elle voulait te parler de certains… changements. En tout cas, elle m'a assuré qu'elle t'aimait.

Rachel ferma de nouveau les yeux. Encore un comportement étrange…

— Avait-elle évoqué des problèmes cardiaques ?

— Jamais. Nous avons été surpris. Pour en revenir à ton arrivée…

— J'essaierai d'être là pour dix heures. Et merci de m'aider pour les formalités. Je ne sais pas si je parviendrai à convaincre mon frère et ma mère de venir avec papa et moi, mais voulez-vous prévenir Sassie qu'il faudra peut-être préparer une chambre de plus ?

Il y eut un long silence, comme si Amos, une fois de plus, ne savait comment s'exprimer.

— Essaie de convaincre au moins Jimmy. Mary aurait certainement aimé que ton père et lui soient présents lors de la lecture du testament pour découvrir ses… dernières volontés.

— Je ferai de mon mieux, promit-elle, espérant que sa mère viendrait aussi.

La succession de Mary avait été source de querelles entre elles. Rachel entendait encore les paroles de sa mère : « Si Mary te lègue tout le magot sans rien laisser à ton frère et à ton père, je ne te le pardonnerai jamais ! »

— Très bien, alors à demain, conclut Amos. Je viendrai te chercher à l'aéroport.

Pensive, Rachel raccrocha. Au-delà de la mort de sa tante, le notaire semblait tourmenté par autre chose. Elle eut de nouveau l'impression que quelque chose clochait.

— Je crois comprendre que votre grand-tante nous a quittés, fit Ron d'une voix douce.

Il avait ôté son chapeau et s'était assis.

— Oui, elle est partie. Une crise cardiaque, vers une heure. Je vais vous confier la maison en mon absence.

— Volontiers, mais j'aurais préféré que les circonstances soient différentes. Elle va nous manquer, et vous aussi.

— Prévenez Danielle, voulez-vous ? dit-elle, les yeux embués de larmes. Je m'en vais dans quelques minutes. Je dois annoncer la nouvelle à mes parents.

Quand il eut refermé la porte, la jeune femme demeura prostrée un long moment, dans ce silence particulier qui règne toujours après la mort d'un être cher. Elle gagna la fenêtre pour admirer le soleil avant de décrocher le téléphone. À une époque, le numéro qu'elle était sur le point de composer représentait la sécurité, la compréhension, un refuge plein d'amour. Mais c'était avant tante Mary. C'était avant Somerset…

32

— Grand-père ? fit Matt en frappant doucement à la porte du petit salon, au cas où il se serait assoupi.

— Entre, mon garçon !

Assis dans son fauteuil, Percy semblait fatigué. À en juger par ses yeux rougis, il venait de perdre bien plus qu'une voisine et amie de longue date. Le cœur de Matt se serra : son grand-père était au crépuscule de sa vie, lui aussi.

— Rachel vient de rappeler Amos. J'ai dit à Savannah de lui servir un dîner.

— Il empeste le whisky, ce qui ne lui ressemble pas.

— Il avait peut-être bu un verre ou deux avant ton appel. Comme moi, il avait vu Mary, ce matin. Le choc est rude.

— Elle va lui manquer. Ils étaient très proches. Amos était même un peu amoureux d'elle, autrefois, quand il est arrivé à Howbutker. Il était jeune, à l'époque… Elle a toujours fait mine de ne rien remarquer. Tous les hommes en pinçaient pour Mary !

— Même toi ? demanda Matt malgré lui.

Percy arqua les sourcils. Dans ses bons jours, son regard gris était encore vif.

— Pourquoi cette question ?

Matt regretta ses paroles, mais quel mal y avait-il à lui parler des propos étranges de Mary, maintenant ?

— Comme je te l'ai dit, je l'ai croisée près de la statue de saint François d'Assise ce matin. Elle était un peu désorientée. Figure-toi qu'elle parlait toute seule…

— Vraiment ? Et qu'est-ce qu'elle racontait ? s'enquit-il, une lueur alarmée dans ses yeux rougis par le chagrin.

— Eh bien… Elle m'a confondu avec toi. Apparemment, elle revivait un souvenir. Quand je l'ai appelée, elle s'est retournée et a dit…

Il sentit son grand-père se crisper.

— Continue, petit. Elle a dit…

— Elle a dit : « Percy, mon amour, pourquoi as-tu bu tout mon soda ? J'en avais envie, ce jour-là, comme j'avais envie de toi. » J'espère que je ne répète pas des propos compromettants.

— Pas du tout. Elle n'a rien ajouté ?

— Non… Enfin, si, elle a dit aussi qu'elle était trop jeune, trop stupide, trop Toliver, qu'elle regrettait… J'ai dû la secouer un peu en lui expliquant que c'était moi. Voilà pourquoi je viens de te demander si tu avais été amoureux d'elle.

— Si j'ai été amoureux d'elle ? répéta le vieil homme avec un rire rauque.

Il se tourna vers la cheminée pour contempler les portraits de famille. Beaucoup représentaient Matt, en tenue de sport ou bébé, dans les bras de sa mère. La place d'honneur était toutefois réservée à son père, en uniforme des marines, le torse bardé de décorations. Percy regardait-il les photos ou bien cette aquarelle que lui avait offerte Wyatt ? Difficile à dire. D'une voix enrouée et teintée de nostalgie, il raconta :

— Cette histoire de soda, c'était en juillet 1914, lors de l'inauguration du palais de justice. Elle avait quatorze ans et moi, dix-neuf. Elle portait une robe blanche ornée de ruban vert. J'étais déjà amoureux d'elle et j'avais l'intention de l'épouser, mais elle n'en savait rien.

— Pas possible ! s'exclama Matt, sidéré. Elle a fini par l'apprendre ?

— Oui.

— Dans ce cas, que s'est-il passé ? Pourquoi ne vous êtes-vous jamais mariés ?

Son grand-père aurait été bien plus heureux avec Mary Toliver qu'avec Lucy Gentry…

— Il y avait Somerset, répondit Percy en se frottant les doigts de la main droite d'un air pensif.

— Tu as envie d'en parler ? Et si on se prenait un petit whisky ?

— Non, répliqua son grand-père en secouant la tête. Le whisky ne changerait rien. Ce qui est fait est fait. Inutile de parler de ce qui aurait pu arriver.

— Grand-père, reprit Matt, le cœur brisé en pensant à ces années perdues auprès d'une femme qu'il n'aimait pas, tu me fais de la peine. Est-ce que Gabby était au courant, pour Mary et toi ?

— Oh oui, elle était au courant ! Mais Mary et moi, c'était avant mon mariage avec ta grand-mère. Il n'y a plus jamais rien eu entre nous, ensuite.

— Mais… Tu l'aimais encore après avoir épousé Gabby ?

— Je l'ai aimée toute ma vie.

Seigneur, songea Matt. *Quatre-vingt-cinq ans…* Un silence pesant s'installa.

— Et Ollie, il savait ? reprit le jeune homme.

— Il a toujours su.

Abasourdi, Matt poussa un long soupir.

— C'est à cause de Mary que Gabby t'a quitté ?

— En partie, oui, mais ta grand-mère avait d'autres raisons, admit-il en s'agitant un peu, mal à l'aise. Enfin ! De l'eau a coulé sous les ponts…

Mieux valait ne pas trop s'aventurer sur ce terrain glissant. Toutefois, le jeune homme souhaitait en savoir davantage.

— J'aimerais bien que tu me racontes, un de ces jours, grand-père. Que tu combles les lacunes de notre histoire familiale, tant qu'il est encore temps.

— Tu trouves que notre histoire est jalonnée de lacunes ? demanda Percy, étonné. Je comprends ta curiosité mais, tout ça, c'est du passé. Ce n'est pas pour toi.

— Pourquoi Gabby et toi n'avez-vous pas divorcé ?

— Ça non plus, ce n'est pas pour toi, rétorqua-t-il avec un sourire, mais fermement. Tu devrais peut-être descendre voir Amos. Il doit être encore plus accablé, maintenant qu'il a appris la nouvelle à Rachel. Au moins, il peut se consoler en songeant qu'elle va enfin venir s'installer à Howbutker. Il l'adore.

Matt accepta la rebuffade sans mot dire. Il ne découvrirait sans doute jamais pourquoi son grand-père avait été malheureux en ménage alors qu'il était fait pour la vie de famille. Néanmoins, il l'enviait un peu. C'était beau, d'aimer une femme à ce point, pendant si longtemps, sans en désirer aucune autre…

— Moi aussi, je me réjouis de la venue de Rachel, dit-il en se levant. Il est temps que nous fassions plus ample connaissance.

Percy posa sur lui un regard pénétrant.

— Ne te fais pas d'illusions à propos de Rachel. Elle ressemble à Mary, et pas seulement sur le plan physique. Cela n'a jamais réussi aux Warwick.

— On dirait un de ces secrets dont je parlais tout à l'heure, répondit Matt. Si Rachel est aussi jolie que dans mes souvenirs, je vais avoir du mal à garder mes distances.

— Je ne voudrais pas que tu reproduises mes erreurs, prévint le vieil homme, la mine grave.

— Eh bien, tant que tu ne me diras pas ce dont je dois me méfier au juste, je compte tenter ma chance.

Percy entendit les pas de Matt s'éloigner dans le couloir. Ce garçon ne manquait pas de culot ! Il ne se rendait pas compte de ce qui l'attendait, si l'histoire se répétait. Percy se serait moins inquiété si Matt ne lui avait pas ressemblé autant. Mais, comme lui, son petit-fils était incapable de résister à un défi, au plaisir de la chasse…

Il se leva lentement pour sortir sur le balcon. Il faisait aussi chaud qu'en 1914, lorsque Mary avait refusé son soda à la crème glacée. Il se la rappelait dans le moindre détail : sa peau, son parfum…

Le vieil homme s'étendit sur sa chaise longue. Le seul moyen de préparer Matt à la venue de Rachel était de combler les lacunes de leur histoire, mais il s'y refusait. Par où commencer le récit de son bonheur perdu ? Sans doute par le jour le plus douloureux de sa vie, celui de son retour du Canada, quand il avait appris que Mary avait épousé Ollie…

L'HISTOIRE DE PERCY

33

Howbutker, octobre 1920

Le train était en retard. Durant cette semaine de trajet depuis l'Ontario, Percy avait peu dormi. Il s'attardait dans la voiture-bar jusqu'à plus de minuit, à boire du café en ressassant ses idées noires, et se levait avant l'aube pour fumer sur la plate-forme. Il aurait dû informer ses parents de son retour, mais ils auraient alors prévenu Mary. Quelle aurait été sa réaction ? Il préférait la surprendre. Il la prendrait dans ses bras et l'embrasserait à perdre haleine. Ensuite, il lui déclarerait son amour et accepterait de la partager avec Somerset, à condition qu'elle l'épouse.

En ce dernier jour de voyage, pourtant, il avait failli ne pas se réveiller à temps pour admirer le spectacle des Piney Woods. S'habillant à la hâte, il se précipita sur la plate-forme. Agrippé à la rampe, il savoura le vent sur son visage et respira à pleins poumons l'air automnal du Texas. Il pensa au jour où il était rentré de la guerre, avec Miles et Ollie. Jamais il n'oublierait l'image de Mary sur le quai, parmi la foule, avec sa robe démodée, tendue mais tellement belle…

Percy serait bientôt à la maison, dans les bras de celle qu'il n'aurait jamais dû quitter. Il était parti blessé et furieux, déterminé à oublier la jeune femme. Pas question de jouer les seconds rôles ! Le froid des Rocheuses était venu à bout de son arrogance, et l'isolement de sa fierté.

Le soir, au campement, en écoutant ses hommes raconter leurs amours pour oublier leur nostalgie, leur amertume, leur solitude, il avait compris que seule Mary pouvait réchauffer son cœur. Toute la journée, en sciant du bois et en chargeant ses rondins, il était rongé par un désir presque vital. À presque vingt-six ans, il était temps pour lui de fonder une famille… avec Mary. Il était prêt à accepter un second rôle, du moment qu'il vivait avec elle.

Percy regagna l'intérieur du wagon. Dans moins d'un quart d'heure, le train entrerait en gare. Ce jour-là, Beatrice jouait au bridge au country club et son père était au bureau. Percy irait chercher sa voiture en toute discrétion. S'il ne trouvait pas Mary chez elle, il se rendrait à la plantation. Ensuite seulement, il irait annoncer à ses parents qu'il l'avait demandée en mariage.

Dans le couloir, il croisa un jeune porteur originaire de Howbutker.

— Tiens, monsieur Percy ! Vous n'avez pas pris de déjeuner, ce matin. Voulez-vous que je vous trouve de quoi grignoter ?

— Non merci, Titus. Nous arrivons dans quelques minutes, et je sais où déguster le meilleur déjeuner du Texas.

— Où cela, monsieur ?

— Chez Sassie.

— Vous voulez dire chez Mary Toliver, répondit le jeune homme en hochant la tête. Enfin, Mme Ollie Dumont, maintenant…

Il afficha un large sourire.

Se sentant défaillir, Percy dut agripper la rampe.

— Comment, Titus ?

— C'est vrai, vous rentrez de voyage… Ils sont déjà partis, mais je pensais que vous étiez au courant de leur mariage. Quelle histoire ! Ils se sont mariés rapidement parce que M. Ollie doit séjourner un certain temps en Europe, pour affaires. Une façon de joindre l'utile à l'agréable.

Percy ressentit la même torpeur que pendant la guerre, dans les tranchées, lorsqu'un obus explosait à côté de lui : d'abord, ce fut le trou noir, puis il vit les lèvres de Titus remuer en silence.

— Monsieur Percy, vous vous sentez bien ? demanda l'employé en agitant une main devant lui.

— Comment… es-tu au courant ? bredouilla-t-il, la gorge sèche.

— Je l'ai lu dans les journaux, pardi ! Il y avait même une photo des jeunes mariés. Mlle Mary portait une belle robe blanche et M. Ollie était très élégant, lui aussi. Monsieur, si je puis me permettre, vous avez mauvaise mine. Vous êtes certain de ne rien vouloir manger ?

— Certain. Comment étaient-ils, sur cette photo ?

— Eh bien, M. Ollie avait une tête de marié… Il a beau avoir une jambe en moins, il regardait Mlle Mary avec des yeux… (Il se tut, un peu gêné.) Enfin, je veux dire…

— Je comprends. Continuez. Et Mlle Mary ?

— Elle n'était pas aussi radieuse, au contraire de la plupart des femmes dans ces moments-là. Enfin… Avec les préparatifs et le voyage en Europe, elle a dû avoir bien des soucis… Monsieur Percy, vous avez besoin d'un peu de café. Je reviens tout de suite.

Percy s'affaissa contre la paroi du wagon. Mary ne pouvait avoir épousé un autre homme ! Ils étaient faits l'un pour l'autre. Ils ne formaient qu'un. Titus devait se méprendre. Il regagna son compartiment d'un pas chancelant et s'écroula sur sa couchette. En entendant les pas du portier, il se traîna dans le cabinet de toilette et boutonna sa chemise.

— Entrez ! lança-t-il d'une voix qu'il ne reconnut pas lui-même.

En quelques minutes, il avait vieilli de dix ans.

— Posez le café, Titus, et prenez votre pourboire sur la table de chevet.

— Merci, monsieur. Bon retour chez vous…

La raison obligea Percy à accepter ce que son cœur refusait. Il n'y avait pas d'erreur possible. Mary avait épousé Ollie pour sauver Somerset après qu'il l'avait rejetée. Il avait poussé la stupidité à s'enfuir dans les Rocheuses sans un mot ! Mais comment pouvait-elle épouser son meilleur ami, un homme qu'elle n'aimait pas et qu'elle n'aimerait jamais comme il méritait de l'être ?

Percy frappa du poing la cloison du compartiment puis s'écroula, ivre de douleur, submergé par sa rage contre Mary et contre lui-même. Il termina son voyage la tête entre les mains, tandis que son café refroidissait.

Percy descendit du train avant l'arrêt complet et héla Isaac, l'un des deux cochers de la ville.

— Chez les Toliver, sur Houston Avenue ! ordonna-t-il.

Désireux de sentir l'air frais sur son visage, il s'installa à côté d'Isaac. Dès que l'attelage s'arrêta devant la véranda des Toliver, Percy sauta à terre.

— Attendez-moi ici.

Il sonna frénétiquement à la porte d'entrée.

— Entrez vite, lui dit Sassie.

Sa mine grave ne fit que confirmer les révélations de Titus.

— C'est donc vrai ? demanda-t-il.

— Ils se sont mariés hier et sont partis par le train de cinq heures. Tout s'est passé très vite parce que M. Ollie devait se rendre à Paris pour les défilés de mode. Du moins, c'est ce que raconte Mlle Mary…

— Que voulez-vous dire ?

Sassie haussa les épaules et croisa les bras sur son tablier fleuri.

— C'est ce qu'elle raconte, voilà tout. M. Ollie, lui, il l'aime. C'est déjà une consolation, non, monsieur Percy ?

— Pourquoi a-t-elle fait cela ? questionna-t-il, la voix brisée par un sanglot.

La gouvernante le prit dans ses bras.

— Elle se languissait de vous, monsieur Percy. Au point d'en tomber malade. Elle a cru que vous ne reviendriez jamais. M. Ollie va sortir Somerset du pétrin. Elle devait se sentir redevable… À part vous, qui pouvait-elle épouser ?

— Qu'est-ce que j'ai fait, Sassie ? hoqueta-t-il sur son épaule.

— Vous êtes bien jeunes, tous les deux. L'amour ne fait pas bon ménage avec la jeunesse. Il faut être sage pour aimer. Je vous offrirais bien un petit remontant, mais il n'y a plus une seule bouteille d'alcool dans la maison.

— Ça ira, répondit Percy. Je n'aurai aucun mal à en trouver une.

Il rejoignit le cocher.

— Combien voulez-vous pour cette bouteille de gin que vous cachez sous votre siège, Isaac ?

— Deux dollars. Il en reste la moitié.

— Je vous en donne cinq de plus si vous m'en trouvez une autre en chemin.

Le cocher fit claquer ses rênes sur la croupe de sa jument grise.

— Cela devrait pouvoir s'arranger, monsieur Percy.

Une demi-heure plus tard, il déposa Percy devant sa cabane, dans les bois.

— Isaac, accordez-moi vingt-quatre heures avant de révéler ma présence à quiconque, dit-il en lui tendant deux billets. Ensuite, vous demanderez à mes parents de venir me chercher.

— Comme vous voudrez, monsieur Percy.

Le lendemain, Beatrice fut la seule à se présenter, car son mari était à son bureau lorsqu'elle reçut l'appel d'Isaac. N'ayant jamais conduit l'automobile des Warwick, elle fit atteler une voiture avant de prendre quelques provisions dans le garde-manger. Puis elle mit son chapeau et ses gants et, sans un mot à sa gouvernante, se rendit à la cabane.

Elle trouva son fils allongé sur le divan, le teint cireux, le regard vitreux, mal rasé, la chemise tachée. Deux bouteilles vides gisaient à terre.

La pièce empestait l'alcool. Beatrice aéra les lieux et alluma un feu dans le poêle. Elle aida Percy à ôter ses vêtements souillés et à prendre une douche froide au bord du lac grâce à l'installation rudimentaire mise au point par les garçons. Emmitouflé dans une couverture, il se blottit près du poêle. Beatrice lui servit un café bien fort et du bouillon.

— Maman, je l'aime et elle m'aime aussi…

— Apparemment moins qu'elle n'aime Somerset et que tu ne valorises ta fierté.

— Au diable ma fierté ! Elle n'en vaut pas le prix…

— Il est très dur pour un homme de vivre auprès d'une épouse qui place sa famille et ses intérêts au-dessus de tout. C'est supportable au début mais, au fil du temps, quand la passion s'estompe…

— J'aurais pu vivre avec son obsession de Somerset ! Et notre passion ne se serait jamais estompée.

Beatrice se contenta d'un soupir.

— Toute la ville sait pourquoi Mary s'est mariée avec Ollie, je parie, murmura-t-il avec l'espoir de se tromper.

— Oui. Pour sauver Somerset.

— Et toi, qu'en penses-tu ?

— Tu n'aurais pas dû la quitter. Elle avait besoin de toi. Persuadée que tu étais parti pour toujours, elle ne pouvait se tourner que vers Ollie. Elle était seule, Ollie était là…

Percy se couvrit le visage de ses mains.

— Mon Dieu… Que faire, maintenant ?

Beatrice posa une main sur sa tête, comme pour le bénir.

— Tu devras les aimer autant qu'avant, Percy, mais en tant que couple, désormais. Ce sera ton cadeau. À leur retour, ils solliciteront ton pardon. Tu le leur accorderas avec sincérité, comme une rose blanche. Et tu te pardonneras aussi à toi-même.

— Comment ? demanda-t-il en plongeant son regard dans celui de sa mère.

Beatrice essuya doucement les larmes de son fils.

— En comprenant qu'il faut accepter ce que l'on ne peut défaire. Si tu l'acceptes, surtout s'ils sont heureux ensemble, tu trouveras la force de te pardonner.

Apaisé par ces paroles de sagesse, Percy but une autre tasse de café. Puis il rangea la cabane et rentra à la maison avec Beatrice. Une fois rasé et bien habillé, Percy rendit visite à son père dans les locaux de l'entreprise Warwick.

Jeremy ne cacha pas sa joie. Le regard pétillant d'émotion, il se montra fier de son fils, qui avait réussi son baptême du feu. Endurci par la guerre, il avait fait ses preuves sur le terrain, comme en témoignaient les rapports des contremaîtres canadiens.

— Quand tu auras lu ces documents, affirma-t-il d'un ton docte, tu comprendras qu'il est temps de développer nos activités au Canada.

34

En novembre, Percy apprit que Mary était enceinte. D'ordinaire réservé, Abel Dumont se présenta à Warwick Hall à l'heure du souper en tambourinant à la porte. À peine entré, il lança à la cantonade qu'il allait être grand-père.

Dès le lendemain, il organisa une réception impromptue au cours de laquelle le champagne coula à flots. Heureusement, Beatrice invoqua un prétexte qui permit à Percy de se retirer de bonne heure.

Quelques jours plus tard, pour ses vingt-six ans, il refusa toute célébration et passa la journée à inspecter de nouveaux chantiers de terrassement. Le bel automne texan fut suivi de pluies qui durèrent tout le mois de décembre. Le mauvais temps ne fit rien pour atténuer la souffrance de Percy.

— Tu devrais sortir, voir du monde, lui conseilla Beatrice. Tu travailles trop…

— Avec qui veux-tu que je sorte, maman ? Les jeunes filles à marier ne sont pas légion, à Howbutker.

Beatrice s'inquiétait de le voir se replier sur lui-même. Depuis que la veuve du chef de la chorale l'avait initié aux plaisirs de la chair, Percy avait toujours considéré l'acte sexuel avec légèreté. Avec Mary, il avait découvert la fusion sublime de deux êtres qui ne faisaient plus qu'un. Comment regarder une autre femme ?

Il avait bel et bien perdu toute confiance dans la gent féminine. Il était en grande partie responsable de sa situation, mais Mary n'était pas innocente. Dans son cœur, Somerset l'avait emporté sur l'amour. S'il ne pouvait faire confiance à Mary, une autre femme risquait également de le trahir.

Pendant les fêtes de fin d'année, pour faire plaisir à sa mère, il accepta quelques invitations à Houston, Dallas et Fort Worth, chez des magnats du pétrole ou de l'élevage, mais rien n'y fit. Dernier célibataire de son groupe d'amis, il en venait parfois à envier leur bonheur conjugal. Si seulement il parvenait à se délivrer de ses regrets, de son amertume !

En avril, alors que Mary et Ollie étaient partis depuis presque sept mois pour ne revenir qu'en septembre, Lucy Gentry vint passer les vacances de Pâques à Howbutker.

— Comment pouvais-je refuser de l'héberger ? déclara Beatrice, contrite, en annonçant sa visite. Dans sa lettre, la pauvre fille m'implorait de la recevoir pour les vacances. Elle prétend que son père ne peut lui offrir son billet de train et qu'elle sera la seule enseignante à rester au pensionnat.

À la table du déjeuner, son mari et son fils l'observèrent par-dessus leurs journaux.

— Ça promet, commenta Percy.

— C'est une catastrophe, oui, admit Jeremy.

— Il s'agit d'un stratagème, reprit Beatrice. Une ruse grossière.

— Comment cela ? s'enquit Jeremy.

Sa femme le fusilla du regard.

— Cette fille a toujours eu des vues sur Percy ! Avec la bénédiction de son malotru de père.

— Eh bien, qu'elle se berce d'illusions, répondit-il, imperturbable. N'est-ce pas, mon fils ?

— Je ne risque rien, répondit Percy avec un sourire. Ne t'inquiète pas, maman. Je sais me défendre.

Les lèvres pincées, Beatrice prit une tranche de pain grillé.

— Espérons-le…, maugréa-t-elle.

Le jour de l'arrivée de Lucy, Percy se réveilla tard et faillit manquer le train. La veille, il s'était rendu à Houston pour négocier un contrat avec les responsables de la compagnie de chemin de fer Southern Pacific et il n'était rentré qu'au petit matin. En dévalant les marches, il aperçut sa mère dans la cuisine. Le dos tourné, elle s'entretenait avec la cuisinière à propos du repas de Pâques. Il observa les deux femmes depuis le seuil. Depuis quand sa mère avait-elle les cheveux striés de gris ? De plus, elle se tenait légèrement voûtée. Ses parents vieillissaient… Sans un mot, il se glissa derrière Beatrice et l'enlaça.

— Allons ! gronda-t-elle en pivotant sur elle-même, étonnée.

En voyant une lueur malicieuse dans son regard, elle lui caressa doucement la joue.

— Lucy ne va pas tarder, reprit-elle d'un air entendu.

— J'y vais, répondit-il en l'embrassant sur le front. Papa a appelé ?

— Seulement pour me dire de ne pas te déranger. Tu te rattraperas vendredi avec l'inspection d'un chargement de bois qui vient d'arriver, car ton père veut accorder une journée de repos au contremaître. Tu auras au moins une excuse pour t'échapper… Nous nous chargeons de Lucy. Samedi après-midi, nous l'emmenons à la réception des Kendrick et elle part dimanche après le dîner.

Lorsqu'il rangea sa voiture devant la gare, les passagers étaient déjà descendus et Lucy patientait sur le quai avec ses bagages. Dès qu'elle l'aperçut, son visage s'illumina d'une joie si sincère que Percy se mit à rire.

— Vous voici enfin, Percy Warwick ! lança-t-elle. Je commençais à croire que vous m'aviez oubliée.

— Impossible ! répondit-il en lui souriant. Vous avez changé de coiffure…

— Et j'ai raccourci ma robe, ajouta-t-elle avant de virevolter devant lui en écartant les pans de son manteau. Qu'en pensez-vous ?

— Je crois que cela me plaît.

— C'est la nouvelle mode ! Elle tombe aux genoux.

— C'est ce qu'affirme Abel Dumont, en effet.

Il se souvenait d'elle, à présent. Petite, pulpeuse, le visage poupin… Elle lui arrivait à peine à l'épaule. Était-elle toujours folle de lui ? Cela faisait un peu plus d'un an qu'il ne l'avait pas vue, mais elle avait totalement disparu de sa mémoire. Quand il voulut porter ses deux valises, elle s'empara aussitôt de l'une d'elles et lui prit la main comme s'ils étaient très proches. Elle eut toutes les peines du monde à rester à sa hauteur tandis qu'il se dirigeait vers la Pierce-Arrow.

Ce soir-là, grâce aux anecdotes hilarantes de Lucy sur ses élèves et ses expériences d'enseignante, la maison des Warwick résonna d'éclats de rire. Elle avait un tel don de comédienne que même Beatrice semblait captivée. Le vendredi, Percy l'emmena avec lui à l'entrepôt. Elle lui fit gagner du temps en lui dictant les références du bordereau de livraison. Le samedi, il fut son cavalier à la réception des Kendrick. Ils prirent congé avant le départ de ses parents car Percy emmenait la jeune fille souper chez un ami.

— Je pensais vous trouver marié, déclara Lucy. Qu'est-il arrivé à cette fille que vous aimez depuis toujours ?

— Elle a épousé un autre homme.

— Elle en a préféré un autre ?

— Il avait davantage à lui offrir.

— Je n'en crois pas un mot ! s'exclama-t-elle.

— C'est pourtant la vérité.

— Où est-elle, à présent ?

— Le marié l'a emmenée très loin.

— Vous avez été triste de la voir épouser un autre homme ?

— Bien sûr, mais de l'eau a coulé sous les ponts.

Dimanche après-midi, en l'aidant à monter dans le train, il se rendit compte qu'elle allait lui manquer. Au cours de ces quelques jours, il avait trouvé ses défauts plutôt rafraîchissants. Lucy appelait un chat un chat et ne faisait pas de manières.

Bavarde, elle avait un avis sur tout, ce qui agaçait Mary au plus haut point, mais Percy savait écouter les autres.

Et même si son visage n'était pas d'une beauté à couper le souffle, contrairement à la description flatteuse de son père, avant sa première visite, Percy admirait ses yeux pétillants, son nez mutin et son expression enjouée. Sa petite stature le charmait, de même que ses rondeurs délicates et sa taille fine.

Au moment des adieux, il l'embrassa. Il comptait lui donner un chaste baiser sur la joue, mais elle leva ses yeux bleus vers lui. Il y lut une profonde admiration. Touché, il l'enlaça. Ses lèvres étaient si douces et offertes qu'il la relâcha à contrecœur.

— Et si je venais vous rendre visite à Belton, en fin de semaine prochaine ? proposa-t-il presque malgré lui.

— Vous êtes sincère ? dit-elle, les yeux écarquillés.

— Absolument, répondit-il en riant.

C'est ainsi que tout commença.

— Ne te tourmente pas, maman, dit-il à Beatrice, qui s'inquiétait. Ces visites ne sont qu'une distraction, pour moi.

— Lucy ne verra pas les choses ainsi.

— Je ne lui ai rien promis !

— Peu importe. Cette fille est capable de se faire des idées...

Lucy ne hantait pas l'esprit de Percy, comme Mary naguère. Il passait des journées entières sans penser à elle. Elle était disponible, elle le faisait rire, flattait son ego et se montrait pleine d'attentions dans l'espoir que ses sentiments soient un jour partagés.

Avec elle, Percy allait de surprise en surprise. Il pensait l'impressionner par sa richesse, or Lucy se contentait de l'essentiel et s'intéressait peu à l'argent. Elle aimait les plaisirs simples : se promener dans les bois, pique-niquer au bord de l'eau ou cueillir des mûres, tout cela l'intéressait davantage que de se rendre à quelque réception mondaine à Houston, dans sa nouvelle Cadillac, danser toute la nuit au country club ou souper dans un grand hôtel.

C'est au cours de l'une de ces sorties que la vie de Percy prit un tournant crucial.

Ils pique-niquaient au bord d'un lac, dans la région de Belton. Comme tous les week-ends, Percy séjournait dans une pension de famille où il avait désormais ses habitudes. En ce mois de juin, il faisait déjà chaud. Percy dénoua sa cravate. Quel calvaire de dîner en plein air par un temps si lourd… Par chance, le ciel se couvrit tandis que Lucy déballait les victuailles. Très vite, les nuages se dissipèrent et le soleil se remit à darder ses rayons brûlants.

— Bon sang, maugréa-t-il, revoilà le soleil…

— Ce n'est pas grave, répondit Lucy avec sa désinvolture habituelle. Il veut simplement savoir ce que nous allons manger. Il va se cacher dans une minute.

C'est ce qui se produisit. Le soleil disparut pour le reste de la journée. Amusé, Percy se détendit et vit soudain Lucy d'un autre œil. Il aimait sa façon d'appréhender les choses. L'année scolaire touchait à sa fin et elle songeait à accepter un nouveau poste à Atlanta.

Alors qu'elle coupait une part du gâteau au chocolat préparé spécialement pour lui, il lui demanda :

— Lucy… voulez-vous m'épouser ?

35

Ils se marièrent le 1er juillet et partirent en voyage de noces dans les Caraïbes, avant de rentrer à Howbutker pour permettre à Jeremy et Beatrice de passer deux mois dans le Maine, comme chaque année. Très vite, Percy perdit tout désir pour Lucy et le jeune couple se mit à battre de l'aile.

— C'est à peine croyable ! s'exclama-t-elle un soir. Le grand Percy Warwick, en panne ! Avec sa jambe en moins, Ollie a sans doute plus de vigueur que tu n'en as jamais eu !

— Tais-toi, mes parents vont t'entendre !

Jamais il n'aurait dû accepter de s'installer à Warwick Hall en attendant la fin des travaux de leur maison... De plus en plus souvent, il se demandait comment il avait pu épouser Lucy.

— Tu étais vulnérable, lui expliqua sa mère, aussi désemparée que lui. Je le savais, mais comment te protéger ? Qu'est-ce qui a pu provoquer un changement aussi brutal chez Lucy ? Elle a toujours été folle de toi... Aurait-elle appris la vérité sur Mary et toi ?

— Oui, mentit Percy, se disant que c'était une explication comme une autre.

En réalité, il n'avait plus aucun désir pour Lucy. Lui qui avait toujours ressenti de l'affection et du respect pour ses conquêtes ne ressentait plus ni l'un ni l'autre pour sa femme.

Leur avenir se présentait pourtant sous les meilleurs auspices. En prenant le bateau, ils étaient impatients de connaître les plaisirs de la vie conjugale. Le regard plein d'adoration de Lucy aurait dissipé les doutes de n'importe quel homme.

Hélas, l'ardeur de Percy déclina dès le départ de la croisière. Après quelques coupes de champagne et une première expérience dans leur cabine, Lucy se fit remarquer à la table du commandant :

— Inutile de chipoter avec cette crevette, lança-t-elle à la femme d'un lord anglais. Lorsqu'on les pêche, elles ont tellement peur qu'elles se vident toutes seules…

Le dernier soir, Percy s'arracha à son étreinte pourtant tenace.

— Qu'est-ce qui te prend ? Quelque chose ne va pas ? demanda-t-elle.

Que dire ? Qu'en quinze jours, il en était arrivé à ne plus supporter la femme qu'il venait d'épouser ? Sa façon de toujours porter les mêmes vêtements, son indifférence pour les goûts de Percy, son manque de curiosité intellectuelle l'exaspéraient, tout comme son mépris des conventions, son manque de tact, car il accordait une certaine importance aux convenances. Il était inévitable que son agacement ait un effet sur son désir.

— Non, marmonna-t-il. Un peu de fatigue, c'est tout.

— Qu'est-ce qui peut bien te fatiguer, pour l'amour du ciel ? Jouer au ping-pong ?

Elle s'attendait visiblement à beaucoup mieux de sa part.

« Elle est comme un melon qui a bien trop de pépins, Percy », avait déclaré Beatrice. « C'est vrai, mais plus il y a de pépins, plus le fruit est sucré… », avait répondu Percy.

Comment avait-il pu être aveugle à ce point ? Il n'existait pas d'autre Mary. Percy avait épousé son contraire par dépit.

Mais il ne voulait pas qu'elle se croie responsable de sa défaillance. Elle s'était mariée de bonne foi, persuadée d'être acceptée telle qu'elle était, alors qu'en réalité, Percy voulait simplement ne pas être seul au retour de Mary et d'Ollie.

— Le problème ne vient pas de toi, Lucy, mais de moi.

Au cours du premier mois, cet aveu provoqua des larmes. Par la suite, il fut accueilli par un silence glacial.

— Pourquoi ne me désires-tu pas, Percy ? murmura-t-elle une nuit, dans le noir. Tu n'aimes pas le sexe ?

Pas avec toi, songea-t-il. Il n'avait qu'à satisfaire les pulsions de la jeune femme pour que la vie avec elle devienne supportable mais, devoir conjugal ou non, il se refusait à tomber aussi bas.

— Impuissant ! lança-t-elle, comme si elle lisait ses pensées. Moi qui pensais avoir épousé un étalon ! Je croyais qu'il te suffisait de regarder une femme pour qu'elle écarte les jambes !

— Ne sois pas grossière, Lucy !

— Grossière ? (D'un coup de pied, elle le fit tomber du lit. Il faillit se cogner la tête sur le coin d'une table de chevet.) C'est tout ce qui t'inquiète ? Ma grossièreté ? s'écria-t-elle d'une voix stridente.

Elle repoussa les couvertures et se leva d'un bond pour rejoindre Percy, assis par terre dans le plus simple appareil.

— Que fais-tu de ma fierté, de mes sentiments, de mes besoins, de mes droits ?

Elle tendit une main menaçante vers ses attributs, comme si elle voulait les empoigner.

Percy eut un mouvement de recul. En se relevant, il eut toutes les peines du monde à ne pas frapper la jeune femme. Mais rien de tout cela n'était de la faute de Lucy, qui l'idolâtrait sans le connaître vraiment. Elle n'avait jamais cherché à en savoir davantage sur lui et elle s'en prenait à présent à cette idole qui l'avait déçue.

Il ne la reconnaissait pas. Son rire avait disparu, de même que la lueur malicieuse de son regard. Son sourire avait fait place à un rictus amer… Avec tristesse, il voyait cette femme qu'il aurait pu aimer disparaître avant même qu'il ait le temps de la connaître.

Le fait de n'être responsable de rien ne la consolait guère.

— Tu es bien bon ! railla-t-elle. Bien sûr que ce n'est pas de ma faute ! C'est de la tienne ! Ta réputation n'était que mensonge. Je parie que Mary l'a toujours senti. Voilà pourquoi elle n'a jamais voulu de toi !

Il demeura impassible. Lucy n'avait jamais aimé Mary. Elle s'était servie d'elle et avait manipulé ses parents pour se rapprocher de lui. Bizarrement, Lucy ne l'avait pas questionné sur cette fille qu'il aimait depuis toujours. Mais il l'avait vue observer les jeunes femmes de leur entourage en se demandant laquelle avait volé son cœur. Pourvu qu'elle ne le découvre jamais !

Au milieu du mois d'octobre, lassé par ses bouderies et ses agressions verbales, il décida de lui proposer une annulation du mariage. Il en avait assez de ses obsessions, de ses colères, de son ressentiment envers Beatrice, qu'elle jugeait responsable de son « impuissance ». Il était disposé à l'entretenir toute sa vie pour pouvoir partir de son côté.

Mais avant qu'il puisse aborder le sujet, elle déclara :

— Tu vas rire ! Je suis enceinte.

36

Beatrice posa le télégramme d'Ollie et retira ses lunettes. À l'autre extrémité du salon, son fils servait l'apéritif. Lucy participait rarement à ce rituel. Parfois, elle ne se présentait même pas pour le souper.

— C'est très gentil à lui de nous informer de son retour. Seras-tu le parrain de l'enfant, Percy ?

— Bien sûr, répondit-il. Ce sera un honneur !

— Ils doivent être heureux de rentrer, intervint Jeremy. Abel est impatient de rencontrer son petit-fils. Dis-moi, Beatrice, si nous organisions une petite réception pour célébrer l'événement ?

Mais il y avait problème : Lucy, qui se révélait lunatique, imprévisible. Allait-elle bien se tenir lors d'une fête de bienvenue pour les Dumont ?

— Je me charge de Lucy, répondit Beatrice à la requête tacite de son mari. Elle se montrera coopérative…

Si quelqu'un était capable de gérer Lucy, c'était bien sa mère, songea Percy en buvant une gorgée de whisky. Ces derniers temps, toutefois, la jeune femme ruait dans les brancards. Ses malaises de début de grossesse et son hostilité à l'égard de Percy donnaient lieu à des comportements inacceptables. Elle avait insulté plusieurs artisans, frappé le laitier et injurié le Dr Tanner. Certains domestiques au service de la famille depuis longtemps avaient rendu leur tablier. Les Warwick hésitaient à recevoir car ils redoutaient les frasques de Lucy, qui traitait leurs amis d'imbéciles. Seuls sa crainte de sa belle-mère et les vestiges de son éducation à Bellington Hall la maintenaient sur les rails. Avec le retour de Mary et d'Ollie, elle risquait néanmoins de s'en donner à cœur joie.

Beatrice lui rappela qu'elle vivait toujours sous son toit et que c'était elle, la maîtresse de maison. Avec ou sans sa coopération, ils organiseraient une fête en l'honneur des Dumont.

Le soir prévu, une urgence appela Percy à l'entrepôt, de sorte qu'il manqua l'arrivée des invités d'honneur. Ils étaient déjà au salon avec ses parents et Abel, Mary près du berceau, quand il apparut sur le seuil. Par chance, Lucy n'était pas descendue. Percy se concentra sur Ollie, et non sur la silhouette vêtue d'ivoire qui se leva en même temps que lui.

— Percy! Mon vieux! s'exclama Ollie avec un large sourire, en s'avançant vers lui sur ses béquilles.

Ils s'étreignirent avec chaleur.

— Content que tu sois rentré, déclara Percy. Tu nous as manqué, tu sais. Toi aussi, Mary, ajouta-t-il en se tournant vers elle.

Elle semblait plus mûre, plus grave, mais jamais il n'avait vu de femme aussi belle. La couleur de sa robe rehaussait son teint de miel et soulignait le noir de ses cheveux coupés au carré, ornés d'un bandeau de sequins ivoire.

Percy s'était demandé si elle l'éviterait, mais elle le regarda droit dans les yeux avec une intensité qui lui brisa le cœur.

— Tu nous as manqué aussi, répondit-elle en lui tendant la main. Nous sommes très heureux d'être rentrés à la maison.

En l'embrassant sur la joue, il ferma les yeux pendant un court instant, ivre de douleur. La jeune femme crispa les doigts sur sa main. Il les serra à son tour brièvement.

— Voyons un peu ce petit bonhomme, suggéra-t-il avec un sourire.

Tous se réunirent autour de l'enfant endormi dans son berceau.

— Il est mignon, non ? commenta Abel. Je ne suis peut-être pas très objectif, mais je n'ai jamais vu un enfant aussi bien constitué.

— C'est normal ! dit Beatrice. Nous serons tout aussi subjectifs quand le nôtre sera né.

— Il est superbe, murmura Percy, admiratif.

Le petit garçon ne tenait pas beaucoup d'Ollie : c'était un vrai Toliver, avec sa touffe de cheveux noirs. Submergé par un élan de tendresse, Percy caressa une petite main potelée. L'enfant se réveilla et agrippa fermement son doigt avec un regard curieux. Percy se mit à rire.

— Quel âge a ce petit ange ?

— Trois mois ! répondirent en chœur ses parents.

— Il devra compter sur son parrain pour apprendre à jouer au ballon, ajouta Ollie, appuyé sur ses béquilles.

— Ce sera avec plaisir, répondit Percy, toujours captif de la menotte. Comment s'appelle mon filleul ?

— Matthew, dit Mary. Matthew Toliver-Dumont.

— Naturellement, commenta Percy en la regardant par-dessus le couffin.

Troublé par la beauté de la jeune femme, il reporta son attention sur l'enfant, qui bâilla, puis referma sa petite bouche avant de se rendormir. À regret, Percy se dégagea de sa prise et s'éloigna pour accueillir d'autres invités, ainsi que sa femme, qui descendait l'escalier.

Vêtue d'une robe fluide assortie à la couleur de ses yeux, Lucy déambula parmi l'élite de Howbutker. Elle appela Percy « chéri », le prit par le bras et lui sourit. Mais il n'était pas dupe. Il comprenait pourquoi elle tenait à jouer les hôtesses parfaites. C'était sa première grande réception en tant qu'épouse de Percy Warwick et elle ne voulait pas que les gens se demandent pourquoi il l'avait préférée à Mary Toliver, si éblouissante. Elle n'était peut-être pas d'une grande beauté, mais elle était plus chaleureuse et ouverte. Elle n'intimidait personne, malgré ses accès de colère et un langage parfois fleuri. Mais n'étaient-ce pas là les caprices d'une femme enceinte ?

Après un bref coup d'œil au berceau, elle ne témoigna guère d'intérêt pour Matthew.

— Eh bien, tu ne peux pas le renier, avec ses cheveux noirs et sa petite fossette au menton ! dit-elle à Mary. Ollie, ce bébé tient-il quelque chose de toi ?

— Son cœur, j'espère, répondit Mary à sa place.

— Espérons-le...

Les deux femmes se toisèrent. Elles s'étaient saluées avec une certaine froideur. À présent, les masques étaient tombés et la guerre était déclarée.

— Mary, chérie, tu devrais peut-être porter le berceau dans la bibliothèque pour que Matthew puisse dormir tranquillement, suggéra Ollie.

— Excellente idée, intervint Lucy.

Ce soir-là, Percy se rendit dans la chambre de sa femme pour lui souhaiter une bonne nuit.

— On peut dire qu'Ollie a embourgeoisé sa cocotte, déclara-t-elle. Elle est si grande qu'il doit avoir l'impression de faire de l'escalade quand ils font l'amour !

— Mary mesure un mètre soixante-dix, ce qui fait de toi une naine, rétorqua-t-il d'un ton mielleux, avec l'envie de la gifler.

Lucy semblait se demander s'il avait cherché à l'insulter.

— J'ai remarqué que l'enfant t'avait ensorcelé...

— Il s'appelle Matthew. Oui, c'est un beau bébé. Si nous avons un fils, j'espère qu'ils seront aussi proches que je l'ai toujours été d'Ollie.

— C'est ce que nous verrons. Si seulement tu t'intéressais autant à notre bébé qu'à celui d'Ollie et de Mary...

— On ne peut pas dire que l'atmosphère s'y prête, lui rappela sèchement Percy.

— Tu penses qu'elle sera meilleure quand il sera né ? Autant que tu le saches, tu n'auras pas ton mot à dire concernant son éducation. Il est à moi. Tu me dois bien cela.

— C'est notre enfant, Lucy! Tu n'as pas le droit de l'utiliser comme une arme contre moi.

Cette menace ne le troublait pas outre mesure: Lucy était consciente de la limite à ne pas franchir. Seul le sentiment de culpabilité faisait accepter à Percy les excès de sa femme. Elle avait raison sur un point: il ne faisait pas preuve d'enthousiasme. La paternité l'inquiétait un peu. Ollie avait-il ressenti la même chose avant la naissance de Matthew? Il se promit de lui poser la question.

Le couple faisait désormais chambre à part. Ils avaient invoqué la grossesse de Lucy, mais quelle excuse trouveraient-ils après l'accouchement?

— Tu peux me croire! lança-t-elle. Pourquoi interviendrais-tu dans l'éducation de mon enfant?

— Pourquoi pas? Je suis son père, non?

— Parce que…

En s'approchant, il décela une lueur étrange dans ses yeux bleus. Elle se leva vivement.

— Parce que quoi, Lucy?

— Parce que tu es… Tu es…

— Je suis quoi?

— Tu es… homosexuel!

L'espace de quelques secondes, Percy la fixa d'un air abasourdi, puis il éclata de rire.

— Lucy! C'est donc ce que tu crois?

— Parce que tu ne l'es pas? demanda-t-elle, les mains sur les hanches.

— Non.

— Tu avais déjà fait l'amour, avant moi?

— Oui! répondit-il, toujours sous le choc.

— Combien de fois?

Il ne voulait pas la faire souffrir, mais refusait de la laisser utiliser un mensonge pour l'éloigner de son enfant.

— Assez souvent pour te convaincre que je ne suis pas ce que tu prétends.

— Je ne te crois pas ! C'est la seule explication qui tienne la route.

Avec un regard lascif, elle écarta lentement les pans de son peignoir, révélant son corps nu, son ventre qui commençait à s'arrondir. Elle posa les mains sur ses seins généreux.

— Comment peux-tu les refuser ? Tout homme aurait envie de les toucher… (Elle avança vers lui.) Ne sont-ils pas beaux, Percy ? Pourquoi ne me désires-tu pas ?

— Lucy, arrête ! ordonna-t-il en essayant de refermer le peignoir.

En cet instant, il la désirait. Il aurait tout donné pour la porter dans sa chambre, la faire sienne et apaiser leurs sens. Mais rien n'aurait changé dans leurs rapports. Leur situation n'en aurait été que plus compliquée.

Elle perçut sa réserve. Furieuse et frustrée, elle serra son peignoir.

— Ordure ! Jamais tu ne t'approcheras de mon fils ! Il est à moi ! Un homosexuel ne se mêlera pas de l'éducation de mon garçon !

Sans un mot, Percy quitta la pièce et referma la porte sur son chagrin.

37

Mil neuf cent vingt-deux fut l'occasion de nombreuses améliorations et acquisitions pour les sociétés des trois familles fondatrices de Howbutker. En l'absence de Mary, Hoagy Carter avait géré Somerset avec une efficacité surprenante. La récolte avait permis de rembourser le crédit à la State Bank, mais aussi d'investir dans un système d'irrigation plus perfectionné. Les Warwick rachetèrent diverses entreprises dans le secteur du bois et rebaptisèrent leur empire Warwick Industries. Ollie Dumont ouvrit un second grand magasin à Houston.

À l'approche du printemps, Lucy se déplaçait avec difficulté et souffrait d'une vague de chaleur sans précédent. Confinée à la maison, elle se rapprocha de Beatrice au cours des dernières semaines de sa grossesse. Plusieurs fois, Percy trouva les deux femmes en train de confectionner de la layette en devisant comme des amies.

— Elle me fait peine à voir, dit Beatrice à son fils. Dès que tu entres dans la pièce, elle ressemble à un chiot qui veut attirer l'attention de son maître.

— Je sais, maman…

Depuis le retour des Dumont, Percy avait coutume de rendre visite au couple au moins deux fois par semaine, après sa journée de travail. Mary et Ollie ne pouvant résider ailleurs que dans la maison des Toliver, Abel se retrouvait seul dans le manoir familial, au bout de l'avenue. Le lundi suivant la réception, en se présentant chez le couple, Percy craignit une certaine gêne. Mais ses amis lui manquaient et il était attiré par l'enfant, dont l'image hantait son esprit. Dans la journée, Ollie avait su le mettre à l'aise :

— Salut, mon vieux ! s'était-il exclamé au téléphone. J'allais t'appeler quand ma secrétaire m'a passé la communication. Je voulais t'inviter à passer boire un verre à la maison, ce soir. Mary ne pourra peut-être pas se joindre à nous. Tu sais ce que c'est, à l'époque des semences…

— Je sais.

Mais Mary était là. Peu loquace, elle sirota sa citronnade tout en berçant l'enfant. Les deux hommes avaient retrouvé leur complicité d'antan. Sans doute ne savait-elle pas très bien où ils en étaient, tous les trois. Il lui faudrait du temps pour être convaincue que Percy ne venait que par amitié. Il ne fallait pas que son mariage prive Percy des deux personnes les plus essentielles à son bonheur. Sans oublier Matthew…

Lucy ne participait jamais à ces soirées. Elle n'était pas invitée et Percy doutait même qu'elle en fût informée. Les deux femmes ne cherchaient pas à se voir et il préférait ne pas s'en mêler. L'absence de Lucy lui permettait de s'amuser, de se détendre et de s'occuper de l'enfant, qui le reconnaissait et agitait les bras chaque fois qu'il le voyait.

Bientôt, Mary se détendit à son tour et ils purent rire de nouveau comme si leur amour n'avait jamais existé. Par un accord tacite, ils évitaient tout contact physique et ne se regardaient jamais dans les yeux.

Parfois, Mary se trouvait encore à la plantation à l'arrivée de Percy. En fin de journée, sa place n'était-elle pas auprès de son mari et de son fils ? Toutefois, Ollie et lui profitaient alors pleinement de Matthew. Ils sortaient l'enfant sous la véranda et bavardaient en le berçant à tour de rôle.

— Tu es encore passé chez les Dumont, je parie, fit Lucy, un soir, dans le petit salon, en terminant un pyjama bleu.

— Tu aurais pu venir avec moi, tu sais.

Lucy tentait de casser son fil à l'aide de ses dents. Agacé, Percy lui tendit des ciseaux qu'elle accepta sans le remercier.

— Pour te regarder jouer les parrains gâteux ?

Percy soupira.

— Ta jalousie envers Mary ne te suffit pas ? Il faut aussi que tu le sois de son fils ?

Lucy posa les mains sur son ventre rond et son regard s'adoucit.

— C'est vrai, je suis jalouse ! Jalouse de tout ce qu'elle a et que je n'ai pas !

Percy fut soudain parcouru d'un frisson d'effroi.

— Que veux-tu dire par là ? s'enquit-il un peu trop vivement.

— Tu le sais parfaitement ! Elle possède… ton amitié…

Soulagé, Percy prit sa main dans la sienne.

— J'aimerais être ton ami, Lucy, mais tu refuses.

Fascinée, elle fixa leurs mains jointes.

— Je… Je veux bien essayer d'être ton amie, dans l'intérêt du bébé. Puisque tu n'as rien d'autre à me donner… (Elle leva vers lui un regard bleu implorant.) Quand j'ai dit que je ne te laisserais pas voir l'enfant, je ne le pensais pas. Je veux qu'il… connaisse son père.

— Je sais, répondit-il en lâchant sa main. Tu ne penses pas une bonne partie de ce que tu me dis.

Quelques semaines avant la naissance, Ollie pria Percy de le conduire à Dallas pour la pose d'une prothèse, une nouveauté dans le domaine médical.

— Je prendrais bien le train, dit-il, mais ce n'est ni confortable, ni fiable. Et Mary est débordée, à la plantation. Naturellement, elle m'aurait emmené, mais ce n'est pas nécessaire et… avec ma jambe… je préfère être en ta compagnie, Percy.

Celui-ci ne put réprimer son ressentiment. Mary et son maudit coton ! Et Ollie qui n'osait pas lui imposer ses devoirs d'épouse !

— Et Matthew ? Qui s'occupera de lui en notre absence ?

— Sassie, bien sûr. Elle l'adore.

Percy fit part à Lucy de la requête de son ami. Depuis leur mise au point, ils s'entendaient à peu près. La jeune femme appréhendait son accouchement. Comme elle n'aimait pas lire, il lui faisait la lecture d'ouvrages consacrés à la naissance et en discutait avec elle.

Ils avaient conclu une trêve, et il s'en voulait de demander à la quitter à ce moment crucial. Comme souvent, elle eut une réaction étonnante :

— Tu devrais l'emmener. Tu sais pourquoi Ollie ne veut pas prendre le train, n'est-ce pas ?

Il avoua que non.

— Eh bien… Combien de temps avez-vous mis, pour venir du New Jersey ?

— Six jours.

— Tu imagines ce qu'Ollie a dû ressentir à l'idée de rentrer à Howbutker avec une jambe en moins ? Pas étonnant qu'il n'aime pas le train. Conduis-le à Dallas. Tes parents s'occuperont de moi.

Son sourire lui rappela la Lucy d'autrefois. Elle se comportait souvent comme avant leur mariage, ces derniers temps… Et elle était sincère, d'après Beatrice.

— Merci, dit-il en lui souriant à son tour. Je rentrerai dès que possible.

Ils prirent la Packard d'Abel, plus confortable que sa propre voiture, mais le trajet jusqu'à l'hôpital des vétérans de Dallas fut long et pénible. Ollie arriva fourbu, le visage empourpré et le col trempé de sueur. Il eut toutes les misères du monde à s'extraire du véhicule. Un infirmier s'approcha avec un fauteuil roulant, mais Ollie le repoussa d'un geste et saisit ses béquilles.

— Allez, Percy, on y va !

Après avoir rempli divers formulaires, Ollie fut conduit dans une salle, au bout d'un long couloir.

— Doucement, mon vieux, recommanda Percy, qui le voyait peiner. Plus que quelques mètres…

— Je sens de nouveau ma jambe, souffla Ollie. J'ai mal… Je crois que je vais accepter le fauteuil roulant, finalement.

Trop tard. Son membre valide se déroba et il bascula en avant avec un rictus de douleur. L'infirmier et Percy tentèrent en vain d'amortir sa chute. Tandis que Percy, les mains tremblantes, déboutonnait le col de chemise d'Ollie, l'infirmier courut chercher un brancard. Percy revoyait son ami gisant dans son sang, au bord d'une route jonchée d'éclats d'obus.

— Ne fais pas cette tête, lui souffla Ollie avec un sourire. Ce sont des choses qui arrivent. Ça va passer. Tu m'offriras un whisky bien tassé en sortant d'ici.

— J'en aurais grand besoin moi-même…

Deux employés installèrent Ollie sur un brancard.

— Si vous pouviez ramasser son dossier médical, monsieur…, fit le premier.

Percy prit également les béquilles. Ses mains tremblaient toujours lorsqu'il emboîta le pas aux deux blouses blanches. Il dut toutefois rester dans la salle d'attente, car le brancard disparut derrière une porte indiquant « entrée interdite ».

En attendant que quelqu'un vienne chercher le dossier, il décida de le parcourir pour connaître la gravité de l'état de son ami. Il ignorait qu'Ollie souffrait encore de sa jambe fantôme. Sans doute ne se plaignait-il jamais pour ne pas renforcer son sentiment de culpabilité…

Il y avait d'abord le compte rendu griffonné à la hâte du médecin militaire. Il décrivait l'amputation et… la conclusion glaça les sangs de Percy, qui la relut plusieurs fois pour s'assurer qu'il ne rêvait pas : « Les lésions subies par le capitaine Dumont ont pour séquelles une impuissance et une stérilité définitives. »

Le dossier tomba à terre, mais Percy ne s'en rendit même pas compte. Il se leva d'un bond et se précipita vers la fenêtre pour respirer à pleins poumons. Il posa le front sur la vitre, le souffle court. *Mon Dieu…*

— Vous allez bien, monsieur ?

L'infirmier venait chercher le dossier.

— Je vais bien, assura Percy. Retournez auprès du capitaine Dumont.

Il s'écroula sur une chaise, la tête dans les mains.

Matthew… Cet enfant adorable… était de lui ! Les événements se bousculaient dans sa tête : Mary avait découvert qu'elle était enceinte après son départ pour le Canada. Ne le voyant pas revenir, elle s'était adressée au seul homme capable de les sauver, son enfant et elle. « Ollie était là », avait déclaré sa mère. Et il avait accepté de l'épouser et d'élever son fils… Un Ollie émasculé qui ne pouvait pas lui donner d'autres enfants… qui ne pouvait pas…

En plein désespoir, Percy fondit en larmes. Une demiheure plus tard, l'infirmier le trouva prostré, le regard perdu, livide, les joues inondées de larmes.

— Excusez-moi, monsieur, bredouilla-t-il, gêné. Je voulais vous informer que le capitaine Dumont va être hospitalisé pendant environ une semaine. Il va subir un traitement jusqu'à ce qu'il puisse recevoir sa prothèse. Il est sous sédatif. Vous pourrez le voir dans l'aile B aux heures de visite, de dix-huit à vingt heures, ce soir.

Percy fut épargné d'une entrevue délicate. Lorsqu'il appela chez lui, sa mère lui ordonna de rentrer au plus vite, car il était père d'un superbe garçon de quatre kilos.

38

Howbutker, 1933

— Monsieur, une demoiselle Thompson demande à vous voir…

Percy ne leva pas les yeux de son dossier. En cette fin octobre, quatre ans après le krach de Wall Street, des chômeurs se présentaient chaque jour au secrétariat dans l'espoir d'être embauchés par Warwick Industries, l'une des rares entreprises prospères du pays.

— Vous ne lui avez pas dit qu'elle perdait son temps ? Nos effectifs sont au complet.

— Oh, elle ne cherche pas du travail, insista Sally. Mlle Thompson est enseignante. C'est à propos de votre fils.

Percy leva vers elle un regard ahuri, comme toujours quand il entendait prononcer les mots « votre fils ».

— Wyatt, monsieur, reprit Sally.

— Bien sûr ! Faites-la entrer.

Il se leva pour l'accueillir. Quelle que soit la condition de son visiteur, Percy était connu pour respecter sa dignité, fût-il mendiant.

Manifestement, Mlle Thompson ne venait pas quémander. Sous son masque d'assurance, Percy devinait une certaine nervosité. Que diable avait fait Wyatt ?

— Un problème avec mon fils ? s'enquit-il. J'ignorais que vous étiez son institutrice…

Il n'était pas de ces pères qui contrôlent tout ce qui touche à la vie de leurs enfants, mais il s'étonnait de ne l'avoir jamais rencontrée. Depuis quelques années, il présidait pourtant la commission scolaire et accueillait en personne les nouveaux enseignants de Howbutker à chaque rentrée.

— Je remplace Mlle Wallace, qui s'est mariée, expliqua-t-elle. Elle part s'installer à Oklahoma City avec son mari. Mlle Wallace était l'institutrice de votre fils, comme vous le savez.

Charmé par sa voix douce et posée, Percy s'installa plus confortablement dans son fauteuil.

— Je suis certain qu'il ne s'en plaint pas, répondit-il.

— J'espère que vous ne changerez pas d'avis après avoir entendu ce que je suis venue vous dire.

— Je vous écoute…

Elle respira profondément, comme pour rassembler son courage. Quelle bêtise Wyatt avait-il encore commise ? Il veillerait à ce qu'il le regrette. Toutefois, un garçon de onze ans était capable de n'importe quoi pour attirer l'attention d'une jolie jeune femme blonde aux yeux noisette.

— Votre fils inflige délibérément des sévices à Matthew Dumont, et de façon systématique. Si rien n'est fait pour l'arrêter, je crains que Matthew ne soit en danger.

Percy se redressa d'un bond.

— Veuillez vous expliquer, mademoiselle Thompson.

— Il ne se passe pas une journée de classe sans que Wyatt fasse du mal à Matthew Dumont. Un croche-pied dans le couloir, un ballon lancé sur la tête… Il le fait souvent saigner du nez. Je l'ai même vu…

Elle rougit, à la fois de colère et de gêne.

— Poursuivez…

— Il lui a plusieurs fois donné des coups de pied dans le bas-ventre.

— Pourquoi avoir attendu aussi longtemps pour m'en parler ? demanda Percy, furieux. Vous n'avez pas alerté la direction ?

— Bien sûr que si, monsieur Warwick. Je suis allée voir le directeur, qui a refusé de m'écouter. J'ai sollicité le soutien des autres enseignants, mais ils ont refusé de m'aider, eux aussi. Ils ont tous peur de vous… de votre pouvoir. Ils craignent pour leur emploi. Les enfants aussi, car leurs pères travaillent ici.

— Seigneur…, souffla Percy.

— Aujourd'hui, ce fut la goutte d'eau…, poursuivit Sara Thompson, qui prenait de l'assurance en constatant qu'elle avait trouvé une oreille attentive.

— Que s'est-il passé ?

— Wyatt a lacéré le gant de base-ball auquel Matthew tenait tant, puis il l'a jeté dans les égouts, derrière l'école. Quand Matthew est allé le récupérer, Wyatt lui a lancé une pierre sur la tempe, au risque de l'assommer. Il a une profonde entaille. En perdant l'équilibre…

Sara se mordit la lèvre, comme si elle n'avait pas le courage de décrire la chute de Matthew dans le cloaque, la tempe en sang. Percy imaginait sans peine la scène. Il se leva vivement. Ce gant de base-ball, c'était lui qui l'avait offert à son filleul pour Noël.

— Matthew provoque-t-il Wyatt ?

— Absolument pas ! s'exclama Sara. Je ne le connais pas très bien, mais je l'ai observé, dans la cour, et il est très sage. Il essaie de se défendre. Hélas, bien qu'il soit dans la classe supérieure, il est plus petit que votre fils. Les autres l'aideraient s'ils n'avaient pas peur de Wyatt… et de vous.

— Je vois… Comment êtes-vous venue, mademoiselle Thompson ?

— Eh bien, je… à pied, pourquoi ?

— Cela fait plus de trois kilomètres.

— Aucune importance. Je tenais à vous parler de ce problème.

— J'en ai l'impression, dit Percy en ouvrant la porte de son bureau. Sally, dites à Booker de sortir la voiture. Qu'il reconduise Mlle Thompson.

Sara se leva à son tour, un peu hésitante.

— C'est très aimable, monsieur Warwick. Je vous remercie de m'avoir écoutée.

— Pourquoi n'êtes-vous pas allée voir les Dumont ?

— À cause de Matthew. D'après ce que je sais, il ne veut surtout pas que ses parents soient impliqués. Je les aurais volontiers informés, mais j'aurais eu l'impression de le trahir.

— Vous admirez Matthew, n'est-ce pas ?

— Il a une grande force de caractère.

— Et Wyatt ?

Sara hésita un instant, puis elle soutint le regard de Percy.

— Il a un fond de méchanceté, monsieur Warwick, mais uniquement envers Matthew. Sans la jalousie de Wyatt, ils seraient amis. Votre fils se sent seul, monsieur Warwick. Il a peu de copains.

— Par sa faute, je le crains.

Le chauffeur apparut sur le seuil. Ce jour-là, il était de service dans les locaux de l'entreprise plutôt qu'à la maison des Warwick, car des visiteurs étaient arrivés de Californie.

— Booker, conduisez Mlle Thompson chez elle. Ensuite, vous reviendrez chercher nos visiteurs. J'ai ma voiture. Je rentrerai tout seul chez moi. Merci d'être venue, mademoiselle, dit-il en tendant la main à Sara. Booker va s'occuper de vous.

Elle semblait un peu inquiète face à la mine contrariée de Percy, laquelle n'avait pas non plus échappé au chauffeur et à la secrétaire.

— Monsieur Warwick, dit l'institutrice, si je puis me permettre… Que comptez-vous faire ?

— Si ce que vous dites est exact, je veillerai à ce que Wyatt ne pose plus jamais la main sur Matthew Dumont.

Percy gagna son garage privé. Durant le trajet vers Houston Avenue, il avait envie de tout casser, mais sa raison lui dictait de se maîtriser. Il ne savait rien de Mlle Thompson. Peut-être exagérait-elle quelques querelles d'écoliers afin d'attirer son attention. Elle n'aurait pas été la première… En ces temps difficiles, certains étaient prêts à tout pour obtenir des faveurs ou conserver un emploi.

Mlle Thompson ne semblait pas du genre à manigancer. C'était une incorruptible, une qualité rare. Il lui avait fallu du courage pour venir le voir, car elle avait mis son poste en danger. En n'alertant pas Ollie et Mary, elle avait fait preuve de sensibilité et de compréhension. Elle ne pouvait connaître la raison profonde qui empêchait Matthew de dénoncer Wyatt. Ce dernier était le fils de son parrain adoré. Jamais il ne ferait quoi que ce soit qui puisse fâcher Percy, qui avait pour Matthew plus d'amour et de fierté que pour Wyatt.

Il aurait été trop beau que les deux garçons s'entendent bien. Depuis le départ, Wyatt détestait Matthew, pourtant bien disposé à son égard. Vindicatif dès le bac à sable, Wyatt avait ensuite affiché une indifférence froide lors des pique-niques en famille. Les deux couples avaient coutume d'inviter d'autres amis pour apaiser la tension entre Lucy et Mary.

Mlle Thompson l'avait compris : Wyatt était jaloux d'un camarade plus intelligent, plus beau et plus aimable que lui. En présence des deux garçons, Percy veillait à ne pas faire de favoritisme, mais sa préférence était flagrante. Lucy regrettait amèrement qu'il n'accorde pas à Wyatt autant d'affection qu'au « fils Dumont ».

Ce qui n'empêchait pas Lucy d'aimer Matthew, car il possédait toutes les qualités qu'elle appréciait chez Ollie. Elle était à deux doigts de corriger Wyatt quand il malmenait plus petit que lui. En dépit de ses menaces, elle tenait à ce que Percy s'occupe de Wyatt et les encourageait à passer du temps ensemble. Hélas, père et fils n'étaient pas très proches.

Percy ne parvenait pas à s'attendrir face aux tentatives maladroites de son fils pour se faire remarquer de lui. Ce garçon n'avait rien d'un Warwick ! Il ressemblait en tout point à son grand-père maternel, Trenton Gentry : bourru et boudeur, il n'avait ni la gaieté ni l'énergie de Lucy.

Les mains crispées sur le volant, Percy sentait monter en lui une colère qu'il laissait très rarement éclater. *Si par malheur Wyatt avait blessé Matthew…* Il se gara derrière la maison des Toliver. En entendant grincer la grille en fer forgé, Sassie apparut à la porte de l'office.

— Monsieur Percy! Qu'est-ce que vous faites là à cette heure de la journée? M. Ollie est toujours au magasin et Mme Mary à Somerset.

Comme d'habitude, songea amèrement Percy.

— Ce n'est pas eux que je viens voir. Mon filleul est là?

— Bien sûr. Il est dans sa chambre. Il a eu un petit problème à l'école, aujourd'hui. Quelqu'un lui a lancé une pierre et lui a fait une vilaine entaille. Vous auriez vu ses vêtements!

— Ce genre de problème lui était déjà arrivé? s'enquit Percy. Est-il déjà rentré avec un œil au beurre noir ou le nez en sang?

— En vérité, oui, avoua Sassie, la mine déconfite. Et, cette fois, je vais en toucher deux mots à M. Ollie. Je n'arrive pas à croire qu'il soit maladroit à ce point. Il prétend qu'il tombe souvent, mais cela ne lui arrive jamais à la maison.

— L'entaille est profonde?

— J'ai failli appeler le Dr Tanner.

— Dites-lui de venir au plus vite, Sassie. Je monte.

— Il sera content de vous voir. Portez-lui son chocolat chaud, voulez-vous? Ce garçon aime le chocolat encore plus que son papa. J'en ajoute une tasse pour vous.

Percy frappa à la porte de la chambre.

— Entrez! fit une petite voix qui avait le don de l'attendrir.

Assis sur son lit, le visage débarbouillé, Matthew était en train d'huiler son gant de base-ball à l'aide d'une mixture nauséabonde. De toute évidence, il s'attendait à voir Sassie. En reconnaissant son parrain, il écarquilla les yeux.

— Oncle Percy! s'écria-t-il en cachant vivement son gant, l'air inquiet. Qu'est-ce que tu fais ici?

— J'ai appris ce qui s'est passé à l'école, aujourd'hui, répondit-il.

Il posa le plateau sur une table et s'assit sur le lit avant d'examiner le pansement du jeune garçon.

— C'est Wyatt qui t'a fait cela ?

— C'était un accident.

— Et ça ? poursuivit-il en brandissant le gant lacéré.

Matthew se détourna sans un mot.

— Quelqu'un m'a tout raconté. Wyatt a jeté ton gant dans les égouts et t'a lancé une pierre. C'est vrai ?

— Oui, mais je vais mieux...

Percy examina le gant. Il était irrécupérable. À Noël, il avait acheté un gant pour chaque garçon et, pour faire bonne mesure, les avait fait dédicacer par un champion de base-ball. En ouvrant la boîte, Wyatt avait affiché un sourire, ce qui ne lui arrivait pas souvent.

— Merci, papa, il est superbe !

Percy n'avait pas prévu que le bonheur et la fierté de Wyatt feraient vite place à de la jalousie. Rien ne justifiait sa méchanceté.

— Je sais où en trouver un autre exactement pareil. Il est un peu plus grand, mais ta main va pousser, elle aussi.

— Oh non, pas question de prendre celui de Wyatt ! protesta Matthew. C'est le sien. C'est toi qui le lui as offert...

La mine soucieuse, il se tut.

— Qu'est-ce qui se passe, fiston ?

Il admira ses traits fins si proches de ceux de sa mère. Percy n'avait pas souvent l'occasion de regarder son fils aîné à loisir, sans témoins, et il ne l'appelait jamais « fiston » en présence d'Ollie. Celui-ci s'abstenait aussi de l'appeler « mon fils » devant Percy, au profit de « mon petit » ou « mon garçon ».

— Je... Je me demande pourquoi Wyatt me déteste. J'ai essayé d'être son copain mais il croit... Il croit que tu me préfères à lui et... ça lui fait de la peine.

Submergé par un élan de tendresse, Percy se leva à contrecœur. De qui l'enfant tenait-il cette compréhension, cette tolérance, cette capacité à pardonner? Pas de lui, ni de Mary. Il lui tendit une tasse de chocolat.

— C'est pour cela que tu n'as jamais parlé à personne des coups que Wyatt t'inflige? Parce que tu sais ce qu'il ressent?

— Oui, avoua-t-il, les yeux baissés.

— Eh bien, Wyatt et moi allons trouver une solution, promit Percy en lui ébouriffant les cheveux. Le Dr Tanner va venir examiner ta plaie. Je suis atterré par la méchanceté de mon fils. Cela ne se reproduira pas. Je vais faire réparer ce gant, ajouta-t-il.

Il téléphona à Ollie au magasin pour lui relater les événements et précisa qu'il se mettait en route pour régler le problème.

— Mieux vaut que tu rentres à la maison, dit-il. Matthew a besoin de toi. Et de Mary, aussi.

— Je pars tout de suite. Je ne sais pas si je pourrai joindre Mary…

Le ressentiment de Percy ressurgit.

— Pourquoi diable n'est-elle pas là? L'école est finie depuis longtemps!

Ollie ne répondit pas tout de suite. Même si Percy n'exprimait pas ouvertement sa réprobation, elle était connue de tous. Pour Ollie, son ami s'inquiétait simplement pour lui et Matthew.

— Parce que c'est Mary, répondit-il enfin.

En passant dans la cuisine, Percy dit à Sassie de ne pas se tourmenter. Matthew ne rentrerait plus avec des plaies inexpliquées. Puis il regagna Warwick Hall, ivre de colère.

39

Dans la salle à manger, Lucy inspectait la table dressée avec soin en compagnie de sa gouvernante, quand Percy entra en trombe. Lui qui n'utilisait jamais l'entrée principale s'était garé devant la maison. Lucy s'interrompit pour se précipiter sur le seuil.

— Que se passe-t-il? Pourquoi rentres-tu si tôt?

— Je dois parler à Wyatt! lança-t-il sans ralentir le pas. Il est dans sa chambre?

— Il fait ses devoirs. Qu'est-ce que tu lui veux?

Percy gravit les marches sans lui répondre. Alarmée, Lucy lui emboîta le pas.

— Nos invités seront là dans un peu plus d'une heure. Ne veux-tu pas te changer?

Depuis la mort de la mère de Percy, deux ans plus tôt, trois ans après son mari, Lucy était devenue l'épouse parfaite de l'un des hommes les plus en vue du Texas. Elle avait endossé ce rôle d'hôtesse avec le sentiment de prendre sa revanche sur l'omniprésence de sa belle-mère. Elle commanda de nouveaux meubles, fit décorer la maison et installer une cuisine moderne. Ses domestiques avaient troqué leur tenue noire pour un tablier blanc sur un uniforme gris. Lucy était satisfaite de jouer son rôle. Parfois, même, Percy avait l'impression qu'elle lui était reconnaissante de la vie qu'il lui procurait. Au moins, elle n'avait pas à se soucier du lendemain, sur le plan financier, car il avait prévu la crise et pris des précautions. Depuis sa grossesse, ils faisaient chambre à part et, à son grand regret, la jeune femme était seule à s'occuper de leur fils.

C'est pour cette raison qu'elle suivit son mari dans l'escalier.

— Percy, que se passe-t-il, pour l'amour du ciel ?

— Ne t'inquiète pas ! C'est une histoire d'hommes.

— Depuis quand places-tu ton fils dans la même catégorie que toi ? insista-t-elle, alarmée.

Sans lui répondre, Percy ouvrit la porte de la chambre et la referma derrière lui. Allongé sur son lit, Wyatt faisait en effet ses devoirs. À l'école, il peinait, mais se montrait persévérant. Face à l'intrusion de son père, il ouvrit de grands yeux.

— Debout ! ordonna Percy. Nous allons faire un tour tous les deux.

— D'accord, répondit Wyatt.

Malgré sa carrure de taureau, il avait la grâce d'un félin. Il glissa ses livres dans son cartable puis lissa le dessus-de-lit, car il était ordonné.

— Je suis prêt, dit-il.

Lucy frappa à la porte.

— Percy ! Qu'est-ce que tu lui fais ? Ouvre !

— Arrête, maman ! lança l'enfant. Tout va bien. Papa et moi allons faire un tour.

Quand Percy ouvrit la porte, Lucy devina ses intentions.

— Percy, pour l'amour du ciel, il n'a que onze ans ! implora-t-elle.

— Il devrait savoir, répliqua-t-il en l'écartant.

— Percy !

Elle tenta de le retenir par le bras, mais il descendit les marches en poussant Wyatt devant lui.

— Si tu lui fais mal, je ne te le pardonnerai jamais. Jamais ! Tu m'entends ? Quoi que tu fasses, je ne te le pardonnerai jamais !

— Tu n'as jamais aimé les roses blanches, de toute façon, rétorqua-t-il.

Sans un mot, ils se rendirent dans la cabane. Le soleil se couchait derrière les cyprès, au bord du lac. Percy ouvrit la porte à l'aide d'une clé cachée dans un pot de géraniums.

— Mlle Thompson est venue me voir, aujourd'hui, déclara Percy en enlevant sa veste. Elle m'a raconté que tu avais lacéré le gant de Matthew avant de le jeter dans l'égout. Ensuite, tu l'as blessé à la tempe avec une pierre et il est tombé. Pourquoi, Wyatt ?

En alerte, l'enfant resta debout au milieu de cette cabane dont il ignorait l'existence, un peu tendu, mais la mine impassible.

— Réponds ! cria son père.

— Parce que je le déteste.

— Et pourquoi le détestes-tu ?

— Ça me regarde.

Ce ton provocateur étonna Percy. À onze ans, il était déjà combatif. Il avait les yeux de Trenton Gentry, un homme que Percy méprisait, du même bleu que ceux de Lucy, mais petits et rapprochés. L'enfant ne sourcilla pas quand Percy remonta une de ses manches. Il fallait bien l'admettre, ce n'était pas un lâche. C'était une brute, mais pas un lâche…

— Je vais te dire pourquoi tu le détestes : parce qu'il est gentil, doux et attentionné. Il n'en a peut-être pas l'air, mais je peux t'assurer qu'il est tout ce que tu n'es pas.

— Je le sais.

Percy ne s'attendait pas à cette réaction.

— Dans ce cas, pourquoi le détester ?

Wyatt haussa les épaules.

— Je crois savoir que cela dure depuis un certain temps, reprit Percy en remontant sa seconde manche. À cause de toi, Matthew rentre chez lui avec des plaies, des bosses et des coupures. Je me trompe ?

— Non.

— Et le fait que tu sois plus grand que lui ne te dérange pas ?

— Non.

Abasourdi par ce mélange d'indifférence et d'honnêteté, Percy regarda fixement son fils. Il atteindrait bientôt le mètre quatre-vingts, avec la carrure de son père.

— Tu es jaloux de Matthew, n'est-ce pas ?

— Et alors ? Qu'est-ce que cela peut te faire ?

— Change de ton, jeune homme, et ne parle plus jamais à ta mère comme tu l'as fait tout à l'heure !

— Pourquoi ? Toi, tu lui fais pire que ça !

Soudain, Percy fut aveuglé par sa rage. Il ne voyait plus que le gant de base-ball anéanti et le pansement sur la tempe de Matthew. Il lut de l'amour dans les yeux verts et de la haine dans les yeux bleus. Crispant le poing, il saisit le revers de la veste de ce fils qu'il ne connaissait pas, qu'il n'aimait pas, dont il ne voulait pas.

— Je vais te montrer ce que c'est que de se faire tabasser par quelqu'un de plus fort que soi, maugréa-t-il.

Le coup projeta Wyatt à terre. Son front heurta le bord du divan. Un filet de sang se mit à couler de son nez et de sa lèvre fendue. Percy sortit puiser de l'eau et imbiba une serviette.

— Tiens, dit-il en lui tendant la serviette sans regret ni remords. Essuie-toi.

Il le fit asseoir sur le divan.

— Si jamais tu oses ne serait-ce qu'un regard sur ton…

Le regard bleu de Wyatt plongea dans le sien. Percy avait failli dire « ton frère ». Et ce n'était pas la première fois…

— … ton camarade, je veillerai à ce que tu ne fasses plus jamais de mal à personne, c'est compris ?

— Oui, répondit l'enfant en hochant la tête.

De retour chez lui, il trouva ses visiteurs de Californie en train de s'enivrer joyeusement au salon. Le souper était prêt depuis une heure.

— Où étiez-vous passés ? souffla Lucy, furieuse, dans le couloir.

Wyatt était consigné dans sa chambre.

— J'ai appris à mon fils à me connaître, rétorqua-t-il.

Ce fut la dernière réception des Warwick. Craignant le pire, Lucy s'élança vers l'escalier de service, mais Percy la rattrapa et la renvoya au salon sous peine de divorce, voire pire, si elle abandonnait ses invités. Pendant le repas, puis les digestifs, elle demeura anxieuse, alors son mari jouait les hôtes parfaits. Dès le départ des convives, Lucy se précipita dans la chambre de Wyatt.

En l'entendant crier, Percy s'attendit à la voir surgir, furieuse. Ce qu'elle fit sans tarder, tandis qu'il ôtait ses boutons de manchette.

— Comment as-tu pu faire une chose pareille ? s'écria-t-elle. Tu aurais pu le tuer !

— Tu exagères, Lucy. Ce n'est rien par rapport à ce qu'il inflige à Matthew Dumont depuis des années. Je lui ai simplement administré un échantillon de ses propres sévices.

Il lui raconta ce qu'il s'était passé à l'école ainsi que les aveux de Wyatt.

— Il a mal agi, j'en suis consciente, Percy, admit Lucy, mais ce que tu as fait est pire. Il va te détester, maintenant.

— Il me déteste déjà.

— Seulement à cause de l'attention que tu portes à Matthew. Voilà pourquoi il le maltraite : il est jaloux !

— Matthew mérite mon affection, lui au moins !

— Matthew ! Matthew ! scanda Lucy. Tu n'as que ce nom à la bouche ! À croire que c'est ton fils !

Ces paroles restèrent en suspens comme après une explosion. Pétrifiée, Lucy fixa Percy qui ne parvint pas à se détourner assez rapidement. Soudain, elle comprit.

— Non…, souffla-t-elle, saisie d'effroi. Matthew est de toi ! C'est la vérité, n'est-ce pas ? Il est de toi… Mon Dieu…

Nier ne servait à rien car son expression l'avait trahi.

Lucy s'approcha de lui, mais il refusa de croiser son regard, les yeux rivés sur les champs qui s'étendaient à l'infini, comme pour se couper du monde. C'était une méthode qu'il utilisait dans les tranchées pour ne pas devenir fou face aux horreurs de la guerre.

Une gifle cinglante le ramena à la réalité.

— Réponds ! Comment oses-tu te taire à un moment pareil ? Dis-moi la vérité, espèce de misérable !

— Oui, c'est vrai. Matthew est notre fils, à Mary et à moi, admit-il, soulagé d'en avoir terminé avec cette comédie.

Lucy en eut d'abord le souffle coupé, puis elle retrouva l'usage de la parole :

— J'aurais dû m'en douter... Mais j'ai cru Mary quand elle m'a dit que vous n'étiez pas intéressés l'un par l'autre et que j'avais le champ libre. Je savais qu'elle ne coucherait jamais avec un homme qui n'avait que faire de Somerset...

Elle ouvrit de nouveau la bouche mais, soudain, une autre idée germa dans son esprit. Elle recula comme pour prendre son élan avant de frapper.

— Et elle, tu as réussi à lui faire l'amour ! Au moins assez longtemps pour la mettre enceinte !

— Lucy, il ne sert à rien d'en parler.

— Ah non ? insista-t-elle en lui tournant autour comme un vautour. Je veux savoir, ordure !

Face au rictus de sa femme, Percy se dit qu'il ne pouvait plus vivre dans le mensonge. Et qu'il ne pouvait plus vivre avec elle. Cette mascarade n'avait fait que souligner la méchanceté de Lucy. Et lui-même se montrait cruel parce que leur fils ne répondait pas à ses attentes.

— Parle, misérable ! cria Lucy. Tu n'arrives pas à admettre que même la belle Mary Toliver n'a pas réussi à exciter ta virilité ? Elle a dû avoir un sacré choc, la garce ! (Elle éclata d'un rire hystérique, les larmes aux yeux.) Tu imagines ce qu'elle a ressenti en découvrant qu'elle était enceinte alors qu'elle avait obtenu si peu ?

Percy ne put en supporter davantage. Le peu de sentiments qu'il avait encore pour Lucy s'envola irrémédiablement. Il tendit le bras et l'attira vers lui pour la regarder droit dans les yeux. Il était hors de question que cette mégère éprouve de la pitié pour Mary, sa Mary, qui avait souffert encore plus que lui…

— Je vais répondre à ta question. Avec elle, non seulement je réussissais à lui faire l'amour, mais cela durait des heures. Et quand j'avais fini, je n'avais qu'une envie, celle de recommencer…

Lucy tenta de se dégager de sa prise. Elle parvint à s'écarter suffisamment pour le gifler, mais il saisit son poignet avec une telle force qu'elle se mit à hurler.

— Tu es un mauvais coup, Lucy ! Voilà pourquoi je n'ai pas de désir pour toi. Il n'y a ni mystère, ni tendresse, ni sensibilité. Je n'aime pas l'odeur de ta peau. Tu comprends pourquoi je ne viens jamais dans ton lit, à présent ?

Percy la repoussa si brutalement qu'elle faillit tomber à la renverse.

— Tu mens ! s'exclama-t-elle, incrédule. Tu mens !

— Mon seul mensonge, c'est de t'avoir dit que tout était de ma faute.

— Je ne te crois pas !

— Qu'est-ce que tu ne crois pas, Lucy ? Que je bandais pour Mary ou que tu es un mauvais coup ?

Elle se détourna vivement et cacha son visage dans ses mains. Le moment était peut-être bien choisi pour vider son sac, quitte à déclencher des larmes, des cris, des reproches, jusqu'à ce que tout soit enfin terminé…

— Lucy, je veux divorcer. Wyatt et toi pourrez aller où vous voudrez, je veillerai à ce que vous ne manquiez de rien. Il n'est pas possible de continuer ainsi. Je suis un mauvais mari, un mauvais père. Mieux vaut arrêter le massacre et tourner la page.

Lucy baissa les bras et se tourna vers lui. Sa robe était déchirée et elle avait le poignet meurtri. Son maquillage avait coulé.

— Tu es prêt à te débarrasser de Wyatt comme ça…

— Il ne s'en portera que mieux, comme nous tous.

— Que penses-tu faire, quand tu te seras débarrassé de nous ? Récupérer Mary et votre fils ?

— Tu me connais mieux que cela.

— Après ce que tu as fait à Wyatt, je ne te connais plus du tout.

— Ce que je ferai, après votre départ, ne te regarde pas.

Soudain livide, Lucy tremblait.

— Pourquoi m'as-tu fait croire que cela venait de toi pendant toutes ces années ? demanda-t-elle d'une voix implorante. Pourquoi ne m'as-tu pas dit que c'était moi, la responsable, si tel était le cas ?

— Parce que je t'étais redevable. Tu m'as épousé parce que tu... m'aimais. Et moi, je me suis marié pour de mauvaises raisons.

— De mauvaises raisons, répéta Lucy d'un air pensif, au bord des larmes. J'ai toujours su que tu ne m'aimais pas. Alors pourquoi m'avoir épousée ?

— Je me sentais seul et, avec toi, je l'étais moins... à l'époque.

Lucy émit un rire forcé pour masquer sa douleur.

— Regarde-nous ! C'est pathétique. Le grand Percy Warwick, avec son allure, son pouvoir, sa popularité, son argent... se sent seul ! C'est incroyable, non ? Pourquoi n'as-tu pas épousé Mary ? Ne me dis pas qu'elle a fait la bêtise de te préférer Somerset !

— Somerset a toujours occupé la première place dans son cœur, admit-il.

— Et, bien sûr, tu ne pouvais te contenter d'un second rôle, commenta-t-elle en esquissant un sourire triste. Tu... la désires toujours ?

— Je l'aime.

Lucy posa sur lui un regard qui le mettait au défi de xmentir.

— Vous couchez encore ensemble ?

— Bien sûr que non! Je ne l'ai pas touchée depuis avant mon départ pour le Canada.

En voyant Lucy plisser les yeux d'un air perplexe, il regretta aussitôt ses paroles.

— Le Canada…, répéta-t-elle. Tu te trouvais là-bas quand Mary et Ollie se sont mariés. Ollie sait-il que Matthew n'est pas de lui?

Elle avait tout d'un serpent se faufilant vers sa proie.

— Il est au courant.

Lucy se dirigea vers la fenêtre, lui tournant le dos.

— Mais Matthew ignore que tu es son père, n'est-ce pas?

Percy en eut un frisson. Pourquoi diable avait-il parlé du Canada? La vérité que détenait Lucy risquait de les détruire tous.

— En effet.

Elle se retourna lentement, affichant un air posé, cette fois.

— Bien sûr qu'il ne sait pas… Je me souviens d'avoir demandé à ta mère pourquoi tu n'étais pas présent au mariage de Mary et d'Ollie. Beatrice m'a répondu que tu étais rentré le lendemain de la cérémonie. À mon avis, Mary a découvert qu'elle était enceinte pendant que tu étais au Canada. Elle s'est tournée vers Ollie, son esclave dévoué, et il l'a prise telle qu'elle était. Mieux valait une marchandise souillée que pas de marchandise du tout, surtout pour un invalide. Et Ollie savait bien sûr à qui elle avait déjà servi…

— Arrête ça, Lucy!

— Pas avant d'avoir éclairci certains points, mon amour…

Elle ondula des hanches et voulut s'approcher de lui, mais il recula, fulminant.

— Je te hais! s'exclama-t-elle, ivre de colère. Je vais te dire une chose: jamais je n'accepterai le divorce. Et n'essaie pas de l'obtenir, car j'irai aussitôt voir Matthew pour lui révéler la vérité sur son père. Je le dirai à tout Howbutker, au monde entier! Personne n'en doutera. Les gens se rappelleront que Matthew est né pendant le voyage en Europe de Mary et d'Ollie, sans oublier le mariage précipité, le départ… Mary n'est pas du genre à laisser sa plantation pendant longtemps. Tu étais au Canada, incapable de régulariser la situation. Nul ne doutera de ma parole.

Comme si tout cela n'avait aucune importance, elle ôta doucement ses boucles d'oreilles en diamant et rubis.

— Mary et Ollie ne savent pas que tu es au courant de ta paternité, n'est-ce pas ?

Percy ne dit rien.

— Je m'en doutais. Ils pensent avoir gardé leur secret. Je me demande comment tu l'as appris, mais j'imagine ce qu'ils ressentiraient si le scandale était révélé au grand jour.

Percy ne prenait pas cette menace à la légère. Lucy n'avait rien à perdre, au contraire de lui.

— Pourquoi veux-tu rester mariée avec moi ? Tu n'es pas heureuse, ici.

— C'est vrai, mais j'aime bien être la femme d'un homme riche et puissant. C'est un rôle que je vais apprécier de plus en plus. Puisque je suis un « mauvais coup », je n'ai aucune chance d'épouser un homme de qualité. Mais j'ai une autre raison de rester : je refuse de te libérer pour que tu épouses Mary Toliver-Dumont.

— Même si j'étais divorcé, je ne pourrais pas l'épouser.

— Je préfère m'en assurer. Percy, tu es mon mari jusqu'à ta mort, ou celle de Mary…

Face à son air satisfait, il s'approcha, le regard glacial. Elle recula en direction de la cheminée.

— À moi de te dire une chose, Lucy : si jamais Matthew apprend que je suis son père, tu quitteras cette maison sans un sou en poche. Tu le regretteras amèrement. Tu affirmes que tu ne me connais pas vraiment. Tâche de ne pas l'oublier.

— Je peux te pardonner de ne pas m'aimer, répondit-elle en gagnant la porte pour s'enfuir, mais pas de ne pas aimer Wyatt. C'est aussi ton fils.

— J'en suis conscient. Et sache que je m'en veux.

40

Howbutker, juillet 1935

— Une lettre pour vous, monsieur Warwick. C'est le petit Winston qui vient de la livrer.

Percy reconnut sans peine l'écriture figurant sur l'enveloppe. Il toussota pour se donner une contenance.

— Il a dit qui la lui avait confiée ? demanda-t-il à sa secrétaire.

— Je lui ai posé la question, mais il a refusé de me répondre.

— Merci, Sally.

Percy attendit qu'elle ait refermé la porte pour décacheter l'enveloppe.

« Rejoins-moi à la cabane aujourd'hui à trois heures. M. »

Mary.

Percy se cala dans son fauteuil d'un air pensif. Qu'est-ce que cela signifiait ? Il devait s'agir d'un secret, de quelque chose d'important, pour qu'elle lui demande de venir en ce lieu chargé de souvenirs. Ils ne s'y étaient pas retrouvés depuis leur ultime querelle, quinze ans plus tôt.

La veille, lors de la fête de bienvenue organisée en l'honneur de William, le fils de Miles, venu habiter chez eux après la mort de son père, Mary n'avait rien laissé paraître. Certes, Ollie et elle semblaient un peu tendus, mais ce devait être lié aux difficultés qu'ils traversaient comme tous les habitants du comté.

Les trois familles n'évoquaient jamais leurs problèmes financiers, mais la chute du prix du coton et les mauvaises ventes frappaient le couple de plein fouet. Percy était inquiet pour l'avenir des Dumont, surtout pour Matthew.

Ce message concernait-il Wyatt ?

La vie jouait parfois des tours cruels. Après la correction qu'il avait infligée à Wyatt, Percy redoutait que son fils ne déteste Matthew encore plus. Ce fut le contraire. Au bout de quelques jours, les deux garçons sympathisèrent. À la fin de l'année scolaire, ils étaient inséparables. Chacun affirmait qu'ils étaient comme des frères.

Dans un premier temps, Percy pensa que Wyatt cherchait à se faire bien voir, mais il apparut vite que Wyatt n'avait aucun intérêt particulier à tirer de cette situation. Il ne voulait pas attirer l'attention de son père et semblait se moquer de son opinion. En fait, son fils l'ignorait.

— Tu vois ce que tu as fait ? gronda Lucy. Tu as repoussé ton seul fils légitime. Oh, tu ne l'aimes pas, certes, mais il restait une chance pour qu'il t'aime, toi. Et tout le monde a besoin d'être aimé, Percy, peu importe par qui. Regarde autour de toi. Tu ne l'as peut-être pas remarqué, mais tu es en train de faire le vide…

Une fois de plus, elle avait raison. Percy avait perdu ses parents, Mary, sa femme et son fils. Il ne lui restait en fait qu'Ollie et Matthew, qui lui portait de l'affection, mais qui le considérait comme un oncle. À quarante ans, après quatorze ans de mariage, il en espérait davantage.

Mary avait-elle eu vent de sa liaison avec Sara Thompson ?

Après avoir renvoyé Wyatt à l'école avec une lèvre fendue et le nez enflé, il passait la voir chaque semaine pour discuter de son comportement avec l'institutrice. De fil en aiguille, ils avaient fini par se retrouver dans des lieux discrets. Il avait tout fait pour garder cette liaison secrète, surtout dans l'intérêt de Sara. Tout le monde savait que le couple Warwick battait de l'aile et comprendrait qu'il prenne une maîtresse, du moment qu'il restait discret. Néanmoins, il vivait dans la crainte d'être découvert. Ils avaient déjà eu quelques frayeurs. Mary voulait peut-être le voir pour le prévenir d'un scandale imminent.

Il arriva en avance à la cabane, mais elle était déjà là. Une voiture rutilante était garée sous un arbre, à la place autrefois réservée à Shawnee et son attelage. Percy s'attarda quelques minutes dans sa Cadillac, le temps d'apaiser la douleur qui lui serrait le cœur. Elle ne le quittait pas, mais était enfouie très profond, comme une maladie chronique.

Elle se tenait au milieu de la pièce, la tête inclinée. Était-elle envahie par les souvenirs, elle aussi ? Sa robe rouge à fleurs rehaussait l'éclat de ses cheveux noirs. À trente-cinq ans, elle était dans la force de l'âge.

— Il y a eu des changements. Je ne reconnais pas ce divan.

— Il était dans mon bureau, répondit Percy. Matthew a voulu l'apporter ici, sur une idée de Wyatt.

— Encore une génération de garçons à apprécier cet endroit, commenta-t-elle en riant. Je rappellerai à Matthew que les lieux doivent rester propres.

— Et comment t'y prendras-tu sans trahir le fait que tu es venue ici ?

Elle esquissa un geste un peu embarrassé de sa main manucurée. Tout en elle reflétait l'attention et le goût d'un mari qui prenait plaisir à la combler de cadeaux.

— Tu marques un point, concéda-t-elle. Je sais que c'est gênant pour tous les deux, Percy, mais cette cabane est le seul endroit où nous sommes tranquilles. Si nous étions vus ensemble, Ollie devinerait la raison de notre rencontre…

Il ne s'agissait donc pas de Wyatt ou de Sara. Percy en fut soulagé, mais son cœur s'emballa néanmoins.

— Il y a un problème avec Ollie ?

— Pouvons-nous nous asseoir ? Il est tôt, mais j'ai apporté à boire. Du whisky pour toi, du thé pour moi.

Elle lui adressa l'esquisse d'un sourire. Elle souriait rarement.

— Je vais attendre, répondit-il.

— Très bien.

Mary tapota le coussin d'un fauteuil, ce qui eut pour effet de soulever un nuage de poussière, mais elle s'assit tout de même, jambes croisées.

— Assieds-toi, Percy. Je ne peux pas te parler si tu restes debout.

Troublé par ses souvenirs, il prit place au bord du divan, la mine grave, les mains croisées.

— Quel est le problème avec Ollie ?

Étonnée par sa brusquerie, elle garda son calme.

— Il a de grosses difficultés financières. Il est même à deux doigts de perdre ses magasins. Un dénommé Levi Holstein refuse de lui accorder davantage de crédit et veut intégrer les magasins à sa chaîne de boutiques. Tu imagines les conséquences pour Ollie et son père si le magasin principal se retrouve aux mains d'un tel personnage ? Abel ne s'en remettra pas.

Percy connaissait Levi Holstein de réputation. Il rachetait les crédits des commerces en difficulté. Son objectif était d'obtenir à bas prix des enseignes telles que les grands magasins Dumont, d'en conserver le nom mais d'y vendre une marchandise de moindre qualité.

— Les trois magasins ? demanda Percy, abasourdi. Y compris celui de Howbutker ? Je pensais qu'il n'était pas hypothéqué…

— Ollie n'a pas été aussi… avisé que toi. Il a stocké et emprunté pour le deuxième magasin en plaçant le premier en garantie. Même en vendant un des magasins de Houston, l'argent récolté ne suffirait pas à maintenir celui de Howbutker à flot.

C'était pire que ce que Percy craignait. Ollie, son ami, son frère, dépouillé de sa superbe enseigne ? Cent ans d'un commerce irréprochable anéantis. C'était impensable. Mary avait raison : Abel n'y survivrait pas. Il était déjà de santé fragile. Il adorait son petit-fils mais se sentait perdu depuis la mort des parents de Percy. Et Matthew, qui espérait secrètement suivre les traces d'Ollie et non celles de Mary…

— Quand ? s'enquit-il.

— À la fin du mois, si Ollie ne peut pas régler toute la facture, rétorqua Mary, une lueur grave dans le regard. Je vendrais Somerset, je le jure, si Ollie me le permettait et si je pouvais en tirer une partie de sa valeur. Encore faudrait-il trouver un acquéreur. Personne ne veut d'une plantation de coton alors qu'il existe des terres moins chères et plus rentables.

Elle se leva et s'approcha de l'évier.

— Excuse-moi, j'ai la gorge sèche. Il faut que je boive un peu.

Percy faillit la rejoindre mais, au prix d'un gros effort, il resta assis. Elle était si tendue qu'il en eut de la peine, mais il ne devait pas prendre dans ses bras cette femme superbe qu'il aimait, la femme de son meilleur ami, pour qui il donnerait sa vie.

— Si tu m'as demandé de venir ici, c'est que tu penses que je suis en mesure de t'aider. Qu'est-ce que je peux faire ?

— Frauder, répondit-elle.

— Comment ?

Mary avala une longue gorgée de thé glacé, puis elle saisit son sac à main. Elle en sortit une enveloppe qu'elle tendit à Percy.

— Ces lettres sont de Miles, expliqua-t-elle. L'une m'est adressée et l'autre est un acte de propriété. Je les ai reçues peu après sa mort.

Percy examina d'abord l'acte, qui était libellé au nom de Mary.

— Il s'agit de cette bande de terre, au bord de la Sabine, que ton père avait léguée à Miles, non ?

Mary opina de la tête.

— Il l'a mise à mon nom afin que je la garde jusqu'à la majorité de William. Comme tu le sais, un mineur ne peut posséder des terres, au Texas. Miles me donne ses instructions dans sa lettre.

Percy en prit connaissance. Il comprit vite pourquoi elle l'avait fait venir et pourquoi elle parlait de fraude.

— Mary, dit-il, affligé, quand il eut terminé, Miles voulait que tu gardes ces terres pour William. Tu ne me proposes pas de les acheter, j'espère ?

— Tu souhaitais acheter des terres au bord de l'eau pour y jeter les déchets de ta future scierie…

— Bon sang, Mary ! s'exclama-t-il, furieux. Je suis prêt à te donner n'importe quelle somme d'argent, mais je n'achèterai pas ce que Miles entendait léguer à son fils.

— Je crois que si, quand tu auras entendu mes arguments. Je te demande simplement de m'écouter jusqu'au bout.

Percy retint son souffle. Comment refuser ? Il l'avait fait une fois, pour son plus grand regret.

— D'accord, concéda-t-il en se calmant. Je t'écoute.

Il s'installa confortablement, les bras tendus sur le dossier du divan, comme autrefois.

Mary était trop agitée pour s'asseoir. Marchant de long en large, sa robe fluide caressant ses jambes, elle exposa ses arguments comme si elle les avait répétés une centaine de fois. Percy avait besoin d'un accès à la rivière. Sans la parcelle de Miles, il devrait en chercher en dehors du comté, ce qui priverait Howbutker d'emplois potentiels. L'argent de la vente effacerait les dettes d'Ollie et sauverait au moins le magasin de Howbutker. Percy n'avait pas à se soucier de priver William de son héritage, car elle lui léguerait la moitié de Somerset, dont la valeur dépassait de loin celle de cette bande de terre. William recevrait également une partie du magasin, ce qui serait impossible si Ollie le perdait.

— Mais William ne recevra rien le jour de ses vingt et un ans et ne saura jamais que son père lui a légué cette parcelle, dit Percy.

— Certes, admit Mary en s'arrêtant de marcher, avec un regard chargé de regret. Mais ce qu'il ignore ne peut lui faire de mal. Quand il sera adulte, je serai heureuse de lui transmettre les rênes de Somerset, et il partagera les revenus avec Matthew. Au lieu d'être l'héritier de Miles, il sera le mien. Mon frère aurait voulu cela pour son fils et il aurait été ravi de voir un Toliver sur les terres, non ?

Percy se tut, mais l'allusion à Matthew le troublait.

— Percy, tu sais qu'Ollie n'acceptera jamais ton argent, dit-elle en s'asseyant enfin pour l'implorer. Jamais… Toutefois, si tu le persuades que tu as besoin de cette parcelle pour ta scierie et pour créer des emplois… En fait, il a conclu un accord avec moi, reprit-elle d'un ton plus léger. Autrefois, quand il m'a servi de caution pour sauver Somerset, après ma récolte anéantie. (Elle parut s'en vouloir de raviver ce souvenir douloureux, mais poursuivit.) Je lui ai fait promettre que je l'aiderais s'il se retrouvait un jour en difficulté. Et je compte bien tenir cette promesse, avec ton aide, si tu le veux bien.

Percy se pencha en avant. Ses arguments étaient valables, quoique malhonnêtes. S'il achetait cette bande de terre, tout le monde y gagnerait. Même si Mary était incapable de maintenir Somerset sur les rails, ce qu'il fallait envisager, le magasin leur permettrait de vivre et constituerait un héritage potentiel pour Matthew. Le seul perdant serait William.

— Tu oublies une chose, Mary. Ollie ne te permettra jamais de vendre les terres de William. Il voudra que tu respectes les volontés de Miles à la lettre.

Le silence s'installa. Percy le reconnut aussitôt.

— Qu'est-ce que tu me caches ?

— Ollie n'a pas lu la lettre, avoua-t-elle. Je… Je ne la lui ai pas montrée. Je lui ai dit que Miles nous demandait de nous occuper de William, mais j'ai fait semblant de l'avoir perdue. Il n'a vu que l'acte à mon nom. J'ai affirmé que Miles avait mis la parcelle à mon nom juste avant de mourir.

Percy eut toutes les peines du monde à dissimuler son dégoût. Il imaginait Miles, agonisant, écrivant en toute confiance à sa sœur afin qu'elle fasse ce qu'il fallait pour son fils…

— Alors pourquoi me l'as-tu montrée, cette lettre, Mary? J'aurais acheté la parcelle sans savoir que Miles t'avait chargée de la garder pour William.

Honteuse, elle semblait au désespoir.

— Je... Je suis incapable de te tromper. Je... Je ne voulais pas que tu acceptes sans connaître toute la vérité. Je voulais que tu saches tout... pour que tu puisses... refuser sans culpabilité.

— Comme si tu croyais telle chose possible! Où est ton whisky?

Il se leva et alla se servir de l'alcool sous le regard inquiet de Mary. Il but un moment en silence, pour se calmer, puis déclara:

— Il y a peut-être une autre solution.

— Laquelle?

— Je pourrais aller voir Holstein, lui proposer de racheter les crédits. Ollie ne saura jamais que je suis l'acheteur. Je lui ferais des facilités de paiement.

— Je n'y avais pas pensé! répondit Mary, pleine d'espoir. Tu crois que c'est possible?

— Je vais essayer. Si Holstein refuse, j'accepterai ta proposition, mais tu dois me jurer une chose...

— Tout ce que tu voudras.

— Jure-moi que tu fais cela pour Ollie et non pour Somerset.

— Je te le jure... Sur la tête de mon fils.

— Tu as intérêt à ne pas la mettre en péril, prévint-il en posant son verre. J'aurai besoin de quelques jours pour contacter Holstein. Je t'écrirai. Mon coursier te livrera ma lettre. Évitons le téléphone.

Une semaine plus tard, dans son bureau, Percy écrivit à Mary. Il avait échoué dans ses négociations avec Levi Holstein. Non seulement celui-ci avait rejeté sa proposition, mais il estimait qu'Ollie ne pouvait s'en prendre qu'à lui-même s'il avait des problèmes.

— Il n'a pas le sens du commerce, déclara-t-il dans son petit bureau de Houston. Quel commerçant avisé accepterait des reconnaissances de dettes, de nos jours ? Quel propriétaire refuserait d'expulser des mauvais payeurs alors que les ouvriers du pétrole qui affluent sont prêts à payer le double du loyer ?

— Un homme bien, peut-être, suggéra Percy.

— Un imbécile, oui, monsieur Warwick. Ce qui n'est pas notre cas.

— En êtes-vous certain, monsieur Holstein ?

L'homme avait blêmi.

Percy ferma son enveloppe et fit monter un garçon de courses du sous-sol.

— Portez ceci à Mme Dumont en mains propres. Ne la donnez à personne d'autre, c'est compris ?

— Compris, monsieur Warwick.

Depuis sa fenêtre, il regarda le jeune homme s'éloigner à vélo. Cette manœuvre lui laissait un goût amer dans la bouche. L'enfer était pavé de bonnes intentions. La vie lui avait appris que tout ce qui commence mal se termine mal. Dans ce cas précis, seul le temps le dirait…

41

Howbutker, septembre 1937

En attendant le début de l'office, sur le banc des Warwick, Percy se laissait bercer par le brouhaha des conversations et le bourdonnement des ventilateurs. Il était l'unique membre de sa famille présent dans l'église. Lucy avait songé à se convertir au moment de leur mariage, mais elle ne l'avait jamais fait, et Wyatt avait passé la nuit chez les Dumont, comme presque tous les samedis soirs. À moins qu'Ollie n'ait sonné le clairon, les deux garçons devaient encore être au lit ou en train de dévorer les pancakes de Sassie, dégoulinants de beurre et de sirop de canne. Seuls Ollie et Percy venaient régulièrement à la messe. Mary consacrait souvent son dimanche matin à faire ses comptes dans la maison des Ledbetter, et Lucy faisait la grasse matinée.

La porte latérale s'ouvrit. Ollie apparut, suivi de Matthew, de Wyatt et de William, le fils de Miles. Percy sourit. Ollie et Sassie avaient dû avoir du mal à motiver les garçons ! Quant à Mary, elle était partie à l'aube, en cette période de récolte.

Dès qu'il l'aperçut, Ollie afficha un large sourire et leva les yeux au ciel pour exprimer les efforts déployés. Matthew et William lui sourirent également et le saluèrent d'un signe. Seul Wyatt demeura impassible. Il détourna même les yeux.

Les garçons suivirent Ollie vers le banc des Dumont. Wyatt s'assit naturellement à côté de Matthew. Percy ressentit une pointe d'envie. Ollie ne risquait pas de se demander à quoi il allait occuper le reste de la journée… À l'issue de l'office, il retrouverait Mary à la maison, où flotterait un fumet de poulet rôti. Ils dîneraient sous le porche. Les garçons supporteraient leur costume du dimanche jusqu'à ce qu'ils aient le droit de se changer. Ensuite, Ollie ferait la sieste pendant que Mary terminerait sa comptabilité et que les garçons s'ébattraient sur la pelouse, comme Percy, Ollie et Miles au même âge. En fin d'après-midi, ils joueraient aux cartes avant un souper léger, et Ollie achèverait cette journée entouré de sa famille, à écouter la radio. Un dimanche de rêve, tel que Percy en avait connu du vivant de ses parents, avant Lucy. Cette époque était révolue…

Au début de l'office, Percy porta son attention sur ses deux fils assis côte à côte, à quelques rangées de lui. Ils étaient si différents… C'était étrange comme ils ressemblaient à leurs mères respectives. Version masculine de Lucy, Wyatt était trapu, tandis que Matthew était élancé et svelte, comme Mary. Percy ne leur avait transmis que sa taille : Matthew avait seize ans, Wyatt neuf mois de moins, mais ils dépassaient déjà leurs camarades.

Si seulement Wyatt ne se tenait pas aussi voûté… Matthew, lui, avait un port parfait, la tête haute, le dos droit, la grâce de sa mère.

Cette préférence était injuste, mais Wyatt était besogneux, alors que tout venait naturellement à Matthew. Son fils cadet avait une sorte d'agressivité naturelle maîtrisée qui lui permettait de briller au football, sport auquel les deux garçons excellaient. Percy s'étonnait que Wyatt accepte aussi facilement les règles et la discipline, et il l'en admirait.

Les garçons pratiquaient ce sport depuis l'école primaire et étaient désormais co-capitaines de l'équipe junior de leur école. Ils allaient, disait-on, porter l'équipe de Howbutker vers sa première victoire en championnat.

Percy et Ollie assistaient ensemble aux entraînements, mais ils regardaient les rencontres chacun de leur côté, avec leur épouse. Matthew était quart-arrière, Wyatt joueur de ligne offensive. Lucy ne quittait jamais des yeux la carrure impressionnante de son fils, tandis que Percy contemplait le pur-sang qu'était Matthew, abasourdi par la grâce avec laquelle il esquivait l'adversaire, son intelligence de jeu, son lancer magique... C'était époustouflant. Parmi les clameurs de la foule qui saluait ses exploits, Percy avait envie de crier : « C'est mon fils ! C'est mon fils ! »

Néanmoins, il avait aussi des raisons d'être fier de Wyatt. L'adolescent était assidu dans ses études et veillait tard pour terminer ses devoirs. Percy surveillait ses progrès par l'intermédiaire de Sara, car ses notes ne reflétaient pas sa persévérance.

Quand il rentrait tard d'une réunion ou d'un rendez-vous avec Sara et voyait la lumière allumée dans la chambre de son fils, il n'allait plus lui demander si tout allait bien. Wyatt n'appréciait guère ces intrusions et se contentait de grommeler sans lever les yeux de son livre.

À la scierie, Wyatt se démenait aussi. Les employés louaient ses efforts, étonnés qu'il ne profite pas de son statut de fils du patron pour bâcler ses tâches. Il n'attendait pas non plus de faveurs de ses professeurs. Wyatt acceptait les compliments de son père avec la même indifférence que ses critiques. Percy en avait un peu honte.

Une quinte de toux brisa le silence de la congrégation. Plusieurs têtes se tournèrent vers les Dumont, y compris Percy. Le coupable était Matthew. Percy vit Ollie lui glisser discrètement un mouchoir. Matthew toussa de plus belle, ce qui lui valut un regard alarmé de Wyatt.

Percy fut soudain inquiet. Matthew avait dû attraper froid. Heureusement, Ollie était là pour veiller sur lui.

— « ... Donnez, et vous recevrez... », récita le pasteur.

Tout en écoutant ce passage de la Bible, Percy se tourna vers Ollie, qui avait toujours donné sans compter. De tous les hommes qu'il connaissait, c'était le plus généreux. Percy avait perdu la femme qu'il aimait, mais le fait qu'elle ait épousé Ollie était une consolation. Lui seul pouvait élever ce fils dont il était privé. Et si son fils cadet se tournait vers un autre, il valait mieux que ce soit Ollie. La roue tourne, songea-t-il, et c'est tant mieux. Comment se faisait-il que lui-même se retrouvait avec si peu ?

L'office touchait à sa fin. La congrégation se leva pour la bénédiction. Matthew se tourna vers Percy et lui sourit. Percy en fit autant, mais n'en fut pas moins inquiet. L'adolescent était pâle et amaigri. Au moment de quitter l'église, il attendit le petit groupe.

— Et si tu venais dîner à la maison, Percy ? proposa Ollie. Sassie a prévu un poulet rôti. Matthew a un appétit d'oiseau, ces derniers temps. Sassie pense que tu peux le faire manger un peu. Personnellement, je ne me fais pas prier pour déguster le poulet de Sassie. J'en ai l'estomac qui gargouille…

— On a entendu, papa, déclara Matthew en levant les yeux au ciel. On aurait dit un grondement de tonnerre.

— Je vais te tirer les oreilles ! répliqua Ollie. Alors, qu'en dis-tu, Percy ? Nous te volons déjà Wyatt…

Percy fut tenté d'accepter. Lucy allait jouer au bridge avec ses amies, comme tous les dimanches, sachant que Wyatt serait bien nourri chez les Dumont. Wyatt baissa les yeux, visiblement mal à l'aise. Percy comprit qu'il préférait que son père décline l'invitation.

— C'est gentil, mais j'avais prévu de travailler un peu, au bureau. Merci quand même.

En réalité, il se rendrait chez Sara pour avaler un croque-monsieur sans doute brûlé, car l'institutrice n'avait rien d'un cordon-bleu. Matthew semblait vraiment émacié. Les Dumont ne prenaient peut-être pas son état suffisamment au sérieux.

— Wyatt, ne t'impose pas trop, d'accord ? dit-il. Laisse Matthew se reposer, cet après-midi. Ollie, mets-le dehors !

Ollie posa sur Wyatt un regard plein d'affection, et une main sur son épaule.

— Wyatt est toujours le bienvenu.

— Eh bien, sois sage, ajouta Percy. En fait, il l'est toujours. Pourquoi ai-je dit cela ?

— Parce que tu es son père, répondit Ollie.

En rentrant plus tôt que prévu de chez Sara, dans l'après-midi, Percy trouva Wyatt qui l'attendait, ce qui ne l'étonna pas vraiment.

42

Percy était rentré chez lui le cœur gros : Sara le quittait. Elle avait accepté un poste dans l'ouest du Texas, où elle gagnerait bien mieux sa vie. À Howbutker, elle n'avait aucun avenir, avait-elle déclaré avec un regard entendu. La mort dans l'âme, Percy n'avait pu que lui donner raison.

En s'engageant dans l'allée de Warwick Hall, il se dit qu'il aurait aimé avoir un endroit où se rendre. Il y avait bien sûr son bureau, mais il n'avait pas la force de travailler. Il avait plutôt besoin d'un bon repas, de réconfort, ce qu'il ne trouverait pas chez lui. La maison et le jardin étaient à l'abandon. Seule la femme de ménage passait de temps en temps, quand Lucy y pensait entre deux parties de cartes. Ils ne recevaient plus depuis la retraite de leur cuisinière, que Lucy n'avait pas jugé bon de remplacer. Wyatt et elle mangeaient à la cuisine avant le retour de Percy. Parfois, elle lui gardait une assiette au chaud.

Plus personne ne vit ici, songea-t-il tristement en remarquant une fissure sur une vitre de la véranda. Il examinait les dégâts quand il entendit quelqu'un toussoter derrière lui.

— Papa ?

— Wyatt ? fit-il en regardant par-dessus son épaule. Qu'est-ce que tu fais là ? Je te croyais chez les Dumont.

Le jeune homme écarta une toile d'araignée et entra d'un pas traînant. *Ne peut-il pas marcher normalement ?* pensa Percy, agacé. Il avait pourtant vu son fils briller plus d'une fois sur les terrains de football. Le jeune homme n'affichait cette lourdeur qu'en sa présence.

— Un problème ?

— Un carreau fissuré. Un oiseau, sans doute. Il faudra le faire remplacer. (Il se releva et frotta ses mains poussiéreuses.) Tout est en train de s'écrouler, ici. Dis-moi, tu sembles soucieux. Qu'est-ce qui ne va pas ?

Percy en avait une petite idée. Son fils voulait sans doute son autorisation pour travailler à la plantation le samedi, avec Matthew, le temps de la récolte. Il fallait s'y attendre. Le samedi et en été, les garçons se consacraient à l'entreprise familiale. Percy se demandait souvent si Matthew hésitait entre la plantation et le commerce. Depuis toujours, Mary l'entraînait à Somerset, mais il n'avait sans doute jamais touché au tiroir-caisse du grand magasin Dumont. Matthew ne débordait pas d'enthousiasme pour l'agriculture, mais il n'exprimait pas non plus d'hostilité envers les travaux de la terre. Il effectuait ses tâches avec son entrain coutumier.

Que pensait Wyatt de l'avenir qu'on lui préparait ? Il travaillait de bonne grâce et sans se plaindre, mais ne disait jamais un mot sur l'entreprise qu'il partagerait un jour avec son père et dont il finirait par hériter.

— Alors ? fit-il.

— C'est à propos de Matthew, commença-t-il d'un ton morne, sans croiser son regard.

— Oui ?

— Je crois qu'il est très malade, papa, et il m'interdit d'en parler à Ollie, à Mary ou à l'entraîneur. Je ne lui ai rien promis en ce qui te concerne…

Percy eut l'impression que le temps s'arrêtait.

— Qu'est-ce qui te fait croire qu'il est malade, mon fils ? demanda-t-il avec une sollicitude rare. Tu peux te confier sans crainte. En l'entendant tousser, à l'église, j'ai cru qu'il était enrhumé. Selon toi, ce serait plus grave ?

— Je l'ai obligé à prendre sa température. Il frise les quarante degrés. Et il a mauvaise mine. Je suis très inquiet…

L'angoisse de l'adolescent se lisait dans son regard bleu.

— Où est-il, en ce moment ? s'enquit Percy.

— Dans ma chambre. Ses parents croient qu'il s'entraîne à lancer quelques ballons sur le terrain. Déjà qu'il a eu du mal à tenir le coup jusqu'à la fin du repas…

— Ses parents l'ont laissé partir à l'entraînement sans remarquer qu'il était malade ? demanda Percy, affligé.

— Tu connais Matthew, papa. Il a fait comme si de rien n'était. Il a peur de ne pas pouvoir jouer, vendredi soir, si ses parents ou l'entraîneur se rendent compte de son état.

— Dans ce cas, ce n'est pas à moi qu'il faut t'adresser, Wyatt. Match ou pas, s'il est souffrant, je vais prévenir ses parents.

— C'est justement pour ça que je suis venu. Je savais que tu réagirais ainsi. La santé de Matthew est plus importante qu'un match de football.

Percy gravit les marches quatre à quatre, son fils sur les talons.

— Wyatt, tu m'avais promis ! gronda Matthew en voyant son parrain surgir dans la pièce.

— Je ne t'ai jamais promis de ne rien dire à mon père, répondit Wyatt. Tu es malade. Il faut voir un médecin.

Percy posa une main sur le front de l'adolescent. Il était brûlant. Malgré ses couvertures, il claquait des dents.

— Wyatt a raison, affirma Percy, alarmé.

Il avait le teint cireux, les yeux ainsi que la base de ses ongles soulignés de bleu. Percy avait déjà vu ces symptômes chez des camarades de combat, en 1918. Ces soldats étaient tous porteurs du virus de la grippe qui allait balayer quatre cent mille personnes. Pourvu que Matthew n'en fût pas atteint !

C'était pire que la grippe. Le remplaçant du Dr Tanner diagnostiqua une pneumonie à staphylocoques. Les antibiotiques étaient inutiles. Où diable Matthew avait-il contracté ce mal ?

Nul ne le savait. La maladie foudroyante résistait aux traitements. L'adolescent actif qui devait mener son équipe à la victoire luttait désormais pour respirer. Son regard exprimait déjà la mort.

— Docteur, je vous en prie, faites quelque chose! implora Mary, la mine pâle, agrippée à la manche du médecin.

Mais tous les spécialistes s'accordaient à dire qu'il n'y avait rien à faire, à part prier, car certains malades jeunes et robustes avaient survécu.

Dans la maison des Toliver, une chambre était réservée pour Percy et Wyatt, qui se relayaient au chevet du malade.

— Il est important pour nous que vous restiez ici jusqu'à ce qu'il aille mieux, déclara Ollie quand il parut évident que Matthew ne s'en sortirait peut-être pas. Tu as toujours été un deuxième père, pour lui. Quant à Wyatt, il l'aime comme un frère.

Percy dévisagea son ami, mais fut incapable de prononcer un mot. La présence de Wyatt était d'un grand réconfort. Ils passaient des nuits sans sommeil, à implorer le ciel dans un chagrin partagé. Peu avant l'aube, Percy écoutait avec soulagement le léger ronflement de son fils.

Peu avant son dernier souffle, Matthew réclama Wyatt. Percy le trouva dans le couloir, voûté, les mains dans les poches, abattu par le chagrin.

— Matthew te demande, lui dit-il doucement.

Sans croiser son regard, l'adolescent suivit son père dans la chambre.

— Salut..., fit Matthew.

— Salut.

— L'entraînement se passe bien?

— Pas vraiment, sans toi.

— Ouais... Je reviendrai... si je peux.

Comme électrisé, Wyatt traversa vivement la chambre et approcha une chaise du lit.

— Il n'y a pas de « si »! lança-t-il. Tu reviendras! On a besoin de toi. J'ai besoin de toi!

Matthew ne dit rien, puis il reprit dans un murmure un peu sifflant :

— D'accord... Tu ne me verras peut-être pas, mais je serai là... Continue à trouer la ligne défensive.

— Non..., gémit Wyatt. (Il prit la main de son ami et la serra contre son cœur.) Non, Matthew, tu ne peux pas me quitter...

Les yeux écarquillés d'effroi, Mary se détourna. Percy et Ollie baissèrent la tête. Matthew sentait donc la mort arriver...

Il était entouré de tous ceux qu'il aimait : Sassie et Toby, les yeux embués de larmes, sur le seuil, Abel dans un coin de la pièce, Wyatt, Mary et Ollie à son chevet. Seul Percy restait en retrait, à regarder le soleil derrière les cyprès que Silas William Toliver avait plantés un siècle plus tôt. Ces arbres n'auraient pas dû survivre, disait-on, or les plantations des Toliver avaient résisté à tout. Seuls leurs enfants mouraient...

— Papa...

Percy se redressa, sans se retourner.

— Je suis là, mon garçon, répondit Ollie en se penchant vers lui.

Au loin, les cyprès se troublèrent, en cet après-midi de septembre.

— Ça va, papa, dit Matthew avec force. Je n'ai pas peur de mourir. Le paradis doit être comme ici, et Dieu est comme toi.

Percy eut le temps de le voir poser un dernier regard sur Ollie, avant de fermer les paupières à jamais.

43

Pendant plusieurs jours, Mary resta prostrée devant la fenêtre du salon, à regarder la roseraie. Quelle que soit l'heure de la journée, Percy la trouvait à son poste, le dos tourné à la pièce, les bras croisés, repliée sur elle-même. Il était incapable de la réconforter. Comment plonger dans le regard triste de la mère de son fils sans trahir sa douleur de père ?

Percy et Ollie reçurent les visiteurs, les télégrammes, les fleurs, tandis que Mary acceptait les murmures de condoléances d'un signe imperceptible de la tête. Ollie l'enlaçait pour la consoler, effleurant sa joue d'un baiser.

Percy était à bout. Elle dépérissait et risquait de se transformer en statue, derrière sa fenêtre !

— Mary ? fit-il doucement, une main sur son épaule.

Comme si elle attendait ce geste, elle couvrit sa main de la sienne. Ils étaient seuls dans la maison. Ollie se trouvait au magasin, et Sassie au marché. Percy était passé avec des lettres de condoléances de la part des camarades de classe de Matthew.

— J'ai cru à un simple coup de fatigue… Tu sais combien les garçons s'entraînent dur pour les matchs, et avec la chaleur… Je l'ai supplié de se reposer, de s'hydrater…

Où diable voulait-elle en venir ?

— Et en dépit de ce que tu crois, je ne lui ai jamais bourré le crâne, avec Somerset. Si je l'emmenais là-bas, c'est parce que c'était le seul moyen de l'avoir pour moi seule. Ces moments étaient si précieux… Je savais que je devrais bientôt renoncer à lui au profit de ses propres rêves. Il parlait de devenir entraîneur sportif...

Pourquoi ces confidences ? Sans doute avait-elle deviné ses interrogations : Matthew aurait-il pu être soigné à temps si sa mère avait été plus présente à la maison ? C'était injuste, car elle n'aurait pu modifier le cours des choses. Matthew lui aurait caché son état. Percy avait mis des années à admettre que Matthew était à Ollie. Le jeune homme aimait Mary, mais préférait celui qu'il prenait pour son père, son confident, son ami. Sa mère avait eu beau tenter de tisser des liens entre eux, Matthew l'avait exclue et, comme toujours, elle s'était réfugiée sur ses terres. Percy comprenait enfin combien elle était blessée et seule.

— Regarde-moi, Mary.

Il s'était déjà trompé en pensant qu'elle avait épousé Ollie pour sauver Somerset. Il ne commettrait pas la même erreur, cette fois.

Elle relâcha sa main et se retourna. Les traits durcis par le chagrin, elle avait le regard terne et ses tempes commençaient à grisonner. Il la prit doucement par les épaules.

— Tu n'es en rien responsable de la mort de Matthew. Oublie ces bêtises. Personne n'a rien vu venir.

— Tu ne me reproches rien ? demanda-t-elle, désemparée. Je pensais que tu invoquerais la malédiction des Toliver.

Il y avait pensé, certes. C'était une drôle de coïncidence qu'elle épouse un homme incapable de lui donner d'autres enfants et qu'elle perde son fils unique âgé de seize ans. William était désormais le seul héritier des Toliver. Son père et son frère croyaient en cette malédiction. Miles avait même prédit qu'elle frapperait Mary. Percy avait vite chassé cette idée qu'il trouvait irrationnelle, car ils étaient seuls responsables de la tragédie qu'ils avaient fait de leur vie.

— Matthew a succombé à une maladie foudroyante, voilà tout.

— Je me suis même demandé… Si nous n'étions… si je n'étais pas punie pour t'avoir vendu les terres de Miles, si Dieu ne rendait pas à William ce qui… en nous privant de Matthew.

En *nous* privant ? Elle parlait d'Ollie et elle, bien sûr.

— Ne dis pas de bêtises, répondit-il sèchement, de peur que son regard ne le trahisse.

Si tels étaient les démons qu'elle affrontait, devant sa fenêtre, elle était perdue.

— Nous avons agi dans l'intérêt général, affirma-t-il.

— Tu crois ?

Percy eut envie de la secouer. Quelle mouche l'avait piquée ?

— Ne sois pas absurde ! Nous avons fait cela pour Ollie. Il aurait perdu son magasin, sinon. Et tu aurais dû vendre la plantation pour manger.

— Tu ne pensais donc pas à Matthew ?

— Bien sûr que si ! Il fallait qu'il lui reste quelque chose, malgré la stupidité monumentale de ses parents.

Une lueur apparut dans le regard de Mary. Percy s'écarta. Ses paroles résonnaient encore dans ses oreilles. *Seigneur…* Ce secret qu'il gardait depuis si longtemps…

— Tu es au courant, n'est-ce pas ? reprit Mary, sereine. Je m'en doutais.

Comment pourrait-il renier Matthew devant elle ?

— Oui, lâcha-t-il, le cœur gros.

— Depuis combien de temps ?

— Depuis que j'ai emmené Ollie à Dallas, pour sa prothèse. En parcourant son dossier médical, j'ai découvert la gravité de ses blessures. J'ai compris que Matthew était de moi.

— Alors tu sais… tout, murmura-t-elle, les lèvres pincées.

— Oui, je sais tout.

— Percy…, souffla-t-elle, j'ai tout gâché…

— *Nous* avons tout gâché, corrigea-t-il.

— Tu étais au Canada quand j'ai découvert que j'étais enceinte. Je t'ai attendu, j'ai prié pour ton retour. J'ignorais de combien de semaines j'étais enceinte et personne ne parvenait à te joindre. J'ai été contrainte de me tourner vers Ollie…

— J'ai tout deviné à Dallas, expliqua-t-il en la prenant dans ses bras. Sache que je rentrais à la maison pour te dire que je ne pouvais vivre sans toi. Peu m'importait que Somerset soit prioritaire, je voulais t'épouser.

Elle se détendit dans un soupir.

— J'ai quelque chose à t'avouer, moi aussi : pendant ton absence, j'ai appris que je pouvais vivre sans Somerset, mais pas sans toi. J'avais juré de renoncer à la plantation si tu rentrais et si tu m'épousais pour devenir le père de notre enfant.

— Je te crois, répondit-il, touché par ses larmes. Je le sais, maintenant.

Ils restèrent longtemps enlacés, leurs cœurs battant à l'unisson, puis ce moment de grâce prit fin. Il ne fallait pas qu'il se reproduise.

— Quand m'as-tu soupçonné d'être au courant ? demanda Percy.

— L'idée m'est venue peu à peu, expliqua-t-elle en lui faisant signe de s'asseoir. À ta façon de regarder Matthew… Ce n'était pas comme quand tu regardais Wyatt. L'amour pour un fils aîné, je suppose.

— Ollie sait que je suis au courant ?

Ils s'installèrent près de la cheminée, dans deux fauteuils séparés par une table basse.

— Je suis sûre que non. Il a toujours attribué ton amour pour Matthew à sa ressemblance avec moi.

— C'est en partie vrai.

— Et Lucy ?

— Elle sait, soupira Percy. Elle l'a deviné il y a environ quatre ans.

— Seigneur ! s'exclama Mary en cessant de s'essuyer les yeux. Comment ?

— Peu importe. Elle sait, c'est tout. Voilà pourquoi elle t'évite, et pourquoi elle n'est pas venue te voir.

En réalité, Lucy était anéantie par ce décès mais, en exprimant son chagrin, elle redoutait de trahir un secret qu'elle devait absolument garder.

— Tous les matins, elle est allée prier pour Matthew et a allumé Dieu sait combien de cierges. Durant toute cette épreuve, elle a fait preuve d'une grande compréhension envers Wyatt et moi, je dois l'admettre.

— Pourquoi n'a-t-elle pas divorcé ?

— Je le lui ai proposé, crois-moi, répondit Percy avec un rire amer. Lucy ne divorcera jamais. Elle me déteste trop. Si je divorçais, elle révélerait à tout le monde la vérité sur Matthew. Sa mort n'y change rien. Il faut penser à toi et à Ollie. Le scandale serait terrible pour vous deux, et pour la mémoire de Matthew.

— Et Wyatt, dit-elle.

— Et Wyatt… bien sûr.

— Pourquoi l'as-tu épousée, Percy ? Tu aurais pu avoir n'importe quelle autre fille.

— Je me sentais seul, elle était là…, fit-il avec un rictus amer.

— Que s'est-il passé ? Elle était folle de toi.

— Elle a découvert que son idole n'était qu'un homme, rétorqua-t-il, peu désireux d'évoquer le sujet. Devrions-nous en parler à Ollie ?

— Non ! Épargnons-lui des souffrances supplémentaires. S'il apprenait que tu savais tout depuis le départ… Notre stupidité a fait du mal à beaucoup de gens. Nous les avons privés d'une vie, parfois d'un amour qu'ils auraient eus si nous nous étions mariés. Matthew a été privé de son véritable père et tes parents, de leur petit-fils. Wyatt est le fruit d'un mariage qui n'aurait jamais dû exister. Il serait bien différent s'il était un enfant de l'amour. Et Lucy… la pauvre… (Elle se reprit, de peur de s'aventurer en terrain dangereux.) Je vais te dire une chose, Percy. Sa haine n'est qu'une façade. C'est le seul moyen pour elle de supporter l'amour qu'elle ressent encore pour toi.

Il se leva vivement et alla se servir un verre d'eau.

— Quoi qu'il en soit, Lucy aurait mieux fait d'épouser un autre homme, dit-il. Désormais, nous ne pouvons que nous adapter au mieux à la situation.

— Comment faire ?

Il but une longue gorgée d'eau. Si seulement il savait… Plus jamais il ne passerait une journée ordinaire.

— Nous devrions peut-être commencer à nous pardonner à nous-mêmes du mal que nous avons fait, répondit-il avec un sourire hésitant.

Mary baissa les yeux et fit tourner son alliance d'un air pensif.

— Commençons par nous pardonner à nous-mêmes, admit-elle enfin.

Le lendemain, Percy lui fit livrer une rose blanche accompagnée d'un message : « Aux guérisons. Mon cœur, pour toujours, Percy. »

Quand il arriva à son bureau, une boîte l'attendait. Il en sortit une rose blanche avec un petit mot qui lui décrocha un sourire : « De mon cœur au tien, pour toujours, Mary. »

44

Pendant deux ans, Percy se plongea dans le travail tel un robot. Il géra son entreprise, prit des décisions, fit ériger sa scierie sur la rive de la Sabine, acquit d'autres forêts, d'autres succursales sans se poser de questions. Le pays sortit de la crise et, avec la guerre qui venait d'éclater en Europe, l'économie redémarra. Le bâtiment connut un essor formidable, au point que Warwick Industries parvenait à peine à honorer les commandes qui affluaient.

Percy s'éloignait inexorablement de sa famille. Après la mort de Matthew, Lucy se montra plus douce pendant un temps. Mais en voyant qu'il ne parvenait pas à consoler Wyatt, elle se détourna encore de lui.

— Tu l'as perdu à jamais, lui dit-elle tristement. Wyatt est seul, à la dérive. Même si tu l'appelais, il ne répondrait pas à la voix d'un inconnu.

En vérité, Percy avait besoin de Wyatt autant que son fils avait besoin de son père. C'était un homme, désormais. À dix-sept ans, il était aussi grand et puissant que lui. Il se montrait raisonnable, réservé et compétent. Lors des réunions professionnelles auxquelles il assistait avec son père, les autres l'écoutaient. Il s'était débarrassé de sa posture voûtée, de sa démarche traînante et se tenait bien droit, presque fier, comme s'il s'était fixé un objectif connu de lui seul.

Percy faisait de son mieux pour se rapprocher de son fils. Il organisait des parties de pêche, de chasse, alors que lui-même n'appréciait guère ces activités. Il cherchait simplement à passer du temps avec Wyatt, et s'ils n'étaient pas plus proches en rentrant à la maison, Percy apprenait des choses sur lui.

L'adolescent était doté d'un instinct de chasseur, avec une capacité étonnante à se mouvoir en silence dans les hautes herbes pour s'approcher de sa proie. Percy admirait sa patience et son adresse, à la pêche.

Il prit en charge la surveillance des devoirs de Wyatt. Ces moments d'intimité ne les rapprochèrent pas davantage, mais Percy découvrit l'intelligence de son fils, ainsi que son exceptionnelle mémoire. Lorsqu'il lui en fit le compliment, Wyatt se contenta d'un haussement d'épaules.

Pour ses deux dernières années de lycée, il devint capitaine de l'équipe de football. Le numéro de Matthew ne fut plus jamais porté. À la demande des Dumont, son maillot fut remis à Wyatt, qui le rangea avec son vieux gant de base-ball et un exemplaire des *Aventures de Huckleberry Finn* que Matthew lui avait offert pour son treizième anniversaire. La dédicace un peu grivoise l'avait fait rire, mais il avait refusé de la faire lire à ses parents.

Percy aurait aimé se glisser dans la chambre de son second fils pour fouiller dans les souvenirs de son aîné. Il n'en eut jamais le courage. Il se contenta d'assister aux rencontres pour voir « Bull » Warwick transpercer la défense adverse. Wyatt ressentait-il la présence de son frère ? Était-ce à sa mémoire qu'il avait hissé Howbutker à la tête du championnat d'État ?

À cette occasion, la ville s'enflamma. Warwick Industries organisa une grande fête avec tous ceux qui avaient participé à cette aventure. Tous sauf Wyatt. Mais sa mère était habituée à ces absences inexpliquées. C'était un solitaire qui fuyait ses camarades et les jeunes filles enamourées qui se jetaient à son cou. Il était apprécié, mais nul ne recherchait son amitié.

— Va le chercher, Percy, dit Lucy. Il devrait être avec nous, à profiter des réjouissances ! C'est grâce à lui que nous avons gagné.

— Je crois savoir où le trouver, répondit-il.

Après la correction que son père lui avait infligée à la cabane, on aurait pu croire qu'il éviterait ce lieu comme la peste. Or Wyatt l'avait fait découvrir à Matthew. Elle était devenue leur sanctuaire, puis celui de William Toliver et de ses amis.

Après les funérailles, Wyatt s'était terré pendant deux jours dans la cabane. Ce soir-là, il faisait plus frais que la dernière fois que Lucy l'avait envoyé à la recherche de leur fils, mais Percy le trouva à l'endroit prévu, sur le lac, dans le canoë. Se sachant visible au clair de lune, il posa les mains sur les hanches et attendit que Wyatt le remarque.

La silhouette du jeune homme se tourna vers lui.

— Ça mord? lança Percy.

— Non, il fait trop froid! répondit Wyatt en remontant sa ligne.

Percy entendit le clapotis des appâts jetés à l'eau, puis il regarda son fils replier méthodiquement son matériel avant de regagner la rive.

Un souvenir revint à sa mémoire.

— *Percy?*

— *Par ici, Lucy.*

Il entendait encore la voix de sa femme, le soir où elle l'avait trouvé dans la bibliothèque, recroquevillé dans un coin. Elle lui avait demandé d'aller chercher Wyatt, qui avait disparu. Elle s'était agenouillée devant lui.

— *Cela fait deux jours que tu es là, Percy. Il fait de nouveau nuit.*

De nouveau? Depuis la mort de Matthew, cinq jours plus tôt, il faisait nuit en permanence. Depuis deux jours et deux nuits, son petit garçon gisait sous terre.

— *Je suis sincèrement désolée, Percy. Il faut me croire.*

— *Je te crois, Lucy.*

— *Je n'imagine pas perdre un fils. Prions pour que cela ne m'arrive jamais.*

Percy parvint à se taire pour sauver les vestiges de leur couple. Il avait failli répondre: «J'espère que cela ne t'arrivera jamais.»

Ce soir-là, en entendant le mouvement fluide des rames dans les eaux du lac, Percy sombra dans une profonde tristesse. Combien de fois Lucy l'avait-elle envoyé en quête de leur fils, en vain ? Il allait fêter ses dix-huit ans. En septembre, les nazis avaient envahi la Pologne, puis la France. La Grande-Bretagne avait déclaré la guerre à l'Allemagne. Un camarade de combat lui avait écrit de Paris que les États-Unis entreraient en guerre avant deux ans. Percy avait donc deux ans pour retrouver son fils.

Mais qu'avait-il à donner à Wyatt ? De l'amour ? Non. Il ne l'aimait pas comme il aimait Matthew, de cet amour inconditionnel pour la chair de sa chair. Pourquoi ? Wyatt était courageux, intègre, loyal et persévérant. Il n'était pas arrogant. On le trouvait séduisant, on l'enviait, on recherchait sa compagnie. Jamais il ne se comportait comme le fils de l'un des hommes les plus riches du Texas.

Sara lui avait expliqué que, pour Wyatt, la richesse de Percy devait faire sa propre fierté, pas celle de son fils.

Percy pensait souvent à cette remarque et à Sara.

— Tu veux un coup de main ? proposa-t-il à l'approche de Wyatt.

Celui-ci lui lança sa corde, qu'il maintint fermement.

— Tu t'ennuyais à la fête ? demanda le jeune homme en enroulant sa corde de ses mains expertes.

— Non. C'est pour cela que je viens te chercher. Ta mère et moi pensons que tu devrais t'amuser. Tu l'as bien mérité.

— Eh bien, je n'aime pas trop les fêtes. Ce n'était pas la peine de te déranger. Tu rates sans doute de bons moments.

Percy tenta de maîtriser la douleur qui ne le quittait pas depuis la mort de Matthew. Au bord des larmes, il posa une main sur l'épaule de Wyatt.

— Fiston, si on allait boire un coup tous les deux ? Cela fait bien longtemps que je ne me suis pas saoulé.

— C'était quand, papa ?

— Oh… Avant que j'épouse ta mère.

— Qu'est-ce qui t'a poussé à boire ?

Percy hésita. Il ne voulait pas répondre à cette question, mais craignait de briser la magie de cet instant. Wyatt et lui n'avaient évoqué son passé à aucune occasion. Jamais son fils ne lui avait posé la moindre question sur sa jeunesse, la guerre… Seul Matthew s'intéressait à ses souvenirs. Mais Wyatt était un homme, à présent.

— À cause d'une femme.

— Qu'est-elle devenue ?

— Elle en a épousé un autre.

— Tu devais l'aimer…

— Oui. Beaucoup. Quelle autre raison peut pousser un homme à boire pour oublier ?

— Mais alors, pourquoi le faire avec moi, ce soir ? demanda Wyatt, perplexe.

Accablé, Percy ne put répondre.

— Je… Je ne sais pas. Ce n'était pas une bonne idée. Ta mère nous tuerait. Elle doit nous chercher, d'ailleurs.

Wyatt hocha la tête.

— Nous ferions mieux d'y aller, dit-il en boutonnant sa veste.

45

Wyatt refusant catégoriquement d'entrer à l'université, Percy lui attribua un poste d'assistant du directeur de la production au siège de l'entreprise familiale. Wyatt l'accepta avec son flegme coutumier. Il assistait aux réunions avec assiduité en prenant des notes. Pendant deux ans, le jeune homme endura les efforts de Percy pour faire de lui son héritier et les recommandations incessantes de Lucy.

Il fut libéré de ce fardeau en décembre 1941, quand les États-Unis déclarèrent la guerre au Japon lors du bombardement de Pearl Harbor. En quelques semaines, sans consulter ses parents, Wyatt intégra le corps des marines.

— Il faut l'en empêcher, Percy! implora Lucy, au désespoir.

— Comment veux-tu que je fasse? répondit-il, tout aussi désemparé.

La nuit, il entendait le bruit des détonations, les cris de douleur, il revivait la peur, la mort et se réveillait en sursaut, un goût de cendres dans la bouche. Dans ses cauchemars, il voyait non pas le visage de ses camarades tombés, mais celui de Wyatt, le regard bleu et vide, figé dans la mort sans comprendre pourquoi.

— Il a presque vingt ans, Lucy. C'est un homme. Je ne peux pas le retenir.

— Le ferais-tu, si tu en avais le pouvoir? demanda-t-elle avec angoisse.

Ils avaient surmonté leurs griefs. Lucy savait qu'il avait fait de son mieux et était consciente des efforts de son mari pour se rapprocher de Wyatt.

— Bien sûr ! Je préfère encore l'abattre moi-même que de le laisser partir là-bas !

Début janvier 1942, Wyatt fit ses bagages. Il devait se présenter trois jours plus tard à Camp Pendleton, à San Diego, en Californie, pour une formation militaire préalable à son intégration dans les marines.

— Pourquoi t'engager si vite ? lui demanda son père, une heure avant le départ du train.

— Pourquoi pas ? Tout homme apte à se battre sera utile pour mettre fin le plus vite possible à ce chaos.

— Tu as peut-être raison, admit Percy en pensant au jour où lui-même s'était engagé dans l'armée.

Il regarda son fils glisser quelques vêtements dans son sac en toile.

L'enfer, c'est sur terre, songea amèrement Percy. Quelle pire épreuve que de voir un fils qu'on ne connaît pas partir à la guerre ? Et s'il n'en revenait pas ? Ils n'avaient aucun souvenir de rires partagés, de confidences échangées. Ils n'avaient jamais parlé de lui, de ses ambitions, de ses idées. Percy se rendit compte avec tristesse qu'il ne connaissait même pas les traits de son visage, alors que ceux de Matthew étaient gravés dans sa mémoire : ses yeux changeants, sa rosette, sa petite cicatrice, au-dessus de l'œil gauche…

— Mon fils…, dit-il en s'approchant de lui.

Wyatt ne pouvait partir à la guerre sans laisser un souvenir dans le cœur de son père.

— Oui ? fit le jeune homme sans s'interrompre.

— Explique-moi une chose…

— Oui ?

— Pourquoi as-tu soudain cessé de détester Matthew Dumont ? Pourquoi êtes-vous devenus si proches, comme deux… frères ?

Plusieurs secondes s'écoulèrent.

— Eh bien, parce qu'il était mon frère, non? lâcha enfin Wyatt, impassible.

Percy eut l'impression qu'un obus venait d'exploser à côté de lui.

— Depuis combien de temps es-tu au courant?

Le jeune homme haussa les épaules sans le regarder.

— Je l'ai compris dans la cabane, le jour où tu m'as corrigé. Tu as failli te trahir, souviens-toi, quand tu m'as ordonné de ne jamais plus m'en prendre à mon… tu t'es rattrapé juste à temps. J'ai compris d'instinct que tu allais dire « ton frère ». Tu ne pouvais me menacer que pour protéger un fils bien-aimé.

— Wyatt…

Accablé de chagrin, Percy ne put continuer.

— Ça va, papa. Je ne t'en ai jamais voulu d'aimer Matthew. Après tout, tout le monde l'adorait, même maman, dit-il avec un petit rire désabusé. (Il croisa enfin le regard de son père.) Mais sache que personne ne l'aimait plus que moi. Je ne détestais pas Matthew, je l'enviais. Pas parce qu'il était tout ce que je n'étais pas. Je lui en voulais d'avoir ce que je n'avais pas, ce qui aurait dû me revenir. Je l'ai puni parce qu'il avait ton respect, au contraire de moi. Après tout, il n'était même pas ton fils! Quand j'ai su qui il était… J'ai compris beaucoup de choses.

Percy brûlait d'envie de le retenir.

— Et tu n'as plus jamais eu le moindre doute, après ce jour-là?

— Non, répondit Wyatt en fermant son sac. Plus tard, je t'ai entendu avouer à maman que Matthew était ton fils. J'étais descendu te présenter mes excuses, te promettre de ne jamais recommencer, et j'ai assisté à votre dispute.

Pris d'un vertige, Percy dut se retenir à une colonne du lit.

— Tu… Tu as tout entendu?

— Oui, tout. Là encore, j'ai compris beaucoup de choses.

— Voilà pourquoi… cela n'a jamais collé, entre nous, bredouilla-t-il.

— Oh, ne va pas croire que Matthew y soit pour quelque chose. Même s'il n'était pas né, tes sentiments pour moi seraient les mêmes. Matthew n'a fait qu'empirer les choses. Pour ma part, je considère qu'en apprenant la vérité, ce jour-là, j'ai gagné un frère.

Et perdu un père, songea Percy, qui mourait d'envie de le prendre dans ses bras, avant son départ, pour l'étreindre comme il ne l'avait jamais fait. Si seulement il pouvait lui dire qu'il l'aimait... Ce sentiment semblait jaillir après toute une vie d'aveuglement, mais Wyatt ne croirait jamais que ces paroles venaient du cœur et non de l'émotion de l'instant. *Pardonne-moi,* voulut-il implorer.

— Encore une question. L'as-tu... dit à Matthew ?

— Non, et il n'a jamais deviné. Il n'était pas doué pour ces choses-là. Il prenait les choses comme elles venaient. Dans le dernier tiroir de mon bureau, il y a son maillot et le livre qu'il m'a offert pour mon anniversaire. Je les aurais bien emportés comme porte-bonheur, mais j'ai peur de les perdre. Si je ne rentre pas, ils sont à toi.

Incapable de prononcer un mot, Percy hocha la tête et regarda Wyatt glisser son sac sur son épaule. Résigné, il laissa son fils balayer une dernière fois sa chambre des yeux. Wyatt l'avait toujours respecté, c'était déjà cela.

— Bon, eh bien, nous y voilà, déclara le jeune homme en posant les yeux sur son père.

Son regard limpide était dénué de tout reproche, de toute condamnation.

— Il vaut mieux que tu ne viennes pas à la gare avec nous, papa. Toi et maman ne feriez que vous disputer, et ce n'est pas le souvenir que je veux garder. Ses copines de bridge l'aideront à surmonter cette épreuve.

Il tendit la main vers Percy qui la serra dans la sienne, les yeux embués de larmes.

— Je regrette que les choses ne se soient pas passées autrement, entre nous.

— On ne choisit pas ses fils, répondit Wyatt. C'est ainsi. Matthew était un garçon bien. Je suis content qu'il échappe à tout cela. Prends soin de maman, si elle te laisse faire.

Percy n'était pas disposé à baisser les bras.

— Quand tu rentreras, nous pourrons peut-être repartir sur de nouvelles bases.

— Cela ne changerait rien, assura le jeune homme en secouant la tête. Je suis ce que je suis, et toi aussi. Au revoir, papa. Je t'écrirai.

Ce qu'il fit. Percy put suivre avec passion la progression de son peloton dans le Pacifique Sud, jusqu'à Iwo Jima. Comme Percy s'y attendait, Wyatt se distingua au combat, remportant plusieurs décorations pour bravoure. Les journaux décrivaient les atrocités japonaises, les pluies, la malaria. Percy en venait à se demander si Matthew n'était pas l'ange gardien de son frère.

Enfin, Wyatt put rentrer à la maison. Mais pas pour longtemps, écrivit-il. Il avait trouvé sa voie et restait dans les marines avec le grade de lieutenant. Percy et Lucy l'accueillirent à la gare. Après ses quatre ans d'absence, ils le reconnurent à peine à sa descente du train tant il était bardé de médailles. Percy avait fêté ses cinquante ans et Lucy en avait quarante-cinq.

— Bonjour ! lança-t-il simplement, tel un étranger.

Lucy prit son temps pour étreindre cet homme qu'elle avait élevé. Il était encore plus grand que Percy et d'une carrure impressionnante. Son visage aguerri était celui d'un homme ayant trouvé la paix.

— Tu ne comptes pas revenir dans l'entreprise ? lui demanda Percy plus tard.

— Non, papa.

Ils ne pourraient donc pas repartir sur de nouvelles bases, tous les deux. Il prit sa main dans la sienne.

— Dans ce cas, je te souhaite le meilleur, mon fils.

Lucy reprochait à Percy la décision de Wyatt. Elle savait désormais que son fils était au courant de la filiation de Matthew.

— Pourquoi reviendrait-il travailler pour un père qui lui a toujours préféré son premier fils?

— Je crois que Wyatt s'en est remis, répondit Percy.

Les yeux de sa femme exprimaient sa souffrance d'être privée d'un fils. Elle attendait son retour avec impatience, espérant qu'il se marierait et aurait des enfants.

— Il ne t'a peut-être pas pardonné, Percy. Son choix des marines en est la preuve.

Cinq mois après le départ de Wyatt, lors du déjeuner, Percy leva les yeux de son journal pour trouver Lucy prête à sortir, son étole de fourrure sur les épaules.

— Où vas-tu donc de si bon matin? demanda-t-il, étonné, car sa femme se levait rarement avant dix heures.

— À Atlanta, répondit-elle en enfilant ses gants. Je m'y installe. Je n'ai plus rien, ici, puisque Wyatt ne rentre pas. J'ai loué une maison à Peach Tree. Hannah Barweise emballera mes affaires et me les expédiera.

Elle lui tendit une feuille de papier.

— Voici mon adresse et une liste de frais. Je te demande également une pension mensuelle. Le total figure en bas. Cela peut te sembler cher, mais tu en as les moyens. Cela vaut la peine de payer pour te débarrasser de moi.

— Je ne tiens pas à me débarrasser de toi, Lucy. Je n'ai jamais dit cela.

— Tu es trop bien élevé. Cela vaut mieux pour tous les deux. Veux-tu me conduire à la gare, en souvenir du passé?

Il ne chercha pas à la faire changer d'avis. Sur le quai de la gare, en observant son visage arrondi, il revit la jeune fille qu'il était venu chercher vingt-six ans plus tôt.

— De l'eau a coulé sous les ponts, dit-il.

— En effet, admit-elle. Le problème, c'est que nous ne nous trouvions pas sur la même rive.

Son chapeau était légèrement penché.

— Tu ne souhaites pas divorcer? Il est encore temps de refaire ta vie…, commença-t-il en le redressant.

— Jamais! s'exclama-t-elle. Ma menace tient toujours. Nous ne divorcerons pas tant que je n'en aurai pas décidé autrement, et pas tant que Mary Toliver-Dumont sera vivante.

Quand vint le moment du départ, ils ne s'enlacèrent pas. Lucy n'avait nulle envie de se retrouver dans ses bras. Elle se contenta de lui tendre la joue.

— Au revoir, Percy, conclut-elle sur les marches du wagon.

— À bientôt, dit-il en glissant la main vers son poignet, comme autrefois.

Le train se mit à siffler. Lucy retint son souffle et écarta son bras. Elle soutint son regard un peu trop longtemps, puis lui tourna le dos et disparut.

46

Après le départ de Lucy, Percy fit comme à chaque tournant de sa vie : il se plongea dans le travail et réalisa de nouveaux investissements. Il agrandit la scierie et lança la construction d'une usine de papier sur les terres achetées à Mary. Il fit déblayer un terrain et dessiner des plans pour des logements destinés aux employés disposés à vivre à proximité des émissions malodorantes de l'usine moyennant un loyer modeste. Les maisons partirent très vite. Les futurs occupants ne semblaient pas gênés par l'odeur de soufre, car ils auraient un bon salaire, une assurance maladie, une retraite, des augmentations et des congés payés.

Percy pouvait compter sur la présence d'Ollie et de Mary, ainsi que sur un nouveau venu dans leur cercle d'amis, un jeune notaire du nom d'Amos Hines. Celui-ci était arrivé à Howbutker fin 1945, lors du départ de William Toliver, et avait aussitôt intégré l'étude de Charles Waithe. Comme son père, William avait compris qu'il n'était pas planteur dans l'âme. Un matin d'automne, il était parti et n'avait plus donné de ses nouvelles pendant plusieurs années. Une fois de plus, Mary se retrouvait sans héritier pour Somerset.

— Nous faisons la paire, tous les deux, dit-elle un jour à Percy avec un sourire désabusé.

C'était un excellent résumé de leurs échecs respectifs.

— En effet.

— Lucy te manque ?

Il pinça les lèvres et réfléchit un instant.

— Je ressens une absence, mais de là à affirmer qu'elle me manque…

Il avait investi dans une compagnie pétrolière qui lui imposait des réunions régulières à Houston. C'est au cours de l'une d'elles qu'il rencontra Amelia Bennett, un an après le départ de Lucy. Veuve depuis peu, elle avait hérité de ses parts mais, au contraire de Percy, elle connaissait parfaitement les rouages du monde du pétrole. Ils s'opposèrent d'emblée sur la question de forages potentiels dans le Bassin permien : il était pour, elle était contre.

— Vraiment, monsieur Warwick, lança-t-elle avec dédain, comment un bûcheron peut-il avoir la moindre idée des meilleures zones de forage et exprimer une opinion à ce propos ? Laissez plutôt parler ceux qui savent prendre ces décisions.

Un défi… Le premier depuis Mary…

— J'accepte vos conseils bienveillants, madame Bennett, mais, en attendant, je vote pour le terrain Dollarhide.

Plus tard, ils se retrouvèrent dans l'ascenseur.

— Vous êtes l'homme le plus arrogant que j'aie jamais rencontré, déclara-t-elle en le toisant.

— J'en ai bien l'impression, admit Percy d'un ton aimable.

Elle portait un tailleur sombre à jupe droite et, pour seuls bijoux, son alliance et des boucles d'oreilles en perles assorties aux boutons de nacre de son corsage en soie claire. Après plusieurs autres réunions, Percy découvrit le plaisir exquis de les déboutonner lentement.

— Tu es toujours l'homme le plus arrogant que je connaisse, déclara Amelia, dont les yeux d'ambre pétillaient de plaisir.

— Je n'oserais affirmer le contraire.

Aucun des deux ne souhaitait se remarier, mais ils s'épanouirent dans cette liaison, car ils avaient besoin d'intimité avec un être cher, dans la confiance et le respect. Ils se fréquentaient ouvertement sans se soucier des rumeurs. En cette période d'après-guerre, les mœurs étaient plus libres, surtout pour ces adultes entre deux âges, riches et puissants, habitués à faire ce que bon leur semblait. Qui oserait reprocher publiquement à une veuve de partager le lit d'un magnat du bois abandonné par sa femme ?

Wyatt était stationné à Camp Pendleton. Il écrivait rarement, appelait son père pour Noël et son anniversaire, mais jamais il ne rentrait à Howbutker. Percy lui envoyait de longues lettres sur les progrès de l'usine de la Sabine, du lotissement. Il lui donnait des nouvelles d'Ollie et de Mary, parlait d'Amos Hines, et de Howbutker. Après l'ultime lettre de Sara, il annonça à son fils que Mlle Thompson s'était mariée avec le directeur de l'école secondaire d'Andrews, au Texas. Il osa lui confier qu'ils avaient été proches et que son mariage lui laissait un goût amer. Étonnamment, Wyatt lui répondit sans tarder que Sara avait toujours été son institutrice préférée.

À l'aube des années cinquante, Wyatt écrivit à son père qu'il avait épousé Claudia Howe, une institutrice de Virginie, et qu'ils vivaient sur la base militaire. Il était désormais capitaine et commandant de compagnie. Lucy leur avait rendu visite pour rencontrer sa belle-fille, mais Wyatt ne proposait pas à Percy d'en faire autant.

Il téléphona sur-le-champ à Camp Pendleton. Une voix féminine agréable et raffinée lui répondit dès la première sonnerie.

— Claudia ? Je suis Percy Warwick, le père de Wyatt.

Il crut déceler dans son silence une bonne surprise.

— Quel plaisir de vous entendre ! répondit-elle avec entrain. Wyatt sera déçu d'avoir manqué votre appel. Il est en manœuvres.

— Dommage. Je n'ai pas appelé au bon moment, hélas.

— Ce sera pour la prochaine fois.

— Je n'y manquerai pas… (Gêné, il chercha quelque chose à dire.) L'annonce de votre mariage m'a fait plaisir, reprit-il. J'espère vous rencontrer bientôt. Il faudra que Wyatt vous amène à Howbutker.

— Je lui en parlerai.

Percy remarqua qu'elle ne l'invitait pas. Il posa quelques questions polies sur leur vie, mais Claudia se montra laconique, de sorte qu'il raccrocha avec un sentiment de frustration et de tristesse.

Il leur adressa un chèque généreux en guise de cadeau de mariage. Claudia lui envoya aussitôt un petit mot auquel Wyatt avait ajouté une ligne, sans doute sur son insistance. Un an plus tard, sa belle-fille lui annonça d'une écriture élégante qu'il était grand-père. Elle joignait une photographie de son petit-fils, Matthew Jeremy Warwick, qu'ils surnommaient Matt.

Le lendemain, Percy découvrit avec stupeur la une de la *Gazette* du dimanche : « Offensive des troupes nord-coréennes contre la Corée du Sud ».

Pendant plusieurs jours, Percy suivit avec intérêt la progression des Nord-Coréens vers Séoul, après leur rejet des recommandations des Nations Unies. En représailles, le Conseil de sécurité de l'ONU envoya des troupes de soutien à la Corée du Sud, dirigées par le général Douglas MacArthur, qui demanda l'intervention des marines.

C'est décidé, songea Percy à l'heure du déjeuner, en regardant le portrait de son petit-fils. *Je prends le premier avion pour San Diego. Peu m'importe si Wyatt refuse de me voir. La 1re division de marines est toujours celle qu'on envoie en repérage, et je veux voir mon fils avant qu'il s'en aille.*

Une peur proche de la panique s'empara de lui. La Corée... Pourquoi diable les États-Unis envoyaient-ils des hommes mourir là-bas ? Il jeta rageusement sa serviette. Wyatt se dirait sans doute qu'il venait chercher l'absolution d'un fils qu'il avait lésé, que c'était une ruse pour s'approcher de son petit-fils, accaparer un autre Warwick... Au mieux, il se dirait que c'était le comportement normal d'un père dont l'enfant unique partait mener une nouvelle guerre, après avoir eu la chance de survivre à la première. Et il aurait raison sur tous ces points. Mais il ignorerait sans doute que Percy agissait par amour, un amour qui s'intensifiait au fil des ans, malgré la distance qui les séparait.

Peu après son arrivée au bureau ce jour-là, sa secrétaire lui remit un télégramme.

— Il vient de Wyatt, déclara-t-elle. J'ai signé l'accusé de réception.

Percy déchira vivement l'enveloppe jaune: *Papa, arrivons par le train de six heures ce soir avec Claudia et Matt, Wyatt.*

Percy posa sur sa secrétaire un regard abasourdi.

— Sally, mon fils arrive avec sa famille. Rassemblez toutes les femmes de ménage que vous trouverez et envoyez-les à Warwick Hall. Elles seront payées double. Mieux encore, allez superviser le nettoyage de la maison de fond en comble, vous voulez bien?

— Bien sûr, monsieur.

— Et appelez Herman Stolz...

— Le boucher?

— Oui. Qu'il me prépare trois tranches de filet de bœuf. Vous passerez aussi chez le fleuriste commander des fleurs pour le rez-de-chaussée et la chambre d'amis. Je voudrais un bouquet de roses rouges et blanches dans le hall.

— Bien, monsieur.

Percy téléphona à Gabriel, l'homme à tout faire que Lucy avait renvoyé et qu'il avait ensuite réembauché. À soixante-cinq ans, il ne s'était jamais éloigné de Houston Avenue depuis sa naissance, dans le quartier des domestiques des Warwick.

— Gabriel, je vous envoie la voiture. Vous irez chercher ma commande chez Stolz. Vous en profiterez pour acheter tous les mets préférés de Wyatt, c'est compris? Il arrive ce soir avec sa femme et mon petit-fils.

— Dieu soit loué! s'exclama Gabriel.

— Sa femme appréciera peut-être une sauce béarnaise avec son steak, reprit Percy. Vous pouvez vous en charger?

— Mon petit-fils Grady me lira la recette. Attendez, je prends un crayon. Comment ça s'écrit?

Percy soupira. Si seulement Amelia était là… Ensuite, il joignit Mary, qui promit d'envoyer Sassie à la rescousse de Gabriel.

— À mon avis, déclara-t-elle, il t'amène sa femme et son bébé pour que tu t'occupes d'eux, pendant qu'il sera en Corée.

— Tu crois ?

— Oui. Tu l'as, ta seconde chance.

— J'espère…

— C'est certain. Je t'envie, tu sais.

— Toi aussi, tu auras peut-être une seconde chance, un jour…

Elle éclata d'un rire cristallin.

— Et d'où me viendrait-elle ?

Mary ne s'était pas trompée sur les intentions de Wyatt. Percy se garda de demander à son fils ce que sa mère pensait de cette décision. Si Lucy devait être blessée, lui ne se sentait plus de joie. Percy reconnut aussitôt le sang des Warwick chez l'enfant.

Sally venait de faire sortir l'équipe de nettoyage par la porte de service quand ils arrivèrent. Impressionnée par la splendeur des lieux, Claudia entra d'un pas lent et s'arrêta devant le superbe bouquet de roses rouges et blanches qui se reflétait dans le miroir. Wyatt parut ne pas les remarquer.

— C'est magnifique, commenta la jeune femme.

Le train était entré en gare à six heures pile. Le contrôleur avait offert son bras à l'épouse du capitaine en uniforme.

— Voici M. Percy Warwick, avait-il déclaré, un monsieur très bien.

Elle s'approcha de Percy, l'enfant dans ses bras, suivie de Wyatt.

— Bonjour, père, dit-elle.

— Ma fille, répondit-il en l'embrassant.

De prime abord, elle lui avait paru un peu quelconque, avec ses cheveux châtains, ses traits sans caractère, sa taille moyenne. Mais elle avait une voix mélodieuse et des yeux remarquables, non par leur couleur noisette, mais par l'intelligence et l'humour qu'ils exprimaient. Percy apprécia d'emblée la jeune femme et ressentit de la fierté pour son fils.

— Alors, comment trouvez-vous la maison? s'enquit-il plus tard.

— Qui ne la trouverait pas somptueuse? Wyatt ne m'en avait même pas parlé.

— Mais… il a dû vous confier… d'autres choses.

— Oui, répondit-elle d'un air entendu.

Percy n'insista pas, ravi qu'elle aime la maison de ses ancêtres. Ils auraient bien le temps d'évoquer ces «autres choses» après le départ de Wyatt, si elle le souhaitait.

Wyatt embarquait pour la Corée quelques semaines plus tard et regagnait Camp Pendleton dès le lendemain.

— Déjà? fit Percy, très déçu.

— Je le crains.

Le soir venu, trop agité pour dormir, Percy se rendit dans la bibliothèque pour boire un verre de cognac. La petite famille dormait dans la chambre d'amis, où il avait installé un berceau prêté par Mary. Soudain, il vit de la lumière dans l'ancienne chambre de son fils. Il y trouva Wyatt, debout au milieu de la pièce. Le dos tourné, il semblait tendu. Percy l'observa en silence, se demandant ce qu'il lui passait par la tête. Entendait-il des échos du passé? Ses souvenirs d'enfance étaient présents sur les murs, notamment la bannière du championnat de football 1939, au-dessus du lit.

— Un homme ne devrait pas faire deux fois la guerre, déclara enfin Percy.

Wyatt se retourna, la mine impassible.

— Nous nous en sortirons peut-être bientôt, dit-il en passant le doigt sur la tranche des *Aventures de Huckleberry Finn*. Je vais peut-être emporter le cadeau d'anniversaire de Matthew, cette fois. Il me protégera.

— Bonne idée, répondit Percy. Tu en auras besoin.

Il avait tant d'autres choses à lui dire. Hélas, les mots ne sortaient pas.

— Papa, j'ai un service à te demander, avant de partir.

— Tout ce que tu voudras, fils.

— Si… Si je ne reviens pas, j'aimerais que mon fils grandisse ici, avec toi. Claudia est d'accord. Elle t'adore déjà. Je m'y attendais, d'ailleurs. Elle est très perspicace pour juger les gens, tu sais. (Il esquissa un sourire teinté de fierté.) Il n'y aura aucun problème et je serai rassuré de les savoir ici, avec toi.

— Tu… Tu veux que j'élève Matt avec Claudia si… si…

— C'est cela.

Percy plongea ses yeux dans le regard bleu de son fils.

— Ils sont les bienvenus, répondit-il. Je suis très honoré. Leur place est ici.

Percy fit de son mieux pour maîtriser ses émotions. Il fallait qu'il reste celui que Wyatt avait toujours respecté.

— Tu dois revenir, Wyatt, dit-il malgré tout. Il le faut.

— Je ferai de mon mieux. Bonne nuit, papa, et merci.

Tenant son livre contre son cœur, Wyatt esquissa un signe de tête et quitta la pièce.

47

Les heures défilèrent à la vitesse d'un éclair. Comme la veille, ils se retrouvèrent à la gare, Claudia tenant l'enfant de deux mois dans les bras, Wyatt dans son uniforme bardé de décorations.

— Tu n'as rien oublié? s'était enquis Percy avant de quitter Warwick Hall.

— Non, je ne suis pas du genre à laisser traîner mes affaires, tu sais.

Sur le quai, il embrassa sa femme et son fils et serra la main de son père.

— Veille à ce que mon fils sache que je l'aime, papa, dit-il avant de monter dans le train.

— Tu reviendras le lui dire toi-même.

De retour à la maison, Percy laissa Claudia et Matt profiter du soleil dans le jardin et monta dans la chambre d'amis. Il chercha *Les aventures de Huckleberry Finn*, en vain. Soulagé, il en conclut que Wyatt avait emporté son livre. À son insu, il avait glissé une rose rouge entre les pages. Il avait songé à rédiger un court message, mais s'était ravisé. Les écrits étaient aussi inutiles que les paroles quand celui qui les recevait les attribuait à un sentiment de culpabilité. Wyatt allait se demander comment cette rose était arrivée là, ce qu'elle signifiait. Lucy ne lui avait certainement jamais parlé de la légende des roses. En tout cas, lui-même ne lui en avait rien dit. Il était néanmoins réconforté par l'idée que Wyatt avait emporté avec lui une preuve de sa contrition, entre les pages de son objet le plus précieux.

Percy se retrouva donc à suivre les événements dans la presse et à la radio, avec ces noms inconnus, dans des contrées lointaines : Inchon, Fox Hill, Old Baldy, Kunuri… « Ici, les hommes crient, jurent et prient comme ils le faisaient durant la Seconde Guerre mondiale, et pendant ta guerre, papa, lui écrivit Wyatt. Rien n'a changé : l'ennui, la peur, la solitude, l'adrénaline, la camaraderie, la tension, les longues nuits loin des siens… Ici, le terrain est aride. On attend dans des trous à rat, au cœur de la nuit noire, en guettant les coups des forces chinoises. Mais je me dis que, au moins, Claudia et Matt sont à l'abri, avec toi. »

Peu après son départ, Percy avait déballé un objet qu'il avait rangé après le retour de Wyatt de la Seconde Guerre mondiale. Il déroula le carré de soie blanche bordé de rouge devant le petit Matt qui gazouillait dans son berceau.

— Tu sais ce que c'est ? lui demanda Percy. C'est un drapeau. Je vais l'accrocher à la fenêtre. L'étoile bleue signifie qu'un membre de la famille se bat pour la patrie. Elle représente donc ton papa.

Fin septembre 1951, presque un an et demi après le départ de Wyatt, Percy reçut un appel téléphonique de Claudia alors qu'il se trouvait au café du palais de justice, avec d'anciens camarades de régiment. Elle le priait de rentrer sur-le-champ. Il ne lui demanda pas pourquoi. Il régla sa consommation et sortit sans un mot. Il faisait aussi beau que le dernier jour de la vie de son fils aîné. En arrivant chez lui, il trouva une voiture officielle du corps des marines garée dans l'allée. Ils avaient envoyé un aumônier et deux officiers informer la famille que Wyatt Trenton Warwick était mort au combat, sur un champ de bataille appelé Punch Bowl. Quelques jours plus tard, sa dépouille fut rapatriée. Au cimetière, sa veuve se vit remettre un drapeau américain par la nation reconnaissante. Les autorités funéraires voulaient l'inhumer aux pieds de Matthew Dumont.

— Pas à ses pieds, à son côté, ordonna Percy.

— Si vous y tenez, répondit l'entrepreneur de pompes funèbres. Après tout, ils étaient amis.

— Plus que cela, déclara Percy, la voix brisée par l'émotion. Ils étaient frères.

— C'est l'image que les gens gardent d'eux… deux frères.

Les ouvriers de l'usine avec qui Wyatt avait travaillé, ses anciens camarades de classe, ses petites amies, ses copains de football, ses entraîneurs, tous assistèrent à la cérémonie. Lucy se présenta vêtue de noir, la mine pâle derrière sa voilette. Elle séjourna à Warwick Hall. Percy avait envie de pleurer avec la mère de son fils, mais son regard glacial le maintint à distance. Lors du choix des fleurs à déposer sur la tombe, elle déclara :

— Je t'en prie, Percy, pas de roses…

Ce fut donc un tapis de coquelicots, symboles des soldats tombés au combat, qui fut déposé sur la tombe, tandis qu'une haie d'honneur tirait une salve. Les détonations firent pleurer le petit Matt, dans les bras de son grand-père.

— Claudia me dit qu'elle compte s'installer ici avec Matt, déclara Lucy, plus tard, à Percy.

— En effet.

— D'après elle, c'était le souhait de Wyatt.

— Absolument.

— Il n'y a pas de justice, en ce monde, Percy.

— Non, Lucy.

Les effets personnels de Wyatt arrivèrent enfin. Percy se rendit à la gare chercher une caisse de format moyen. Sentant son chagrin, Claudia insista pour en examiner le contenu avec lui.

— Qu'est-ce que c'est ? demanda-t-elle en brandissant *Les aventures de Huckleberry Finn.*

L'objet que Percy cherchait.

— Matthew le lui avait offert pour son anniversaire, quand ils étaient jeunes. Il l'avait emporté afin qu'il lui… porte chance.

Il feuilleta l'ouvrage en quête de la rose rouge, mais ne trouva rien. Wyatt avait-il au moins remarqué sa présence? L'avait-il jetée sans se rendre compte de sa signification? Était-elle tombée lorsqu'un camarade avait réuni ses effets? Il ne le saurait jamais. Percy devrait vivre avec l'idée que son fils était mort en ignorant que son père l'aimait et demandait son pardon.

Malgré le chagrin, Warwick Hall entra dans une période de sérénité comme il n'en avait pas connue depuis l'époque où Beatrice était maîtresse de maison. Percy vivait pour Matt et Claudia. Grâce à sa belle-fille, la maison connut un regain de prestige. Les repas familiaux étaient savoureux. Les Dumont, Amos Hines, Charles Waithe et son fils étaient souvent conviés.

Désormais libre de ramener à l'improviste les visiteurs de son usine et de sa scierie, Percy donna des réceptions. Ne se sentant plus indispensable à cet homme dont elle était amoureuse et qui ne serait jamais à elle, Amelia s'éloigna peu à peu. De temps à autre, Percy regrettait que Lucy ne puisse partager le quotidien de leur petit-fils. Claudia lui envoyait des photos. Au téléphone, Matt saluait sa grand-mère d'Atlanta, qu'il appelait Gabby. Percy se demandait comment elle occupait ses journées. Avait-elle des amants pour tromper sa solitude?

La guerre de Corée prit fin. Le cœur brisé, Percy lut que ce pays pour lequel son fils et cinquante mille Américains étaient morts était divisé, faute de solution politique, au détriment des droits de l'homme. Il commanda une affiche pour la réception de son bureau: « Un jour, quelqu'un déclarera la guerre, et personne ne viendra. » Il priait pour que ce jour arrive avant que Matt ne soit un homme.

Un jour, deux ans après le retour de la dépouille de Wyatt, Sally lui annonça avec une curiosité à peine dissimulée:

— Monsieur, un officier des marines demande à vous voir. Dois-je le faire entrer?

— Absolument, répondit Percy en se levant, le cœur battant.

L'officier apparut, tête nue, portant un paquet rectangulaire sous le bras.

— Monsieur Warwick, je suis Daniel Powel, déclara-t-il en posant le paquet pour lui serrer la main. J'ai connu votre fils en Corée. Nous dirigions tous deux une compagnie de la 1re division de marines.

— Vraiment ? fit Percy, l'esprit en ébullition.

Pourquoi se présentait-il si longtemps après ? Venait-il lui raconter comment son fils était mort ? Wyatt n'aurait pas approuvé. Cherchait-il un emploi ? Percy lui fit signe de s'asseoir.

— Que puis-je faire pour vous, major ?

— Pour moi, rien, monsieur. Wyatt voulait que je vous contacte s'il lui arrivait quelque chose. Je regrette d'avoir mis aussi longtemps. J'ai été envoyé au Japon après la guerre et je viens de rentrer.

— Depuis combien de temps ?

L'officier consulta sa montre.

— Moins de quarante-huit heures. Je suis venu directement après avoir atterri à San Diego.

— Vous voulez dire que cette visite est votre priorité ?

— Oui, monsieur. J'ai promis à Wyatt de venir vous voir à la première occasion.

Le marine se leva et ramassa son paquet.

— Depuis la mort de Wyatt, je veille sur ceci. Nous étions ensemble quand il l'a acheté, à Séoul. Il voulait qu'il vous revienne s'il ne rentrait pas. Je devais vous le remettre en mains propres, quoi qu'il arrive.

— C'est pour sa femme ? s'enquit Percy en examinant la forme rectangulaire du colis.

— Non, monsieur. C'est pour vous. Il m'a dit que vous comprendriez sa signification.

La gorge sèche, Percy déballa le paquet. En déchirant le papier kraft, il découvrit une peinture : un enfant souriant et une barrière, au premier plan. Sur le coup, Percy eut du mal à distinguer ce qu'il portait. Puis, quand il vit enfin de quoi il s'agissait, il leva les yeux vers le ciel et poussa un cri. L'enfant courait avec une brassée de roses blanches.

Une légère douleur à la poitrine força Percy à ouvrir les yeux. Il passa une main sur son visage trempé, mais pas à cause de la pluie. Quelle heure était-il ? Le porche était désormais plongé dans l'ombre. Une douce brise de fin de journée soufflait. Percy posa les pieds à terre et secoua la tête. Depuis combien de temps était-il en proie à ses vieux démons ? Il était plus de dix-sept heures. Mary était partie depuis quatre heures. Sa Mary… Il se leva, les jambes un peu tremblantes, et rentra. Son regard se porta aussitôt vers son tableau, au-dessus de la cheminée. Sa douleur s'envola. Les souvenirs pouvaient être une véritable torture à long terme. Il se servit un verre d'eau pour étancher sa soif et porta un toast au tableau :

— Finalement, ma gitane, le mieux que l'on puisse espérer est une brassée de roses blanches.

48

À Atlanta, Lucy Gentry-Warwick, appuyée sur sa canne, remontait lentement l'allée de son jardin. S'il ne payait pas de mine, dans la journée, c'était un tout autre spectacle, par une douce nuit d'été. Il était entièrement composé de plantes vivaces blanches : marguerites, lantaniers, anémones, pervenches, céraistes... Au clair de lune, leur blancheur luisait d'une beauté irréelle, presque magique. Lucy s'assit sur un banc de pierre, indifférente au charme de l'endroit tant elle était obnubilée par Mary Toliver-Dumont.

L'appel de son ancienne voisine Hannah Barweise avait interrompu sa sieste. Hannah vivait encore à côté de chez les Toliver. Vers midi, elle avait vu une ambulance. L'agitation de Sassie et d'Henry semblait indiquer qu'il était arrivé malheur à Mary. Ensuite, Percy et Matt avaient surgi à bord d'une voiture. En une heure, la nouvelle se propagea dans tout le quartier : Mary était morte. Avant même de poser les questions d'usage, Lucy demanda à Hannah :

— Quelle tête faisait-il ?

— Qui ça ?

— Percy !

— Eh bien, il était comme d'habitude, vieilli, plus très alerte, mais toujours lui-même, si tu vois ce que je veux dire.

— Oui, je vois. Continue... De quoi est-elle morte ?

Hannah lui fournit les détails dont elle avait connaissance, puis Lucy raccrocha, tremblant de tout son corps. Le jour qu'elle attendait depuis quarante ans était enfin arrivé : Mary

Toliver-Dumont était morte et Percy la pleurait, seul. Elle voulait qu'il souffre jusqu'à la fin de ses jours, comme elle.

Pourquoi ne ressentait-elle pas la joie qu'elle avait maintes fois rêvée ? Pourquoi sentait-elle son cœur se serrer en imaginant Mary, le regard fixe, le visage de marbre, dans un cercueil ? Même morte, Mary la privait de cette satisfaction. Et elle n'en avait pas eu beaucoup, dans sa vie…

Lucy chassa vite cette impression. Son désarroi venait peut-être du fait qu'elle avait quatre-vingt-cinq ans, elle aussi. Cette ombre qui avait emporté Mary par surprise, un jour d'été, l'emporterait à son tour. En attendant, Lucy pouvait enfin jouir d'un petit moment de triomphe avant de laisser venir sa propre mort.

— Madame Lucy, qu'est-ce que vous faites dehors à cette heure-ci ?

Betty, sa gouvernante, plissa les yeux sous le soleil. *Bon sang !* maugréa Lucy, qui croyait être sortie discrètement pendant que son employée regardait le journal télévisé de cinq heures. Betty avait du cœur, mais elle était commère. Mieux valait qu'elle ne l'entende pas lorsqu'elle mettrait en œuvre son plan de victoire.

— Je réfléchis, répondit-elle. Retournez donc regarder les nouvelles !

— Vous réfléchissez ? Par cette chaleur ? À quoi ? À cette femme qui vient de mourir ?

— Mêlez-vous de vos affaires. Retournez voir la télévision, je vous dis !

— Alors que vous risquez de prendre un coup de chaleur ?

— Je suis trop vieille pour ça ! Je ne vais pas tarder à rentrer. Pour l'heure, je veux profiter de mon jardin. Je l'ai planté pour ça, non ?

Betty soupira.

— À votre guise, madame, mais parfois, vous exagérez. Vous avez besoin de quelque chose ?

Lucy fut tentée de lui demander un verre de cognac pour se donner du courage, mais Betty resterait sur le seuil jusqu'à ce qu'elle le finisse, puis elle traînerait dans ses pattes pour s'assurer qu'elle était assez sobre pour rentrer toute seule.

— De tranquillité.

Secouant la tête, la gouvernante ferma la porte. Lucy attendit qu'elle se soit éloignée. Pour expliquer pourquoi Hannah l'avait réveillée en pleine sieste, elle avait dit à Betty qu'une ancienne camarade de classe était morte. Si elle écoutait le court message qu'elle était sur le point de délivrer, Betty risquait de comprendre pourquoi elle et Percy n'avaient jamais divorcé.

Lorsqu'elle était arrivée à Atlanta, tout le monde l'avait crue victime d'un mari puissant et despotique qui refusait de la laisser partir, une vision romanesque qu'elle ne démentit pas. Ses nouvelles connaissances étaient impressionnées : ce mari continuait à l'entretenir, à céder à tous ses caprices sans poser de questions et sans la moindre restriction. Nimbée de cette aura de mystère, Lucy était entrée dans les cercles les plus fermés d'Atlanta. Si on l'avait perçue comme l'épouse rejetée d'un homme en vue dont elle refusait de divorcer, elle serait restée en marge.

Quand elle eut la certitude que Betty était de nouveau devant son poste de télévision, elle sortit un téléphone d'une niche en pierre. Le numéro qu'elle connaissait par cœur n'avait pas changé. Il s'agissait de la ligne privée de son ancien salon. Si quelqu'un d'autre que Percy répondait, elle raccrocherait, mais il était sans doute assis près du téléphone, prostré par le chagrin. Pourvu que Matt ne soit pas avec lui… Il aimait Lucy, mais il était surtout dévoué à Percy, comme l'avait souhaité Wyatt. Et il lui en voudrait d'ajouter à la douleur de son grand-père.

Une fois encore, elle sentit monter sa rancœur. Elle avait pardonné à Wyatt d'avoir confié sa femme et son enfant à Percy, en partant pour la Corée, mais cela ne signifiait pas que son fils avait pardonné à Percy de l'avoir rejeté quand il était petit. C'était une consolation. Il ne fallait pas que Percy pense que Matt était une rose blanche de la part de Wyatt.

Avec le temps, elle avait fini par ne plus en vouloir à Percy. En l'épousant, elle croyait sincèrement pouvoir être la femme qu'il méritait. À son grand effroi, elle était devenue celle que Mary jugeait indigne de lui. Si seulement elle s'était montrée plus habile, moins spontanée… Mais non, elle n'aurait pas sauvé leur couple, à cause des sentiments de Percy pour Mary. Elle aurait pu lui pardonner son rejet, car il l'avait regretté, mais pas son amour pour cette statue de marbre qui l'aurait épousé uniquement pour se protéger d'un scandale. Jamais!

Ivre de douleur, elle se rappela un poème d'Edna St. Vincent Millay qu'elle avait appris à Bellington Hall, autrefois:

Je t'offre mon amour tout simplement,
Sans ornement, ouvert et bienveillant,
Comme une brassée de fleurs sauvages
Des pommes dans un tablier
En m'écriant, comme un enfant:
Regarde! C'est pour toi!

Ces vers décrivaient à merveille son amour pour Percy. Hélas, il avait jeté ses offrandes pour donner son cœur à une femme qui n'était capable d'aimer qu'une plantation de coton. Percy et les autres pouvaient croire que Lucy la méprisait à cause de sa beauté et de son élégance. En fait, elle lui reprochait d'avoir pris le cœur de l'homme qu'elle-même aimait alors qu'elle ne le méritait pas.

En portant l'appareil à son oreille, Lucy répéta le texte qu'elle avait préparé pour ce jour précis.

— Percy, dirait-elle d'une voix claire et vive.

Dès qu'il aurait surmonté son étonnement, elle prononcerait sa phrase, après quarante ans d'attente: « Maintenant, tu peux avoir ton divorce. »

De peur de perdre courage, elle inspira à pleins poumons et composa le numéro. Pourvu qu'il ne décroche pas tout de suite… Elle n'avait pas entendu sa voix depuis les funérailles de leur fils.

— Allô ? fit-il dès la première sonnerie.

L'âge et le chagrin avaient altéré son timbre, mais elle l'aurait reconnue entre mille. Elle se retrouva sous le porche de Warwick Hall, à admirer d'un air béat la Pierce-Arrow flambant neuve qui s'arrêtait au pied des marches. Les reflets dans ses cheveux blonds, sa peau bronzée, son sourire éclatant…

— Bonjour ! avait-il lancé chaudement.

La jeune femme lui avait aussitôt offert son cœur.

— Allô ? répéta Percy.

Lucy soupira et, le son de sa voix dans son oreille, elle raccrocha.

TROISIÈME PARTIE

49

À Kermit, au Texas, Alice Toliver décrocha le téléphone.

— Maman, c'est Rachel !

— En sommes-nous arrivées au point où ma seule fille croit bon de s'identifier alors qu'elle vient de m'appeler « maman » ?

— Désolée, répondit-elle en comprenant qu'elle l'avait offusquée. J'ai parlé par habitude.

— Cela fait longtemps que je ne fais pas partie de tes habitudes. Que se passe-t-il ?

— Tante Mary est morte. D'une crise cardiaque, il y a quelques heures. Amos vient de me l'annoncer.

Dans le silence qui suivit, Rachel imagina sans peine les pensées de sa mère. *Voilà, Rachel, tu as maintenant tout ce que tu espérais, un domaine où tes enfants vivront après ta mort, tandis que Jimmy, comme son père et son grand-père, n'aura rien.*

— Quand ont lieu les funérailles ? Ton père voudra y assister.

— Je ne le saurai qu'après mon rendez-vous avec les pompes funèbres, demain. L'avion privé vient me prendre demain matin. Je… J'espérais que nous pourrions tous partir ensemble.

— Rachel, tu connais mes sentiments envers ta grand-tante ! Et c'était réciproque. Assister aux funérailles serait de l'hypocrisie.

Je ne veux pas que tu viennes pour elle, maman, mais pour moi, songea Rachel, qui aurait tout donné pour que sa mère la prenne dans ses bras et la console, comme autrefois, quand elles étaient proches.

— Amos m'a demandé de convaincre au moins Jimmy de venir avec papa. Selon lui, tante Mary aurait voulu qu'ils assistent à la lecture du testament.

Un long silence s'installa.

— Ta grand-tante avait donc quelque chose à leur léguer? Le prix du coton n'est pas très élevé, cette année.

— Je suppose que c'est pour cela qu'il souhaite leur présence. Amos y voit le dernier geste de tante Mary.

— Eh bien, il ne compensera pas ce qu'elle a promis à ton père, mais nous prendrons ce que nous pourrons. S'il faut pour cela se rendre à Howbutker, nous irons.

— Toi aussi, maman?

— Je ne peux pas les laisser partir tout seuls. Ils risqueraient de ne pas changer de chaussettes…

— Je suis contente. Cela fait longtemps que je ne vous ai pas vus, tous.

— À qui la faute?

Rachel préféra détourner la conversation. Malgré ses efforts, son chagrin n'échappa pas à l'oreille maternelle d'Alice, dont la voix s'adoucit.

— Rachel, je sais que tu as de la peine, et je m'en veux de ne pas t'offrir ma compassion. Mais tu sais pourquoi…

— Oui, maman, je sais pourquoi.

— Je vais réveiller ton père. C'est jeudi.

Le jeudi, le magasin d'alimentation de Zack Mitchell, où son père travaillait en tant que boucher depuis trente-six ans, fermait tard. William était responsable jusqu'à vingt et une heures et bénéficiait donc d'une heure de lunch plus longue. En général, il en profitait pour faire la sieste.

— Mon Dieu, Bunny, c'est très triste, dit-il en prenant la communication.

En entendant sa voix chaleureuse et bienveillante, Rachel s'écroula, comme lorsqu'il l'avait consolée après sa dispute avec sa mère à propos de ses liens avec Houston Avenue. William n'avait jamais pris parti. Et elle devait admettre que sa mère n'avait pas cherché à le monter contre sa fille. Bunny était le surnom qu'il lui avait donné quand elle était bébé.

— Tu te sens mieux, maintenant, chérie? s'enquit-il.

— Oui, papa, mais... Maman, Jimmy et toi, vous me manquez tellement... surtout maintenant. Maman t'a peut-être dit qu'Amos tenait à ce que Jimmy et toi veniez à la lecture du testament. J'aimerais vraiment que nous partions tous ensemble à bord de l'avion privé, demain matin. Vous pourriez venir à l'aéroport de Kermit.

William Toliver s'éclaircit la voix.

— Euh... Rachel, cela pose problème. D'abord, l'ambiance risque d'être un peu tendue, compte tenu des sentiments de ta mère, tu ne penses pas? Ensuite...

Il entendit son soupir et se hâta de couper court à ses protestations.

— Je ne peux m'absenter qu'à partir d'après-demain, au plus tôt. Impossible de laisser Zack seul au magasin.

— Pourquoi pas? Vu les circonstances, il pourrait faire preuve d'un peu de considération, après toutes ces années.

— On ne fait pas ce qu'on veut quand on n'est pas le patron, Rachel, et nous sommes en pleine période d'inventaire.

La jeune femme poussa un soupir exaspéré. Son père n'était pas homme à réclamer son dû.

— Promets-moi d'amener Jimmy. Je veux le voir, papa. Il nous aidera à nous sentir mieux.

Au cours de l'année écoulée, son petit frère lui avait particulièrement manqué. Jimmy voyait dans la tante Mary une véritable divinité qui perpétuait les traditions familiales depuis toujours.

— J'essaierai, chérie, mais ton frère a vingt et un ans et il décidera lui-même. Je lui ferai savoir que tu souhaites sa présence.

Lorsqu'elle n'eut plus rien à dire, Rachel raccrocha. Les paroles de son père résonnaient à ses oreilles. Mais les choses allaient bientôt changer. Tante Mary lui avait peut-être légué de quoi envoyer promener Zack Mitchell. Tout le monde croyait que la vieille dame roulait sur l'or, ce qui était le cas, certaines années. Cependant, les bénéfices étaient tributaires du temps et des marchés, du coût de la main-d'œuvre et des frais. Souvent, la valeur d'une exploitation était déterminée par la valeur de la terre plus que par l'argent détenu en banque. Sa mère était consciente de ces réalités.

Rachel entendait encore l'un de ces discours : *Tu vas voir, William. Quand la tante Mary passera l'arme à gauche, ce sera sûrement après la pire sécheresse de l'histoire, trois mois de pluies torrentielles, un surplus de coton, une crise de l'énergie, tout ce qui risque de faire chuter les profits, de sorte qu'il n'y aura plus d'argent en banque, rien que ces maudites terres et la maison des Toliver, qu'elle laissera à Rachel. Maudit soit le jour où tu t'es mis en tête de l'emmener une deuxième fois voir sa grand-tante.*

Rachel n'était pas d'accord. Ce n'était pas ce voyage à Howbutker, en 1966, qui avait déclenché sa passion pour tout ce qui touchait les Toliver. Celle-ci venait de bien plus loin, avant même sa naissance. Elle n'en avait simplement pris conscience que le jour où elle avait aperçu une jeune pousse près de la poubelle, derrière la maison…

L'HISTOIRE DE RACHEL

50

Kermit, Texas, 1965

Elle trouva la jeune pousse en mars, alors que le vent était encore lourd de sable, dans l'ouest du Texas. Dans la posture accroupie qui amusait tant son père, elle examina la plante. Elle était différente des herbes pointues, des chardons et autres xanthiums qui parvenaient parfois à surgir sur la pelouse du jardin. D'un vert clair, tendre, elle la fascina, au point que Rachel y pensa tout le souper, en faisant la vaisselle et ses devoirs. Avant d'aller se coucher, elle alla même la couvrir pour la protéger du gel. Le lendemain, elle rentra vite de l'école et dressa un muret de pierres, afin de la préserver des éboueurs négligents et de la tondeuse à gazon de son père.

— Qu'est-ce que tu as trouvé là, Bunny?

— Je n'en sais rien, papa, mais je vais m'en occuper.

— Tu ne préférerais pas… un petit chien ou un chaton? demanda-t-il avec une inflexion étrange dans la voix.

— Non, papa. J'aime ce qui pousse dans la terre.

Finalement, il s'agissait d'une plante grimpante donnant des courges à peau foncée. Son père lui expliqua qu'une graine s'était échappée d'un sac-poubelle et avait poussé là où elle était tombée. Rachel entendit son père déclarer à sa mère:

— J'ai l'impression qu'on a une petite agricultrice.

— Du moment qu'elle ne veut pas cultiver le coton, répondit Alice.

Un samedi matin, peu après la naissance de son frère, sa mère l'emmena chez Woolworth pour lui offrir « quelque chose de spécial, dans les limites du raisonnable ». Sans l'ombre d'une hésitation, Rachel se dirigea vers le rayon jardinage du grand magasin. Lorsque sa mère la rejoignit, elle avait déjà sélectionné cinq sachets de graines illustrés de superbes légumes.

Ses achats se montaient à cinquante cents au total mais, au lieu de s'en réjouir, Alice pinça les lèvres et fronça les sourcils.

— Que vas-tu en faire ? l'interrogea-t-elle.

— Un potager.

— Tu ne connais rien au jardinage.

— J'apprendrai.

De retour à la maison, elle montra ses emplettes à son père.

— Laisse Rachel planter ses graines toute seule, William. Il ne faut pas l'aider. Si c'est un succès, elle en aura tout le mérite…

Et si elle échoue…, lut l'enfant dans le regard entendu que sa mère adressa à son mari. Pourquoi cette réprobation ? C'était même la première fois qu'Alice ne lui apportait pas son soutien.

Mais ce fut un succès. La fillette suivit scrupuleusement les instructions figurant sur les sachets et emprunta des manuels de jardinage à la bibliothèque. Elle bina une parcelle située sur le côté de la maison et l'arrosa d'eau bouillante pour tuer microbes et nématodes. Elle alla chercher du fumier chez les voisins afin d'enrichir la terre et y incorpora du sable. Dans le garage et la remise, elle dénicha des récipients pour ses semis.

— Mais qu'est-ce que ?…, s'exclama sa mère en découvrant les boîtes de conserve et autres cartons de lait alignés sur le rebord de la fenêtre de sa chambre.

— Je fais germer les graines pour mon potager, expliqua la fillette avec enthousiasme dans l'espoir d'effacer la mine sévère d'Alice. Le soleil entre par la fenêtre, réchauffe la terre et les graines germent pour devenir des plantes.

— En les arrosant, prends garde à ne rien salir, sinon tu peux dire adieu à ton projet, prévint sa mère sans décolérer.

Au printemps, Rachel présenta son potager à son professeur de sciences naturelles.

— Je suis impressionné, déclara-t-il, abasourdi. Tu me jures que ton père ne t'a pas aidée à retourner la terre ? Qu'il n'a pas arraché la pelouse, incorporé du compost et installé le grillage ?

— J'ai tout fait moi-même, monsieur.

— Eh bien, jeune fille, tu mérites un A. Tes parents peuvent être fiers de leur future agricultrice.

Rachel avait neuf ans. Le printemps suivant, son potager se développa et produisit des légumes d'une variété et d'une qualité supérieures à la marchandise de Zack Mitchell. C'est ce qui incita son père à l'emmener à Howbutker, lors de cet été crucial de 1966. Rachel n'oublierait jamais la conversation, ou plutôt la querelle, de ses parents à propos de cette décision de William. C'était à la mi-juin. Après le souper, elle était sortie pour arroser ses plantes à l'aide d'un tuyau d'arrosage relié au robinet situé sous la fenêtre de la cuisine. Par la fenêtre ouverte, elle entendit sa mère déclarer :

— Que cherches-tu à prouver en emmenant Rachel à Howbutker, William ? Qu'elle est une Toliver de l'espèce des planteurs de coton ? Que son intérêt pour les plants de tomates est héréditaire ?

— Pourquoi pas ? fit son mari. Suppose que Rachel soit une nouvelle Mary Toliver, suppose qu'elle soit apte à gérer Somerset, après la mort de tante Mary… La plantation resterait dans la famille au lieu d'être vendue.

Rachel entendit le fracas d'une casserole dans l'évier.

— Tu es fou ! L'argent de cette plantation nous permettra d'acheter une plus belle maison et nous assurera une retraite confortable. Nous voyagerons et tu auras cette caravane dont tu as toujours rêvé. Tu pourras enfin quitter ton rayon boucherie et ne pas passer le reste de ta vie à travailler.

— Alice…, soupira William, si Rachel est bien de la trempe des Toliver, je ne peux pas vendre un héritage qui se transmet de génération en génération.

— As-tu pensé à Jimmy ? s'exclama Alice. Et son héritage, à lui ?

— C'est à tante Mary d'en décider, conclut William. Pour l'amour du ciel, il ne s'agit que d'une visite. La passion de Rachel n'est peut-être qu'une passade. Elle n'a que dix ans. L'an prochain, elle se passionnera peut-être pour les garçons, la musique ou Dieu sait quoi, quand elle comprendra qu'elle est jolie.

— Rachel n'a jamais eu des goûts de fille, et je doute qu'elle comprenne un jour combien elle est jolie.

Rachel entendit une chaise racler le sol.

— Je l'emmène là-bas, Alice. C'est normal. Si elle a la vocation, je ne veux pas la contrarier. Elle mérite de le savoir.

— Tu veux aussi te donner bonne conscience, à mon avis. En offrant Rachel à ta tante, tu te rachètes d'être parti, autrefois.

— Tante Mary me l'a déjà pardonné, répondit William, vexé.

— Emmener Rachel à Howbutker est une erreur que nous regretterons tous. Je t'aurai prévenu !

Au cours de ce mois de juin, vêtue comme sa grand-tante d'un pantalon de toile, d'une saharienne et d'un chapeau de paille provenant du magasin Dumont, Rachel suivit Mary dans la plantation à chacune de ses sorties. Jamais elle n'avait rien vu d'aussi beau que ces rangées verdoyantes s'étendant à l'infini.

— Tout cela t'appartient, tante Mary ? demanda-t-elle, subjuguée.

— À moi et à mes ancêtres, ceux qui ont créé ces champs en abattant des arbres.

— Qui étaient-ils ?

— Nos ancêtres Toliver. Les miens et les tiens.

— Les miens, aussi ?

— Oui, mon enfant. Tu es une Toliver.

— C'est pour cela que j'aime faire pousser des plantes ?

— On le dirait bien…

Son père le lui avait expliqué :

— Tu es une Toliver, ma fille, une vraie, au contraire de Jimmy, de moi ou de mon père. Nous portons tous ce nom, mais toi et ta tante avez cela dans le sang.

— Qu'est-ce que cela veut dire ?

— Que ta tante et toi avez hérité d'une force ancestrale qui caractérise les Toliver depuis la fondation de Howbutker et de Somerset.

— Somerset ?

— Sa plantation de coton, la dernière du genre, au Texas. Bien plus vaste que notre jardin, ajouta son père avec un sourire. Ta grand-tante la dirige depuis sa jeunesse.

Leur visite tombait en pleine floraison. Émerveillée, Rachel se promenait avec Mary à dos de jument. Sa tante lui expliqua que chaque fleur, passant d'un blanc crème au rose, puis au rouge foncé, tombait au bout de trois jours. Elle apprit même à la fillette une petite comptine sur la vie d'une fleur de coton : « D'abord blanche, puis rouge, je meurs au troisième jour. »

Mary lui décrivit le fonctionnement d'une plantation de coton, qui tenait du miracle :

— Les bourgeons apparaissent cinq ou six semaines après les premières pousses, puis vient la floraison. Ensuite, des capsules se développent et s'ouvrent. S'en échappent des graines et des bourres de coton recouvertes d'une houppe de fibres blanches. La valeur du coton dépend de la longueur des fibres, de leur couleur, de leur texture, des déchets restant sur les têtes blanches… Plus la fibre est longue, meilleur est le coton.

Rachel buvait les paroles de sa grand-tante. Cette dernière ne cherchait en rien à influencer l'enfant, mais était impressionnée par sa curiosité. Au terme de ces deux semaines, son teint hâlé prouvait qu'elle n'avait pas lâché sa grand-tante d'une semelle.

— Ton père me dit que tu veux être cultivatrice quand tu seras grande, déclara Mary tandis qu'elles buvaient une citronnade, sous le porche de la maison dite « Ledbetter », dont Mary se servait comme bureau. Pourquoi ? C'est le métier le plus dur qui soit. Souvent, on n'est pas récompensé pour ses efforts. Pourquoi as-tu autant envie de te salir les mains ?

Rachel pensa à Billy Seton, qui habitait au bout de la rue, et que l'on n'avait jamais vu sans son gant de base-ball. Pas étonnant qu'il ait intégré l'équipe des Yankees de New York, pour la plus grande fierté des habitants de Kermit. Il était « né pour le base-ball », disait-on. Rachel ressentait la même chose. Elle ne se voyait pas sans jardin, le seul endroit où elle était heureuse. Peu lui importait la saleté, elle aimait le contact de la terre riche et humide, à ciel ouvert, le vent dans ses cheveux, mais surtout le miracle de voir surgir les jeunes pousses. C'était magique.

— Eh bien, tante Mary, répondit-elle fièrement, je pense que je suis née pour ça.

— Vraiment? fit la vieille dame, un sourire au coin des lèvres.

Quand son père vint la chercher, elle déclara, une lueur d'espoir dans les yeux en regardant sa grand-tante :

— C'était merveilleux, papa. Je peux revenir l'été prochain, tante Mary ? En août, pour la récolte ?

— L'été prochain, en août, acquiesça-t-elle en riant.

51

Au cours des années qui suivirent, Rachel fut témoin de nombreuses querelles entre ses parents liées à ses séjours annuels à Howbutker.

— William, je n'arrive pas à croire la lettre de ta tante! Comment ose-t-elle nous demander de lui envoyer Rachel pour tout l'été? Quelle égoïste! Je ne vois déjà pas assez ma fille... et elle veut que nous la lui laissions pour toutes les vacances!

— Pas toutes les vacances, Alice. Seulement le mois d'août. Tante Mary va avoir soixante-dix ans. On peut tout de même lui faire plaisir, non? Elle n'est pas éternelle...

— Elle vivra assez longtemps pour me voler Rachel. Elle est en train de nous séparer, William. Tante Mary par-ci, tante Mary par-là... J'en ai assez! Elle ne parle jamais de moi avec une telle adoration.

Rachel les écoutait, le cœur serré. Sa mère avait raison. Percevant sa souffrance, elle se promit d'être plus affectueuse. *Papa, je t'en prie, laisse-moi aller chez tante Mary et oncle Ollie pour le mois d'août...*

Le débat se solda par un compromis qui laissa à Alice un goût amer. Rachel pourrait passer le mois d'août «du côté de son père» mais, l'année suivante, la famille entière partirait en vacances ailleurs.

C'est au cours de cet été que Rachel fit la connaissance de Matt Warwick. Elle avait souvent entendu parler du petit-fils de M. Percy, mais il se trouvait toujours chez sa grand-mère d'Atlanta lors des séjours de Rachel. Sa mère était morte d'un cancer quand il avait quatorze ans et son père avait péri pendant la guerre de Corée. C'était triste d'être orphelin si jeune, mais il avait au moins la chance de vivre à Howbutker, chez M. Percy, un homme merveilleux.

D'après William, M. Percy était un magnat du bois implanté dans tout le pays et même au Canada. Matt apprenait les ficelles du métier et y prenait goût, un peu comme elle. On le disait séduisant, aimable et simple. Rachel était impatiente de savoir s'il était à la hauteur de sa réputation.

Ils se rencontrèrent lors de la fête organisée pour les dix-neuf ans de Matt. Pour l'occasion, Rachel portait une nouvelle robe choisie sur les conseils avisés d'Ollie. Blanche et ourlée de festons, elle était agrémentée d'une ceinture verte. Rachel n'avait jamais rien porté d'aussi beau. Elle se sentait très adulte, avec ses bas et ses petits talons. Elle avait noué un ruban dans ses longs cheveux.

Mary et Ollie l'attendaient au pied de l'escalier, le regard plein de fierté et d'affection. Rachel leur sourit. Elle se sentait un peu coupable en songeant aux paroles de sa mère :

— *Tu te crois trop bien pour nous, Rachel.*

— *Pas du tout !*

— *Ne mens pas ! Tu préfères être dans le manoir de ta tante et ton oncle fortunés plutôt que vivre avec tes parents dans une petite maison. Et tu préfères les snobinards de Howbutker aux gens simples de Kermit !*

— *Maman, tu te trompes ! J'aime les deux endroits.*

Comment convaincre sa mère que ses sentiments pour son oncle et sa tante n'amoindrissaient en rien son amour pour ses parents ? Oncle Ollie était le plus gentil des hommes. Il lui donnait l'impression d'être unique. Tante Mary comprenait son amour pour la terre comme jamais sa mère ne le pourrait. Quant à la maison de Houston Avenue… Dès le premier regard, Rachel avait eu l'impression de retrouver un lieu familier. Les roses, le chèvrefeuille, le bassin, la tonnelle, l'escalier majestueux et les pièces spacieuses… Ici, elle se sentait autant chez elle qu'à Kermit, dans sa chambre voisine de celle de son frère de six ans. Sans savoir pourquoi, elle avait l'impression d'être liée à Howbutker depuis toujours. L'architecture d'inspiration sudiste de la ville, les habitants de toutes origines… C'était si différent de Kermit… Quand elle s'en était confiée à son père, il lui avait répondu :

— Tu es chez toi, ici, Rachel. Cette maison et cette ville sont tes racines.

Je n'y peux rien, songea-t-elle en descendant l'escalier. *Je suis chez moi, ici aussi. Tante Mary et oncle Ollie sont les grands-parents que je n'ai jamais eus. Ici, je suis à ma place.*

Ollie lui offrit son bras.

— J'ai l'impression de te revoir à quatorze ans, Mary.

— Je ne me souviens pas d'avoir été aussi jolie, répondit-elle.

— Tu ne t'en es jamais rendu compte, voilà tout, insista-t-il.

La fête avait lieu dans le parc de Warwick Hall, la somptueuse demeure de M. Percy. Tous ceux qui connaissaient et appréciaient Matt étaient conviés : jeunes et vieux, riches et pauvres se mêlaient sur la pelouse, sous un chapiteau rafraîchi par de grands ventilateurs. Dès leur arrivée, les Dumont-Toliver furent conduits vers Percy Warwick et Amos Hines, au côté d'un jeune homme en smoking blanc. *Voici donc Matt Warwick,* se dit Rachel, curieuse. Elle s'attendait à être déçue. Jusqu'à ce qu'elle arrive, le petit-fils de M. Percy était le seul enfant dans la vie de tante Mary et oncle Ollie. Il aurait été normal qu'ils l'idéalisent.

Or ils n'avaient pas exagéré. Matt était aussi grand et imposant que Percy, même s'il avait les traits moins réguliers. Tous deux étaient détendus et souriants. De qui Matt tenait-il ses yeux bleus limpides et ses cheveux châtain clair ? Rachel ignorait tout de ses parents et n'avait jamais rencontré sa grand-mère d'Atlanta. Quand il prit sa main, elle fut parcourue d'un frisson et s'épanouit comme une fleur de coton sous le soleil matinal.

Elle salua d'abord Amos, qui lui rappelait Abraham Lincoln, puis M. Percy, qui posa sur elle un regard étrange. Visiblement gêné par l'attention que lui portait son ami, oncle Ollie la fit pivoter vers Matt.

— Mon grand, je te présente la petite-nièce de Mary, Rachel Toliver, déclara-t-il. Elle est toujours venue pendant tes séjours chez ta grand-mère, à Atlanta, de sorte que vous vous êtes ratés.

Ollie rougit comme s'il avait commis une bévue. Malgré sa fascination pour Matt, les regards gênés que s'échangèrent tante Mary et M. Percy n'échappèrent pas à la jeune fille. Matt sourit et lui serra la main.

— Eh bien, dans les années à venir, je veillerai à être là, dit-il.

Il était bien trop charmant… Comment gérer le trouble que provoquaient en elle son sourire et son admiration manifeste ? Elle lâcha sa main et baissa les yeux pour redevenir une adolescente de quatorze ans gauche et immature, trop jeune pour sa robe moulante et ses talons.

— Grand-père n'exagérait pas en affirmant que tu étais tout le portrait de ta grand-tante, reprit Matt comme s'il n'avait rien remarqué. Ce n'est pas trop dur d'être aussi jolie ?

— Et pour toi, ce n'est pas trop dur d'être aussi séduisant que ton grand-père ? rétorqua-t-elle malgré elle.

Elle redouta un instant que ce compliment la fasse passer pour hautaine. Heureusement, le petit groupe s'esclaffa et Matt sembla impressionné. Lorsqu'il effleura sa fossette au menton, elle eut l'impression qu'un prince venait de l'adouber.

— Touché, dit-il, mais ce sera plus dur pour toi que pour moi. Ravi de te rencontrer enfin, Rachel Toliver. Amuse-toi bien.

Sur ces mots, il se dirigea vers des camarades d'université. Rachel eut l'impression que le soleil venait de se cacher derrière un nuage.

Plus tard, ils échangèrent quelques mots au buffet.

— Quand rentres-tu chez toi ? demanda Matt.

Chez elle ? Mais elle était chez elle…

— Demain, hélas.

— Pourquoi hélas ?

— Parce que… Je n'ai pas envie de partir.

— Ta maison ne te manque pas ?

— Si, et ma famille aussi, mais… quand je ne suis pas là, tante Mary et oncle Ollie me manquent aussi.

Il lui adressa un sourire désinvolte et lui tendit un verre de punch.

— Eh bien, ce n'est pas un problème. Tu as de la chance d'avoir deux maisons.

Elle se promit de répéter cet argument plein de sagesse à sa mère.

— Comment trouves-tu Matt Warwick ? s'enquit Mary, sur le chemin du retour.

— Formidable, répliqua Rachel sans l'ombre d'une hésitation. Tout bonnement sensationnel.

Tante Mary pinça les lèvres, se gardant de tout commentaire.

52

Au mois d'août suivant, comme convenu, Rachel accompagna ses parents et son frère dans le Colorado. Ils séjournèrent dans un ranch des montagnes Rocheuses. Après la chaleur étouffante de Kermit, la fraîcheur était bienvenue et le paysage, si époustouflant que les mots manquaient pour le décrire. Rachel admira les cimes enneigées, savoura la brise du lac sur son visage, tout en songeant que le coton était prêt pour la cueillette… Elle venait d'avoir quinze ans.

— Somerset te manque, n'est-ce pas ? dit doucement son père.

— Oh, oui…

Quand arriva la rentrée scolaire, elle ressentit comme un vide en elle, elle eut l'impression qu'elle n'aurait pas la force d'arriver au bout de cette année.

— Il ne faudra pas renouveler l'expérience, entendit-elle son père déclarer à Alice. On dirait… On dirait qu'une lumière s'est éteinte en elle.

— Je lui parlerai, assura sa mère.

Elle choisit de le faire le jeudi suivant, tandis que William travaillait tard au magasin et que Jimmy se trouvait chez un camarade, au bout de la rue. Tandis qu'elles essuyaient la vaisselle, elle prit le torchon des mains de sa fille et l'entraîna vers une chaise de la cuisine.

— Assieds-toi, Rachel, j'ai à te parler.

Face au ton sévère de sa mère, l'adolescente se crispa mais obéit.

— Oui, maman ?

Alice prit ses mains dans les siennes et plongea son regard dans le sien.

— Rachel, je vais te demander quelque chose qui va te briser le cœur, et le mien aussi.

D'instinct, elle voulut libérer ses mains, mais sa mère les retint.

— Tu nous aimes, n'est-ce pas ? Surtout ton papa ?

— Je vous aime tous, maman.

— Quelle que soit ta décision, cette conversation devra rester entre nous. Il ne faut pas que papa sache de quoi nous avons parlé ce soir. C'est promis ?

— Oui, maman, souffla-t-elle, mal à l'aise.

Manifestement en lutte avec sa conscience, sa mère hésita.

— Chérie, dit-elle en lui caressant le bras, comme tu le sais, tante Mary t'a désignée comme l'héritier qu'elle croyait avoir perdu à la mort de son fils.

— Héritier ?...

— Pour reprendre son domaine quand elle mourra, pour perpétuer la tradition des Toliver...

Alice plissa les yeux, se demandant sans doute si Rachel ne comprenait vraiment pas ou si elle jouait les imbéciles.

Rachel n'en revenait pas. Elle, l'héritière de tante Mary ? Elle avait déjà décidé de faire des études d'agronomie, dans l'espoir que sa grand-tante lui donnerait un emploi après son diplôme, mais de là à prendre sa place après sa mort...

— Cela se voit comme le nez au milieu de la figure ! Elle veut que tu prennes sa suite, Rachel ! Pourquoi continuerait-elle à acheter des terres ?

— Parce que Somerset doit rester en jachère pendant un an, après la prochaine récolte. Ensuite, elle plantera du blé et du soja.

Elle s'exprimait avec fierté. Pour la première fois de son histoire, Somerset se diversifiait et Rachel s'en réjouissait. Lors de ses visites estivales, sa grand-tante l'avait écoutée avec intérêt décrire les exigences de son potager. L'année précédente, elle avait déclaré à son régisseur :

— Ma petite-nièce m'a persuadée de changer de production à Somerset, ce que personne n'avait réussi avant elle. Les terres ne donnent plus de coton, il est temps de l'accepter.

Mais tante Mary restait une planteuse de coton. Elle avait acheté des hectares de terres près de Lubbock et de Phœnix, dans l'Arizona, pour planter du coton. Elle avait baptisé le domaine Toliver Farms. Cet achat avait contrarié Alice, qui l'accusait de dilapider sa fortune.

Alice reprit d'un air sévère :

— Sans toi, elle se serait satisfaite de ce qu'elle peut tirer de sa plantation. Maintenant elle a une bonne raison d'acquérir des terres et du matériel au détriment de ce qui doit revenir à ton père quand elle mourra. Elle sera comme tant d'autres exploitants de la région, riche en terres mais pauvre en argent. Tu vois où je veux en venir ?

Rachel opina de la tête. Elle comprenait désormais l'origine des disputes de ses parents, au fil des années. Sa mère s'attendait à ce que la tante Mary lègue la plantation à William, qui la vendrait. Elle en eut la nausée. Redoutant la colère grandissante de sa mère, elle hasarda :

— Serait-ce si grave si elle me léguait tout ? Je partagerais les bénéfices avec toi, papa et Jimmy…

— Jamais ton père n'accepterait de vivre aux crochets de sa fille, la coupa Alice.

— Pourquoi pas ? D'autres enfants aident leurs parents.

— Parce que ton père a l'impression qu'il n'a droit à rien de ce qui vient des terres Toliver.

— Mais pourquoi ? insista Rachel, abasourdie.

Alice lâcha ses mains et s'écarta. Elle semblait se demander si elle pouvait lui faire confiance. Enfin, elle reprit :

— Quand ton père avait dix-sept ans, il s'est enfui de chez tante Mary et oncle Ollie.

Rachel n'en croyait pas ses oreilles. Pourquoi son père fuirait-il deux personnes aussi merveilleuses ?

— Tu ne me crois pas, n'est-ce pas ? fit Alice face à son air sceptique. Eh bien, il l'a fait, chérie. Et je vais t'expliquer pourquoi. Ta grand-tante voulait faire de lui un planteur de coton, un Toliver, comme elle. Or ton père n'avait pas la vocation. Il détestait l'agriculture. Il détestait Somerset. Il détestait ce qu'on attendait de lui. Alors il est parti pour les réserves de pétrole de l'ouest du Texas. Voilà comment il s'est retrouvé à Kermit.

Rachel avait toujours cru que son père était resté à Kermit après son mariage parce que sa mère en était originaire.

— Ton père est peut-être pauvre, mais il est fier, continua Alice. C'est pourquoi il a toujours refusé l'aide de ta grand-tante. Je dois admettre qu'elle nous l'a proposée. Il en ferait autant pour toi. Je vais te confier d'autres petits secrets familiaux que tante Mary a certainement omis dans l'histoire des Toliver dont elle t'a bourré le crâne.

Comme si elle avait besoin de courage, Alice alla se servir un verre de thé glacé. Elle jeta quelques glaçons dans son verre et une cuillerée de sucre, et elle remua énergiquement. Rachel l'observa nerveusement. *Qu'elle parle !* songea-t-elle.

Sa mère se rassit sans avoir bu.

— Il y a longtemps, la première fois que nous t'avons emmenée à Howbutker, ta grand-tante a promis à ton père qu'à sa mort, le domaine serait vendu et que les bénéfices lui reviendraient. Elle avait déjà rédigé son testament. Elle lui a dit de te ramener à la maison et d'oublier Somerset, car une malédiction pesait sur le domaine.

— Une malédiction ? répéta Rachel, effrayée.

— Oui, une malédiction. Elle n'a jamais expliqué à ton père ce que cela signifiait, mais il devait se réjouir que ses enfants soient libérés de la plantation. Je te jure que c'est ce qu'elle a affirmé.

Rachel eut envie de se boucher les oreilles. Elle ne supportait pas d'entendre sa mère parler de la mort de tante Mary ou d'une malédiction qui pèserait sur Somerset.

— Je te dis cela parce que j'espérais qu'elle tiendrait sa promesse envers ton père. C'était une vraie note d'espoir.

— Mais…, bredouilla Rachel, je ne comprends pas. Quelle est la différence entre hériter des bénéfices de la vente et vivre des profits de la production ?

Alice parut étonnée. De toute évidence, elle ne s'attendait pas à cette question. Elle but avidement quelques gorgées de thé glacé.

— Eh bien, pour t'expliquer la différence, je vais devoir sortir quelques squelettes du placard. Quand le père de tante Mary est mort, il a tout légué à sa fille, sans rien laisser à son fils, Miles, ton grand-père. C'est pour cela que celui-ci est parti vivre en France. L'injustice de ton arrière-grand-père a exclu Miles et sa descendance de ce qui est si cher à tante Mary. Ton père ne se serait jamais sauvé si Miles avait eu quelque chose de Somerset. Il aurait eu une raison de rester. À présent tu comprends pourquoi nous nous moquons éperdument de cette plantation et de ton précieux héritage Toliver.

Rachel était désemparée. Alice ne s'était jamais remise du fait que son père, un garagiste, avait légué son entreprise à son frère, alors qu'elle-même n'avait rien reçu. Elle avait souhaité que son frère vende l'affaire et partage les bénéfices avec elle, mais il avait refusé. Dans quelle mesure le sentiment d'injustice d'Alice influençait-il son regard sur la situation de William ?

— Oui, répondit Rachel.

— Donc, la différence, c'est que ton père considérerait l'argent de la vente comme un dédommagement, alors qu'un intéressement aux profits serait de la charité. Tu comprends ?

Rachel hocha la tête. Le sang battait à ses tempes. Elle devinait enfin où sa mère voulait en venir.

— Qu'est-ce que tu attends de moi, maman ? demanda-t-elle en ravalant ses larmes.

Alice se pencha vers elle et la regarda dans les yeux.

— Que tu ne te dresses pas entre ton père et l'héritage de tante Mary. Je veux que tu renonces à cette... idée inconcevable de devenir exploitante. Ce n'est qu'une passade, de toute façon, chérie. Tu changeras de projets d'avenir une bonne dizaine de fois avant la fin de tes années de secondaire. En attendant, tu entretiens tante Mary dans l'illusion que tu es une nouvelle Mary Toliver.

— Je suis une nouvelle Mary Toliver...

Sa mère frappa du poing sur la table.

— Tu n'es pas elle! Sors-toi cette idée de la tête! Tu lui ressembles physiquement, c'est vrai, tu voudrais être elle, mais tu es toi-même, tu es le fruit du couple que je forme avec ton père. Tu viens de ma famille autant que des tout-puissants Toliver. Sais-tu à quel point je souffre quand ton père et toi faites comme si tu n'avais pas une goutte de sang Finch dans les veines?

— Maman, nous n'avons jamais cherché à te faire croire une chose pareille...

— C'est pourtant mon impression. Comment pourrait-il en être autrement? Pour couronner le tout, tu prives ton père de l'héritage qu'il mérite, un homme qui a travaillé dur avec une seule main pendant toutes ces années! L'argent de la vente est sa seule chance de se libérer de Zack Mitchell et d'avoir une vieillesse décente.

La blessure de son père était un moyen de pression efficace. Il avait une main difforme depuis un accident survenu dans un puits de pétrole avant la naissance de Rachel.

— Je peux vendre une partie des terres et donner l'argent à papa.

— Il n'en voudrait pas. Je n'ai pas été assez claire? Somerset doit lui revenir, comme ta tante le lui avait promis.

Rachel se massa les tempes.

— Où et quand suis-je censée... ne plus me dresser en obstacle?

— Tout de suite, avant qu'elle ne modifie son testament. Il te suffit de tempérer les espoirs de ta tante. Dis-lui que tu ne t'intéresses plus à la plantation et que tu ne veux plus faire d'études d'agronomie.

— Tu veux… Que j'arrête d'aller là-bas en été ? Que je rompe avec tante Mary et oncle Ollie ? Que je ne revoie plus Sassie, M. Percy ou Amos… ou Matt ? Mais c'est ma famille !

Alice frappa de nouveau sur la table.

— Ta famille, c'est nous, Rachel ! Ton père, Jimmy et moi ! Chez toi, c'est ici, pas à Howbutker. Tu dois nous faire passer avant tante Mary.

Rachel baissa la tête et crispa les poings.

— Je sais que c'est un sacrifice, reprit sa mère en écartant nerveusement ses cheveux de son visage, comme après chaque réprimande. Mais tu ne le regretteras pas, quand tu verras ton père profiter enfin des plaisirs de la vie. Tu ne regretteras jamais d'avoir fait ce qu'il fallait.

— Je dois abandonner mon potager ? demanda l'adolescente en relevant la tête.

— Il le faut, chérie ! répondit sa mère avec un regard implorant. C'est le seul moyen de convaincre papa que tu ne t'intéresses plus à l'agriculture. Sinon, il ne te croira pas et il insistera pour t'emmener à Howbutker.

La jeune fille en eut la gorge nouée. Renoncer à son potager ? Enlever son grillage et laisser les lapins et autres créatures tout dévorer, l'herbe envahir ses rangées bien nettes et fertiles ? Pire encore, il faudrait mentir à tante Mary, lui faire croire qu'elle ne les aimait plus… Qu'elle reniait Somerset, Howbutker et ses racines Toliver…

Sa mère lui caressa le bras avec compassion. Rachel remarqua combien elle avait les mains abîmées par le travail. Pour la première fois, elle prit conscience que ces mains s'occupaient de tout : elles lavaient leurs vêtements, nettoyaient la maison, faisaient le maximum pour que leur pauvreté se voie moins, et tout cela sans les appareils modernes dont bénéficiaient d'autres mères. Elle ne s'achetait jamais rien. Tout était pour son mari ou ses enfants.

— Je ne te demande pas cela pour moi, dit Alice. Je t'implore pour ton père.

— Je le sais, maman, répondit-elle en portant la main à sa joue.

C'était en septembre. Il lui restait une année de secondaire à endurer, puis une autre, et une autre encore, sans une bonne raison de compter les jours, sans une bonne raison de vivre. Elle se leva et s'efforça de sourire face au visage plein d'espoir de sa mère.

— J'écrirai à tante Mary et oncle Ollie dès ce soir pour leur expliquer que j'ai changé d'avis à propos de mon futur métier et que je ne viendrai plus à Howbutker…

53

— Papa, qu'est-ce que tu fais là ? demanda Rachel en levant un regard étonné vers son père.

C'était une semaine après son diplôme de fin d'études secondaires. William se tenait à côté d'elle, à la bibliothèque. Elle remplissait son formulaire d'inscription à l'Université du Texas sur une machine à écrire électrique. Dans la case « matière souhaitée », elle avait inscrit « à préciser ». En ce jeudi après-midi, il aurait dû se trouver à la maison, à faire sa sieste.

— Ta mère m'a dit que je te trouverais ici…

Il portait des chaussettes avec ses sandales, au lieu des chaussures à semelles orthopédiques qu'il utilisait pour son travail.

— Elle ne jugeait pas nécessaire que je passe, mais je tenais à te le dire moi-même avant de partir.

— Me dire quoi ? Où vas-tu ?

— Chérie…, fit-il en s'asseyant à côté d'elle avant de prendre sa main. C'est ton oncle Ollie… Il est mort ce matin d'une crise cardiaque. Je pars pour Howbutker. Zack m'accorde quelques jours pour les funérailles.

Bouche bée, Rachel sentit des larmes lui monter aux yeux. Oncle Ollie… un homme si gentil… Elle ne l'avait pas vu depuis trois ans, alors qu'elle aurait pu construire d'autres souvenirs avec lui…

— Comment va tante Mary ?

— Je ne sais pas. C'est Amos qui a appelé. Selon lui, elle semble… perdue.

Rachel ôta son formulaire de la machine et le glissa dans son dossier.

— Je t'accompagne, dit-elle. J'en ai pour une minute. Prenons ma voiture, elle est plus fiable.

— Je ne crois pas que ce soit une bonne idée, Bunny, répondit William, affolé. Ta mère a besoin de toi…

— Pour quoi faire ?

William déglutit, visiblement à court d'arguments, puis il haussa les épaules.

— Bon, eh bien… pourquoi pas ? Je suis sûr que tante Mary sera ravie de te voir, dans un moment pareil et (il leva sa main difforme) j'aurai besoin d'aide pour la conduite. Le problème, c'est que ta mère n'a jamais supporté de te partager avec tante Mary.

— Cette fois, elle fera bien une exception.

Elle lui devait bien cela. Pendant ces trois années de séparation forcée, elle avait enduré, pour lui faire plaisir, les activités qui seyaient selon Alice à une adolescente. Elle avait renoncé à s'inscrire à l'association des futurs agriculteurs américains et à ses études d'agronomie.

Rachel avait tenu sa promesse de ne pas révéler à son père la raison de ce revirement. Dans un premier temps, William avait été intrigué, mais il avait fini par accepter l'explication d'Alice : elle prenait conscience de sa féminité et de son charme. Jamais il ne soupçonna que sa femme était responsable des larmes qu'elle versait parfois : « Oh, les hormones, la puberté… »

— Tu commets une grossière erreur, Rachel, lui dit sa mère tandis qu'elle faisait ses bagages.

— Je ne resterai pas longtemps, maman.

— Et notre accord ?

— Pour l'amour du ciel, je me rends seulement aux funérailles d'oncle Ollie. En quoi cela rompt-il notre accord ?

— Je vois un tas de raisons…

Sur la route, son père somnola. Rachel se perdit dans ses pensées. Comment serait-elle accueillie après cette longue absence à peine expliquée ? Au début, son oncle et sa tante avaient écrit ou téléphoné pour lui donner des nouvelles de la plantation, de Howbutker, de Sassie, de M. Percy, d'Amos... et de Matt. Il était diplômé de l'Université du Texas et apprenait les ficelles du métier dans les diverses entreprises de son grand-père. Rachel l'imaginait plus séduisant que jamais, élégant, sophistiqué, si différent de ces lourdauds qui la draguaient à l'école et la surnommaient « la reine des glaces » quand elle repoussait leurs avances. Mary et Ollie envoyaient des vêtements provenant du magasin de luxe d'Ollie pour elle et Jimmy. Au fil du temps, les appels s'étaient espacés, comme les lettres. Rachel avait du mal à être convaincante sur ses nouveaux centres d'intérêt. Ses réponses étaient distantes, mornes. Elle était persuadée d'avoir réussi à leur faire croire qu'elle avait surmonté son besoin de grands-parents de substitution et que son enthousiasme pour l'agriculture et Somerset n'était qu'une passade.

Ses yeux s'embuèrent de larmes. Rien n'aurait été plus faux. Ils lui avaient manqué. Au cours de ces trois années d'école, rien n'avait pu la consoler. Et elle n'aurait plus la possibilité de dire à l'oncle Ollie combien il comptait pour elle, ni de le remercier de ne pas l'avoir oubliée. C'est lui qui avait choisi sa voiture, une élégante Ford Mustang rouge de 1973. Il l'avait fait livrer devant chez elle pour la récompenser d'avoir réussi son examen.

Malgré tout, elle s'attendait à être reçue avec réserve. Tante Mary lui pardonnerait peut-être sa froideur envers elle-même, mais jamais envers oncle Ollie.

Une fois qu'elle se trouva devant la véranda familière, elle eut une boule à l'estomac. C'est Sassie qui ouvrit la porte.

— Mademoiselle Rachel ! s'exclama-t-elle en l'étreignant. On ne savait pas que vous viendriez ! Dieu du ciel, vous avez grandi !

Cet accueil chaleureux fit résonner des pas provenant de la bibliothèque.

— Qui est là, Sassie ?

— Vous allez être contente, madame Mary!

Elle s'effaça pour laisser place à la vieille dame. À soixante-treize ans, celle-ci avait les cheveux plus gris, le visage plus marqué, mais elle était aussi belle que dans les souvenirs de Rachel. Percy apparut derrière elle, ainsi que Matt, qui avait vingt-deux ans, et Amos, accablé de chagrin. Ils étaient sa famille, maintenant qu'elle avait perdu Ollie.

— Ma chère enfant, tu es venue…, souffla-t-elle, au bord des larmes, en tendant les bras vers sa petite-nièce. Je suis tellement contente…

Rachel se rendit compte qu'elle ne serait plus jamais chez elle, à Kermit. Chez elle, c'était ici, dans cette maison, cette rue, parmi ces personnes. Elle aimait ses parents et son frère, mais sa place était auprès de cette femme dont le sang coulait dans ses veines.

— Je suis heureuse d'être là, répondit-elle en l'étreignant.

La sonnerie du téléphone fit émerger Rachel de ses pensées. Après les funérailles d'Ollie, son père était rentré à Kermit sans elle. En automne, grâce à ses relations, tante Mary l'avait fait entrer à la Texas A&M University de College Station, à deux heures de route de Howbutker. Elle rentrait le week-end et pendant les vacances pour aider sa grand-tante à introduire ses nouvelles cultures à Somerset et à appliquer les méthodes qu'elle découvrait sur les bancs de l'université. Quatre ans plus tard, elle termina première de sa promotion et obtint son diplôme d'agronomie. Elle espérait vivre à Howbutker et diriger la production de légumes tandis que sa tante gérerait la culture du coton. Mais Mary avait d'autres projets pour elle. Le coton avait peut-être fini de pousser à Somerset, mais pas sur les terres des Toliver. Elle envoya Rachel apprendre le métier auprès du responsable de la division ouest de l'entreprise, à Lubbock, au Texas, dont elle prendrait la direction par la suite, même si son cœur restait à Somerset.

Alice ne pardonna pas à sa fille d'avoir brisé sa promesse. Rachel garda pour elle les secrets de famille. William ne connut jamais les véritables raisons de leur brouille et accepta de bonne grâce que Rachel soit la seule vraie Toliver et hérite du patrimoine familial.

Rachel se leva et ouvrit la porte de son bureau. Danielle, sa secrétaire, lui présenta ses condoléances. Ron posa une main compatissante sur son épaule. Toliver Farms West serait entre de bonnes mains, durant son absence.

— Je ne vous reverrai pas avant un certain temps, annonça-t-elle. Je dirigerai l'entreprise depuis Howbutker. Vous saurez où me contacter.

— Vous ne reviendrez plus ? s'enquit Danielle.

— Non. À moins qu'un imprévu ne m'y oblige…

54

Pour échapper au silence pesant d'Alice, William Toliver emporta son verre de thé glacé sur la terrasse. Il avait besoin d'un moment de répit, avant de retourner travailler. Le plastique de son siège était brûlant, mais il ne s'en soucia guère. Le jour qu'il redoutait depuis tant d'années était venu ! Tout espoir de voir sa femme et sa fille se réconcilier avant la mort de sa tante s'envolait. Il se réjouissait néanmoins que Rachel puisse suivre sa vocation. En tant que Toliver, il attachait de l'importance à la transmission du domaine familial. Si seulement Alice ne l'accompagnait pas à Howbutker, avec Jimmy… Quand Amos lirait le testament confirmant que Rachel « privait » son père de sa seule chance d'une vie meilleure, Alice laisserait sans doute éclater sa rage.

Il poussa un soupir. Avait-il bien fait d'emmener Rachel voir sa tante, cet été 1966 ? Alice était en droit de lui dire : « Je t'avais prévenu », car tout avait changé, ensuite. Mais même sans ce séjour, le premier potager de Rachel n'aurait-il pas fini par la mener vers Somerset ?

Peut-être. Dix ans plus tôt, il était allé présenter sa femme et son nourrisson à son oncle et sa tante. Leur séjour n'avait pas été un succès, loin de là ! Le couple avait reçu la petite famille aimablement, mais avec la distance réservée aux étrangers. William le comprenait très bien. Il n'était pas revenu depuis sa fugue, à l'âge de dix-sept ans, et en avait alors vingt-huit. Entretemps, les contacts avec Houston Avenue avaient été rares. À vingt et un ans, il avait épousé une employée de pharmacie rencontrée alors qu'il venait chercher son traitement pour sa main blessée. Il avait annoncé son mariage à tante Mary par télégramme.

William se sentait coupable de les avoir négligés et il avait honte d'attendre si peu de la vie alors que son héritage exigeait de lui de l'ambition.

— J'ai fui tout ce qu'on attendait de moi, expliqua-t-il à Alice. J'ai certainement fait beaucoup de mal à tante Mary. Son fils unique est mort quelques années après mon arrivée chez elle et… Il ne lui restait plus que moi pour perpétuer la tradition familiale.

Alice ne l'entendait pas de cette oreille. Mue par cet instinct de protection que William aimait tant et offensée par la réserve hautaine de sa tante, elle tenait celle-ci pour responsable de sa fugue, allant jusqu'à affirmer que c'était à elle de lui demander pardon.

— Elle a voulu te façonner à son image pour satisfaire ses propres ambitions, mais tu n'as rien d'un fermier. Tu n'es même pas un Toliver, selon ses critères, puisque tu n'es pas comme elle.

William préférait oublier cette dernière remarque. À cinquante-six ans, tante Mary était encore d'une grande beauté. Son élégance, ses bonnes manières avaient de quoi intimider une jeune femme modeste à la coiffure démodée. De plus, Alice était possessive. Elle redoutait que Mary ne retienne son mari à Howbutker en faisant appel à son sens du devoir. Sans parler de la ressemblance physique entre Rachel et Mary…

— C'est bien une Toliver, avait commenté oncle Ollie avec un sourire béat, penché sur son berceau.

Aussitôt, Alice avait repris son enfant dans ses bras. Si elle vivait à Houston Avenue, la jeune femme serait en lutte permanente pour conserver ce qui lui appartenait. En dépit de la courtoisie de tous, Alice se sentait déplacée dans ce milieu huppé. Rien ne viendrait à bout de son complexe d'infériorité, même pas la gentillesse de l'oncle Ollie, qu'elle appréciait. Elle ne tolérait Amos Hines que parce qu'il avait « sauvé » son mari. Quant à Percy Warwick, avec ses cheveux cendrés, son teint hâlé et son corps encore svelte à soixante et un ans, elle le trouvait plus beau qu'une vedette de cinéma. Sa femme devait être folle pour quitter un tel homme.

La veille de leur retour à Kermit, tante Mary avait prié William de la suivre sous la tonnelle.

— Ta femme ne m'aime pas, déclara-t-elle d'emblée. Elle n'est pas à l'aise parmi nous.

William n'osa pas la contredire.

— Elle n'est jamais sortie de chez elle, tu sais…

— L'important, c'est qu'elle t'aime, William, et qu'elle te rende heureux.

— Tu es sincère, ma tante ? fit-il, étonné.

Il ne s'attendait pas à ce discours. Autrefois, elle lui serinait un tout autre refrain sur le devoir familial, l'héritage…

— Oui, répondit-elle. J'ai appris que certaines choses sont trop précieuses pour être sacrifiées. Retourne à Kermit et ne t'inquiète plus de devoir quoi que ce soit à Somerset.

Elle lui demandait d'oublier ce qui représentait toute sa vie…

— Et la plantation ? fit-il, le cœur serré. Que va-t-elle devenir quand tu… tu…

— Quand je serai morte ou trop vieille pour m'en occuper ? Eh bien, elle sera vendue. En tant qu'héritier, tu toucheras l'argent, même si Ollie me survit. C'est prévu dans mon testament. Je léguerai peut-être la maison au comité de sauvegarde.

— C'est tellement dommage…

Les yeux embués de larmes, il regarda sa main tordue.

— Je regrette, ma tante…

— Il ne faut pas, assura-t-elle en posant une main sur la sienne. Somerset a toujours coûté trop cher à ses propriétaires. Une malédiction touche les Toliver. Je ne t'en dirai pas davantage, mais réjouis-toi que tes enfants grandissent sans ce fardeau.

Ramène Alice et ta superbe petite fille chez toi et profite de la vie, même si ce ne doit pas être facile, là-bas, avec tout ce sable…

William remarqua l'esquisse d'un sourire dans la pénombre.

— Tu as trouvé la rose rouge que j'ai posée sur ton oreiller, le matin de mon départ ?

— Oui, William, j'ai trouvé ta rose.

Ce soir-là, en montant se coucher, il découvrit une rose blanche sur son lit.

À ce souvenir, il se sentit un peu coupable. Malgré le pardon de sa tante, il avait toujours eu l'impression de lui être redevable à cause de sa fugue. Alice avait raison sur ce point également… En réalité, s'il avait emmené Rachel à Howbutker en 1966, c'était avant tout pour se racheter. En dépit de ses propos, Mary mourait d'envie d'installer un autre Toliver sur le domaine. Il n'y aurait pas eu de problème s'il n'avait pas rapporté sa conversation avec sa tante à Alice, et si son arrière-grand-père avait jugé bon de léguer à son fils le moindre hectare de terres ; mère et fille ne se seraient jamais brouillées.

William entendit la sonnerie du téléphone. Aussitôt après, Alice apparut sur le seuil :

— C'est Dieu tout-puissant ! railla-t-elle. Il veut savoir où diable tu es passé !

William esquissa un sourire.

— Je me demande comment il a deviné où j'étais…

55

À dix heures, le petit Cessna privé de Toliver Farms se posa sur la piste de l'aérodrome de Howbutker. Amos avait sa mine des mauvais jours. Ce matin-là, il avait même eu un choc en se voyant dans la glace. Rien de plus normal, pourtant : il n'avait pas fermé l'œil de la nuit et l'appréhension lui nouait les entrailles.

Dieu me vienne en aide, songea-t-il en voyant s'ouvrir la porte du petit appareil. Rachel apparut au sommet des marches, vêtue d'une jupe-culotte blanche sur ses jambes bronzées. En l'apercevant, elle lui fit un signe de la main. Amos eut une terrible impression de déjà-vu. Comme elle ressemblait à Mary, la première fois qu'il l'avait vue au sommet des marches du grand magasin d'Ollie ! Bien sûr, Rachel était bien plus jeune, mais tellement belle et en plein désarroi, comme Mary, à l'époque. Il afficha un sourire forcé.

— Amos ! lança-t-elle en se précipitant vers lui pour se jeter à son cou. Comment allez-vous ?

— Pas très bien, avoua-t-il en l'étreignant.

— Dans ce cas, nous faisons la paire, assura-t-elle en lui prenant le bras.

Elle indiqua au pilote la Cadillac foncée d'Amos, imposante par sa taille mais très sobre, à l'image du notaire.

— Comme vous le voyez, je n'ai pas réussi à convaincre ma famille de m'accompagner. Mais ils devraient arriver demain vers midi. Ma mère vient aussi. Quel est le programme ?

Elle lui semblait si légère, à son bras, telle une jeune fille sacrifiée qui ignore tout de son sort…

— La cérémonie aura lieu lundi à onze heures, et l'inhumation à quinze heures. Les proches pourront se recueillir samedi de dix heures à midi et de dix-sept à dix-neuf heures, si cela te convient.

— C'est parfait, répondit Rachel. Nous aurons le temps de souffler un peu. Autre chose?

Il avait pris des dispositions pour le caveau. Pour soulager Sassie et Henry, accablés de chagrin, il avait réservé une salle pour la réception. La maison ne serait pas envahie par des centaines de personnes et les dames de la paroisse s'occuperaient de tout. De nombreuses connaissances viendraient néanmoins présenter leurs condoléances à la maison.

— Vous avez pensé à tout, déclara Rachel. Que me reste-t-il à organiser?

— Il faudra choisir une tenue pour Mary, ainsi que le cercueil et les fleurs. Je t'ai préparé un dossier avec mes notes et les coordonnées de personnes à contacter. Aujourd'hui, tu devras relire la nécrologie, au cas où tu voudrais la corriger. Mary l'avait rédigée elle-même. Les pompes funèbres en ont besoin avant seize heures.

Rachel s'arrêta net.

— Tante Mary avait rédigé sa propre nécrologie? Se savait-elle malade?

— Eh bien… Elle n'a jamais évoqué de problèmes cardiaques… Quant à la nécrologie… (il esquissa un sourire), je sais d'expérience qu'en sentant la fin venir, les dames du Sud aiment raconter leur histoire, plutôt que de laisser ce soin aux autres. Mary tenait sans doute à un texte simple et direct, sans fioritures.

— Quand l'a-t-elle écrit?

— Je l'ignore, hélas.

— Dans ce cas, je n'y toucherai pas, mais je m'étonne que ma tante se soit donné cette peine.

Le pilote chargea les bagages de la jeune femme dans le coffre de la voiture.

— Voilà, mademoiselle Toliver, dit-il en lui tendant la main, j'ai été ravi de vous connaître.

— Que voulez-vous dire, Ben ? s'enquit-elle, intriguée. Vous partez ?

— Vous ne le saviez pas ? Mon contrat prend fin avec cet ultime vol. Je devais emmener Mme Dumont à Lubbock, aujourd'hui, mais… Je vous ai amenée ici, à la place. Je ne travaillerai plus pour Toliver Farms.

— Qui vous l'a dit ?

— Mme Dumont.

— Vous avez eu un différend ?

— Pas du tout. Elle m'a informé qu'elle n'aurait plus besoin de mes services. Il paraît que l'avion a été vendu.

— Vendu ? répéta Rachel en se tournant vers Amos. Vous étiez au courant ?

Il haussa les épaules d'un air innocent, mais se sentit blêmir.

— Elle n'a jamais parlé de se séparer de l'avion.

— Ben, je ne sais que vous dire, reprit Rachel, mais je tiens à connaître le fin mot de cette histoire. Il doit s'agir d'une erreur.

— Dans ce cas, vous savez où me joindre, répondit le pilote.

Perplexe, Rachel le regarda s'éloigner.

— Vous savez, Amos, c'est la deuxième fois que j'ai l'impression qu'on me cache quelque chose. Hier, déjà, une entreprise de textile avec qui nous travaillions depuis des années n'a pas renouvelé son contrat. D'après vous, si elle avait su qu'elle n'en avait plus pour très longtemps, tante Mary aurait-elle pu prendre certaines dispositions avant de mourir ? Peut-être venait-elle me voir à ce propos…

Amos fit mine de chercher ses clés, puis il feignit d'être soulagé de les trouver.

— Tu sais aussi bien que moi que ta tante n'était pas du genre à faire des confidences. Tu sauras tout bien assez vite. Au fait, crois-tu que ta famille pourrait passer à l'étude vers cinq heures, après les funérailles, pour la lecture du testament ?

— Certainement. Ils voudront régler les formalités au plus vite pour repartir à Kermit dès le lendemain matin. Naturellement, je resterai plus longtemps. J'ai confié les rênes de Lubbock à mon contremaître et je travaillerai dans le bureau de ma tante. Dommage qu'Addie Cameron ait pris sa retraite. Elle aurait pu m'aider.

— En effet…, murmura le notaire, concentré sur sa conduite.

Encore une anomalie que Rachel aurait pu relever : la retraite anticipée inattendue de l'assistante de Mary, son bras droit depuis vingt ans, qui vivait désormais à Springfield, dans le Colorado, près de chez son fils. Il serait miraculeux que la jeune femme n'apprenne pas la vente du domaine avant les funérailles. Comment réagirait-elle ? Dans la matinée, Amos avait appelé les avocats de Mary, à Dallas, pour savoir combien de temps ils pouvaient taire la transaction. Pas longtemps, avaient-ils prévenu, car les médias allaient bientôt s'emparer de la nouvelle de la mort de Mary.

Dès qu'il arrêta la voiture devant la maison des Toliver, Henry, portant un brassard noir, vint les accueillir et prit les bagages.

— Je vais me débrouiller, Amos, assura la jeune femme, le dossier du notaire sous le bras. Rentrez vous reposer. Vous avez mauvaise mine, vous savez…

— D'accord. Juste un petit conseil… Évite de parler aux journalistes avant les funérailles… C'est plus convenable. C'est ce que Mary aurait souhaité.

— Vous avez raison, répondit-elle en l'embrassant. Allez faire la sieste et revenez pour le souper. Percy et Matt voudront certainement être présents, eux aussi.

En démarrant, Amos regarda dans le rétroviseur. Rachel gravissait les marches du perron, la tête haute, comme si elle sentait déjà le poids des responsabilités. Le cœur serré, il soupira et pria de nouveau le ciel de lui venir en aide.

Comme à chaque retour de Rachel, Sassie accourut et la serra dans ses bras, les joues ruisselantes de larmes.

— Mademoiselle Rachel, Dieu merci, vous êtes là !

Pour la jeune femme, son parfum était aussi évocateur que celui du chèvrefeuille qui envahissait la clôture du jardin.

— C'est arrivé ici, dit la gouvernante en désignant une table et deux chaises, dans la véranda. Elle s'est écroulée. Je n'aurais pas dû la laisser seule ! Elle était tellement bizarre... Je savais bien que quelque chose clochait.

Rachel s'approcha du siège.

— Comment cela, bizarre, Sassie ?

— Eh bien, elle a bu, mademoiselle Rachel. Vous savez que votre tante ne consommait jamais d'alcool, même pas un petit vin chaud à Noël. Pourtant, en rentrant de la ville, à l'heure du dîner, elle s'est installée en pleine chaleur, juste là, et m'a demandé de lui apporter une bouteille de champagne.

Rachel fronça les sourcils. C'était étrange, en effet.

— Peut-être fêtait-elle un événement ?

— Pas que je sache. Ça ne lui ressemblait pas. Et ce n'est pas tout ! Avant, elle a demandé à Henry de monter au grenier déverrouiller la malle militaire de M. Ollie. C'est ce qu'elle répétait, quand je l'ai trouvée. « Il faut que je monte au grenier », qu'elle disait. J'ai cru que c'était un effet de l'alcool, mais elle semblait sobre quand elle a crié votre nom...

— Amos me l'a dit, souffla Rachel, les larmes aux yeux. Tante Mary a-t-elle précisé ce qu'elle cherchait, dans cette malle ?

— Mme Mary était avare de confidences. Non, elle n'a rien dit. Je lui ai suggéré que Henry lui descende ce qu'elle voulait, mais elle a refusé net. Elle était la seule à savoir ce qu'elle cherchait, paraît-il.

Rachel réfléchit un instant.

— Je crois que tante Mary était très malade et que ses jours étaient comptés, Sassie. Voilà pourquoi elle s'est rendue à Dallas à l'insu de tous. Pour consulter un médecin. Elle a prié Henry d'ouvrir le coffre parce qu'elle voulait en retirer un objet personnel qu'elle ne voulait pas que nous trouvions après sa mort.

Sassie parut soulagée par cette hypothèse.

— Compte tenu de tout ce qui s'est passé ici, cela se tient.

— Rentrons et vous me raconterez ces choses étranges devant un thé glacé, suggéra Rachel en la prenant par le bras.

Elles s'attablèrent dans la cuisine.

— J'aurais dû me douter de quelque chose quand Mme Mary est partie sans rien dire à M. Percy, raconta Sassie. M. Amos s'en est offusqué, lui aussi.

— Combien de temps est-elle restée à Dallas ?

— Presque un mois.

— Avez-vous remarqué d'autres bizarreries ? s'enquit la jeune femme en buvant une gorgée de thé glacé.

— Le départ inattendu de Mme Addie aurait dû me mettre la puce à l'oreille. Et les perles… Elle les portait toujours, quand elle s'habillait.

— Et alors ?

— Elle est partie avec hier mais, d'après Henry, elle ne les avait plus en sortant de l'étude de M. Amos.

— Elle les lui a sans doute confiées, supposa Rachel. Vous saviez qu'elle venait me voir, aujourd'hui ?

— Oui, elle m'en a parlé vaguement, juste avant de se rendre chez M. Amos. Après l'arrivée de l'ambulance, j'ai monté son sac à main dans sa chambre, et j'ai trouvé sa petite valise prête. Je ne sais rien de plus.

— Moi non plus.

Le carillon de la porte d'entrée retentit.

— Tiens, c'est la livraison de l'épicier. C'est qu'il va y en avoir, des bouches à nourrir !

Tandis que Sassie s'éloignait d'un pas lent, Rachel s'interrogea sur ces indices troublants, surtout le champagne. Un jour, sa tante lui avait dit : « Pour moi, l'alcool est un passeport vers des lieux où je n'ai pas envie d'aller. Quand je serai vieille, quand j'aurai les cheveux encore plus blancs… Quand il ne me restera plus beaucoup de temps… J'y retournerai peut-être. »

Quant au collier de perles, il lui était destiné. Tante Mary avait préféré le confier à Amos au lieu de le ranger dans son coffre, afin qu'il le lui remette après la lecture du testament. Dans ce cas, pourquoi Amos n'avait-il rien remarqué d'anormal ?

Elle se leva, trop lasse pour réfléchir. *Tu sauras tout bien assez vite*, avait déclaré Amos. Dès que Sassie réapparut, elle lui fit part des dispositions prises par le notaire et de l'arrivée de sa famille, le lendemain.

— Avant de défaire mes bagages, je vais choisir une tenue pour ma tante. Ensuite, je passerai quelques appels. Amos m'a donné les coordonnées d'un couple qui vous aidera, Henry et vous.

— Ne vous en faites pas pour moi, mon petit. Je préfère être occupée, cela m'évite de trop penser.

À l'étage, la suite de Mary était plongée dans la pénombre, les volets clos, les rideaux tirés. Lorsque Rachel ouvrit la porte qui cachait tant de secrets, aucun esprit ne vint la consoler. Malgré les touches personnelles, il régnait même une certaine froideur. Le peignoir en satin rose que Mary enfilait pour sa sieste était posé sur une chaise. Ses pantoufles assorties semblaient surgir de sous le lit, tels les yeux d'un chiot espiègle… Sur la cheminée trônaient une multitude de portraits de famille, dont beaucoup de Rachel. Son nécessaire de toilette en argent, un cadeau de mariage de l'oncle Ollie, étincelait sur sa coiffeuse… Rachel découvrit la petite valise que la vieille dame avait préparée pour son voyage à Lubbock.

La jeune femme n'était pas souvent entrée dans cette chambre. Tante Mary et elle passaient le plus clair de leur temps à la bibliothèque, dans le bureau ou sous le porche. Un jour, autrefois, Rachel avait aperçu un portrait par la porte ouverte. Intriguée, elle l'avait subtilisé pour l'observer. Il s'agissait d'un adolescent brun qu'elle prit d'abord pour William. En y regardant de plus près, elle constata qu'elle se trompait, car les traits des Toliver étaient trop marqués. Ce garçon dégageait une force de caractère dont son père était dénué. Au dos figurait l'écriture de Mary : « Matthew à seize ans, juillet 1937, amour de la vie de son père et de la mienne. » Quelques mois plus tard, Matthew était mort. Ensuite, sa tante n'avait plus jamais été la même. Comment expliquer autrement la tristesse qui voilait son regard ?

Ce portrait de Matthew avait disparu. Encore un mystère… Du vert, songea-t-elle en se dirigeant vers l'armoire. Oncle Ollie aurait choisi du vert. Rachel sélectionna une robe simple mais de bonne facture, puis elle quitta la pièce, non sans avoir poussé les pantoufles sous le lit.

56

Après avoir défait ses bagages, Rachel s'enferma dans le bureau de sa tante pour passer ses appels sur la ligne privée. Derrière la porte close, le téléphone de la maison ne cessait de sonner. Rachel refusant d'être dérangée par la presse, Sassie et Henry se relayaient pour prendre les messages.

Elle était presque venue à bout de sa liste quand Henry apparut.

— Mademoiselle Rachel, un appel pour vous, ligne deux...

— Qui est-ce ?

— Matt Warwick.

Rachel décrocha immédiatement.

— Matt ! s'exclama-t-elle, ravie. Cela faisait longtemps.

— Trop longtemps, répondit-il. Nous devrions arrêter de nous croiser dans de telles circonstances. Tu as gardé mon mouchoir ?

Rachel sourit. Il se rappelait donc leur dernière rencontre... Elle regarda le précieux objet.

— Je l'ai sous les yeux. Je comptais te le rendre bien plus vite...

— C'est incroyable que tu n'en aies jamais eu l'occasion. À croire que quelqu'un complote pour nous séparer. Et si on y remédiait ? Mon grand-père a fini par s'endormir, après une nuit blanche. Je suis à ta disposition. Je peux te conduire quelque part, peut-être ? Ou faire quelque chose pour toi pendant que tu te reposes ?

Rachel sentait presque son bras réconfortant sur ses épaules, comme après la mort de l'oncle Ollie, un geste qu'elle n'avait jamais oublié. Elle consulta ses notes.

— Et si tu m'emmenais aux pompes funèbres ? Je dois y porter la robe de tante Mary, pour la mise en bière...

— Volontiers, répondit-il d'une voix douce. Et si on dînait, d'abord ?

— D'accord. Disons dans une demi-heure ?

Elle prévint Sassie qu'elle ne mangerait pas à la maison. Puis elle se maquilla pour réparer au mieux les ravages d'une nuit sans sommeil et des larmes versées. Pour la première fois depuis douze ans, elle frémissait presque d'impatience. En juin 1973, son voyage à Howbutker pour les obsèques d'Ollie avait au moins eu un aspect positif: elle avait revu Matt Warwick. L'objet de son béguin ne l'avait pas déçue : beau comme un dieu, mûr et confiant, décontracté... mais distant, hélas. Elle n'en découvrit la raison que lors de la réception, quand il l'avait trouvée en larmes sous la tonnelle, tandis que les autres se restauraient à l'intérieur.

— Tiens, dit-il en lui tendant un mouchoir. Tu en as besoin, on dirait.

— Merci, fit-elle, gênée, en se couvrant le visage.

— J'ai l'impression que tu ne pleures pas seulement la mort de ton oncle Ollie...

La jeune fille releva vivement la tête pour le regarder droit dans les yeux. Comment le savait-il ? Elle avait découvert que son chagrin venait avant tout d'un sentiment de culpabilité, surtout ce jour-là. Elle s'en voulait d'avoir négligé oncle Ollie et brisé la promesse faite à sa mère. Dans la matinée, elle avait en effet annoncé à Alice qu'elle restait à Howbutker.

— *Je ne sais pas si je pourrai un jour te le pardonner, Rachel.*

— *Maman, je t'en prie, essaie de comprendre ! Tante Mary est toute seule, maintenant. Elle a besoin de moi.*

— *Et nous savons toutes les deux pourquoi !*

— *Tout ira bien, maman.*

— *Non! Plus rien n'ira jamais bien!*

La mine impassible, Matt s'assit à côté d'elle sur la balancelle.

— Si tu es angoissée, c'est parce que tu as abandonné les Dumont pendant trois ans? Tes séjours ici étaient toute leur vie, tu sais, et tu les as laissés tomber... Ils en ont eu le cœur brisé, surtout Ollie, qui t'adorait.

Elle retint son souffle, puis ses sanglots redoublèrent. Oncle Ollie était mort sans savoir combien elle l'aimait!

— Matt, je n'avais pas le choix!

Elle ne supportait pas qu'il soit en colère contre elle. Sans le vouloir vraiment, elle lui raconta toute l'histoire. Elle lui révéla les secrets de famille qui l'avaient incitée à faire sa promesse à sa mère et lui confia sa souffrance d'être privée de son oncle et sa tante, de son potager, de ses rêves d'avenir.

D'instinct, elle finit par poser la tête sur son épaule, le mouchoir trempé sur le revers de son blazer bleu marine.

Quand les sanglots firent place à des hoquets, Matt déclara:

— Ton oncle Ollie était un homme sage et compréhensif. Là où il est, je suis sûr qu'il se dit: « Je savais bien que seul un événement grave pouvait nous séparer de notre Rachel. »

— Tu crois? demanda la jeune fille en plongeant son regard dans le sien.

— Je suis prêt à le parier.

— Tu gagnes souvent tes paris?

— Presque toujours.

— Comment tu fais?

— Je ne parie que si je suis sûr de l'emporter...

Rachel sourit en revivant la scène. Le lendemain, il était reparti dans l'Oregon. Elle avait le cœur léger... et un mouchoir. Par la suite, ils ne s'étaient plus revus. En y réfléchissant, c'était étrange... comme si, en effet, quelqu'un complotait pour qu'ils ne se croisent pas.

Serait-il aussi séduisant que dans son souvenir? Avait-il pris du ventre, perdu ses cheveux? Avec le temps, son béguin s'était atténué, puis un homme était venu lui faire oublier Matt Warwick qui, de son côté, s'était fiancé à une beauté californienne, « une jeune fille très bien de San Francisco », selon tante Mary. « Jolie, mais pas vraiment faite pour Matt. »

Matt ne s'était jamais marié et l'homme de sa vie s'était envolé, de sorte qu'ils se retrouvaient tous deux aussi libres que le soir des funérailles d'Ollie.

Le carillon de la porte d'entrée la fit sursauter. Elle prit son sac, la housse contenant la robe de tante Mary, et se précipita pour ouvrir, de peur que Sassie ne persuade Matt de dîner à la maison. Dans le hall, elle ne put retenir une moue en voyant ses cernes et sa coiffure, dans la glace. *Il devra s'en contenter,* songea-t-elle avec un soupir.

Sur le seuil, ils échangèrent un sourire.

— Eh bien, fit-il. Regarde-toi un peu !

— Il ne vaut mieux pas. Je ne suis pas dans mon meilleur jour…

— Je t'assure que si !

— En tout cas, tu n'as pas changé, toi !

— C'est un compliment, j'espère.

— Absolument, répondit-elle.

Il se mit à rire et la prit par la main pour l'entraîner sous le porche.

— Je viens de repérer une équipe de traiteurs venant par ici. Et si on s'en allait avant qu'ils ne te mettent le grappin dessus ?

— Oh oui !

Main dans la main, ils se faufilèrent tels des conspirateurs vers une Range Rover de Warwick Industries. Dès que Matt eut démarré, Rachel poussa un soupir.

— La nuit a été dure, hein ?

— L'une des plus dures de ma vie. Comment va ton grand-père ?

— Difficile à dire. Il est solide, malgré ses quatre-vingt-dix ans, mais la mort de Mary est un sacré choc.

— J'en ai peur. Ils étaient très proches.

— Oh, ils étaient plus que cela ! assura Matt.

— Qu'est-ce que tu veux dire ?

— Je t'en parlerai à table. Et arrête de me regarder comme ça ! Je dois me concentrer sur la route.

Elle rougit. Matt était encore plus séduisant que dans son souvenir, plus mûr, plus sûr de lui. Elle aimait ses tempes poivre et sel.

— Je trouve étonnant, voire ahurissant, que tu aies échappé aux griffes d'une femme pendant si longtemps.

— Tu peux parler ! J'ai eu vent d'un... pilote de l'armée de l'air.

— Il était stationné à la base aérienne de Reese, près de Lubbock. On s'est rencontrés au bord de la route. J'étais en panne d'essence.

— Une panne d'essence ? s'étonna-t-il. Une fille raisonnable comme toi ?

— Quelqu'un avait siphonné mon réservoir. Un officier de l'US Air Force devient vite un héros pour une fille seule au bord d'une route déserte, à dix heures du soir.

— Que faisais-tu sur cette route déserte ? Et lui ?

— Je rentrais des champs où j'avais passé la journée à cueillir du coton. Je n'ai pas remarqué que ma jauge était au plus bas. Lui, il faisait un tour. Un de ses camarades d'escadron s'était tué dans l'après-midi, au cours d'une mission d'entraînement. Il m'a emmenée dans une station-service où j'ai acheté un bidon, puis il m'a ramenée à ma voiture.

— Et il t'a suivie chez toi...

— Il m'a suivie chez moi, admit-elle en tortillant le mouchoir de Matt. Mais ça n'a pas marché entre nous. Nos carrières étaient difficiles à concilier. Je suis une femme de la terre et lui, un homme des airs. Et toi ? Tu ne devais pas épouser une beauté de San Francisco ?

— Encore un cas d'incompatibilité...

— Ah...

Elle n'osa pas lui poser d'autres questions. Avait-il encore des sentiments pour cette fille? Ils devaient vraiment être différents pour qu'elle se sépare de Matt.

— Au fait, voilà ton mouchoir, reprit-elle.

— Garde-le. Tu risques d'en avoir encore besoin…

Ils se rendirent dans un café, près d'un hôtel, au bord de l'autoroute. Selon lui, c'était le seul endroit où ils pourraient bavarder sans être dérangés par des connaissances souhaitant lui présenter leurs condoléances.

— C'est le problème des petites villes, je suppose, dit Rachel. Mais c'est ce qui me plaît… Cette atmosphère sécurisante… Tu es content d'être de retour?

Elle avait appris que son grand-père lui avait passé le relais et qu'il était désormais le président de l'entreprise.

— Plus que jamais! répondit-il en consultant la carte.

Rachel sentit ses joues s'empourprer. Cela faisait longtemps qu'elle n'avait rien ressenti de tel.

— Peut-on discuter un peu avant de commander? suggéra-t-elle.

— Du café, pour l'instant, s'il vous plaît, dit Matt à la serveuse.

— Très bien, je t'écoute, reprit Rachel. Qu'est-ce qui te permet d'affirmer que tante Mary et ton grand-père étaient plus que des amis?

— Tu vas tomber de haut…

Il commença par le moment de confusion de Mary, devant le palais de justice, lorsqu'elle l'avait confondu avec son grand-père.

— Elle avait une voix si plaintive… Et sa façon de tendre les bras vers moi… c'était poignant, avoua-t-il.

— Elle a vraiment dit: « Percy, mon amour »?

— Oui. Quand j'ai raconté ça à mon grand-père, il m'a avoué qu'il l'avait aimée toute sa vie, lui aussi.

Rachel tombait des nues. Jamais elle n'avait soupçonné une relation amoureuse entre tante Mary et Percy.

— Mais alors, pourquoi ne se sont-ils pas mariés ?

Matt porta sa tasse à ses lèvres, le temps de formuler sa réponse, sans doute.

— À cause de Somerset, répondit-il enfin. Du moins, d'après grand-père…

Rachel se revit à vingt-cinq ans, avec sa tante, dans la maison Ledbetter. Elle venait de lui annoncer sa rupture avec Steve Scarborough. Mary l'avait écoutée tranquillement, le regard légèrement voilé.

— Tu es peut-être en train de commettre une erreur que tu regretteras amèrement, Rachel. Rien ne mérite qu'on renonce à l'homme que l'on aime.

C'était incroyable. Elle s'attendait à ce que sa tante applaudisse sa décision des deux mains, car Steve rejetait en bloc le monde agricole. Fils d'un producteur de blé du Kansas, il ne connaissait que trop bien les exigences de la terre. Mais pourquoi cette réaction de Mary ? Oncle Ollie avait toujours soutenu sa passion pour Somerset. Elle n'avait jamais eu à choisir entre sa vocation et l'homme qu'elle aimait…

— Ce n'est pas le seul homme au monde, ma tante. J'en trouverai un qui comprendra mon attachement à la terre. J'aurai peut-être la chance de rencontrer un autre Ollie Dumont…

— Mais pas un autre Steve Scarborough.

— Rachel ? fit Matt.

La jeune femme surgit de ses pensées.

— Ton grand-père t'a-t-il expliqué ce qu'il voulait dire par là ?

— Je n'ai pas pu en apprendre davantage, mais je suppose qu'il s'agissait d'un problème insoluble. Voilà pourquoi mes grands-parents sont séparés depuis tant d'années : ma grand-mère a dû être informée de leur relation, d'où sa haine envers Mary.

La serveuse revint prendre leur commande. Elle parut intriguée par l'attitude prostrée de Rachel.

— Nous prendrons deux menus spéciaux, dit Matt.

Dès qu'elle se fut éloignée, il prit la main de Rachel.

— Je sais que tu es sous le choc, mais Mary a épousé un homme bien. Personne n'aurait pu l'aimer davantage, même pas mon grand-père.

— Elle a toujours semblé heureuse avec lui…

— Elle se contentait de son sort. Ce n'est pas pareil. Ta mère et toi vous êtes-vous réconciliées ?

— Non, répondit Rachel. Tu te souviens de ce que je t'ai raconté, sous la tonnelle ?

— Presque mot pour mot. Je regrette que rien n'ait changé. Voyons si je ne me trompe pas : contre la volonté de ta mère qui espérait voir hériter ton père, tu as fait des études… d'agronomie, je crois. Tu as appris le métier du coton auprès de Mary.

— Bien résumé, dit-elle, flattée par cet intérêt pour elle. En gros, je ne pouvais pas renoncer à ce pour quoi j'étais faite.

— Tu as des regrets ?

— Bien sûr, mais moins que si je n'avais pas suivi ma voie.

— Tu en es sûre ?

— Certaine.

— Tu as de la chance d'être aussi affirmative, répondit-il en secouant la tête.

— Seulement dans ce domaine. Pourquoi ce sourire ?

— Oh rien… Je pensais à ce que quelqu'un m'a dit récemment…

Dans les locaux des pompes funèbres, Rachel se sentait réconfortée par la présence de Matt. Le spectacle de la défunte lui fut difficile. Figés dans la mort, ses traits avaient néanmoins gardé leur beauté, malgré la pâleur de sa peau.

— Vous… ne lui avez encore rien fait ? demanda Matt au thanatopracteur, en tenant Rachel par la taille.

— Nous attendions la robe, répondit-il.

Avec le soutien de Matt, Rachel accomplit les tâches délicates du choix du cercueil, des fleurs, et autres formalités.

— Et maintenant, qu'est-ce qu'on fait? demanda-t-elle ensuite.

Ils étaient assis dans la Range Rover, dans le stationnement de l'église. Il avait un bras posé sur le dossier du siège de la jeune femme et résistait manifestement à l'envie de lui caresser les cheveux.

— Tu dois être épuisée… Il vaut mieux que je te raccompagne, proposa-t-il à contrecœur.

— Quelle heure est-il?

— Quatre heures.

— Il est encore tôt…

— Où aimerais-tu aller?

— Tu veux bien me conduire à Somerset?

57

De retour à Warwick Hall, Matt fut soulagé de trouver son grand-père dans la bibliothèque. Reposé et élégant, il portait une chemise en soie ivoire et un pantalon impeccable.

— Tu veux un verre? lui demanda-t-il, en se servant un whisky.

— Je suis assez euphorique comme ça, répondit Matt.

— Mon Dieu…, souffla-t-il en buvant une gorgée d'alcool. C'est bien ce que je redoutais : tu t'es entiché de Rachel Toliver. Sassie m'a dit que tu étais avec elle, quand elle a téléphoné pour nous inviter à souper.

— Je me suis plus qu'entiché, grand-père. Je n'avais pas ressenti ça depuis… en fait, jamais.

Pas même avec Cecile, songea-t-il. Rachel lui manquait déjà. Après l'avoir déposée à regret devant la maison des Toliver, il l'avait regardée gravir les marches, le cœur serré, comme si elle risquait de disparaître. Dans la véranda, elle s'était retournée.

— À tout à l'heure! avait-elle lancé avec un sourire.

Il aurait volontiers passé le reste de sa vie avec elle.

— Je n'arrive pas à l'expliquer, avoua Matt en s'installant dans un fauteuil, devant la cheminée. Je n'y comprends rien moi-même. Qu'importe! J'ai l'impression que nous nous connaissons depuis toujours et que nous attendions le bon moment pour nous retrouver.

Percy lui tendit un verre.

— Tu es sûr que ce n'est pas un simple béguin ? Tu savais qu'elle était belle et, effectivement, vous vous connaissez depuis toujours, en tout cas de façon indirecte.

— Ne mets pas en doute mon expérience, grand-père. Je suis capable de faire la différence entre un béguin et des sentiments profonds.

— Et ces sentiments sont réciproques ?

— À moins que je ne sache plus détecter les signes...

Une heure plus tôt, sous le porche de la maison Ledbetter, ils contemplaient les champs de Somerset. Les plants de courge étaient en fleur. C'était avec cette même fleur que tout avait commencé, lui confia la jeune femme. Soudain, sa fatigue et son chagrin s'envolèrent pour faire place à un visage radieux, comme si elle venait de passer de l'ombre à la lumière. Il s'était placé derrière elle pour partager la beauté du paysage et, l'espace d'un instant surréaliste, il avait eu l'impression qu'ils étaient seuls au monde.

— C'est magnifique, commenta-t-il. Je comprends ta passion.

— Vraiment ?

Étonnée et ravie, elle pivota vers lui. Ses yeux superbes semblaient refléter le vert de ces terres qu'elle aimait tant.

— Je me réjouis de l'entendre, souffla-t-elle.

— Je ne comprends pas tes réserves, grand-père, déclara Matt à Percy, face à son air sceptique. Est-ce parce que ça n'a pas marché, entre Mary et toi ?

Le vieil homme prit place dans un fauteuil.

— C'est parce que Rachel est une Toliver, répondit-il doucement.

— Qu'est-ce que cela veut dire, au juste ?

— Qu'elle accordera toujours la priorité à ses terres et non à son mari, à son foyer, à sa famille.

— C'est ce qui vous a séparés, Mary et toi ? Somerset passait avant toi ?

— En gros, oui. Quand nous avons compris notre erreur, il était trop tard. Ne te méprends pas : j'aime beaucoup Rachel. Je ne demanderais pas mieux que vous voir réussir ce que Mary et moi avons raté, mais elle me semble partie sur la même voie que sa grand-tante.

— En quoi est-ce problématique ?

— Ses choix sont guidés par son devoir de Toliver.

— Tu penses à ce pilote qu'elle a quitté parce qu'elle refusait de tout abandonner pour le suivre, n'est-ce pas ? fit Matt en durcissant le ton. Eh bien, elle a pris la bonne décision, malgré ses sentiments pour lui. Elle n'aurait pas pu être heureuse ailleurs qu'à Howbutker, à faire ce qu'elle fait le mieux. Cecile et moi l'avons compris, nous aussi.

Percy demeurait perplexe.

— Et tu as appris tout cela à propos de Rachel en un après-midi ?

— Je l'ai toujours su.

Percy arqua les sourcils, mais n'insista pas.

— Mary peut reposer en paix puisqu'elle a confié Somerset et ses terres à Rachel, qui les gérera efficacement pour William. À la mort de celui-ci, elle héritera de l'entreprise familiale. Mary ne pouvait trouver de solution plus satisfaisante.

— Ce n'est pas ainsi que cela va se passer, grand-père.

— Quoi ? fit Percy en posant son verre.

— C'est Rachel qui va hériter de tout, pas William.

— Comment le sais-tu ?

Son ton vif étonna Matt.

— Mary a préparé Rachel pour ce rôle afin qu'elle reprenne les rênes après sa mort, expliqua Matt. S'il héritait, William vendrait tout. Sa femme y veillerait. Elle ne doit pas être commode…

Il relata à son grand-père l'histoire qu'il tenait de Rachel. La mine sceptique de Percy l'exaspérait.

— Tu ne comprends donc pas, grand-père ? Comment Rachel aurait-elle pu choisir une autre vie, malgré la promesse faite à sa mère à l'âge de quinze ans ? Comment aurait-elle pu renoncer à sa vocation ?

— En effet…, murmura Percy.

— En découvrant en Rachel une vraie Toliver, Mary ne pouvait léguer Somerset à William, sachant que sa femme s'empresserait de s'en débarrasser.

— C'était pourtant notre accord ! rétorqua le vieil homme, qui s'en mordit aussitôt les doigts.

Matt le vit chercher frénétiquement un moyen de rattraper sa bourde. Que lui cachait-il encore ?

— Quel accord ?

— De mon temps, quand on faisait une promesse, elle valait un accord signé. Mary avait promis ces terres à William. Je pensais qu'elle tiendrait parole.

Matt était toutefois persuadé que son agitation dissimulait autre chose.

— Eh bien, quelle que soit ton opinion, il est dommage que Rachel se soit brouillée avec sa mère à cause de cet héritage. Je comprends le ressentiment d'Alice. Son père lui a préféré son frère et ne lui a rien légué, tout comme le père de Mary a lésé Miles, son propre fils. Elle considère que les Toliver de Kermit ne doivent rien à ceux de Howbutker. C'est le nœud du conflit… (Soudain inquiet, il s'interrompit. Son grand-père semblait avoir vu un fantôme.) Grand-père ? Ça va ? Tu es tout pâle…

Percy avala une gorgée de whisky.

— Je vais bien, assura-t-il en consultant sa montre. Tu comptes te présenter à la table de Sassie dans cette tenue ? Nous sommes attendus dans vingt minutes.

Cette fois, c'était certain, son grand-père lui cachait quelque chose.

— J'y vais, fit Matt en se levant. Mais tu ferais bien de m'avouer ce qui, selon toi, devrait m'empêcher d'aimer Rachel. Parle pendant qu'il en est encore temps ou bien tais-toi à jamais, car j'espère l'épouser.

— Au vu de tes sentiments, toute mise en garde serait inutile, répliqua Percy. Je te conseille de ne pas te précipiter. Tu entends parler de Rachel depuis toujours, certes, mais tu ne la connais pas vraiment.

Matt posa son verre sur le bar.

— Nous allons rester ici, ce qui me laissera le temps de démontrer qu'elle est la femme qu'il me faut. Et mes sentiments ne sont pas nouveaux. À l'âge de cinq ans, j'ai vu Rachel dans son berceau, moi aussi. Et je garde moi aussi un souvenir indélébile d'une jeune fille de quatorze ans vêtue d'une robe blanche avec une ceinture verte…

Dès que Matt se fut éloigné, Percy se cala dans son fauteuil, abattu par ces révélations. Son accord secret avec Mary sur la parcelle de William ressurgissait après toutes ces années… Savait-elle que ce spectre hantait le foyer de William Toliver ? Connaissait-elle les vraies raisons de la brouille entre Alice et Rachel ? Dans ce cas, comment rectifier la situation sans avouer sa faute et l'implication de Percy ? Pendant toutes ces années, il avait cru qu'Alice en voulait à Mary de lui avoir « volé » sa fille. Il ne lui était pas venu à l'idée qu'Alice considérait l'héritage de Mary comme une usurpation de celui de William. Mary était-elle revenue sur leur accord d'autrefois pour sauvegarder le patrimoine des Toliver ? William allait-il être lésé une fois de plus ?

Il respira profondément pour calmer les battements frénétiques de son cœur. Il avait au moins une consolation : après sa mort, il ne resterait aucune preuve de ce que Mary et lui avaient fait. Il n'en resterait que les conséquences malheureuses. Une malédiction planait toujours sur la plantation…

58

Au côté de Matt, Rachel salua de la main Percy et Amos qui s'éloignaient vers la Cadillac du notaire. Elle s'inquiétait un peu pour Amos. Outre la mort de Mary, quelque chose le tourmentait. La jeune femme l'avait déjà perçu à Lubbock, puis à l'aérodrome... Elle en avait désormais la certitude. Pendant tout le souper, il était ailleurs.

— Que vous arrive-t-il, Amos? lui avait-elle demandé dès qu'elle s'était trouvée seule avec lui. Si vous étiez malade, vous me le diriez, n'est-ce pas?

— Bien sûr! assura-t-il, l'air étonné. Ne t'en fais pas, je me porte comme un charme. Je suis simplement sous le choc...

Rachel n'en croyait pas un mot.

Matt avait refusé de partir avec le notaire, affirmant qu'il préférait rentrer à pied.

— Je vais y aller, moi aussi, annonça-t-il en se tournant vers elle. Je tenais à m'assurer que tu allais bien.

— Mais je...

Sans réfléchir, elle posa une main sur son torse.

— Mais quoi? demanda-t-il en couvrant sa main de la sienne.

— Je pensais que... Puisque Amos raccompagne ton grand-père, tu resterais un moment.

— La journée a été longue, et une autre plus difficile encore t'attend, demain. Il serait égoïste de ma part de rester.

— C'est à moi d'en juger, il me semble...

— Il vaut mieux que non, je crois, répondit-il.

Toute la soirée, ils avaient essayé d'ignorer leur trouble. Chaque fois que leurs regards se croisaient, que leurs corps se frôlaient par inadvertance, un courant passait entre eux. C'était plus qu'une simple attirance sexuelle; plutôt comme s'ils formaient deux moitiés d'un tout et venaient juste de se retrouver. Mais ils rattraperaient le temps perdu plus tard. Pour l'heure, Rachel se posait une question:

— Cette fille que tu as failli épouser..., bredouilla-t-elle en rougissant. Tu tiens encore à elle?

Surpris, Matt s'écarta, puis il éclata de rire, comme si cette idée était absurde.

— Non, pas du tout, même si j'en garde un tendre souvenir.

— Bon, je te crois, répondit-elle, soulagée.

— J'espère bien. Et toi, ton pilote?

— J'ai ressenti... de la tristesse, mais pas de regrets, avoua-t-elle sans ôter sa main de la sienne.

— Tu n'es plus triste?

— Plus maintenant, assura-t-elle en le regardant droit dans les yeux.

Il l'embrassa doucement sur le front.

— N'en dis pas davantage, sinon je devrai rester.

Elle soupira. Elle était épuisée et Matt avait accepté d'être à son côté lors des condoléances, le lendemain.

— Très bien, à demain matin...

— À demain, promit-il en lâchant sa main à contrecœur pour descendre les marches du perron.

Rachel s'attarda jusqu'à ce que sa silhouette élancée ait disparu dans l'ombre des arbres qui bordaient l'avenue. Elle ressentit une grande paix intérieure. Il était vingt et une heures. En comptant leurs dix minutes de conversation lors de la fête d'anniversaire de Matt et l'heure partagée sous la tonnelle, ils n'avaient pas passé plus de douze heures ensemble. Comment pouvait-elle avoir envie de finir sa vie avec un homme qu'elle n'avait fréquenté que douze heures?

Matt marcha lentement pour mieux savourer ces sensations nouvelles. Si ce n'était pas de l'amour… Un jour, un ami lui avait déclaré: «Quand une femme qui n'est pas ta mère te regarde partir sous le porche, tu peux être sûr qu'elle éprouve pour toi plus que de la sympathie.»

Il rit. Il avait senti le regard de Rachel, dans son dos, et entendu la porte se refermer après qu'il eut disparu au coin de la rue. Il se serait volontiers attardé pour lui expliquer pourquoi il n'avait pas épousé Cecile: ils se croyaient faits l'un pour l'autre, à un détail prêt, un détail essentiel pour un mariage heureux. Quand ils en avaient pris conscience, ils étaient déjà fiancés et avaient failli commettre la plus grave erreur de leur vie… Matt avait rencontré la jeune femme à l'âge de trente ans. En attendant de retourner au Texas, il travaillait à San Francisco, métropole effervescente avec ses militants de toutes les causes, ses embouteillages, le Pacifique… Profondément attachée à ses racines, Cecile était issue d'une des familles fondatrices de la ville et avait l'océan dans le sang. Matt ne l'ignorait pas quand il l'avait demandée en mariage, tout comme elle savait qu'un jour, il regagnerait Howbutker pour diriger Warwick Industries, mais ils espéraient surmonter cet obstacle. Cecile avait rencontré sa famille. Matt l'avait emmenée à Atlanta, un univers totalement différent du sien, puis à Howbutker, pour la présenter à son grand-père, à Mary et à Amos. Si la vie tranquille du Texas était telle qu'elle se l'imaginait, la jeune femme avait vite compris qu'elle ne pourrait jamais s'y adapter.

Au moment d'envoyer les faire-part, Matt avait perçu chez elle une certaine réticence.

— Que se passe-t-il? Tu hésites à m'épouser? lui demanda-t-il un soir, au clair de lune.

Il ne plaisantait qu'à moitié.

— Je ne doute pas de toi, Matt, répondit-elle en ravalant ses larmes. Jamais je ne douterai de toi…

— Mais tu doutes quand même? insista-t-il, le cœur gros. À propos de quoi?

— De notre vie… à Howbutker, admit-elle tristement. Matt, comprends-moi, ne crois pas que je méprise tes origines, mais la perspective de quitter ma famille, mes amis, mon foyer, cette ville que j'aime pour m'installer à… Howbutker… Tout y est si différent, si provincial ! Et Warwick Hall est tellement… d'un autre temps ! Nos enfants auraient un univers très restreint. Ne pourrait-on pas transférer les bureaux de Warwick Industries à San Francisco ?

Cette suggestion lui avait fait l'effet d'un coup de poignard.

— Non, Cecile, répondit-il, même s'il avait un moment nourri cet espoir. Il n'en est pas question.

Au moins, il n'y eut pas de chantage affectif, car l'amour n'était pas en cause. Cecile l'aimait assez pour le laisser partir, savoir qu'il ne s'intégrerait jamais à San Francisco. Quant à Matt, il l'aimait trop pour l'arracher à ses parents, à ses frères et sœurs, à la maison familiale qui donnait sur l'océan Pacifique.

Après leur séparation, Matt n'avait connu que des aventures sans lendemain. Dès que Rachel avait ouvert la porte, il avait ressenti le lien qui existait entre eux, comme une reconnaissance, un souvenir oublié qui ressurgit, un sentiment bien plus profond que son amour pour Cecile, et qui s'était renforcé au fil de la journée. Leurs racines semblaient entrelacées : ils partageaient les mêmes passions, la même culture, le même amour de leur ville. Entre eux, il n'y aurait aucun conflit de cet ordre, car Rachel était son âme sœur.

Percy n'avait pas de raison de s'inquiéter. Ils étaient dans les années quatre-vingt, après tout ! Les hommes n'étaient plus prisonniers de leur fierté. Ils soutenaient la carrière de leur épouse et partageaient les responsabilités du foyer. Rachel était attachée à l'héritage de sa grand-tante, et alors ? Si leur amour s'épanouissait, et il n'en doutait pas une seconde, Rachel pourrait cultiver son coton, ses courges et lui, couper du bois en toute harmonie.

59

Les trois jours suivants furent oppressants. Rachel aurait pu y voir un mauvais présage : le soleil radieux qui, vendredi, illuminait Somerset resta caché derrière de gros nuages gris. Les visiteurs affluèrent à la veillée funéraire. Comme le voulait la tradition du Texas, certains posèrent leur joue humide contre celle de la défunte, d'autres cherchèrent même à l'étreindre. Sans la présence rassurante de Matt, qui se chargeait des présentations, Rachel aurait nagé dans le brouillard. En fin de matinée, le premier jour, elle était épuisée.

— Je crains que la vague de ce soir ne soit encore plus éprouvante, prévint Matt en la raccompagnant à Houston Avenue. Les gens viendront de toute la région. Courage ! Lundi, tout sera terminé. Tu pourras reprendre tes activités et nous poursuivrons notre histoire… (Il posa un bras sur ses épaules.) Qu'en penses-tu ?

— Excellente idée, répondit-elle.

La vieille Dodge de William, que Jimmy bichonnait avec talent, était garée devant la véranda. Dans le hall, Rachel entendit l'accent traînant de son père. Elle se précipita vers la cuisine mais s'arrêta sur le seuil, le temps de rassembler ses forces avant des retrouvailles tendues, à n'en pas douter.

— Lucy Warwick sera présente aux obsèques ? demanda William. J'aimerais bien la revoir. Je l'aimais bien.

— Certainement pas ! s'exclama Sassie. Ce n'était pas le grand amour, entre elle et Mme Mary, depuis quarante ans.

Je parie que Mme Lucy est fière de lui survivre. C'est bien la première fois qu'elle a le dessus…

— On trouve ses satisfactions où l'on peut, Sassie, déclara William.

Rachel rit et franchit enfin la porte à double battant.

— Bonjour tout le monde !

Les membres de sa famille levèrent les yeux vers elle. Le cœur serré, Rachel trouva ses parents vieillis, depuis leur dernière rencontre, à Noël. Son père grisonnait et se tenait voûté. Sa mère s'empâtait et avait des rides au coin des yeux.

— Tiens ! s'exclama William en se levant de table. Comment va ma Bunny ?

— Mieux, maintenant que vous êtes là, répondit Rachel.

Émue par cet accueil chaleureux et par le spectacle de sa famille réunie, elle fondit en larmes.

— Eh bien, on ne dirait pas, commenta sa mère en rejoignant William pour la serrer dans ses bras.

— Faites-moi de la place ! protesta Jimmy.

Ils restèrent quelques instants enlacés, en larmes, puis se rassirent. Pendant une demi-heure, ils se retrouvèrent comme à Kermit, autrefois, quand Houston Avenue n'était qu'une adresse à laquelle William envoyait une carte de vœux. Tous parlaient en même temps, échangeant les dernières nouvelles en se passant les plats. Soudain, Alice lâcha une bombe qui brisa ce bonheur familial :

— Alors Rachel, quel effet cela te fait-il de savoir que tu vas priver ton père de son héritage ?

Sassie lui adressa un regard stupéfait. Henry s'arrêta sur le seuil et faillit battre en retraite. Jimmy soupira.

— Alice, pour l'amour du ciel ! lança William.

La joie des retrouvailles s'envola aussitôt.

— Comment peux-tu dire une chose pareille maintenant, maman ? souffla Rachel, blessée.

— Simple curiosité…

— Alice ! prévint son mari.

— Fiche-moi la paix, William ! J'ai toujours dit ce que je pensais et Rachel le sait très bien.

Celle-ci se leva.

— Henry, leur avez-vous montré leurs chambres ? demanda-t-elle.

— Oui, mademoiselle Rachel. Les bagages sont en haut.

Le carillon de la porte résonna dans l'atmosphère pesante. Henry renonça à la tasse de café qu'il était venu chercher.

— Encore une visite, bougonna-t-il, désireux de fuir la cuisine. Je vais ouvrir, mademoiselle Rachel.

— Merci, Henry. Faites entrer au salon. J'arrive.

Elle se tourna vers les membres de sa famille. Si son père et son frère semblaient tristes, sa mère demeurait imperturbable.

— Des visiteurs viennent présenter leurs condoléances. Vous voulez monter dans vos chambres ?

— Pourquoi ? s'enquit Alice. Tu as honte de nous ?

Jimmy gémit et William poussa un soupir exaspéré. Déçue, Rachel s'efforça de garder son sang-froid.

— Je pensais que tu préférerais te passer des condoléances d'inconnus, d'autant plus que tu n'aimais pas tante Mary...

— Rachel a raison, Alice, intervint William en posant sa serviette. Inutile d'endurer cela. Nous ne sommes pas habillés pour recevoir du monde et j'ai besoin de me reposer avant d'aller au salon funéraire.

Grand garçon dégingandé de vingt et un ans, Jimmy avait les cheveux auburn de sa mère.

— Désolé, pour tante Mary, dit-il en se levant. Je sais que tu l'aimais beaucoup et qu'elle va te manquer. Elle était sympa...

Jimmy considérait qu'il n'avait aucun droit à quelque chose qu'il n'avait pas gagné et ne comprenait pas ces dissensions. Rachel lui ébouriffa les cheveux avec affection.

— Merci, c'est gentil... Qu'est-ce que tu vas faire pendant que les parents se reposent ?

— J'aimerais bien jeter un coup d'œil à la limousine. Elle l'avait toujours, n'est-ce pas ?

Rachel ouvrit un tiroir et lui lança les clés.

— Tiens ! Va faire un tour, si tu veux.

Le carillon retentit de nouveau.

— Je file ! annonça le jeune homme.

— Quel escalier devons-nous emprunter ? demanda Alice à sa fille. L'escalier de service ?

Rachel observa sa mère. Elle arborait encore les vêtements, le maquillage et la coiffure démodés d'autrefois, mais elle n'avait plus rien de la maman insouciante qui emmenait Rachel au parc, la poussait sur la balançoire, disposait ses bouquets de fleurs sauvages dans un vase et lui lisait des histoires, le soir… Ces années de rancœur l'avaient privée de toute vivacité. Si seulement il acceptait une part des revenus de son héritage, William pourrait démissionner et profiter d'une retraite confortable. Sa mère ne demandait rien de plus. Mais la fierté de son père, la seule chose qu'il tienne des Toliver, l'en empêchait. Tout comme la fierté de Rachel ne lui permettait pas de sauvegarder l'amour de sa mère.

— Fais comme tu veux, maman, répondit-elle en sortant de la cuisine.

La tension persista tout au long de ces journées mornes que seul le soutien de Matt parvint à illuminer.

— J'aimerais t'emmener quelque part pour boire un verre tranquillement. Cela te dit ? lui proposa-t-il la veille des obsèques.

Fatiguée, inquiète pour le lendemain, elle accepta.

Matt la conduisit dans une cabane, au bord d'un lac. La vaste pièce était rafraîchie par des ventilateurs.

— Tu t'attendais à ce que je vienne, on dirait, commenta-t-elle.

— Je l'espérais. Qu'est-ce que je peux t'offrir ? Un verre de vin blanc ?

— Parfait, répondit-elle, attirée par une coiffure amérindienne accrochée au mur. Tu as des goûts éclectiques.

— Elle n'est pas à moi. Ce sont nos grands-pères et ton grand-oncle qui ont construit et aménagé cette cabane, quand ils étaient jeunes. Je fais partie de la troisième génération à s'en servir comme refuge. Je n'ai presque rien changé. Si je ne me trompe pas, cette coiffure appartenait à Miles Toliver.

— Vraiment ? fit Rachel en l'effleurant avec respect. Je n'ai jamais rien vu de mon grand-père. Sans doute parce qu'il ne possédait rien. (Elle regarda Matt par-dessus son épaule.) Nos familles sont très… liées. Tu es sûr que nous ne sommes pas parents ?

Il déboucha une bouteille de vin blanc.

— Je l'espère, en tout cas ! répliqua-t-il. À ma connaissance, nous sommes les rares conséquences positives du gâchis provoqué par mon grand-père et ta grand-tante.

— Tant mieux, répondit-elle en acceptant le verre qu'il lui tendait.

— À Somerset, dit-il avec un sourire, en trinquant avec elle. Je ne sais pas si je suis triste pour eux ou heureux pour nous.

— On ne peut pas modifier le passé, mais l'avenir, oui.

Ils prirent place côte à côte sur le divan. Rachel observa l'alcôve fermée d'un rideau.

— Si les murs pouvaient parler, ils en auraient, des histoires à raconter… Tu crois que c'est ici que tout a commencé entre tante Mary et ton grand-père ?

— Cela ne m'étonnerait pas.

— C'est pour cela que tu m'as amenée ici, ce soir ?

— Non, avoua-t-il en passant un bras sur ses épaules. Mais je veux bien perpétuer la tradition…

Elle rit et se blottit contre lui.

— Je suis pour cette tradition, quand viendra le moment, dit-elle avant d'ajouter, plus sérieusement : si seulement ma mère comprenait.

— Ne t'en fais pas, fit-il en effleurant ses cheveux d'un baiser. Pour te réconcilier avec elle, il te suffit de lui offrir ce qu'elle ne pourra pas refuser.

— Quoi ?

— Des petits-enfants.

Elle s'esclaffa et se blottit un peu plus contre lui.

— En voilà, un projet!

Lundi, le service funèbre lui parut interminable à cause de nombreux éloges que tante Mary aurait détestés. Rachel ne les avait acceptés que parce qu'ils rendaient hommage à cette femme très respectée dans la région. Par chance, le rituel du cimetière fut bref, puis la foule se dispersa rapidement pour aller à la réception, loin de la chaleur étouffante. Amos avait ordonné de ne servir qu'un rafraîchissement, de sorte que les invités ne s'attardèrent pas. En fin d'après-midi, les Toliver purent gagner l'étude à l'heure prévue.

Arrivé en avance, le notaire observa la famille de Rachel par la fenêtre de son bureau. En apercevant son costume sombre et son visage émacié d'oiseau de mauvais augure, Rachel sentit ressurgir son pressentiment. Au moment où ils entraient en file indienne dans le bureau privé, Matt serra la main de Rachel dans la sienne.

— Grand-père se demande ce qu'il fait là, à moins que Mary lui ait légué l'abonnement d'Ollie au Texas Stadium. Qui sait? Il restera peut-être dans la famille..., murmura-t-il à son oreille.

— Qui sait? répéta-t-elle en lui donnant un coup de coude dans les côtes.

Le système de climatisation n'avait pas eu le temps de rafraîchir le bureau.

— Bon sang, on étouffe, ici! commenta Alice en s'éventant à l'aide du programme des obsèques.

C'était la première fois qu'elle sortait de son mutisme depuis la fin de la réception.

— Il fera meilleur dans un instant, promit Amos en s'épongeant le front de son mouchoir.

Le notaire leur fit signe de s'asseoir face à lui, sous le ventilateur du plafond, et prit place à son tour.

— Il n'y en a pas pour des heures, Amos ? s'enquit Percy, qui semblait douter de la climatisation.

— Euh… Non, ce ne sera pas long. (Il avait le regard fuyant, tel un juré sur le point d'énoncer un verdict.) D'abord, déclara-t-il, les mains croisées sur un dossier, je tiens à vous dire que Mary Toliver-Dumont était saine d'esprit quand elle m'a dicté le codicille posé devant moi, et qu'il n'est en rien contestable.

— Un codicille ? répéta Rachel. Vous voulez dire qu'elle a ajouté quelque chose au testament d'origine ?

— Le codicille annule le testament d'origine, précisa Amos.

Un silence pesant s'installa, puis William toussota discrètement.

— Aucun d'entre nous ne contesterait les volontés de tante Mary, Amos, soyez-en assuré.

— Et si on s'y mettait, intervint Percy. C'est l'heure de mon whisky…

Amos soupira et ouvrit le dossier.

— Très bien. Je dois ajouter que Mary m'a apporté ce codicille quelques heures avant sa mort. Elle a succombé à une crise cardiaque, mais sachez qu'il ne lui restait plus que quelques semaines à vivre. Elle souffrait d'un cancer.

Percy fut le premier à s'exprimer d'une voix rauque :

— Pourquoi ne nous a-t-elle rien dit ? Pourquoi ne m'en a-t-elle pas parlé ?

— Elle comptait le faire à son retour de Lubbock, Percy… sans doute pour t'épargner.

— C'est donc la raison de sa venue ? interrogea Rachel, émue. Elle voulait me révéler sa maladie ?

— Eh bien, oui. Et pour t'expliquer la raison de ce codicille.

— Et si on y venait, à ce codicille, Amos ? le pressa Alice.

— Je serai bref, répondit le notaire. Je vais vous en résumer les termes. Je vous en remets à chacun un exemplaire pour que vous puissiez le lire à tête reposée. Vous y trouverez des dispositions pour Sassie et Henry, ainsi que plusieurs autres légataires. En ce qui vous concerne, les points essentiels sont les suivants : le mois dernier, à la suite de négociations secrètes, Mary a vendu Toliver Farms. Vous obtiendrez les détails de cette transaction auprès du cabinet Wilson & Clark, à Dallas, qui gère ses opérations immobilières. Somerset ne fait pas partie des biens vendus. Le total se monte à…

Il consulta une autre feuille et énonça une somme. Seule Alice poussa un cri. Les autres étaient abasourdis.

— Cette somme sera également répartie entre les trois Toliver survivants, à savoir William, Rachel et Jimmy.

Nul ne dit mot, nul ne sourcilla, puis Percy fut le premier à réagir :

— C'est une plaisanterie, Amos ? demanda-t-il, les sourcils froncés.

— Hélas, non, répondit le notaire avec un soupir. (Il posa les yeux sur Rachel, qui semblait incrédule.) Rachel, je regrette. Je sais que c'est un choc terrible, pour toi.

La jeune femme avait l'impression qu'une bombe venait d'exploser dans sa tête. Elle ne ressentait plus rien. *C'est impossible… Amos vient de dire que tante Mary a vendu ses exploitations, mais c'est impossible…*

— Avons-nous bien entendu, Amos ? demanda Alice comme si elle venait de gagner à la loterie. Tante Mary a vendu ses biens et l'argent sera partagé entre nous ?

— Euh… entre ses héritiers biologiques, Alice. Vous n'en faites pas partie, je le crains.

— À la bonne heure ! s'exclama-t-elle en frappant le bureau du poing avant de se tourner vers son mari. Tu entends ça, William ? Ta tante nous a fait justice, finalement. Elle a vendu ses terres !

— Mais pas Somerset, corrigea William en regardant sa fille. J'en déduis, Amos, que tante Mary lègue Somerset à Rachel.

Le notaire secoua tristement la tête.

— Non. Somerset revient à Percy.

— Non ! s'écria Rachel en surgissant enfin de sa torpeur. Elle n'a pas pu ! Il doit y avoir erreur…

— Voyons, Amos ! gronda William en entourant sa fille d'un bras protecteur. Pourquoi diable laisserait-elle la plantation à Percy ? Elle devait être folle ! Comment avez-vous pu lui permettre de faire cela à Rachel ?

— Elle n'était pas folle, croyez-moi. J'ai ici un certificat médical qui l'atteste. Elle savait parfaitement ce qu'elle faisait, en dépit de mes efforts pour l'en dissuader.

Jimmy se leva d'un bond.

— Ce n'est pas juste ! s'exclama-t-il. Somerset devait revenir à Rachel ! Tante Mary le lui avait promis ! Dans ce cas, elle n'a plus qu'à le racheter. (Il se tourna vers Percy.) Qu'en dites-vous, monsieur Warwick ? Vous allez vendre à ma sœur, n'est-ce pas ?

Percy regardait dans le vide, immobile, indifférent aux cris du jeune homme.

— Assieds-toi, mon fils, ordonna William. Et tais-toi. Ce n'est ni le lieu ni le moment d'en discuter. Et la maison, Amos ? Qui obtient la maison ?

Le notaire soupira de plus belle et s'empourpra légèrement.

— Le comité de sauvegarde de Howbutker, répondit-il, visiblement gêné. Rachel peut prendre tout ce qu'elle veut dans la maison : bijoux, tableaux, meubles… Ensuite, ce qui n'a pas de valeur historique sera vendu aux enchères, et le bénéfice versé à la succession.

— C'est incroyable, commenta William en soutenant toujours sa fille.

— Pourquoi ? lui demanda sa femme, agacée. Selon toi, ta tante n'était pas capable de retrouver son bon jugement ?

— Peu importe ce que vous dites, maître ! lança Jimmy. Elle était folle ! Sinon, elle n'aurait pas fait ça à Rachel ! Elle n'avait aucune raison de laisser Somerset à quelqu'un d'autre et la maison à une bande de vieilles fouineuses !

— Chut ! Jimmy ! souffla Alice en tentant de le faire rasseoir. Inutile de réagir ainsi. Ce qui est fait est fait, on n'y peut rien.

Jimmy repoussa la main de sa mère et la foudroya du regard.

— Tu es contente, hein ? lui lança-t-il.

— Amos, je ne comprends pas, bredouilla Rachel. Pourquoi a-t-elle fait ça ?

— Pour une fois, elle a écouté sa conscience, intervint Alice. Je sais que c'est dur pour toi, Rachel, mais elle a fait ce qu'il fallait. Elle a compris que ce n'était pas bien de revenir sur la promesse faite à ton papa. Et elle ne t'a pas oubliée, chérie. Avec ta part, tu pourras acheter autant d'exploitations que tu voudras.

Elle voulut écarter les cheveux de sa fille de son visage, mais Rachel se détourra.

— Alice, tais-toi donc ! ordonna William. Ce n'est pas ce qu'elle a envie d'entendre.

— Vous a-t-elle fourni une explication ? reprit Rachel, les yeux embués de larmes. Elle a sûrement dit quelque chose…

— Je l'ai implorée de parler, mon petit, mais… Elle n'avait pas le temps. Voilà pourquoi elle allait te voir… pour t'expliquer son choix. En tout cas, elle m'a assuré qu'elle avait agi par amour pour toi. Il faut le croire. Elle m'a dit : « À vos yeux, je l'ai trahie. Ce n'est pas le cas, sachez-le. Je l'ai sauvée, au contraire. »

— Sauvée ? répéta la jeune femme, interloquée. Ah, je vois… Elle voulait me protéger des erreurs qu'elle-même a commises au nom des Toliver, n'est-ce pas ? C'est très noble, mais mes erreurs ne concernent que moi.

— Il y a autre chose, ajouta Amos d'une voix faible. Elle a évoqué une malédiction frappant ses terres et dont elle voulait te protéger.

— Une malédiction ? (Ses larmes se tarirent pour faire place à de la colère.) Elle ne m'a jamais parlé d'une malédiction !

— Moi, elle m'en a parlé une fois, intervint William, sans m'expliquer de quoi il s'agissait.

— Moi aussi, je t'en ai parlé, Rachel, souviens-toi ! renchérit Alice.

— Je vous avais bien dit qu'elle était folle, reprit Jimmy. Il faut être dingue pour croire aux malédictions.

— Rachel, je t'en prie, intervint Percy comme s'il émergeait d'un profond sommeil. Je sais de quoi il s'agit. Je connais les raisons de Mary. Ce n'est pas ce que tu crois. Il faudra en parler. Tu comprendras, quand tu auras entendu son histoire.

— Je crois savoir, Percy. Ma mère a raison. Tante Mary voulait mourir la conscience tranquille. Ce codicille n'est autre qu'un acte de contrition. Elle a vendu ses terres pour tenir la promesse faite à mon père…

— C'est normal, non ? s'exclama sa mère, indignée.

— Alice, ferme-la ! persifla William.

— Et elle vous lègue Somerset pour régler une dette, Percy, reprit Rachel. Je sais que vous vous aimiez et que vous vous seriez mariés si la plantation ne s'était pas dressée entre vous. En vous laissant Somerset, ma tante vous demande pardon, malgré les conséquences pour moi. C'est une sorte de rose rouge, conclut-elle avec un sourire glacial.

Percy secoua vivement la tête.

— Non, Rachel. Tu n'y es pas. Mary a agi pour toi, et non pour moi. Elle t'a privée de ce qui comptait le plus, à ses yeux, par amour pour toi.

— Oh, je n'en doute pas ! railla Rachel. Quel sacrifice ! Jimmy vous a posé une question. Voulez-vous me vendre Somerset ?

Le désespoir se lut sur son visage ridé.

— C'est impossible. Ce n'est pas ce que voulait Mary.

— Dans ce cas, il n'y a rien à ajouter.

Elle se leva vivement et glissa son exemplaire du codicille sous son bras. Alice et William l'imitèrent.

— Au revoir, Amos, dit Rachel en lui tendant la main. Je comprends à présent ce qui vous tourmentait. Je suis rassurée que vous ne soyez pas malade.

Amos prit sa main entre les siennes, l'air contrit.

— Je ne fais que respecter les volontés de Mary. Je n'ai pas de mots pour te dire combien je suis triste… pour vous tous.

— Je sais, répondit-elle en tournant les talons.

— Rachel, attends… (Percy lui barra la route, impressionnant malgré son âge.) Tu ne peux pas partir comme ça. Laisse-moi t'expliquer…

— Qu'y a-t-il à expliquer ? Tante Mary était libre de disposer à sa guise de son patrimoine. Je n'étais qu'une employée, très bien payée, certes. Que dire de plus ?

— Accompagne-moi à Warwick Hall et je te raconterai son histoire. Je te garantis que tu comprendras les raisons de cette folie.

— Franchement, je me moque de ses raisons. Ce qui est fait est fait.

— Et Matt ?

— Pour l'instant, je ne suis sûre de rien. Il faut que je m'habitue au fait que son grand-père hérite à ma place. Ensuite, nous verrons.

Elle voulut s'éloigner, mais Percy la retint.

— Tu ne vois donc pas ce que tu es en train de faire ? s'écria-t-il en la saisissant par les bras. Tu fais passer ton amour pour Somerset avant ton bonheur ! Mary voulait t'empêcher de suivre sa voie.

— Dans ce cas, il ne fallait pas m'encourager au départ, répliqua-t-elle en se dégageant de sa prise. Nous partons !

Elle sortit d'un pas décidé, les membres de sa famille dans son sillage. Dans la salle d'attente, elle croisa Matt, qui feuilletait une revue, ignorant de ce qu'il venait de se passer. Lorsqu'il l'interpella, elle ne lui répondit pas, car elle en était incapable. Le temps qu'il se remette de sa surprise, Jimmy avait démarré la limousine.

60

Sur le trajet de retour vers Houston Avenue, un silence pesant régnait dans la voiture. Jimmy avait les mains crispées sur le volant. Assise à côté de sa mère, à l'arrière, Rachel ne voyait William que de profil, mais il semblait malheureux pour sa fille. De temps à autre, Alice lançait un regard à la jeune femme, sans dire un mot. Elle avait beau s'efforcer de se faire toute petite, elle ne pouvait dissimuler son sentiment de triomphe.

Quand Jimmy eut garé la voiture au garage, le quatuor demeura un instant dans l'allée. Dans cette atmosphère chargée de non-dits, nul n'osait marcher vers la maison. Enfin, William s'exprima :

— Qu'est-ce qu'on fait, maintenant ? demanda-t-il à Rachel. On reste ou on s'en va ?

— Moi, je veux rentrer à la maison, déclara Jimmy. Tout de suite. Je déteste cet endroit. J'étouffe, ici ! Vivre à Howbutker, c'est comme nager sous l'eau la bouche ouverte.

— Je préfère partir, moi aussi, renchérit Alice. Ici, je me sens de trop…

— Si vous voulez retourner à Kermit, allez-y. Moi, je reste, affirma Rachel, indifférente.

— Pas sans toi, chérie, répondit son père.

— Il le faudra. J'ai quelque chose à faire.

— Surtout, prends tout ce que tu pourras, hein ! lui recommanda Alice. Les fourrures, les bijoux, tout ce qui entrera dans la voiture ! Tu l'as bien mérité.

— Quelle sorcière, cette tante Mary!

— Chut, Jimmy! fit Alice en effleurant la manche de son fils d'une tape sans conviction. On ne parle pas ainsi d'un mort.

— Tu aurais dit bien pire que ça si Rachel avait hérité de tout.

— Jimmy! gronda William en le saisissant par l'épaule. Ça suffit!

Rachel ferma les yeux et se massa les tempes. Autour d'elle, le bruit cessa. Quand elle rouvrit les yeux, ils l'observaient en silence.

— Je tiens à mettre les choses au point, dit-elle, je ne vous en veux pas. Tante Mary pensait sans doute agir au mieux.

Quand Alice voulut s'exprimer, William lui enjoignit de se taire d'un geste.

— Vous comprendrez que cela ne m'enchante pas, poursuivit Rachel. Partez si vous voulez, mais il se fait tard pour prendre la route. Vous feriez mieux d'attendre demain matin, après une nuit de repos. Enfin, faites ce que vous voulez! Demain, j'irai à Lubbock pour... vider mon bureau.

Ils baissèrent les yeux, mais ne protestèrent pas.

— Alors, qu'est-ce que vous décidez? demanda-t-elle.

— On s'en va! répondirent Jimmy et Alice en chœur.

— J'ai l'impression que leur décision est prise, chérie, dit William avec un regard contrit.

Une demi-heure plus tard, ils étaient prêts.

— Nous nous arrêterons dans un motel, en chemin, et nous t'appellerons, promit William.

Rassurée, Rachel se prépara pour le rituel d'adieu de sa mère, mais Alice ne lâcha pas la bandoulière de son sac.

— Tu crois que je me réjouis uniquement pour l'argent, n'est-ce pas? C'est vrai, je suis contente de pouvoir vivre mieux. Nous aurons même une existence de rêve. Mais je suis tout aussi heureuse de retrouver ma fille, tu sais.

— Tu as toujours eu une fille, maman.

D'un signe, Alice l'entraîna à l'écart.

— Mais toi, tu n'as pas toujours eu une maman, dit-elle doucement. C'est bien ce que me reprochent tes yeux de Toliver, n'est-ce pas ? Maintenant, tu comprends peut-être ce que j'ai ressenti quand j'ai cru que ta tante Mary était revenue sur la promesse faite à ton père. Une promesse qu'elle aurait pu briser à cause de toi. Quand tu découvriras combien il est dur de pardonner la trahison de tante Mary, tu sauras combien il m'était difficile de te pardonner la tienne.

Son regard défiait Rachel de protester.

— Et… tu as réussi ? s'enquit la jeune femme.

La réponse apparut dans la lueur dure de son regard. Non. Si son rêve de toujours se réalisait, ce n'était pas grâce à Rachel.

— Cela n'a plus d'importance, dit Alice. Le passé, c'est le passé. Tout ce que je veux, c'est que tu oublies cet endroit et que tu rentres à la maison pour que nous puissions être à nouveau une famille.

— Ce ne serait plus jamais pareil, maman, et tu le sais.

— On peut toujours essayer.

— D'accord, concéda Rachel sans conviction.

Le trio monta en voiture. William mit le contact tandis que Jimmy chaussait ses écouteurs, à l'arrière, et qu'Alice accrochait une serviette à sa vitre pour se protéger du soleil. Avant de claquer sa portière, son père fit une ultime tentative :

— Rentre avec nous, chérie, au moins pour quelque temps… Plus vite tu te débarrasseras de Somerset, mieux cela vaudra. Qu'est-ce qui peut être assez important pour te retenir ici ?

— C'est bien ce que j'ai l'intention de découvrir, papa.

Elle attendit que la Dodge ait tourné au coin de la rue, puis elle rejoignit Sassie dans une chambre d'amis, où elle était en train de défaire le lit.

— Laissez cela, dit-elle à la gouvernante. Vous êtes épuisée. Prenez votre soirée et demandez à Henry de vous conduire chez votre sœur. Rien ne vous retient ici, ce soir.

— Vous êtes sûre, mademoiselle Rachel ? J'ai l'impression que vous n'allez pas très bien.

Sassie avait compris que quelque chose s'était passé dans le bureau d'Amos : le refus de la jeune femme de prendre les appels de Matt, le départ précipité de la famille… Henry et elle devaient voir le notaire le lendemain à propos de leur rente. Bientôt, ils quitteraient cette maison qui était toute leur vie…

Rachel lui tapota l'épaule en affichant un sourire forcé.

— Ne vous inquiétez pas. Ces derniers jours ont été éprouvants. J'ai envie d'être seule…

— Dans ce cas, fit Sassie en dénouant son tablier, je veux bien sortir un peu de cette maison. Henry aussi. Cela nous fera du bien de voir sa mère.

— Allez-y. Prenez la limousine et restez aussi longtemps que vous voudrez.

Dès qu'elle entendit la voiture s'éloigner, Rachel verrouilla toutes les portes pour empêcher Matt de surgir. Pour l'heure, elle n'était pas d'humeur à le voir. De plus, elle avait une tâche à accomplir avant le retour de Sassie et de Henry. Sassie avait attribué au champagne le délire de sa tante, qui voulait absolument monter au grenier, juste avant son dernier souffle. Or la vieille dame avait toute sa tête, au contraire. Pourquoi aurait-elle dit à Henry d'ouvrir la malle d'oncle Ollie, si ce n'était pour récupérer un journal, des lettres d'amour de Percy ou quelque autre objet compromettant qu'elle souhaitait cacher au comité de sauvegarde ? Mais Rachel en doutait. Cet objet avait une telle importance qu'il avait occupé ses dernières pensées, comme le sentiment de culpabilité qui l'avait poussée à crier le nom de Rachel.

Tandis qu'elle longeait un couloir vers l'escalier menant au grenier, le téléphone se remit à sonner avec insistance. Il ne se tut que lorsque la jeune femme atteignit le sommet des marches. Cet escalier abrupt aurait épuisé une vieille dame de quatre-vingt-cinq ans, malade de surcroît. Ravalant ses scrupules face à l'inquiétude de Matt, Rachel entra à pas feutrés dans le grenier.

Il régnait une chaleur étouffante dans cette pièce qui recelait plus de cent ans de la vie des Toliver. Le comité de sauvegarde allait avoir du travail à trier ce bric-à-brac. Pour créer un courant d'air, elle laissa la porte ouverte et bloqua la vitre d'une lucarne à l'aide d'un chenet rouillé. Puis elle balaya les lieux du regard. Tout était bien organisé : livres, vêtements, instruments de musique et équipement sportif, ainsi que diverses malles, caisses, boîtes à chapeau. Elle décida de commencer par là.

Elle fut presque aussitôt récompensée de ses efforts. La malle militaire était posée sur deux autres, derrière une armoire. Deux clés pendaient de la serrure du couvercle.

En se penchant sur son contenu, la jeune femme fut assaillie par l'odeur poussiéreuse des vieilles lettres entourées de rubans délavés. Choquée par ce qu'elle était sur le point de faire, elle eut un mouvement de recul, car elle avait l'impression de fouiller l'intimité de son oncle. Mais son instinct, lui disant qu'il fallait absolument trouver cet objet, vint à bout de ses réticences. Une écriture familière capta son regard. Un premier paquet de lettres provenant de Kermit... Rachel en eut la gorge nouée. Tante Mary avait conservé sa correspondance, de ses années de collège à l'université ! De toute évidence, elle l'avait parcourue de nombreuses fois. Sa grand-tante était sentimentale, finalement. Ou bien était-ce oncle Ollie qui l'avait entourée d'un ruban blanc et bordeaux, les couleurs de son université ? La jeune femme prit un autre paquet d'enveloppes à l'écriture enfantine. Elles venaient de Matthew Dumont, dans un camp de vacances, à Fort Worth. Rachel les effleura avec tendresse. Était-ce là ce que tante Mary tenait tant à récupérer ? Peut-être... Elle les reposa avec soin pour passer aux suivantes : deux piles nouées ensemble. Sur la première, les initiales PW figuraient au-dessus de la longue adresse d'expédition. Percy Warwick. Les dix enveloppes entourées d'un ruban vert dataient de 1918. N'était-ce pas plutôt celles-ci que Mary cherchait ?

Le second paquet, de la même époque, était deux fois plus épais, mais le ruban était bleu. Rachel reconnut l'écriture élégante d'oncle Ollie. Elle s'interrogea sur l'expéditeur des courriers que Mary recherchait : Matthew Dumont ? Oncle Ollie ? Percy ? Son grand-père ?

Rachel marqua un temps d'arrêt. Son grand-père...

Elle ne savait pratiquement rien de lui. William se souvenait à peine de lui et tante Mary ne l'avait évoqué qu'une fois, quand sa petite-nièce lui avait demandé pourquoi son grand-père était parti vivre en France :

— C'est parce que ton père l'avait exclu de son testament ?

— Qu'est-ce qui te fait croire qu'il l'avait exclu ? demanda tante Mary en se crispant.

— C'est papa qui me l'a dit.

— Cela expliquerait pourquoi ta maman n'apprécie pas l'intérêt que tu portes à l'héritage des Toliver... Le fait que mon père m'ait légué Somerset et la maison...

— Oui, admit Rachel, gênée que sa tante ait deviné la vérité.

Mary sembla sur le point de lui faire une confidence, puis se ravisa.

— Ton grand-père n'était pas un homme de la terre, expliqua-t-elle enfin. Il se passionnait pour la politique, les grandes théories à la mode en France.

Rachel observa les lettres d'un air pensif. Miles avait dû correspondre avec sa sœur pendant toutes ces années. Avait-il évoqué la naissance de son fils... la mort de sa femme ? Envoyé des photos de sa famille, surtout de sa grand-mère ? Rachel ne savait presque rien de Mariette Toliver. Miles avait-il exprimé ses sentiments sur son exclusion du testament ? Plusieurs générations plus tard, ses paroles l'aideraient peut-être à surmonter sa propre peine...

Elle se replongea avec précaution dans les souvenirs. Si sa grand-tante avait gardé toutes ces lettres, celles de son frère devaient être là... Tiens... Elle sortit un gros paquet entouré de papier de soie. C'était des bandes de laine couleur crème et des rubans roses, des morceaux d'un jeté de lit ou d'un châle non achevé. Cet ouvrage n'appartenait certainement pas à tante Mary, qui avait une sainte horreur des travaux d'aiguille.

Elle remballa la laine et les rubans et, de plus en plus curieuse, souleva le couvercle d'une boîte. Oh ! Une paire de gants de cuir très délicats, manifestement jamais portés. Une carte dépassait de l'un d'eux : « Pour les mains que je veux tenir toute ma vie dans les miennes. Affectueusement, Percy. » Touchée, Rachel remit le message en place et referma la boîte. Une autre, provenant de chez un fleuriste, recelait les vestiges desséchés d'une rose, qui avait dû être blanche. Sous les fragments brunis, un autre message : « Aux guérisons. Mon cœur, pour toujours, Percy. »

Rachel croyait tenir sa réponse. Sa tante voulait sans doute récupérer ces vieilles lettres et ces souvenirs précieux d'un amour impossible. Demain, la jeune femme accomplirait son ultime devoir familial. Elle emballerait le tout pour le détruire.

Le jour tombait. Elle avait chaud, elle était épuisée, sans parler de son moral en berne… Elle avait envie de quitter ce grenier. En faisant de la place pour le paquet de laine, elle effleura soudain un objet dur…

Le cœur battant, elle sortit une serviette en cuir vert foncé, fermée à clé, qu'elle posa sur une pile de cartons à chapeau. La plus petite clé de la malle l'ouvrit sans difficulté. Dans la pénombre, de grosses lettres lui sautèrent aux yeux : Testament de Vernon Thomas Toliver.

61

Le plus beau souvenir que William Toliver gardait de Piney Woods était celui du crépuscule, en été. En se couchant, le soleil nimbait le paysage d'un halo gris et nacré. Nulle part ailleurs la lumière ne mettait aussi longtemps à mourir…

Quand il s'était retrouvé au Texas, il avait apprécié cette lumière car, depuis la mort de sa mère, il avait peur du noir. Son père laissait toujours une veilleuse allumée. Mais il avait honte de cette phobie. En arrivant à Howbutker, il n'avait pas osé se confier à cette grande dame autoritaire chez laquelle son père l'envoyait. Le gentil monsieur qu'il appelait oncle Ollie aurait compris, lui, mais pas sa tante, qui ne tolérait aucune faiblesse.

Du moins le croyait-il.

Le premier soir, il s'était endormi bien avant la nuit et son oncle avait dû le porter jusqu'à sa chambre. Ensuite, durant tout l'été, il avait ouvert les rideaux pour profiter du crépuscule. L'automne venu, il eut peur que sa tante n'éteigne la lampe de chevet en venant lui souhaiter bonne nuit.

— Tu veux laisser la lumière allumée encore un peu ? demanda-t-elle avec un sourire.

— Oh oui, ma tante, s'il te plaît !

— Très bien. À demain…

Le matin, à son réveil, la lampe était toujours allumée. Il croyait qu'elle n'avait pas pris la peine d'éteindre, mais il se trompait. Quelques années plus tard, un soir d'hiver, il se réveilla et trouva sa tante à son chevet. Drapée dans son peignoir, elle ressemblait à une déesse.

— Et si on éteignait, maintenant? demanda-t-elle, la main sur l'interrupteur.

— Oui, ma tante.

Elle avait toujours su qu'il avait peur du noir. Sa phobie avait fini par disparaître, avec les démons de son enfance.

William observa Alice, qui ronflait, la bouche entrouverte. Elle s'était assoupie en constatant qu'il rechignait à parler de leur héritage.

— Rachel s'en remettra, crois-moi, dit-elle en devinant son désarroi. Ce n'est pas comme si on l'avait chassée de Howbutker à coups de pied. Elle n'aura qu'à épouser Matt Warwick pour récupérer Somerset, à la mort de Percy. Où est le problème?

— Le problème, répondit-il, c'est que Matt Warwick n'héritera pas de Somerset. Mary savait que Percy veillerait à ce que Rachel ne mette jamais la main sur Somerset.

— Mais pourquoi, au nom du ciel?

— C'est la grande question. Je crois que Percy a raison. Tante Mary voulait sauver Rachel d'une malédiction dont elle avait parlé en 1956.

— Laquelle?

— Je l'ignore. Mais Percy, lui, le sait.

Un tremblement de terre n'aurait pu réveiller Alice. Heureusement: elle n'aurait pas approuvé ce détour par une route de campagne, à travers les pins de son enfance. Jimmy écoutait son Walkman, les yeux fermés, trop perdu dans sa musique pour remarquer qu'ils avaient quitté l'autoroute. William ne reviendrait plus jamais, et il avait envie d'admirer le crépuscule sur Piney Woods. Plus loin coulait un ruisseau où il pêchait le poisson-chat, autrefois, avec un copain.

Il y avait aussi la voie ferrée, celle qui l'avait emmené loin de Howbutker lorsqu'il avait fugué, quarante ans plus tôt. Il comptait se cacher dans les fourrés, au bord de la voie, jusqu'à ce que le train démarre, puis sauter à bord et acheter un billet au contrôleur. Hélas, le train était complet. Mais Amos était descendu se dégourdir les jambes… William se rappelait encore son étonnement lorsque cet inconnu lui avait offert sa place. Dans les gisements de pétrole de l'ouest du Texas, il avait parfois pensé à ce soldat. Qu'est-ce qui avait pu le pousser à donner son billet à un adolescent fugueur ? Il apprit plus tard de tante Mary qu'Amos s'était enfui de chez lui, à quinze ans, mais que les policiers l'avaient ramené chez son père. Celui-ci l'avait attaché à un poteau et fouetté en public. Amos avait donc voulu le protéger d'éventuelles représailles. Il avait bien fait, car il s'était intégré, ce qui n'était pas chose facile à Howbutker. Le destin était parfois étrange…

La route bordée de pins était paisible, pas un bruit, pas une voiture… William avait l'impression de rouler dans un tunnel de verdure propice à la méditation. Il se rappela les paroles de tante Mary, sous la tonnelle, en été 1956. Il devait se réjouir que ses enfants grandissent sans le fardeau de Somerset. Ce devait être l'explication de son choix. Au diable la théorie d'Alice. Tante Mary avait le droit de changer d'avis, et ils savaient tous deux qu'elle ne lui devait rien. Il ne croyait pas non plus qu'elle léguait Somerset à Percy pour exprimer ses regrets. S'il avait été surpris de découvrir leur liaison, elle n'avait rien d'étonnant, à la réflexion, car ils semblaient faits l'un pour l'autre. William s'était souvent demandé pourquoi une déesse telle que Mary n'avait pas choisi un dieu au lieu d'un ange, même s'il n'y avait pas meilleur homme qu'oncle Ollie.

Mais pourquoi avoir privé Rachel de cet héritage alors qu'elle l'avait formée à suivre ses traces ?

Somerset a toujours coûté trop cher, avait-elle déclaré.

William avait désormais une idée de ce qu'elle voulait dire par là. Somerset lui avait coûté Percy et, d'une certaine façon, William. Il serait resté s'il n'avait pas dû travailler sur cette plantation infestée de moustiques et de serpents, humide et boueuse à la saison des pluies, poussiéreuse en cas de sécheresse… Un lieu dont il devait hériter, en tant que Toliver.

William secoua la tête. Jamais il ne l'aurait supporté. Maintenant, Somerset se dressait entre sa femme et sa fille et allait séparer Rachel de ce charmant Matt Warwick… un couple pourtant bien assorti. Mais jamais elle n'épouserait un homme dont le grand-père possédait les terres qui devaient lui revenir. En dépit de ses bonnes intentions, tante Mary avait raté son coup. Rachel ne le lui pardonnerait jamais, tout comme Alice en voudrait toujours à sa fille d'avoir choisi Mary.

Il poussa un soupir las. Qu'en était-il de cette fameuse malédiction ? Tante Mary avait-elle sauvé Rachel ?

Sous la canopée verte, la longue bande de bitume se mit à onduler. William sentit son cœur se gonfler de chagrin à la pensée de ces êtres sacrifiés pour une plantation. Il était si troublé qu'il n'entendit pas le sifflement du train, au loin. Les vitres de la voiture étaient relevées et celle d'Alice, obturée par une serviette. Dans le bourdonnement de la climatisation, quelques notes de musique s'échappaient du Walkman de Jimmy. Lorsqu'il perçut enfin le sifflement, William crut à un bruit familier de son enfance. La voiture se trouvait sur les rails quand il se rendit compte qu'un train de marchandises fonçait droit sur eux.

Alice et Jimmy n'ouvrirent jamais les yeux. Juste avant l'impact, William comprit ce qu'était la malédiction des Toliver.

62

De retour dans sa chambre, Rachel s'assit sur son lit pour ouvrir la serviette en cuir vert. Le souffle court, elle en sortit le testament de son arrière-grand-père. Daté du 17 mai 1916, il avait été rédigé peu de temps avant sa mort, en juin de la même année. Une lettre était glissée entre deux pages. Rachel la déplia et découvrit une signature : votre père aimant, Vernon Toliver. Elle fut parcourue d'un frisson, comme si elle avait trouvé la clé d'une pièce interdite.

Ma chère femme, mes chers enfants,

Bien que je ne me sois jamais considéré comme un lâche, je me sens incapable de vous informer de vive voix des termes de mon testament. Je tiens à vous assurer que je vous aime de tout mon cœur et que je regrette profondément que les circonstances ne me permettent pas de distribuer plus généreusement mes biens. Darla, ma chère épouse, je te demande de comprendre pourquoi j'agis de la sorte. Miles, mon fils, je ne puis espérer que tu comprennes mais, un jour peut-être, ton fils comprendra. Il sera reconnaissant de l'héritage que je te confie et que, j'en suis certain, tu conserveras intact pour lui.

Mary, je me demande si je n'ai pas prolongé la malédiction qui frappe les Toliver depuis que le premier pin a été abattu à Somerset. Je te confie des responsabilités nombreuses et importantes qui, je l'espère, ne constitueront pas des entraves à ton bonheur.

Votre époux et père aimant,
Vernon Toliver

Abasourdie, Rachel se regarda dans la glace de sa coiffeuse. C'était la première référence écrite à une malédiction liée aux Toliver… Comment se manifestait-elle ? Et qu'avait donc légué Vernon à son fils ? Dans un frisson, redoutant le pire, elle feuilleta le document : Miles Toliver était l'unique légataire d'une parcelle de deux cent soixante hectares au bord de la Sabine !

C'était impossible ! Tante Mary n'avait pas… L'esprit en ébullition, Rachel relut le paragraphe. Elle ne se trompait pas. Contrairement à ce que pensait sa famille et à ce que tante Mary leur avait fait croire, Vernon Toliver avait légué une partie de Somerset à son fils.

Tante Mary avait donc menti par omission à propos de l'héritage de son frère. Mais pourquoi ? Mary aurait dû informer William de l'héritage de Miles, ne serait-ce que pour susciter son intérêt pour Somerset. Qu'était devenue cette parcelle ? Miles l'aurait-il vendue ? Tante Mary avait peut-être eu honte de cette vente au point de la cacher à son neveu…

Le coffret contenait deux autres enveloppes attachées par un trombone rouillé. En découvrant l'expéditeur de la première, elle retint son souffle : Miles Toliver. Le courrier venait de Paris, mais la date était illisible. Rachel posa l'autre enveloppe sans la regarder et sortit une lettre du 13 mai 1935 :

Chère Mary,

Je suis à l'hôpital. Je suis atteint d'un cancer du poumon provoqué par les gaz toxiques de la guerre. Selon les médecins, il ne me reste pas beaucoup de temps. Je n'ai pas peur pour moi, mais pour William, mon fils de sept ans, un enfant merveilleux. Sa mère étant morte il y a deux ans, il n'a plus que moi. Je t'écris pour t'informer que je vous le confie, à toi et Ollie, afin que vous l'éleviez comme le frère de Matthew. Il ressemble aux Toliver, tu sais. Peut-être exprimera-t-il plus de respect et d'enthousiasme que moi pour Somerset… J'aimerais lui accorder cette chance. J'ai pris des dispositions pour qu'il arrive le 15 juin à New York, à bord du Queen Mary.

Tu trouveras ci-joint l'acte de propriété de la parcelle que notre père m'avait léguée. Tu seras la tutrice de William jusqu'à ses vingt et un ans, et tu lui rendras ensuite ses terres afin qu'il en dispose à sa guise. J'espère que, d'ici là, il sera devenu un vrai Toliver et souhaitera conserver son héritage.

Je suis rassuré de le savoir dans un bon foyer. Tu diras à Ollie que Percy et lui sont les meilleurs amis qu'un homme puisse avoir. J'espère que vous n'oublierez pas nos bons souvenirs.

Ton frère aimant,
Miles

Abasourdie, Rachel éprouva quelque difficulté à assimiler ces révélations. Son père lui avait souvent raconté son arrivée à New York, à l'âge de sept ans, seul et effrayé. Oncle Ollie était venu sans tante Mary car c'était la pleine période des semis à la plantation. Avec sa bonhomie et son sourire, il l'avait extrait de la foule des passagers et, pour le rassurer, lui avait offert de la crème glacée et un soda. Durant le trajet en train jusqu'à Howbutker, il lui avait décrit l'enfance de Miles.

Les nerfs à fleur de peau, Rachel prit l'autre enveloppe, adressée à Mary Dumont. D'instinct, elle sut que cette écriture énergique était celle de Percy Warwick, sans doute parce qu'elle était jointe à la preuve de la trahison de celle qu'il aimait. Il n'y avait ni timbre, ni expéditeur, ni cachet. Rachel en sortit un bref message daté du 7 juillet 1935.

Mary,

Malgré mes réticences, je vais accepter ta proposition. Je suis allé voir le créancier d'Ollie, qui ne veut rien entendre. Je t'achèterai donc la parcelle dont nous avons discuté. Rendez-vous mardi au palais de justice, à trois heures, pour régler cette affaire. Apporte l'acte et je te remettrai un chèque.

À toi,
Percy

Rachel revit les immenses cheminées de l'usine de papier de Percy, à la limite orientale de Somerset, au bord de la Sabine. Elle avait toujours cru que la proximité de la plantation était due au hasard, mais à présent...

La note de Percy faisait-elle référence à la parcelle de son grand-père, que tante Mary lui aurait alors vendue contre la volonté de Miles ? Les réticences de Percy provenaient-elles du fait que Mary n'était pas en droit de vendre ?... Rachel vérifia la date : 7 juillet 1935, deux mois après l'arrivée de son père à New York.

Autre hypothèse, logique et moins choquante, mais tout aussi honteuse : quand William avait eu vingt et un ans, Mary était consciente de son absence d'intérêt pour la plantation. Elle avait pu intégrer ses terres à Somerset sans le lui dire, de peur qu'il ne vende sa parcelle. Dans ce cas, où était l'acte de propriété ? Et quelle parcelle avait-elle vendue à Percy ?

Rachel posa les mains sur ses joues brûlantes. Que venait-elle de découvrir ? Les preuves d'une malversation ? Une escroquerie ? Un vol ? Son père était-il coupable ? Sa tante lui avait peut-être rendu ses terres, qu'il aurait vendues par la suite.

Non. Il n'aurait jamais laissé Alice nourrir un ressentiment fondé sur un mensonge. Mais qui aurait cru Mary ou Percy capables de tromperie ? Rachel en avait la nausée. Percy ne pouvait avoir accepté de spolier un enfant de sept ans...

Elle ne manquerait pas d'interroger son père, lorsqu'il téléphonerait, dans la soirée. Elle lui ferait part de ses découvertes. Peut-être saurait-il où se trouvait l'acte de vente. Mais il n'avait certainement jamais su qu'il devait hériter d'une parcelle appartenant à son père. Demain, elle se rendrait au cadastre pour la localiser.

Des phares brillèrent soudain par la fenêtre de sa chambre, puis sur la porte du garage. Sassie et Henry étaient de retour. De peur d'avoir à leur expliquer pourquoi elle s'était enfermée, elle descendit pour ouvrir la porte avant qu'ils ne sonnent. Au milieu de l'escalier, elle distingua le gyrophare d'une voiture de police, puis entendit un crissement de pneus devant la maison. Des voix s'élevèrent, dont celles de Matt et d'Amos. *Qu'est-ce qu?...*

Quelqu'un sonna à la porte de service. Le cœur battant à tout rompre, elle se précipita d'abord vers la porte d'entrée dont le carillon résonnait frénétiquement. Troublée, elle eut du mal à actionner la vieille serrure. Sur le seuil se tenaient Matt et Amos, le shérif et deux motards, la mine grave.

— Que se passe-t-il ? demanda-t-elle.

— Tes parents… et Jimmy…, bredouilla Amos.

— Quoi ?

Matt franchit le seuil et la prit par la main.

— Un train a percuté leur voiture, Rachel. Ils sont morts sur le coup…

QUATRIÈME PARTIE

63

Kermit, Texas, deux mois plus tard

Sur le seuil de sa maison d'enfance, ses clés de voiture à la main, un sac de voyage à ses pieds, Rachel balaya une dernière fois les lieux du regard. Il ne restait rien de ceux qui y avaient vécu avant même sa naissance. La moindre trace, la moindre tache laissée par les membres de sa famille avait disparu sous plusieurs couches de peinture blanc cassé. Elle les avait appliquées elle-même. Pas question pour elle de confier à des étrangers le soin d'effacer ces souvenirs. Il lui avait fallu six semaines pour tout vider et nettoyer. L'agence immobilière ne devait commencer les visites qu'après son départ.

— Pourquoi vendre si vite, Rachel ? Tu ne veux pas rester quelque temps ? lui avait demandé sa voisine, la meilleure amie de sa mère.

Toujours accablée de chagrin, la jeune femme avait secoué la tête sans un mot. Elle ne méritait pas de vivre dans cette maison qu'elle avait aimée et trahie. Ce serait un sacrilège.

— Restez-vous à Lubbock ? s'enquit Danielle, quand elle alla vider son bureau.

Mais à Toliver Farms, quelqu'un avait déjà pris sa place : un jeune Japonais, qui avait emballé avec soin ses effets personnels pour les reléguer dans un coin. Ron Kimball, le contremaître, avait déjà retrouvé un emploi dans une autre plantation. Quant à Danielle, elle avait elle aussi donné sa démission.

— Pour quoi faire ? répondit Rachel avec un sourire triste. Regarder le coton des Toliver pousser sous la direction de quelqu'un d'autre ?

En organisant le stockage de ses cartons, Rachel prit conscience qu'elle n'avait nulle part où aller. Sans la maison de Houston Avenue ni celle de Kermit, elle se retrouvait sans abri… momentanément.

Rachel contempla une dernière fois le salon, puis elle prit son sac et s'éloigna. Son ancien potager avait fait place à une pelouse impeccable.

— Je suppose que c'est là que tout a commencé pour toi, avait dit Amos, après les funérailles.

Elle avait rejoint le notaire dans le jardin, où il était venu se réfugier.

— Oui, c'est ici que tout a commencé, avait-elle répondu avec nostalgie.

Pendant qu'elle jardinait, sous la fenêtre de la cuisine, elle avait surpris bien des conversations.

— Il voulait venir, tu sais, reprit le notaire.

Elle ne fit aucun commentaire.

— Percy et moi avions persuadé Matt que… ce serait le bon moment. Il s'inquiète beaucoup pour toi. Il ne comprend pas pourquoi tu refuses de le voir ou même de prendre ses appels. Franchement, moi non plus… Rien de tout cela n'est de sa faute. Percy dit que, si tu acceptais de venir à Howbutker pour écouter l'histoire de Mary, tu comprendrais pourquoi elle a agi ainsi, par amour pour toi.

— Vraiment ? railla Rachel, sceptique. À une époque, j'aurais pu y croire, mais plus maintenant…

— Pourquoi pas ? Que s'est-il passé ?

— Vous le saurez bien assez vite. Excusez-moi, je dois rejoindre les autres.

Pauvre Amos, pris entre deux feux, songea-t-elle. Quant à Matt… Elle démarra sa BMW.

Depuis deux mois, elle s'efforçait de ne pas penser à lui et à leur dernière entrevue. Le soir de l'accident, Matt avait voulu la prendre dans ses bras, mais c'était vers Amos qu'elle s'était tournée. Rachel avait lu la douleur dans le regard de Matt, tandis qu'Amos l'emmenait dans sa chambre. Malgré le choc, elle avait appelé Carrie Sutherland, sa meilleure amie, qui était arrivée de Dallas deux heures plus tard. En entendant sa voix, dans le hall, elle avait descendu les marches quatre à quatre pour se jeter dans les bras de son amie, et non dans ceux de Matt.

— Il vaut mieux que tu t'en ailles, maintenant, lui avait-elle dit.

Il avait fini par la prendre par les épaules pour plonger ses yeux dans son regard vide.

— Rachel, mon grand-père m'a parlé du testament… En plus de tout le reste, je ne peux imaginer ta douleur. J'ai mal pour toi, mais je ne suis pas ton ennemi. Tu as besoin de moi. Nous nous en sortirons ensemble.

— Il y a des choses que tu ignores, répondit-elle d'une voix éteinte de somnambule. Tu deviendras un ennemi. Tu n'auras pas le choix.

— Quoi ? fit-il, ahuri.

— Au revoir, Matt…

Au cours des semaines suivantes, cette période de cauchemar lui revint par bribes. Notamment sa conversation avec Carrie, dans la voiture, alors qu'elle allait reconnaître les corps. Dans un silence pesant, son amie lui avait demandé :

— Tu es en état de m'expliquer pourquoi tu as claqué la porte au nez de ce charmant jeune homme, hier soir ?

— Je ne lui ai pas claqué la porte au nez. Et non, je n'ai pas envie d'en parler. S'il t'intéresse, ne te gêne pas…

— Merci, tu es trop bonne ! Mais il ne me semble pas très disponible. Il est fou de toi, Rachel. Pourquoi le rejettes-tu ?

— Il le faut. Sinon, ce sera encore pire, plus tard.

— Plus tard ?

— Quand je reprendrai ce qui m'appartient.

Les yeux embués de larmes, Rachel jeta un dernier coup d'œil à la maison où elle avait grandi. En quittant la ville, elle déposerait les clés à l'agence immobilière. Elle comptait passer quelque temps à Dallas, chez Carrie. Ce serait surtout l'occasion de voir le père de Carrie, Taylor Sutherland, un éminent avocat spécialisé dans les questions immobilières. Elle avait pris rendez-vous avec lui pour évaluer le contenu du coffret vert.

Matt s'engagea dans l'allée menant à la maison de Rachel, qu'il avait trouvée grâce aux instructions d'Amos. En garant sa voiture de location, il fut aussitôt assailli par la chaleur sèche et le vent chargé de l'ouest du Texas. Son cœur battait à tout rompre. Enfin, il allait revoir Rachel! Si elle ne le laissait pas entrer, il forcerait sa porte, car il fallait qu'ils parlent, qu'elle lui dise en face pourquoi elle ne voulait plus le voir. Ce ne pouvait être seulement à cause de l'héritage de Somerset. Il entendait encore ses paroles, le soir de l'accident: *Il y a des choses que tu ignores. Tu deviendras un ennemi. Tu n'auras pas le choix.*

— Qu'entendait-elle par là, grand-père? avait-il demandé à Percy. Qu'est-ce que j'ignore?

— Je n'en ai aucune idée.

Une remarque mystérieuse de Rachel à Amos, lors des funérailles, le dérangeait particulièrement. À une époque, lui avait-elle dit, elle aurait pu croire que Mary avait agi par amour pour elle, mais plus maintenant. Et quand Amos avait voulu en savoir plus, elle avait déclaré: « Vous le saurez bien assez vite. »

Matt n'était pas totalement convaincu de l'ignorance de son grand-père. Au cours des deux derniers mois, il avait senti qu'il lui cachait encore des secrets de famille.

La pelouse venait d'être tondue. L'air lourd et poussiéreux lui rappela un commentaire d'Amos: *Quel endroit perdu! Seuls les serpents à sonnette peuvent y survivre.* Matt partageait ce point de vue. En venant de l'aéroport, dans un désert parsemé de broussailles, il s'était demandé comment ces terres arides avaient pu susciter la vocation de Rachel. Mais elle avait la terre dans le sang…

Hésitant, Matt s'approcha des marches du perron. Les lieux semblaient déserts. Les volets étaient fraîchement repeints, de même que la porte du garage. Il n'y avait pas de rideaux aux fenêtres et les vitres étincelaient. Non… Il jeta un coup d'œil à l'intérieur à travers les carreaux de la porte. Le salon était désert. Plus un seul meuble. Incrédule, il contourna la maison en regardant par les fenêtres, ne découvrant que des murs nus.

— Je peux vous renseigner?

Il fit volte-face pour se trouver devant une femme corpulente, vêtue d'une robe chatoyante, qui le fixait, les mains sur les hanches. Une voisine, sans doute.

— Euh…, bredouilla-t-il, la jeune femme qui habite ici, Rachel Toliver… On dirait qu'elle a déménagé. Pouvez-vous me dire où elle est partie?

— Qui êtes-vous?

— Matt Warwick, répondit-il en s'époussetant une main sur son pantalon. Un ami de la famille de Howbutker, au Texas.

La femme accepta de lui serrer la main.

— J'ai entendu parler des Warwick de Howbutker. Je m'appelle Bertie Walton, une amie. J'habite à côté. Qu'est-ce que vous lui voulez, à Rachel?

Matt hésita, puis il opta pour la franchise:

— Je suis venu prendre de ses nouvelles et, peut-être, la ramener à la maison. Sa place est auprès de ceux qui l'aiment.

— Je suis d'accord avec vous, répondit-elle, plus détendue. (Elle le toisa longuement, puis reprit.) Je regrette, mais vous l'avez manquée d'une heure. J'ai l'impression qu'elle a filé pour de bon. Elle a dû s'en aller pendant que je faisais mes courses. Je n'ai pas eu l'occasion de lui dire au revoir, ajouta-t-elle, peinée.

— Elle vous a dit où elle allait?

— Hélas, non. Hier, elle m'a promis de rester en contact, mais… vu son état, je n'y crois pas trop.

Tout espoir de retrouvailles s'envolait.

— Vous connaissez quelqu'un qui pourrait savoir où elle se rend ?

— Personne. Rachel ne voyait plus personne, à Kermit, à part moi. J'étais la meilleure amie de sa mère. La maison est en vente. À votre place, je tenterais ma chance à l'agence immobilière. Il n'y en a que deux, en ville. Elle leur a forcément laissé un numéro où la joindre.

Matt chercha un papier et un crayon dans ses poches.

— Pourriez-vous me dire où elles se trouvent, ces agences ?

— Je vais faire mieux que ça. Venez, je vais vous dessiner un plan. Vous ne trouverez pas, sinon.

Elle s'éloigna péniblement en direction de sa maison. Matt lui emboîta le pas. Quelques instants plus tard, ils étaient attablés dans la cuisine. Elle versa du thé glacé dans deux verres qu'elle avait sortis d'un placard.

— Madame Walton, pourquoi Rachel a-t-elle déménagé ? Je pensais que… vu les circonstances, elle préférerait rester ici, où on la connaît.

— Appelez-moi Bertie, répondit-elle en posant un bloc-notes et un stylo devant elle. Je ne peux pas dire que son départ m'étonne. Cela faisait longtemps qu'elle avait quitté Kermit. Ici, elle n'a plus rien. Je pensais qu'elle resterait parce qu'elle n'a nulle part où aller, mais elle est partie comme si elle avait le diable aux trousses.

— Dans quel état était-elle ?

Bertie commençait à tracer des lignes sur une feuille.

— Quand l'avez-vous vue pour la dernière fois ?

— Il y a deux mois, pour les funérailles de sa grand-tante, répondit Matt.

— Eh bien, elle a perdu dix kilos, elle a le teint bronzé, les traits tirés. Elle n'est plus celle que vous avez vue à Noël.

— Elle n'est plus la même..., fit Matt d'une voix douce. Comment a-t-elle bronzé?

— Elle a fait beaucoup de travaux extérieurs sur la maison, la toiture, les volets, le jardin... Personne n'avait le droit d'y toucher. En tout cas, elle n'a pas... craqué. Quelque chose l'en empêchait. Cela s'entendait à sa façon d'enfoncer les clous.

— Elle ne vous en a jamais parlé? demanda Matt, intrigué. Tout ce dont vous vous souviendrez me sera utile.

Bertie réfléchit un instant.

— C'était comme si elle était mue par une... force intérieure... si vous voyez ce que je veux dire. Je ne parle pas de ce courage qui vous pousse à avancer quoi qu'il arrive. Non... Elle semblait avoir un objectif en tête quand elle en aurait fini avec ses travaux. (Elle arracha la feuille du bloc.) Je ne peux pas vous en dire plus, conclut-elle.

— Mais vous l'avez très bien dit, Bertie. Merci pour votre aide. (Il finit son thé glacé et se leva.) Donnez-moi votre numéro de téléphone. Si j'ai du nouveau, je vous appellerai.

Bertie leva les yeux vers lui comme si elle avait quelque chose à ajouter, avant de le reconduire à la porte.

— Vous êtes le garçon dont Rachel m'a parlé autrefois, à son retour de Howbutker, n'est-ce pas? Elle avait une dizaine d'années et n'était pas du genre à s'enticher de n'importe qui. Tout à l'heure, vous m'avez affirmé vouloir la ramener à la maison, auprès des gens qui l'aiment. Vous en faites partie?

— Je suis le premier de la liste.

— Je vois cela. Eh bien, allez la chercher, jeune homme, et faites-lui comprendre que... malgré ses deuils... elle possède encore l'essentiel.

— J'en ai l'intention, Bertie, promit Matt d'une voix brisée.

Il plia sa feuille de papier et la glissa dans sa poche.

— Restez assise, lui dit-il en posant une main sur son épaule. Je connais le chemin. Je vous donne ma parole que vous aurez de mes nouvelles.

— J'espère que ce sera un faire-part de mariage.

— Je l'espère aussi, répondit-il avec un sourire.

La maison était en vente dans la seconde agence immobilière qu'il visita, mais l'agent chargé du dossier était parti fixer le panneau « À vendre ». Matt se doutait qu'il était interdit de donner les coordonnées d'un vendeur, mais il comptait user de son charme pour obtenir des informations. Il sourit à l'employée et lui expliqua qu'il était un ami de Bertie Walton. Celle-ci lui avait parlé de la maison. Pouvait-elle appeler la propriétaire ? Il souhaitait faire une offre avant de quitter la ville.

L'employée parut désolée. La propriétaire venait de partir, mais elle ignorait où. C'était vraiment étrange... Elle n'avait pas laissé de numéro de téléphone, déclarant qu'elle appellerait dès qu'elle serait installée. Néanmoins... S'il voulait faire une offre, elle pouvait rédiger le document et la proposer à la propriétaire dès qu'elle appellerait.

Hélas, il était impossible de savoir quand. Matt sourit en affirmant que cela ne l'arrangeait pas, mais qu'il prenait tout de même sa carte.

Une fois sorti de l'agence, il poussa un soupir de frustration. Il était pratiquement certain que Rachel était partie à Dallas, chez cette blonde un peu loufoque qui était venue le soir de l'accident. Carla... Cassie... Dans la tourmente, il n'avait pas retenu son prénom. Amos s'en souviendrait peut-être. Dès qu'il aurait le nom de cette amie, il trouverait facilement son adresse et prendrait un vol pour Dallas.

Dans sa voiture, il appela la maison et demanda à son grand-père de lui passer Amos. Il se doutait que le notaire serait à Warwick Hall.

— Que puis-je faire pour toi, Matt ? demanda-t-il.

— Rachel a mis sa maison en vente et quitté la ville sans dire où elle allait. Vous rappelez-vous le nom de son amie de Dallas ? Cette fille qui est venue le soir de l'accident... Je crois que Rachel est partie chez elle.

— Je suis désolé, Matt, mais je n'ai pas retenu son nom, moi non plus…

Matt frappa le volant de son poing et jura en silence.

— Ce n'est pas grave, Amos. Sassie et Henry le sauront peut-être.

Mais Henry ne se rappelait pas non plus.

— Je sais qu'elle s'appelle Carrie, répondit-il, mais je ne retiens pas les noms de famille. Tante Sassie est chez ma mère. Vous voulez que je l'appelle ?

— Donnez-moi son numéro.

Hélas, Sassie était tellement affolée qu'elle n'avait pas relevé le nom de famille de la jeune femme.

Matt enclencha la marche arrière. Un détective. Il suffisait de charger un détective privé de retrouver Rachel. Il appela son bureau de Howbutker. Quel était cet « objectif » qui permettait à Rachel d'avancer ? La vengeance ? Contre qui et pourquoi ? Au plus profond de lui-même, il croyait le savoir. Il avait même le terrible pressentiment que Percy était sa cible.

— Nancy, dit-il à sa secrétaire, laissez tout tomber et trouvez-moi une agence de détectives fiable à Dallas. Rappelez-moi. Je rentre à la maison.

64

Dallas, Texas, samedi

Le lendemain matin, à son réveil, Rachel sursauta en découvrant qu'il était neuf heures. Elle se dressa sur son séant et regarda autour d'elle, un peu perdue. Puis tout lui revint: la chambre d'amis de Carrie Sutherland, une pièce toute blanche, dans une maison de ville ultramoderne. D'instinct, elle songea à se lever. Les gens de la terre s'interdisaient toute grasse matinée, car c'était une perte de temps. Puis elle se rallongea: elle n'avait plus de champs à cultiver…

Comme à chaque réveil, la dépression fondit sur elle. Elle avait découvert que, si elle restait immobile, se vidait la tête, un soupçon de rationalité finissait par percer les ténèbres. Ce jour-là, elle se concentra sur ce qui l'avait poussée à venir à Dallas plus tôt que prévu, alors que Carrie ne rentrait que dimanche après-midi. Ces deux derniers mois, elle avait pris de l'avance sur tout ce à quoi elle avait consacré son énergie débordante. En réalité, elle n'avait nulle part où aller. Mais comment allait-elle supporter sa solitude, dans cet igloo, sans perdre le peu de raison qu'il lui restait?

Dans le hall, le téléphone se mit à sonner. Ne serait-ce que pour entendre une voix humaine, la jeune femme alla répondre:

— Résidence de Carrie Sutherland.

Il y eut un silence étonné, puis une voix masculine familière lui répondit avec entrain :

— Rachel ? C'est toi ?

Elle fit la moue et regretta aussitôt d'avoir décroché. Taylor Sutherland, le père de Carrie, ignorait manifestement que sa fille passait du bon temps dans un casino de Las Vegas avec son dernier petit ami, une conduite qu'il aurait réprouvée.

— Bonjour, Taylor, dit-elle. Je suis arrivée plus tôt que prévu. Carrie n'est pas là, hélas. Un… rendez-vous matinal, je suppose.

— Hum… Elle est encore partie en week-end et te laisse te débrouiller toute seule, c'est ça ?

— Elle n'y est pour rien. Je ne devais arriver que demain après-midi.

— Enfin, je ne te demanderai pas où elle est ni avec qui… Tu vas t'en sortir dans cette maison glaciale ? Augmente le chauffage, si tu veux. Carrie est ridicule de ne pas chauffer !

Rachel sourit. Taylor Sutherland faisait allusion à l'interdiction de régler le thermostat décrétée par Carrie. Pour ne pas endommager sa collection de peintures à l'huile, elle évitait les variations de température.

— Que comptes-tu faire de ta journée ? demanda Taylor avec une sollicitude toute paternelle.

— Pour vous dire la vérité, je n'en sais rien.

— Carrie n'a rien d'intéressant à lire et je parie que le réfrigérateur est vide. Si tu passais me voir au bureau ? Nous pourrons parler de ce dont tu voulais m'entretenir lundi en buvant un verre, avant d'aller manger un hamburger. Qu'en dis-tu ?

— C'est parfait !

— Dans ce cas, viens vers onze heures. (Il lui indiqua l'adresse et l'itinéraire le plus court.) Ne te couvre pas trop. Ils éteignent l'air conditionné, ici, pendant le week-end.

Rachel avait beaucoup de respect pour Taylor Sutherland. Derrière son image un peu rurale se cachait un juriste brillant et reconnu. Il était veuf et Carrie était sa fille unique. Le sachant très attaché à la ponctualité, Rachel arriva cinq minutes en avance. À onze heures, il vint l'accueillir à la réception, dans le calme de ce samedi.

— Je ne te demande pas comment tu vas… Tu as plutôt bonne mine après ce que tu as subi.

— Vous êtes gentil, répondit-elle en l'embrassant. Si seulement mon miroir l'était autant…

— Ne sois pas si dure envers toi-même. Viens, prenons un gin tonic, histoire de se rafraîchir un peu.

Taylor évoqua les excentricités de Carrie, sans doute pour éviter d'en venir à la raison de sa visite. Sa fille lui avait résumé les termes du testament et la découverte de documents compromettants susceptibles de donner lieu à un procès contre Percy Warwick. Or l'avocat donnait l'impression de connaître le vieil homme.

Enfin, il s'installa dans son fauteuil et croisa les doigts sur son ventre.

— Carrie me dit qu'à ton insu, ta grand-tante a vendu Toliver Farms et légué la plantation familiale à Percy, et non à toi.

Rachel sentit son optimisme l'abandonner.

— Donc vous connaissez Percy Warwick…

— En effet.

— Cela constituerait-il un conflit d'intérêts si vous acceptiez le dossier ?

— Il est trop tôt pour l'affirmer. Oublions cela pour le moment et dis-moi ce que tu attends de moi.

— Auparavant, Taylor, j'aimerais savoir si vous êtes tenu par le secret professionnel, que je devienne ou non votre cliente ?

— Naturellement, car je vais te facturer une consultation. Tu m'invites à manger un hamburger !

— D'accord, dit-elle en riant, avant de reprendre : Il est donc question de Percy Warwick. Vous le connaissez bien ? C'est un ami ?

— Un ami, non. Une connaissance, plutôt. Je l'admire. Il a fait davantage pour la sauvegarde des forêts et le traitement des déchets industriels que tout autre magnat de la région. Quel est le problème, au juste ?

Rachel but une grande gorgée d'alcool pour se donner du courage.

— Je crois qu'il a acheté une parcelle à ma grand-tante tout en sachant qu'elle ne lui appartenait pas vraiment. Elle était à mon père, William Toliver, et j'ai tout lieu de croire que mon père lui-même l'ignorait.

Taylor demeura perplexe.

— Tu as des preuves pour étayer tes soupçons ? Comment l'as-tu appris ?

Rachel relata sa découverte du coffret vert, dont elle lui décrivit le contenu.

— Tu as apporté ces documents ?

Rachel sortit de son sac une copie du testament de Vernon Toliver et des deux lettres. Taylor mit ses lunettes et en prit connaissance.

— Alors ? l'interrogea-t-elle quand il eut terminé sa lecture.

Il se leva pour retourner au bar. D'un geste, il lui demanda si elle souhaitait un autre verre. Elle secoua négativement la tête et le regarda faire, à bout de patience. De toute évidence, il cherchait encore à gagner du temps.

— Alors, Taylor ? Prenez-vous le dossier ou bien suis-je en train de vous faire perdre votre temps ? Et le mien…

— Le tien, je ne sais pas, mais le mien, certainement pas, répondit-il en lui adressant un clin d'œil complice. Mais d'abord, j'ai quelques questions à te poser. As-tu trouvé l'acte de propriété initial ?

— Non. Il n'était pas dans le coffret.

— Ce coffret vert, il contenait l'acte de décès de ton grand-père ?

— Non.

— Et les documents attestant la tutelle de ta grand-tante ?

Étonnée de ne pas y avoir pensé elle-même, elle répondit par la négative.

— Ton père était bien son pupille ?

— C'est ce que j'ai toujours cru, en tout cas, répondit-elle, interloquée.

— Je te pose cette question parce que, en tant que tutrice, ta grand-tante considérait peut-être qu'il était de l'intérêt de son pupille de vendre. Naturellement, il fallait une autorisation du tribunal pour ce faire. Le problème, ce sont les dates…

Rachel s'approcha pour examiner les dates qu'il lui désignait de la pointe de son stylo.

— La lettre de ton grand-père date du 13 mai 1935, celle de Percy du 6 juillet. On peut penser que la propriété a été vendue peu après. Même si Miles était mort quelques jours après avoir envoyé cette lettre à sa sœur, elle n'aurait pu être informée officiellement de sa mort que plusieurs semaines plus tard. En 1935, la bureaucratie était encore plus lente qu'aujourd'hui, surtout pour un décès à l'étranger.

— Vous dites que, même si ma tante Mary était la tutrice de mon père, elle ne l'était pas à l'époque de la vente à Percy Warwick ? fit Rachel, abasourdie.

— Exactement.

— Si ma grand-tante a été nommée tutrice après cette vente, la transaction devient-elle légale pour autant ?

— Non. Le jugement du tribunal ne serait pas rétroactif. La vente resterait frauduleuse.

La gorge serrée, Rachel but une gorgée de gin tonic.

— Cela signifie-t-il qu'il s'agit d'une malversation ?

Taylor prit la lettre de son grand-père.

— Disposes-tu d'une autre signature de Miles Toliver qui puisse corroborer celle figurant sur cette lettre ?

Rachel pensa aux registres signés par son grand-père, dans le bureau de Houston Avenue.

— Je sais où trouver des échantillons de son écriture. Ensuite ?

Taylor hésita. Rechignait-il à attaquer Percy en justice?

— Il faudra prouver que la propriété a bien été vendue et, dans ce cas, que la parcelle décrite sur l'acte est bien celle que Percy a achetée. Tu devras pour cela te rendre au cadastre afin de consulter les archives d'une éventuelle transaction entre ta grand-tante et Percy aux environs de cette date. Ensuite, nous en reparlerons.

— Mais si je découvre que la transaction a bien eu lieu, aurai-je suffisamment de preuves pour démontrer la malversation?

Taylor prit son temps pour répondre:

— Même si le nom de Mary Dumont figure sur l'acte de propriété, son frère lui a expressément demandé de conserver sa parcelle pour son fils jusqu'à ses vingt et un ans. Mary Dumont aurait donc vendu cette parcelle comme si elle lui appartenait, sans autorisation du tribunal... il s'agirait bien d'une malversation.

— Y a-t-il prescription? questionna Rachel en retenant son souffle.

— Oui, mais elle court seulement à partir de la découverte de la transaction frauduleuse. Où se trouve cette parcelle au bord de la Sabine? Est-elle occupée?

— À mon avis, Warwick Industries y a construit une usine de papier et des bureaux. Il y a aussi un lotissement à proximité.

Elle s'attendait à une réaction étonnée de la part de l'avocat, mais il se contenta de faire pivoter son verre.

— Que puis-je espérer, au juste, si la malversation est démontrée? s'enquit Rachel.

— En cas de vente frauduleuse, tu aurais droit, en tant qu'héritière de ton père, non seulement à cette parcelle, mais à tout ce qui est construit dessus. À part le lotissement, peut-être...

Rachel ferma les yeux et serra les poings. C'était plus qu'elle n'osait espérer! Pour la première fois depuis longtemps, elle avait une raison de vivre. Elle leva les yeux vers Taylor.

— Que penseriez-vous si je poursuivais Percy Warwick pour récupérer mon bien ?

— Tu… Il n'est pas vraiment question de cette parcelle, n'est-ce pas ? fit l'avocat en fronçant les sourcils.

— Mais si. Un accord financier ne m'intéresse pas.

Il la dévisagea longuement, puis se cala à nouveau dans son fauteuil et croisa les doigts sur son ventre.

— Puisque tu me poses la question, je vais te répondre. En dépit de tes arguments, tu me décevrais beaucoup, Rachel. Un procès nuirait à une entreprise essentielle sur le plan économique, la mieux gérée de la région, sans parler du tort que tu ferais à l'un des plus grands hommes du Texas.

Il se tut, mais elle ne réagit pas.

— Je suis au courant de ce que tu viens de vivre, reprit-il. La générosité de ta grand-tante, puis, et j'en suis désolé, la mort prématurée de tes parents et de ton frère… Bien sûr, j'ignore pourquoi Percy Warwick a conclu cet accord avec Mary Dumont en 1935, s'il l'a fait, mais il devait avoir une bonne raison. Les temps étaient durs, et la vente de cette parcelle a peut-être évité un désastre financier à ta grand-tante, ainsi qu'à ses héritiers, dont tu fais partie. (Il prit son verre et posa sur la jeune femme un regard froid.) Voilà qui répond à ta question. Au fait, tu es dispensée de dîner…

— Nous verrons, répondit Rachel en soutenant son regard. Merci d'avoir été franc. Je suis heureuse d'avoir consulté la personne qu'il fallait.

— Comment ?

— Je ne veux pas faire de mal à Percy Warwick ni priver son petit-fils de son héritage. Que ferais-je d'une usine de papier ? Ce que je souhaite, c'est un échange : ma plantation familiale de Somerset contre le complexe industriel de Percy.

Taylor la dévisagea, puis esquissa un sourire :

— Dans ce cas, je veux bien m'en occuper.

— Il est plus de midi, dit-elle en consultant sa montre. On va le manger, ce hamburger ? Je vous invite.

Il se leva vivement.

— Pas seulement un hamburger, mais des frites et un brownie en dessert…

— Quand je pense que vous critiquez les habitudes alimentaires de votre fille…, railla Rachel en attrapant son sac.

65

Le lundi suivant son entrevue avec Taylor Sutherland, Rachel se rendit au palais de justice de Howbutker. Ce milieu d'après-midi était le meilleur moment pour ne pas se faire remarquer. Il faisait très chaud pour un mois d'octobre et les passants étaient rares. Au cas où elle serait trop fatiguée pour regagner Dallas dans la journée, la jeune femme avait réservé une chambre dans un motel du comté voisin.

Elle n'avait jamais eu affaire à l'employée du cadastre mais était certaine qu'elle la reconnaîtrait. Il suffisait d'un coup d'œil sur la photo de l'inauguration du palais de justice, en 1914, où figurait Mary, pour deviner un lien de parenté. Or Rachel tenait à rester incognito. Elle avait troqué sa BMW verte contre la Suburban noire de Carrie. En apprenant sa présence en ville, Matt ne manquerait pas de la chercher et elle refusait de le voir, de peur de flancher. Si ses soupçons s'avéraient, leur couple était condamné d'avance. Matt ne lui pardonnerait jamais de traîner Percy en justice et de révéler au grand jour son implication dans une malversation. Ils n'en arriveraient sans doute jamais là, mais cette simple menace suffirait à tout gâcher. Il fallait donc qu'elle en finisse rapidement pour éviter Matt, Percy ou Amos.

Une femme entre deux âges vêtue d'une robe d'été la dévisagea d'un air curieux. De toute évidence, elle cherchait à mettre un nom sur son visage.

— Je peux vous renseigner ?

— Oui, répondit Rachel. J'aimerais consulter un acte de 1935, aux alentours du 8 juillet, une vente de Mary Toliver-Dumont à Percy Warwick.

L'employée la reconnut alors et son visage s'illumina.

— Mademoiselle Toliver ! dit-elle en lui tapotant la main, je vous présente mes plus sincères condoléances pour tout ce que vous avez perdu.

Le mot « tout » faisait également allusion à son héritage, sans doute.

— Merci, c'est gentil, répondit-elle du ton morne qu'elle adoptait pour couper court à toute commisération.

— Un instant, je vais consulter l'index pour cette période.

En patientant, Rachel surveilla l'entrée des archives du coin de l'œil. Enfin, l'employée revint avec un volume relié.

— Page 306, annonça-t-elle. Si vous avez besoin d'aide…

— Non merci. Page 306, donc.

Elle porta l'ouvrage vers une table, à l'écart du regard indiscret de l'employée, et trouva immédiatement ce qu'elle cherchait. Le 14 juillet 1935, la propriété d'une parcelle avait été transférée de Mary Toliver-Dumont à Percy Matthew Warwick. La description du lot correspondait aux termes du testament de Vernon Toliver. Le plan désignait une parcelle située au bord de la Sabine, à la limite de Somerset.

Rachel leva les yeux, ivre de rage. Percy et tante Mary étaient des voleurs, des escrocs… Ils n'avaient rien dit tandis que leur mensonge rongeait Alice et détruisait sa famille. Comme les choses auraient été différentes si William avait su… Ses parents et son frère seraient peut-être toujours en vie…

Rachel porta le livre ouvert au comptoir et désigna le plan.

— Existe-t-il un document attestant ce qui est bâti sur cette parcelle ? demanda-t-elle.

L'employée souleva ses lunettes pour examiner le plan.

— Les archives nous le diraient, mais inutile de vérifier : c'est l'usine de papier de Warwick Industries.

— Vous en êtes sûre ?

— Absolument. Ma maison se trouve… là, dans un lotissement construit par Warwick Industries pour ses ouvriers. Mon mari est contremaître là-bas.

— Ah oui ?

Le ton de Rachel lui valut un regard perçant. L'employée se méfiait, comme si l'emploi de son mari était menacé.

— Puis-je vous demander d'où vous vient cet intérêt ?

— C'est un intérêt légitime, répliqua Rachel d'un ton tranchant. Voulez-vous me sortir l'historique de cette parcelle et, pendant que vous y êtes, vérifier aux archives la date à laquelle Mary Toliver-Dumont est devenue tutrice légale de William Toliver ? Ce devait être en 1935.

— Ce sera aux archives du sous-sol. Il me faudra un moment.

— J'attendrai.

Perplexe, mal à l'aise, l'employée disparut derrière une porte. La femme du contremaître de Matt ! C'était bien sa veine. Et si elle parlait à son mari de sa requête ? Cet homme risquait de tout répéter à Matt, qui mettrait une demi-heure à venir en ville… Rachel décida d'accorder vingt minutes à l'employée avant de filer.

Elle était sur le point de partir quand celle-ci réapparut.

— Voici une copie de la déclaration fiscale de 1934, annonça-t-elle en posant le document sur le comptoir. Et une autre de l'ordre du tribunal accordant la tutelle à votre grand-tante. Il vous faut autre chose ? (Elle jeta un regard furtif à l'horloge, au-dessus du distributeur d'eau.) C'est l'heure de ma pause…

Rachel consulta la date à laquelle son père était devenu officiellement pupille de tante Mary : le 7 août 1935.

— Je crains que oui. Une copie de la page 306 et une autre du plan de la parcelle.

— Ce sera payant, répondit l'employée, les lèvres pincées.

— Combien ? s'enquit Rachel en ouvrant son sac.

Quelques minutes plus tard, Rachel s'en allait, les photocopies en poche. Au moment de sortir, elle se retourna. Comme elle s'y attendait, l'employée était au téléphone et lisait un document à son correspondant.

— Matt, ici Curt. Je ne sais pas si c'est important, mais ma femme vient de m'appeler du palais de justice. Rachel Toliver y est passée.

Matt fit pivoter son fauteuil. Depuis presque une heure, il regardait par la baie vitrée, dans le vide, perdu dans ses pensées.

— Rachel Toliver est en ville ?

— Exact. Elle s'est renseignée sur un jugement de tutelle.

— Elle est toujours là-bas ?

— D'après Marie, elle vient de s'en aller.

— Elle a dit où elle allait ?

— Non, patron, soupira Curt. (Pourquoi avait-il pris la peine d'appeler si Matt ne s'intéressait qu'à Rachel Toliver ?) Marie ne l'a pas trouvée très aimable, reprit-il. Je me disais que vous voudriez savoir ce qu'elle recherche.

Matt mit le haut-parleur et raccrocha le combiné.

— C'est le cas, Curt. Qu'est-ce qu'elle voulait ?

Il ouvrit un placard et en sortit sa veste, qu'il enfila.

— Elle se renseignait sur une transaction entre sa grand-tante et votre grand-père, en juillet 1935, dit Curt. Il semble que Mme Mary lui ait vendu une parcelle, à l'époque.

Matt s'arrêta net. Son grand-père n'avait jamais parlé d'un tel achat. En quoi cela intéressait-il Rachel ?

— Vous êtes sûr que Marie a bien compris, Curt ?

— Certain. Elle a ajouté qu'elle avait mauvaise mine, qu'elle était amaigrie. On l'a vue à l'enterrement de Mme Mary. Une très belle femme. Selon Marie, elle n'est plus la même.

— Il paraît, oui, maugréa Matt en glissant le bras dans sa manche. Marie a précisé de quel terrain il s'agissait ?

— Oui. C'est la parcelle sur laquelle je me trouve en ce moment.

— Le site de l'usine ? demanda Matt, abasourdi.

— Tout juste. Marie a trouvé cela bizarre. Selon elle, la jeune femme semblait... furieuse.

— Je m'en doute.

La rage avait le don de maintenir une personne à flot quand le chagrin pouvait la faire sombrer.

— Et vous ne savez pas le plus beau, patron ? Quand Marie lui a demandé pourquoi elle s'intéressait au terrain de l'usine, elle a répondu qu'elle en avait le droit légitime. Qu'est-ce qu'elle voulait dire par là ?

Matt songea aux propos de Bertie Walton : une force intérieure, un objectif... « Vous le saurez bien assez vite », avait dit Rachel à Amos.

— Je ne sais pas, Curt, mais je vais m'empresser de le découvrir.

— Encore une chose. Rachel Toliver a demandé à Marie de vérifier la date à laquelle Mme Mary est devenue tutrice de son père William Toliver. Cela ne vous inquiète pas, cette façon de fouiner ?

Matt avait déjà ouvert la porte de son bureau, clés de voiture en main.

— Cela fait réfléchir, en effet. Merci, Curt. Et... Restez discret, cela vaut mieux, d'accord ?

— Bien sûr, patron.

— C'est bien.

En se précipitant vers sa voiture, il appela l'étude du notaire.

— Susan ? Ici Matt Warwick. Je peux parler à Amos, s'il vous plaît ?

— Que se passe-t-il, Matt ? demanda ce dernier d'un ton inquiet, prenant la communication en plein rendez-vous. C'est Percy ?

— Non. Désolé de vous avoir effrayé. C'est Rachel. Je viens d'apprendre qu'elle était en ville. Quelle voiture a-t-elle ?

— Eh bien, la dernière fois que je l'ai vue, c'était une BMW vert foncé. Tu veux dire qu'elle est en ville et qu'elle ne nous a pas prévenus ? s'enquit-il, blessé. Comment le sais-tu ?

— Je vous raconterai plus tard. Je pars la chercher.

— Matt…

— Plus tard, Amos, promit-il avant de raccrocher pour passer un autre appel.

Rachel était peut-être déjà repartie à Dallas. Il consulta une liste et composa un autre numéro.

— J'aimerais parler à Dan, déclara-t-il au standard.

Quelques secondes plus tard, il fit sa requête au shérif du comté de Howbutker.

— Une BMW vert foncé, répéta ce dernier. J'envoie une patrouille sur l'autoroute 20 et je vous rappelle.

— Dites à vos hommes d'y aller doucement s'ils l'interceptent, recommanda Matt.

— Quel est le chef d'accusation ?

— Ils trouveront bien quelque chose, mais qu'ils se montrent aimables.

Matt réfléchit à la prochaine étape. Il était presque seize heures. Pourvu que Rachel ne se sente pas d'attaque pour regagner Dallas dans la journée, avec les embouteillages. Il rappela son bureau.

— Nancy, appelez le Fairfax Hotel, le Holiday Inn, le Best Western pour voir si Rachel Toliver y a réservé une chambre. Laissez-leur mon numéro pour qu'ils me rappellent dès son arrivée. Tenez-moi informé.

Au bout d'une demi-heure de maraude en ville, il n'avait repéré aucune BMW verte. Sa secrétaire l'informa que Rachel n'avait pas de chambre dans les hôtels qu'elle avait appelés. Désemparé, Matt mit le cap sur Houston Avenue pour interroger son grand-père.

66

Matt gravit les marches quatre à quatre vers le bureau. Ces derniers temps, son grand-père y passait le plus clair de son temps. Depuis la mort de Mary et les événements tragiques qui avaient suivi, il avait perdu son énergie, son appétit… Il n'effectuait plus ses exercices quotidiens au country club, se faisait rare dans les locaux de l'entreprise et il n'avait pas mis les pieds dans une exploitation forestière depuis deux mois. De plus, il boudait ses réunions entre amis du mardi matin, au café du palais de justice.

Inquiets pour son moral et sa santé, Matt et Amos parlaient souvent de lui en échangeant des nouvelles.

Percy parut étonné de voir son petit-fils arriver en avance de plusieurs heures, un fait sans précédent.

— Qu'est-ce qui me vaut le plaisir ? railla-t-il d'une voix traînante.

Le vieil homme était installé dans son fauteuil, devant la cheminée. Sur son plateau, un bol de bouillon de poulet avait refroidi à côté d'un sandwich au jambon dont il n'avait mangé que la moitié.

Matt s'en empara, car il n'avait pas dîné.

— Rachel Toliver est… enfin était en ville, annonça-t-il.

— Comment le sais-tu ? s'enquit Percy en levant la tête.

— Elle s'est rendue au palais de justice. La femme de Curt l'a appelé et il m'a averti. Je l'ai cherchée, en vain.

Il engloutit le reste de sandwich en deux bouchées, puis but le thé glacé de son grand-père. Finalement, il vint se placer face au vieil homme.

— D'après Marie, Rachel s'intéressait à une parcelle que Mary t'aurait vendue en 1935. Elle était très remontée, paraît-il.

Le jeune homme avait vu juste, car Percy blêmit.

— J'ignorais que l'usine de la Sabine était construite sur une parcelle achetée à Mary, reprit Matt. Je me demande comment Rachel l'a appris et en quoi cela l'intéresse.

Percy soupira et appuya la tête sur le dossier de son fauteuil.

— Oh, Matt…

— Quoi ? Que s'est-il passé ?

— Je crois que nous allons avoir des problèmes. Rachel a trouvé les papiers que Mary voulait détruire avant de mourir.

— Quels papiers ? questionna Matt, la gorge nouée.

— Ceux qui étaient rangés dans la malle d'Ollie. Souviens-toi, Mary voulait absolument monter au grenier, avant de mourir… Rachel a deviné qu'il y avait quelque chose d'important, là-haut. En accompagnant Rachel dans sa chambre, le soir de l'accident, Amos a vu des papiers étalés un peu partout. Ils provenaient d'une serviette verte qui appartenait à Mary…

— Qu'est-ce qu'elle contenait donc, pour que Rachel se rende aux archives ?

Percy lui fit signe de ne pas le brusquer.

— Amos a reconnu le testament de Vernon Toliver. Or Vernon avait légué une parcelle au bord de la Sabine à son fils Miles…

— Attends ! fit Matt, troublé. Tu m'as dit que Miles n'avait rien obtenu, que Mary était la seule héritière.

— Je n'ai jamais rien affirmé de tel. C'est ce que Mary et moi avons laissé croire. D'accord, c'est à peu près la même chose…

Matt se pencha vers lui.

— Autrement dit, William n'a jamais su que son père Miles avait hérité de cette parcelle?

— C'est cela.

— On lui a délibérément caché cette information?

— Oui.

— C'est Mary qui la lui a cachée.

— Oui.

— Comment s'en est-elle emparée, de cette parcelle?

Paraissant soudain vieilli, Percy passa une main noueuse sur son visage.

— Je crains que les autres documents de la serviette verte ne l'expliquent. Amos a vu deux lettres, dont une de ma main. Il n'a pas identifié l'autre, car Rachel s'est empressée de tout ranger. Mais je devine d'où elle venait…

Matt vit son grand-père tendre une main tremblante vers son verre d'eau dont il but deux gorgées.

— C'était une lettre de Miles demandant à Mary de conserver sa parcelle pour William jusqu'à ses vingt et un ans.

— Bon sang…, souffla Matt avec un mouvement de recul. Tu veux dire que Mary est allée à l'encontre de la volonté de son frère et t'a vendu le terrain?

— C'est ça, répondit Percy en opinant de la tête.

— Elle ne t'a quand même pas montré cette lettre!

— Bien sûr que si. Comment en connaîtrais-je le contenu, sinon?

Matt le dévisagea, sans voix.

— Grand-père, Mary et toi avez triché délibérément?

— *A priori,* oui, mais c'était la seule solution pour tout le monde – Ollie, William, moi-même, la Ville et… Matthew. Les Dumont avaient de gros problèmes financiers et Ollie risquait de perdre ses magasins. Jamais il ne m'aurait emprunté un sou, le bougre, et Mary était fauchée… Je cherchais un terrain au bord de l'eau pour construire une usine de papier, alors elle m'a cédé la parcelle de Miles. La transaction me semblait légale. Miles avait mis l'acte au nom de Mary en attendant la majorité de son fils. Officiellement, elle avait le droit de faire ce qu'elle voulait. La seule tromperie, c'est que le garçon n'a jamais su qu'il héritait de son père.

Affligé, Matt se leva. Il savait désormais ce qui rongeait son grand-père : il attendait que l'affaire sorte au grand jour.

— Te rends-tu compte que ce secret a brisé les relations de Rachel avec sa mère et a affecté toute la famille ?

— Seulement depuis que tu m'en as parlé, il y a quelques mois, et je le regrette profondément. Je suis certain que Mary aussi, mais c'était trop tard. Alice voyait en Rachel un obstacle à l'héritage de William, et Mary avait mieux à faire que de prendre en compte les états d'âme d'une femme comme Alice.

— Pourquoi Mary ne pouvait-elle pas vendre son précieux Somerset pour sauver le magasin d'Ollie ?

— À l'époque, Somerset ne valait pas un sou. J'aurais fait n'importe quoi pour aider Ollie. Il m'a sauvé la vie pendant la guerre en prenant une grenade à ma place, et il a perdu une jambe.

Matt passa une main dans ses cheveux et s'écroula sur une chaise. Il ignorait décidément beaucoup de choses sur sa famille…

— Et que disait ta lettre ?

— En gros, j'ai écrit à Mary que j'acceptais la transaction. Le seul moyen pour Rachel de connaître la date du transfert de propriété de Miles et celle de mon achat était de trouver mon message. Quand tu es arrivé, le soir de l'accident, elle avait lu les documents et tiré ses conclusions, d'où sa froideur à ton égard. Mary et moi sommes deux ordures, à ses yeux.

— Rachel a donc en sa possession des documents qui mettent l'usine de la Sabine en péril ? Grand-père, comment as-tu pu construire une entreprise de cent millions de dollars sur un terrain dont la propriété n'était pas claire ?

Percy agita faiblement la main.

— Écoute, Matt, Mary était en droit de vendre cette parcelle et j'étais en droit de l'acheter. Comment pouvions-nous savoir que cette vente pouvait être contestée? Si seulement Mary n'avait pas conservé ces lettres...

— Pourquoi les a-t-elle gardées?

— Sans doute parce qu'elle n'arrivait pas à se défaire de la dernière lettre de son frère. Elle aurait conservé la mienne parce qu'il était plus rassurant de savoir qu'elle n'avait pas agi seule.

Matt se sentit blêmir.

— Ou alors pour te faire chanter, plus tard...

— Bien sûr que non! gronda Percy. Tu la crois capable d'une chose pareille?

— Pourquoi Mary t'a-t-elle montré la lettre de son frère? insista Matt. Pourquoi ne l'a-t-elle pas gardée pour elle?

— Parce qu'elle n'était pas comme ça! répliqua Percy, rouge d'indignation. Elle ne voulait pas que je m'engage sans savoir ce que je faisais.

— Quelle honnêteté! railla Matt, tout aussi furieux. Ainsi, elle n'avait pas à porter seule le poids de sa tromperie.

Percy se redressa dans son fauteuil.

— Prends garde à ce que tu dis, mon garçon! Ne juge pas sans savoir! Mary m'a montré cette lettre pour m'accorder une chance de refuser. J'ai accepté parce que je pensais ne pas avoir le choix. William aurait atteint ses vingt et un ans avec pour tout héritage un terrain gorgé d'eau. Or le magasin a survécu, Somerset a prospéré, des emplois ont été créés dans cette ville... De plus, comme Mary l'avait promis, William est devenu son héritier. (Il but une gorgée d'eau.) Je ne dis pas que ce qu'elle a fait est bien, mais, à l'époque, c'était la seule solution.

Après l'avoir écouté en silence, Matt déclara:

— Donc tu as acheté le terrain, et Mary a promis à William qu'il serait son héritier. Dans ce cas, pourquoi a-t-elle mené Rachel en bateau?

Percy poussa un long soupir.

— Parce qu'à l'époque de sa promesse à William, elle ne s'attendait pas à Rachel.

Matt secoua la tête, incrédule.

— Bon sang, grand-père… Ollie était au courant de la lettre de Miles ?

— Bien sûr que non ! Il n'aurait jamais accepté cette vente.

— Voilà qui ressemble à l'homme que j'ai connu, rétorqua Matt. Gardons la tête froide et réfléchissons aux intentions de Rachel. Si ces lettres prouvent la malversation, crois-tu qu'elle t'attaquera en justice pour récupérer les terres de son père ?

— Oh non, répondit vivement Percy. Ce n'est pas une question d'argent. Ce qu'elle veut, c'est récupérer ce qui, à ses yeux, lui appartient, et elle est aussi déterminée que l'aurait été sa grand-tante. Rachel voudra échanger le terrain de la Sabine contre Somerset. C'est ce qu'aurait fait Mary.

— Bon, fit Matt avec un soupir de soulagement, voilà qui résout le problème. Il te suffit de lui rendre sa plantation.

Face au regard furibond de son grand-père, il eut un mouvement de recul.

— Parce que tu vas la lui rendre, n'est-ce pas, vu les circonstances ? insista le jeune homme.

— Quand Rachel entendra ce que j'ai à lui dire, il n'en sera plus question, affirma Percy. J'en suis persuadé, Matthew. Voilà pourquoi il est important que tu la retrouves. Il faut absolument qu'elle entende toute l'histoire.

Matthew. Il ne l'appelait jamais comme celui dont il avait reçu le prénom… Une étrange douleur l'envahit.

— Et si, par hasard, elle refusait ? Que feras-tu si elle s'en prend à l'usine ?

— Il faudra voir si son dossier est assez solide pour qu'elle l'emporte.

— Et si c'était le cas ?

Percy remua légèrement dans son fauteuil.

— Ne me mets pas la pression, Matt. Je ferai ce que je jugerai bon de faire, c'est tout ce que je peux te dire.

— Je n'en doute pas, maugréa Matt. Mais ne compte pas trop sur le pardon de Rachel quand elle entendra ton histoire.

Personnellement, je ne pourrais pas pardonner si on donnait mon héritage à quelqu'un d'autre. Surtout si mon père avait été spolié…

— Je vois, fit Percy en s'humectant nerveusement les lèvres.

Dans cette atmosphère pesante, Matt s'éloigna pour réfléchir. Au moment de sortir, il se rappela un détail :

— Amos a dû remettre les clés de la maison au comité de sauvegarde.

— Pas à ma connaissance.

— Il a dû le faire. Une voiture noire était stationnée devant le garage, tout à l'heure, et Henry sortait des affaires.

— C'est Rachel ! s'exclama Percy. Amos n'aurait jamais donné la maison au comité sans qu'elle ait emporté ses affaires !

Mais il parlait dans le vide, car Matt descendait déjà l'escalier.

67

— Depuis combien de temps est-elle partie, Henry?

— Environ une demi-heure, monsieur Matt. Elle ne nous avait pas prévenus de sa venue. Elle serait restée encore moins longtemps si tante Sassie n'était pas passée. Elle réside chez ma mère, en ce moment.

— Et elle ne vous a pas dit où elle allait? demanda Matt.

— Non, monsieur. Elle n'a pas raconté grand-chose, tant elle semblait pressée. Je la comprends…

Matt poussa un soupir et appela le shérif. Il disposait désormais de la description de la Suburban noire. Henry avait même noté sa plaque d'immatriculation: SKY BEE. Rachel était habile. Elle l'avait dupé en prenant la voiture de son amie. La plaque fournirait un point de départ au détective privé.

— Vous dites qu'elle n'a emporté que le contenu de la malle d'Ollie?

— C'est ça, monsieur, répondit Henry. Avec de vieux registres comptables qui appartenaient au frère de Mme Mary. Mlle Rachel ne voulait rien d'autre.

Des éléments de preuve pour un éventuel procès, supposa Matt.

— A-t-elle parlé à Sassie?

— À peine, répondit-il en secouant la tête. Elle a juste dit qu'elle ne partait pas ce soir. Tante Sassie s'inquiétait parce qu'elle avait l'air fatiguée et qu'il se faisait tard. Quand on sait ce qui est arrivé à sa famille… Bref, elle a répondu à tante Sassie de ne pas se tourmenter car elle avait réservé une chambre de motel sur le chemin du retour.

Matt réfléchit.

— Henry, vous avez un annuaire ?

Rachel passerait peut-être la nuit à Marshall, à une heure de Howbutker. Il consulta les Pages jaunes et entreprit d'appeler les motels de la région. Il fit mouche dès la deuxième tentative. Un employé du Goodnight Inn avait bien une réservation au nom de Rachel Toliver. Matt remercia Henry et courut vers sa voiture.

Le réceptionniste de nuit du Goodnight Inn de Marshall, un retraité qui cherchait à arrondir ses fins de mois, écouta la requête de Matt avec une gêne manifeste. Matt s'attendait à ce que Rachel soit là, puisqu'elle avait une demi-heure d'avance sur lui. Or elle ne répondait pas. Les hommes du shérif ne l'avaient pas localisée non plus. Ce qu'il demandait à l'employé était interdit par le règlement de l'hôtel. L'entreprise risquait le procès, et lui aussi, mais le vieil homme était redevable aux Warwick : autrefois, Percy avait sauvé son fils de la délinquance en lui procurant un emploi. Le garçon avait réussi dans la vie. Matt lut dans le regard du vieil homme qu'il n'avait pas oublié.

Néanmoins, il ne connaissait pas vraiment le petit-fils de Percy Warwick et le motel avait des obligations envers ses clients. Matt comprenait qu'il soit tiraillé, mais il était désespéré.

— Monsieur Colter, dit-il, je ne vous demanderais pas ce service s'il n'était pas crucial pour moi de faire cette surprise à Rachel Toliver.

— Vous ne pouvez pas faire cela dans le hall ?

— Ce ne serait plus une surprise. Elle le verrait venir…

— Que voulez-vous dire ?

— Pas ce que vous croyez, je vous rassure, répondit Matt avec un sourire. Je veux simplement lui parler en privé.

M. Colter parut encore plus gêné.

— Et cela ne peut pas se faire dans le hall ?

— Non, insista Matt.

— Eh bien… Si vous me donnez votre parole de Warwick… Je suppose que je peux faire une exception, concéda-t-il en lui tendant une clé. Chambre 106. Au rez-de-chaussée, à droite.

— Merci beaucoup.

Une demi-heure plus tard, en remplissant le registre, Rachel eut l'impression que le réceptionniste guettait son arrivée. Il semblait méfiant et l'observait du coin de l'œil.

— Si vous avez besoin de quoi que ce soit…, dit-il en lui remettant sa clé, n'hésitez pas à crier. Je viendrai tout de suite.

C'était étrange… S'attendait-il à ce qu'elle trouve des scorpions dans la baignoire ?

Le trajet l'avait épuisée, mais elle avait obtenu ce qu'elle voulait. Revoir la plantation, puis les cheminées insolentes de l'usine de papier, au-dessus des cyprès, n'avait fait que renforcer sa détermination. Plus tôt, elle s'était demandé si le combat en valait la chandelle. À quoi bon retourner vivre à Howbutker, une petite ville de province où régnait encore une certaine hiérarchie sociale ? Rachel était riche, jeune et moderne. Elle pouvait relancer la tradition des Toliver ailleurs, comme ses ancêtres de Caroline du Sud.

Mais non, sa place était ici. Jamais elle n'abandonnerait des terres pour lesquelles sa famille avait tout sacrifié. Ce serait une trahison bien pire que celle qu'elle avait subie. Les champs étaient bien entretenus, mais comment savoir ce que leur réservait l'année suivante ?

En cette fin d'après-midi, elle sourit, car elle savait désormais où elle allait.

La clé tourna doucement dans la serrure. Dans le bourdonnement de la climatisation, la chambre était plongée dans l'obscurité.

— Bonjour, Rachel, fit une voix familière, avant même qu'elle puisse allumer la lumière.

68

Assis près du téléphone, dans son salon, Percy était pensif. Matt venait de l'informer qu'il attendait Rachel dans une chambre de motel à Marshall. Il avait perçu de la souffrance, dans sa voix. Sans doute se demandait-il comment réagirait son grand-père s'il se retrouvait dos au mur… Il aurait dû le rassurer, mais jamais il n'aurait imaginé devoir faire face à un tel dilemme… Il était persuadé que Rachel respecterait la décision de Mary, après l'avoir écouté, et qu'il pourrait priver la jeune femme de son héritage sans sacrifier celui de Matt. Quelle arrogance !

Désormais, il évaluait le poids de la vérité. Les propos de Matt, qui serait, lui, incapable de pardonner la spoliation de son père, quelle qu'en soit la raison, résonnaient encore dans son esprit. Cela valait-il la peine de risquer de perdre le respect de Matt pour que Rachel garde un souvenir positif de sa grand-tante ? Il ne pouvait raconter l'histoire de Mary sans avouer la sienne. Et si Rachel ne pardonnait pas à Mary, de toute façon ? Et s'il n'y avait aucun espoir pour elle et le petit-fils de l'homme qui avait spolié son père ? Révéler les raisons de cette vente conclue uniquement dans l'intérêt de Somerset ne nuirait-il pas davantage à l'idée que son petit-fils se faisait de lui ? Il leva les yeux vers le tableau accroché au-dessus de la cheminée. *Voudrais-tu que je quitte cette terre en laissant à ton fils une image négative ?*

Il passa une main sur sa barbe naissante. *Mary, dans quel pétrin tu nous as mis…* Si Matt réussissait à faire venir Rachel, ce soir, que lui raconterait-il ?

Matt se leva lentement, incapable de dissimuler son choc face à l'apparence de Rachel. Machinalement, la jeune femme tira sur son short en toile pour cacher ses jambes amaigries.

— Comment es-tu entré ? demanda-t-elle.

— Avec une clé !

— Ah, je vois... Le réceptionniste, fit-elle avec mépris.

— Il devait un service à ma famille. Je ne suis pas très fier de moi, mais je suis motivé.

Elle posa son sac et glissa une cale sous la porte pour la maintenir ouverte. Il fallait qu'elle puisse fuir cet homme aussi séduisant que troublant...

— Comment m'as-tu trouvée ?

— Je me suis fié à mon instinct. Henry m'a appris que tu avais réservé une chambre pour la nuit. J'ai deviné que tu t'arrêterais sur la route de Dallas.

— Bien joué !

— Je te retourne le compliment, dit Matt. Réserver une chambre à l'extérieur de la ville et changer de voiture... Tu m'as bien eu.

— Je préférerais que tu t'en ailles.

— Volontiers, si tu m'accompagnes. Mon grand-père dépérit. Il a besoin de te parler.

C'était bien ce qu'elle redoutait. En dépit de son amertume, elle fut soudain inquiète.

— Je suis désolée, Matt, vraiment, mais je n'irai nulle part avec toi.

— Eh bien, discutons... comme avant.

Il lui fit signe de s'asseoir.

— À t'entendre, nous sommes un vieux couple.

— C'est le cas, et tu le sais bien. Ce que nous avons partagé mérite au moins une conversation, non ?

Troublée, Rachel hésita, puis elle prit place. Cette entrevue était peut-être souhaitable, finalement. Matt pourrait ensuite informer son grand-père des atouts qu'elle avait en main. Peut-être parviendraient-ils à un accord dès ce soir.

— Parler ne nous sauvera pas, Matt. Enfin, je suppose que l'employée des archives a téléphoné à ton contremaître, donc tu sais quels documents j'ai obtenus…

Matt se rassit, déboutonna sa veste et croisa les jambes, comme s'il venait de remporter une première victoire.

— J'en ai été informé, en effet. Et si tu fermais la porte ? Nous gaspillons de l'air frais.

Rachel se rappela la proposition du réceptionniste. Il pensait donc être de taille à affronter Matt… C'était une plaisanterie ! Il aurait peut-être mieux valu qu'elle trouve des scorpions dans la baignoire… Ignorant les propos de Matt, elle ouvrit son sac et en sortit les copies des lettres compromettantes.

— Elles étaient dans les papiers de tante Mary, avec le testament de son père, expliqua-t-elle en les faisant glisser sur la table. Apparemment, il avait légué une parcelle de Somerset à son fils Miles. Tu sais ce que j'ai découvert aux archives, donc tu comprendras les implications. Commence par la lettre la plus longue.

Pendant qu'il lisait, elle scruta son visage, mais il demeura impassible. Toutefois, elle n'était pas dupe. Elle perçut même un léger tressaillement de sa joue.

— Naturellement, tu sais que la parcelle en question n'est autre que l'emplacement de l'usine de Percy, un terrain que ton grand-père et ma tante ont volé à mon père.

Matt replia les lettres d'un air pensif.

— C'est bien ce qu'on dirait… Voilà pourquoi il est important que tu écoutes grand-père. Il t'expliquera pourquoi, à l'époque, ils trouvaient cet acte justifié.

— Justifié ? répéta Rachel en s'étouffant presque. Tu es au courant du mal que cette tromperie a fait à ma famille, de toutes ces années perdues ?…

— Oui, mais grand-père l'ignorait, jusqu'à ce que je le lui dise, il y a deux mois. Il est effondré en imaginant ce que tu dois penser de Mary et de lui.

— C'est ainsi, dit-elle, sans se laisser attendrir. Attends une minute… ton grand-père était au courant de l'existence de ces preuves ?

Pour la première fois, Matt trahit son désarroi.

— Quand Amos lui a dit qu'il avait vu le testament de Vernon Toliver sur ton lit, avec deux lettres, dont une de sa main, il a compris que c'était ce que Mary voulait récupérer au grenier. Il s'est rappelé le message qu'il lui avait envoyé et a compris que l'autre lettre devait être celle de Miles.

— Donc il connaissait le contenu de la lettre de Miles ?

Matt rechigna à répondre, de peur d'incriminer davantage son grand-père.

— Je prendrai ça pour un oui, déclara-t-elle en s'adossant à sa chaise. Dans ce cas, le doute n'est plus possible : il savait qu'il commettait un délit en achetant cette parcelle.

Matt se pencha vers elle.

— Rachel, en 1935, la crise économique faisait rage. Grand-père affirme que, s'il n'avait pas acquis cette parcelle, les Dumont auraient tout perdu, y compris Somerset. La condition était que Mary fasse de ton père son héritier…

— Pour racheter l'escroquerie, coupa Rachel.

— Eh bien… Peut-être, concéda-t-il, mal à l'aise. Mais il m'assure que, quand tu connaîtras toute l'histoire, tu comprendras.

— Je devrais donc me laisser embobiner, moi aussi ? Percy avait peut-être des intentions honorables, mais il voyait aussi son propre intérêt. Il avait besoin d'un terrain pour construire son usine. Celui-là était bien placé, bon marché… Si tu connaissais l'histoire de Howbutker, tu saurais que les familles fondatrices ne se prêtaient jamais d'argent. S'il avait des problèmes, oncle Ollie n'aurait jamais permis à ton grand-père de l'aider financièrement.

— Il ignorait que tante Mary n'avait pas le droit de vendre cette parcelle.

— Mais l'argent venait bien de quelque part, non ? De qui d'autre que son ami fortuné ?

Le silence de Matt lui indiqua qu'elle marquait un point.

— D'accord, admit-il. Qu'est-ce que tu veux ?

— Un échange équitable. Percy conserve son usine de papier et moi, je récupère Somerset. Les originaux des lettres seront détruits. S'il n'accepte pas ces conditions, je lui reprendrai les terres de mon père. J'ai déjà contacté un avocat spécialisé, Taylor Sutherland. Tu as peut-être entendu parler de lui…

Le visage de Matt exprima une palette d'émotions : colère, désespoir, incrédulité.

— Tu traînerais mon grand-père en justice, à son âge, au risque de mettre sa santé et sa réputation en péril ?

— C'est à lui d'en décider. J'espère ne pas en arriver là.

— Et tu ne nous laisserais aucune chance ?

— Ma grand-tante et ton grand-père ne nous ont laissé aucune chance, eux non plus, Matt.

Elle poussa les lettres vers lui et se leva, indiquant la fin de l'entretien.

— Quand il les lira, il voudra sans doute agir dans l'intérêt de tous.

— Pourquoi ? demanda Matt, perplexe.

— Pourquoi quoi ?

— Pourquoi Somerset est-il si important à tes yeux, au point de détruire ce que nous aurions pu vivre, ce que nous ne vivrons peut-être plus jamais, ensuite ?

Elle perçut sa douleur, qui reflétait la sienne, mais se força à croiser son regard meurtri.

— Parce qu'il est de mon devoir de maintenir Somerset entre les mains d'un Toliver.

— Mary était en droit de le léguer à qui elle voulait.

— Non. Son devoir était de le transmettre à la génération suivante. Ton grand-père n'a rien à perdre. Il conservera ce qu'il a et restera chez lui, à Howbutker. Je veux obtenir la même chose car… (Sa voix se brisa.) Je n'ai nulle part où aller, je n'ai pas de chez-moi…

— Rachel, chérie… (Sans crier gare, il se leva et la prit dans ses bras.) Je peux te procurer un foyer, murmura-t-il. Je peux être celui grâce à qui tu seras chez toi, à Howbutker.

Elle retint ses larmes et s'attarda un instant avant de se dégager de son étreinte.

— Tu sais bien que c'est impossible, Matt. Tu imagines ce que je ressentirais à voir l'usine cracher sa fumée sur un terrain que ton grand-père a volé à mon père ? Quelle ironie du sort… (Elle plongea ses yeux dans son regard avec désespoir.) Si tante Mary avait laissé les choses en l'état, nous aurions pu être ensemble.

— Rachel… mon amour, dit-il en resserrant sa prise. Ne nous fais pas cela. Somerset, ce ne sont que des terres…

— C'est le domaine familial, l'héritage de générations de Toliver, nos racines. Y renoncer au profit de quelqu'un qui n'est pas de mon sang m'est insupportable. Comment peux-tu me demander d'abandonner tout ce qu'il me reste de ma famille ?

— C'est donc ainsi…, fit-il en la relâchant.

Elle se retourna pour griffonner sur un bloc-notes.

— Voici mon numéro à Dallas. Ton grand-père pourra me joindre là-bas, s'il ne m'appelle pas ce soir. Il a jusqu'à la fin de la semaine pour accepter mes conditions. Sinon, lundi matin, je donne le feu vert à Taylor Sutherland pour les poursuites.

— Tu te rends compte que tu l'obliges à trahir la confiance de Mary. Comment veux-tu qu'il y survive ?

— Il a réussi à vivre en ayant trahi la mienne.

— Dis-moi, Rachel… Si Mary t'avait tout légué, comme tu t'y attendais, regretterais-tu d'avoir brisé ta promesse à ta mère, sacrifiant toutes ces années avec ta famille ?

Cette question la déstabilisa. Elle ne se l'était jamais posée. Peut-être ne se la serait-elle jamais posée… Matt méritait la vérité. Il lui serait ainsi plus facile d'oublier la jeune femme.

— Non, avoua-t-elle.

Il glissa les documents dans sa poche.
— Tu es bien une Toliver, finalement. On reste en contact.
Sur ces mots, il sortit sans un regard.

69

Dans la cuisine de son élégant appartement, au-dessus d'une boutique sur le rond-point de la ville, Amos fouillait son garde-manger en quête d'un souper rapide. Il avait faim, mais était trop déprimé pour cuisiner. S'il sortait, il risquait de manquer un appel de Matt ou de Percy, voire, mais il n'osait l'espérer, de Rachel. Tout l'après-midi, il avait attendu des nouvelles. Que restait-il pour elle, à Howbutker, à part ceux qui l'aimaient ? Or elle refusait de les voir…

Il opta pour un bol de céréales. Quelle tristesse ! Depuis la mort de Claudia, la mère de Matt, il ne s'était jamais senti aussi déprimé. Il devinait sans peine ce qu'elle aurait pensé de ce gâchis. Comme il l'avait prévu, ce maudit codicille avait eu des conséquences catastrophiques pour tout le monde, pour Rachel en premier lieu, bien sûr, mais il s'inquiétait surtout pour Percy. Ce dernier déclinait à une vitesse alarmante. Lui, toujours tiré à quatre épingles, plein d'allant, avait aujourd'hui tout d'un vieillard et plus rien du magnat des affaires, son héros.

Le bourdonnement de l'interphone le tira brutalement de ses pensées. Son cœur ne fit qu'un bond. Rachel ! Il posa sa brique de lait et alla répondre.

— Oui ?

— Amos, c'est moi, Matt.

— Matt !

Dieu merci, quelqu'un se manifestait.

— Monte ! dit-il en appuyant sur le bouton.

Il sortit sur le palier, s'attendant à voir Rachel dans le sillage du jeune homme. Hélas, il était venu seul et son expression ne présageait rien de bon.

— Tu ne l'as pas trouvée, dit le notaire.

— Oh si…

— Alors elle t'a envoyé promener.

— Presque. Vous m'offrez une bière ?

— J'en ai en réserve. Entre vite.

Amos l'introduisit dans le salon dont la porte-fenêtre s'ouvrait sur une terrasse donnant sur le parc, son endroit favori.

— Si tu n'as pas trop chaud, j'apporte à boire sur la terrasse, proposa-t-il.

Tandis qu'il sortait les canettes du réfrigérateur, il fut parcouru d'un frisson de mauvais augure, comme la menace d'un orage.

— Où l'as-tu trouvée ? demanda-t-il en tendant une bière à Matt.

En proie à des émotions intenses qu'il parvenait toutefois à maîtriser, le jeune homme resta debout. Il lui rappelait Wyatt, son père officier des marines, que le notaire ne connaissait qu'à travers Claudia.

— Dans un motel, à Marshall. Elle savait que je la débusquerais si elle réservait une chambre à Howbutker. Par chance, Henry m'a mis sur la voie. Elle repart pour Dallas demain matin. Ne vous offusquez pas si elle ne vous a pas contacté, Amos. Elle n'est pas venue ici pour ça.

— Pour quoi, alors ? s'enquit celui-ci en s'asseyant.

Matt but une longue gorgée de bière puis posa sa canette pour sortir des documents de sa veste.

— Le nom de Miles Toliver vous dit quelque chose ?

— C'était le frère de Mary, répondit le notaire. Le père de William. Il est mort à Paris quand William avait environ six ans. L'enfant étant orphelin, Mary est devenue sa tutrice.

— Vous connaissez l'histoire des Toliver sur le bout des doigts. Je vais néanmoins vous en raconter un épisode inédit.

Amos l'écouta en silence, bouche bée. Quand Matt eut terminé son récit, il parcourut les copies des lettres.

— Quelle vanité de ma part de croire connaître les Toliver, les Warwick et les Dumont de Howbutker ! Que compte faire Rachel de ces informations ?

— Poursuivre grand-père en justice, s'il n'accepte pas ses conditions.

Amos ôta ses lunettes.

— Tu ne parles pas sérieusement ! Et quelles sont ces conditions ?

— Elle veut échanger Somerset contre les terres qu'il lui a volées, selon ses propres termes.

— Bon sang…

Accablé, Amos ferma les yeux et se pinça les arêtes du nez. Comment lui en vouloir, après de telles découvertes ?

— Percy va-t-il accepter ?

— Je n'en sais rien, répondit Matt. Il a affirmé qu'il ferait ce qu'il faut, mais je ne sais pas ce qu'il entend par là. Je suis venu vous demander si nous sommes en danger, si le dossier de Rachel tient la route.

Amos lui rendit les lettres.

— Ton grand-père n'aura peut-être pas le choix, vu ces documents. Oui, je pense que vous êtes dans une situation délicate.

— Amos, allons voir grand-père. Vous êtes le seul à pouvoir le convaincre.

Dans la bibliothèque où il attendait Matt et Rachel, Percy raccrocha le combiné, l'air abattu.

— Rachel ne viendra pas, grand-père, lui avait annoncé Matt au téléphone. Elle a sa propre interprétation des faits et elle n'en démord pas. Elle veut récupérer Somerset et elle dispose peut-être des armes nécessaires. Amos et moi arrivons pour en discuter avec toi.

— Comment… se sent-elle ?

— Trahie, grugée, trompée. Elle n'est pas très bien disposée envers les Warwick... Quant à ce qu'elle pense de sa grand-tante...

— C'est très injuste envers Mary, murmura Percy.

— Tu vas devoir m'en convaincre, grand-père.

— J'en ai l'intention.

Avec un soupir, Percy se leva péniblement, au désespoir. Il ne se sentait pas bien. Il avait le front moite et ses jambes pesaient une tonne, ce qui n'était pas bon signe. Il alla appuyer sur le bouton de l'interphone.

— Savannah, il y a un changement, annonça-t-il d'une voix rauque. Notre invitée spéciale ne viendra pas, finalement. Mais votre repas ne sera pas gâché. Matt et Amos sont en chemin. Gardez les plats au chaud et nous nous servirons.

— Les amuse-bouche aussi?

— Montez-les. Les garçons auront besoin de se restaurer. Apportez aussi un seau à glace et une bouteille de mon meilleur whisky.

— Monsieur Percy, vous ne me semblez pas au mieux.

— Ça ne va pas fort. Passez-moi Grady...

Dans le couloir, il passa devant l'escalier, qui était au-dessus de ses forces, et prit l'ascenseur. Il devait s'économiser pour ce qu'il avait à faire. À son âge, et dans son état, il serait peut-être trop tard, demain... Si Rachel refusait d'entendre son histoire de vive voix, il rétablirait la situation autrement, et en présence d'Amos et de son petit-fils.

Les deux hommes se présentèrent dix minutes plus tard, chacun dans sa voiture. Un fumet appétissant flottait dans la maison. En découvrant le bouquet de fleurs posé sur la table, Matt sentit son cœur se serrer. Rachel ne serait pas de la fête. Quel gâchis! Il avait cru un moment qu'avec le temps, il se remettrait de cette rupture, mais il savait désormais que c'était impossible. Rachel n'était plus la même, tant son visage était émacié, anguleux. Pourtant, quand elle était entrée dans cette chambre de motel, il avait eu le souffle coupé. Il aurait tout donné pour la prendre dans ses bras, l'emmener ailleurs et laisser son amour apaiser ses souffrances. Son grand-père l'avait prévenu et il regrettait de ne pas l'avoir écouté. Mais c'était ainsi. Rachel était celle avec qui il voulait passer le reste de sa vie. Après elle, il ne pouvait y en avoir une autre.

En entrant dans le salon, il trouva Percy élégant, mais d'une pâleur maladive qui l'ébranla.

— Comment te sens-tu, grand-père ? lui demanda-t-il.

— Assez bien pour ce que j'ai prévu pour ce soir. Asseyez-vous. Amos, à toi l'honneur…

Il lui désigna la bouteille de whisky posée près d'un seau à glace, sur le bar.

— Volontiers, fit le notaire en échangeant un regard inquiet avec Matt.

Matt s'installa dans son fauteuil habituel. Les démons du passé étaient de sortie. Sa mère, son père qu'il n'avait jamais connu lui manquèrent. Jamais de sa vie il ne s'était senti aussi seul. Le cuir usé du fauteuil raviva le souvenir de Claudia, qui avait décoré elle-même cette pièce dans les tons bleu, vert et crème, avec des touches de bordeaux. L'ensemble était fané, maintenant. Il se rappela une conversation à propos du papier peint.

— Votre choix me conviendra, Claudia, avait dit Percy. Vous ne sauriez me décevoir.

Rien n'avait changé depuis vingt-cinq ans, pas même un abat-jour. Seul le tableau accroché au-dessus de la cheminée n'était pas un choix de sa mère, mais de son père. Un camarade de combat l'avait rapporté après sa mort.

— Il serait temps de refaire la décoration, non ? dit-il. Tout est un peu usé…

— Comme le temps qu'il me reste, répondit Percy en refusant un verre d'un geste. Tu t'en chargeras.

— Commence par ce tableau, suggéra le notaire.

Percy afficha un sourire.

— Tu n'en reconnais pas le sujet, Amos?

— Franchement, non. Excuse-moi, mais il n'a rien d'un chef-d'œuvre.

— Eh bien, regarde d'un peu plus près et dis-moi ce que tu vois.

Amos s'extirpa de son fauteuil et examina le cadre, qui se voulait impressionniste. Matt l'observa également. Où diable son grand-père voulait-il en venir? Ce tableau était là depuis tant d'années qu'il était devenu invisible. Outre sa valeur sentimentale, il ne lui trouvait aucune qualité artistique.

— Eh bien, je vois un petit garçon qui court vers la barrière d'un jardin…, commença Amos.

— Que tient-il?

— On dirait… des fleurs.

— Quel genre de fleurs?

Le notaire se tourna vers Percy et comprit enfin.

— Des roses blanches! s'exclama-t-il.

— Wyatt m'a fait livrer ce tableau après sa mort. Ce n'est pas un chef-d'œuvre, c'est vrai, mais son message m'est très précieux.

Matt savait qu'il allait se passer quelque chose, car il percevait de l'émotion dans la voix de son grand-père, qui avait les yeux embués de larmes.

— Quel message, grand-père?

— Un message de pardon. Connais-tu la légende des roses?

— Non…

— Raconte-lui, Amos.

Le notaire s'exécuta, très ému.

— Mon père te disait donc qu'il te pardonnait, conclut Matt. Mais de quoi?

— De ne pas l'avoir aimé.

Matt se redressa lentement.

— Qu'est-ce que tu racontes? Tu adorais mon père.

— C'est vrai, répondit Percy, mais c'était bien après qu'il est venu au monde, et il était trop tard. Vois-tu, j'ai eu deux fils. L'un que j'ai aimé dès le départ et l'autre, ton père.

Les deux hommes le dévisagèrent avec stupeur.

— Deux fils? répéta Amos d'une voix rauque. Qu'est-il arrivé au premier?

— Il est mort d'une pneumonie à l'âge de seize ans. Wyatt repose à son côté. Il y a un portrait de lui sur ma table de chevet. Mary me l'a envoyé le jour de sa mort.

— Mais... Mais... C'est Matthew Dumont, bredouilla Matt.

— En effet. Celui dont tu portes le prénom. L'enfant que j'ai eu avec Mary.

Un silence s'installa. Grady frappa discrètement à la porte.

— Entrez! lança Percy.

Il entra à pas de loup et posa sur le bar un plateau chargé d'amuse-bouche. Il y avait aussi un magnétophone. Quand il fut ressorti, Percy se tourna vers son auditoire ahuri.

— Mangez, avant que les feuilletés au fromage de Savannah ne refroidissent. La soirée risque d'être longue.

— Grand-père, dit enfin Matt. Je crois que le moment est venu de raconter ton histoire.

— Il est temps, en effet, répondit Percy en enclenchant le magnétophone.

70

Un peu plus haut dans la rue, dans sa véranda, Hannah Barweise était en plein dilemme. Face au déclin de Percy Warwick, une question se posait: fallait-il conseiller à Lucy de se préparer au pire? Jamais son amie ne l'admettrait, mais cela se voyait comme le nez au milieu de la figure: elle aimait encore son mari.

Devait-elle lui parler des derniers événements, même s'ils étaient susceptibles de provoquer sa perte? Vers midi, elle avait vu la fille Toliver entrer chez Mary. Elle n'était restée que le temps pour Henry de porter deux cartons dans sa voiture. À peine était-elle repartie que Matt avait surgi en trombe dans l'allée. Il avait filé presque aussitôt, comme s'il avait le diable à ses trousses.

En tant qu'ancienne présidente du comité de sauvegarde de Howbutker, Hannah avait jugé de son devoir d'interroger Henry sur la visite de Rachel Toliver, car celle-ci n'avait donné aucune instruction au comité sur ce qu'il fallait faire des effets de la vieille dame. Sassie n'étant pas là pour le réduire au silence, le chauffeur s'était montré loquace. D'abord, Rachel n'avait emporté que quelques vieux registres et des objets contenus dans une malle, au grenier. Rachel ne souhaitait rien garder d'autre de Mary, ce qui en disait long sur ce qu'elle pensait d'elle… C'était compréhensible, après ce qu'elle lui avait fait.

Ensuite, Matt s'était lancé à la poursuite de Rachel, persuadé de la trouver dans un motel, en dehors de Howbutker. Hannah aurait aimé être une petite souris pour assister à leurs retrouvailles… Avant que tout n'explose à la tête de Rachel, ils formaient un couple superbe. Sans doute l'avait-il débusquée. Ce devait être elle, l'invitée d'honneur du souper chez Percy. Hannah avait entendu sa gouvernante en parler avec Savannah, la cuisinière des Warwick.

Celle-ci avait appelé pour se lamenter : après tout le mal qu'elle s'était donné, la jeune femme ne venait pas ! Percy était terriblement déçu. Hannah était prête à parier qu'il espérait se racheter auprès de Rachel et préserver une chance à son petit-fils de former un couple avec elle. Matt et Amos étaient là et faisaient une drôle de tête. Les trois hommes étaient enfermés dans le bureau de Percy, à boire du whisky, pendant que son poulet à la florentine se desséchait au four.

Bref, d'après Savannah, Percy ne tarderait pas à passer l'arme à gauche. Lucy serait anéantie, mais Hannah avait promis de lui transmettre toutes les nouvelles de la famille. Si le pire se produisait, elle voudrait être présente auprès de son petit-fils… Hannah quitta son fauteuil à bascule pour aller téléphoner.

Lucy raccrocha et appela Betty.

— Oui, madame ?

— Oubliez le dessert et le café et apportez-moi un cognac !

— Quelque chose ne va pas ?

— Et comment ! Mon mari est mourant.

— Oh, madame Lucy…

— Comment peut-il me faire ça ? maugréa Lucy en martelant le sol de sa canne.

— Mais… Madame Lucy ! s'exclama Betty, outrée. Il n'y peut rien…

— Mais si ! Il n'a pas à perdre toute volonté de vivre à cause de cette femme !

— Quelle femme ?

Lucy se reprit. Elle se redressa et cessa d'agiter sa canne.

— Mon cognac, Betty ! Vite !

— Tout de suite.

Lucy prit une profonde inspiration. Son cœur battait à tout rompre, comme toujours lorsqu'il s'agissait de Percy. Elle commençait à appréhender les appels de Hannah, tout en se réjouissant d'avoir des nouvelles. Dieu merci, son ancienne voisine n'était pas en mesure de tirer des conclusions. Elle fournissait simplement à Lucy les pièces d'un puzzle que celle-ci assemblait. Grâce aux bribes d'informations qu'elle recevait depuis des années avec l'aide involontaire de Savannah et de Matt, Lucy avait pu dresser un tableau assez fidèle de ce qu'il se passait à Warwick Hall.

Et voilà que Percy laissait Mary lui voler la vie qu'il lui restait. Cette maudite plantation serait la perte des Warwick! Comment cette femme osait-elle léguer Somerset à Percy, avec sa malédiction en prime? Car voilà de quoi il s'agissait! D'un mal qui détruisait tous ceux qu'il frappait. Percy espérait voir Matt épouser Rachel pour reprendre l'histoire là où lui et Mary l'avaient arrêtée… Le seul moyen d'y arriver était désormais de rendre Somerset à Rachel, ce qui était plus qu'improbable.

Naturellement, Mary avait misé sur sa loyauté. Qu'elle brûle en enfer!

Toutefois, Lucy était intriguée: Mary était têtue, mais elle n'avait jamais été irrationnelle. Pourquoi n'avait-elle pas vendu la plantation avec le reste? Pourquoi en faire porter le fardeau à Percy? Et surtout, pourquoi priver son héritière désignée d'un patrimoine auquel elle avait tant sacrifié?

Betty posa un petit verre de cognac à côté d'elle.

— Madame Lucy, on dirait que vous venez de voir un fantôme…

— Presque, Betty, presque…, murmura Lucy, abasourdie.

Une idée impensable venait de germer dans son esprit, avant même qu'elle ait avalé une seule gorgée de cognac. *Mary Toliver, espèce de petite garce retorse! Je sais pourquoi tu as fait ça… Tu as sauvé Rachel avant qu'elle ne devienne toi. Tu as vu ce qui l'attendait alors tu l'as privée du moyen d'en arriver là. Pour une fois dans ta vie, tu as aimé une personne davantage que ta maudite plantation. Je n'en reviens pas…*

Comme d'habitude, hélas, Mary avait agi trop tard. D'après Matt, elle était morte quelques heures après avoir remis le codicille à Amos, mais avant d'avoir pu s'expliquer avec Rachel. Ensuite, ses bonnes intentions avaient explosé à la face de tout le monde comme une bombe ayant raté sa cible. Rachel la détestait, désormais. Matt et elle étaient séparés et Percy se mourait à petit feu. Une fois de plus, Mary faisait du mal à Percy, comme sa copie conforme Rachel, à moins qu'elle ne retrouve la raison, était en train de faire du mal à Matt.

Ivre de rage, Lucy prit son verre. Elle l'avait vu venir ! En lui rapportant la première visite de Rachel à Howbutker, Hannah avait décrit l'enfant comme ayant « ses cheveux noirs, ses yeux exotiques, son teint mat et sa fossette au menton ».

— En d'autres termes, elle est superbe, avait résumé Lucy.

— Je le crains, répondit Hannah. Elle ressemble tellement à Mary au même âge que j'ai cru me retrouver à l'école !

Dès lors, Lucy avait envisagé l'ironie de la situation si Matt et Rachel reproduisaient l'histoire de Mary et Percy. Comment se réjouir de voir Matt amoureux de l'héritière du trône souffrant du même attachement anormal à Somerset que sa propriétaire actuelle ? Comment supporter une petite-fille par alliance coulée dans le même moule que la femme qu'elle détestait ?

En apprenant que leur première rencontre, pour les funérailles d'Ollie, n'avait abouti à rien, Lucy avait respiré un peu. Au fil des années, toutefois, elle avait eu la terrible impression que l'inévitable finirait par se produire. Ce fut le cas. Quelques jours après le retour de Rachel pour les obsèques de Mary, Matt lui avait annoncé qu'il avait trouvé celle qu'il espérait épouser.

— Tu es sûr de toi ?

— Certain, Gabby. Je n'ai jamais été aussi sûr, ni aussi heureux. Je sais que Mary et toi ne vous entendiez pas, mais tu vas aimer cette Toliver-là.

— Eh bien, passe-lui la bague au doigt, avant que ton grand-père et moi soyons trop vieux pour courir après tes enfants.

Une semaine plus tard, c'était fini. Comme sa grand-tante avait repoussé Percy, Rachel avait rejeté Matt au profit de cette maudite plantation. Lucy avait épargné à Matt les banalités que l'on prononce après un chagrin d'amour. Elle ne lui avait pas dit qu'il se remettrait de Rachel, que le temps effaçait tout, qu'il trouverait une autre fille… Car, comme son grand-père, Matt avait perdu son seul et unique amour.

Le cognac commençait à atténuer sa rage. Jamais Lucy ne s'était sentie aussi loin de son ancienne maison et de ceux qu'elle aimait. Si seulement elle pouvait rencontrer Rachel, elle lui révélerait certaines vérités sur sa grand-tante et la plantation… Des vérités qui lui permettraient d'aimer et d'épouser Matt. Mais que faire depuis la cage dorée de son exil volontaire ?

71

Quand vous êtes entré dans nos vies, nos histoires étaient terminées… et nous en assumions les conséquences, avait déclaré Mary. Amos comprenait désormais pourquoi. Percy avait fini de raconter son histoire. Seule la pendule vint briser le silence pesant pour sonner neuf heures. Deux heures s'étaient écoulées… Sur le bar, le seau à glaçons dégoulinait à côté de la bouteille de whisky à peine entamée, et les amuse-bouche avaient refroidi.

Percy avait parlé du ton morne d'un prévenu sur le banc des accusés, sans rien omettre de ce qui s'était déroulé depuis ce jour où, à l'âge de seize ans, Mary avait hérité de Somerset. Amos avait lu sur le visage de Matt le reflet de ses propres sentiments, surtout à l'évocation de la blessure de guerre d'Ollie et de la correction subie par Wyatt. Dorénavant, Matthew serait plus qu'un nom gravé sur une tombe, Lucy plus qu'une mégère hystérique, Wyatt plus qu'un fils rebelle ayant tourné le dos aux attentes de son père. Et ils savaient pourquoi Mary avait légué Somerset à Percy.

Percy éteignit le magnétophone, dont le cliquetis marqua la conclusion d'un roman-fleuve.

— Telle est donc l'histoire que Mary voulait raconter à Rachel ? demanda Amos.

— Absolument, répondit Percy d'une voix rauque, en regardant son petit-fils, assis les yeux fermés, les joues ruisselantes de larmes. Que se passe-t-il dans ta tête, ou plutôt dans ton cœur, Matt ?

— Trop de choses pour que je puisse les exprimer.

— Tu te sens bien ?

— Ça ira, grand-père. Je suis simplement… triste. Mon père, c'était quelqu'un, n'est-ce pas ?

— C'était le meilleur.

— Tu comptes divorcer de Gabby ?

— Bien sûr que non !

— Elle t'aime encore, tu sais.

— Je sais.

Matt se frotta les yeux et adressa un signe de tête à son grand-père. Pour l'heure, c'était tout ce dont il était capable.

— Et toi, qu'en penses-tu ? demanda Percy au notaire.

Amos se leva, retira ses lunettes et se mit à les essuyer consciencieusement à l'aide de son mouchoir.

— Seigneur… Par où commencer ?

Il songea à Mary et à sa vie, après sa rupture avec Percy. Comment cette femme superbe et sensuelle avait-elle supporté sa solitude ? Sa fidélité à Ollie, un homme exemplaire ? Comment avait-elle vécu le fait que Matthew soit mort en ignorant que Percy était son père ?

— Je pense avant tout à cette malédiction dont Mary m'a parlé, dans mon bureau, le jour de sa mort, dit-il en remettant ses lunettes. J'ai cru qu'elle délirait parce que… (Il esquissa un sourire désabusé.) J'étais incollable sur les familles fondatrices, or je n'avais jamais entendu parler d'une malédiction. Pourtant la réponse se trouvait depuis le départ dans l'arbre généalogique de la famille, dans le petit nombre d'enfants et la difficulté des Toliver à procréer.

Percy se leva et prit leurs verres. Amos le trouva soudain ragaillardi.

— À procréer et à garder leurs enfants en vie, précisa le vieil homme. Mary a négligé cette malédiction jusqu'à ce que sa propre expérience la fasse changer d'avis.

— Et elle s'est dit que le seul moyen de sauver Rachel d'une vie sans enfants était de vendre ou de donner tout ce qui avait un lien avec l'héritage Toliver.

— J'en suis persuadé.

Matt glissa une main dans la poche de sa veste.

— Eh bien, je crains que le plan de Mary n'ait pas fonctionné. Tu sais sans doute de quoi il s'agit, grand-père, déclara-t-il en lui tendant les copies des documents de Rachel. Comme tu l'as deviné, elle ne veut pas récupérer la parcelle de son père, mais te l'échanger contre Somerset. Tu as une semaine pour prendre ta décision. Ensuite, elle te poursuivra en justice…

— Mary était loin de se douter que ta lettre reviendrait te hanter, dit Amos, qui n'en pensait pas moins que son amie s'était montrée stupide.

Percy retourna s'asseoir pour parcourir les documents.

— Je crains que si. C'est pourquoi elle voulait la détruire avec les autres, avant de mourir. Ces éléments peuvent vraiment me causer du tort ?

Amos fit la moue.

— Il faudrait que j'étudie le dossier de plus près mais, à vue de nez, c'est mal parti.

— Matt, crois-tu qu'il y ait une chance pour que Rachel accepte de m'écouter ?

— Non, hélas. Elle s'en tient à sa version et a trop envie de récupérer Somerset.

— Même si elle tient à toi ?

— Elle préfère Somerset.

— Ah…

Percy ne le comprenait que trop bien. Il reporta son attention sur Amos.

— La vérité n'est-elle pas la meilleure défense contre ces éléments à charge ? Les archives démontreront que cette vente a assuré l'avenir financier de William.

Comme Amos ne répondait pas, il brandit un index pour signifier qu'il avait un autre argument.

— N'oublions pas que William a fui très jeune les responsabilités de l'entreprise familiale et qu'il n'est jamais revenu. Grâce à mon achat, il a hérité d'une fortune, et Rachel aussi.

Où est le préjudice ? Un tribunal aura du mal à prouver en quoi Rachel a souffert du non-respect du souhait de Miles.

Mal à l'aise, Amos se demanda si Percy avait oublié le mal subi par les Toliver de Kermit, qui croyaient que Miles était exclu du testament de Vernon Toliver. Si les avocats de Rachel soulevaient la question, ce qui ne manquerait pas d'arriver, la défense de Percy tomberait à l'eau.

— Tes propos sont défendables, déclara-t-il. Et la Cour pourrait considérer que Rachel fait preuve de cupidité en voulant récupérer la parcelle de son père, vu ce qu'elle a déjà touché de sa grand-tante…

— Mais…, fit Matt.

— Mais ses avocats affirmeront qu'à l'époque de la vente, Mary n'agissait que dans l'intérêt de son mari, et non dans celui de William. Le fait que William en ait plus tard tiré bénéfice ne sera pas considéré comme pertinent et ne changera pas la façon dont ils présenteront la vente : Mary t'a sciemment vendu un bien qui ne lui appartenait pas et toi, tu l'as acheté en connaissance de cause. C'est de l'escroquerie. Ils expliqueront que Mary a inscrit William sur son testament pour se racheter de lui avoir dérobé son bien. Le fait que cet argent soit arrivé si tard dans sa vie, alors qu'il vivait très modestement, et qu'il n'ait pas pu en profiter, ne jouera pas en notre faveur. C'est le genre d'argument que les avocats adorent…

— Encore un élément, grand-père, intervint Matt d'un air peiné : Rachel a racheté la fuite de William en assumant la responsabilité d'héritière désignée.

— Sans oublier la question de savoir pourquoi tu n'as pas simplement donné l'argent à Mary et à Ollie au lieu de mener à bien cette transaction illicite, renchérit Amos.

— Eh bien, c'est simple, dit Percy d'un air assuré, j'expliquerai la règle que suivent nos trois familles. Tu la connais, Amos. Ollie aurait préféré céder son magasin à son créancier plutôt que d'accepter un sou de ma part.

— Le tribunal sera surtout touché par la vente illégale du bien d'un enfant de sept ans.

— Ollie ignorait que la transaction était illégale.

— Au contraire de Mary et de toi, contra Amos.

Les épaules de Percy se voûtèrent.

— Tu veux dire qu'on est fichus ?

— Tes arguments ne feront pas le poids, je le crains, répondit le notaire, désolé. Qu'est-ce que tu espères ? Qu'est-ce que tu veux, au juste ?

Percy se détendit un peu.

— Je veux conserver Somerset sans perdre le terrain de la Sabine. Je veux que Rachel abandonne le combat, qu'elle rentre à la maison et qu'elle épouse Matt. Je veux qu'elle fasse pousser des arbres au lieu du coton et qu'elle en soit heureuse. Je veux qu'elle comprenne les intentions de Mary et qu'elle lui pardonne. Voilà ce que je veux ! Et je crois avoir une chance de l'obtenir.

— Tu rêves, grand-père !

— Peut-être…, concéda Percy dans un murmure.

Amos observa le vieil homme par-dessus ses lunettes.

— Rachel a engagé Taylor Sutherland. Tu le connais ?

— De réputation. Un ténor du barreau, répondit le vieil homme.

— Rachel aura ce qu'il y a de mieux.

— Mais moi, j'ai la vérité ! Et toi, Amos. (Face à l'effroi de son ami à la perspective d'assurer seul sa défense, il reprit.) Tu pourras te faire aider de qui tu veux. Du moins, si nous allons au procès…

— J'espère que tu n'y songes pas, Percy. Nous pouvons présenter une défense valable, mais elle ne changera en rien le résultat. Le scandale sera terrible. Les médias vont traîner ton nom dans la boue, sans parler de la mémoire de Mary… Cela en vaut-il la peine ? Mary n'aurait pas voulu que tu finisses tes jours en pleine bataille judiciaire contre Rachel, que tu paies pour sa faute. Elle t'implorerait de rendre Somerset et d'en rester là pour préserver l'avenir de Rachel. Et pense à Matt, aux problèmes que tu lui laisses…

— C'est ce que tu ressens, petit ? lui demanda Percy.

— Je ne veux pas que tu souffres, grand-père. Je me soucie avant tout de toi. Tu as toujours dit que le seul vrai juge de l'intégrité d'un homme était lui-même, que s'il est persuadé de ne rien avoir fait de mal, peu importe ce que pensent les autres. En revanche, ce que les gens pensent de toi, le souvenir que tu laisseras compte beaucoup, à mes yeux. Et j'ai peur des suites d'un tel procès.

— Rendre Somerset pourrait me faire encore plus de mal, petit.

— Je ne vois pas comment, insista le jeune homme, consterné. Rachel obtiendra l'usine et on se retrouvera avec cette plantation. Personne n'y gagnera rien. Je suis d'accord avec Amos. Rends-lui son maudit Somerset et qu'elle aille au diable ! Qu'elle se laisse dévorer comme tous les autres Toliver !

— Tu n'as donc plus de sentiments pour elle ? s'enquit Percy.

— J'ai perdu tout espoir…

— Quelle tragédie, commenta Percy en se redressant. Amos, j'entends ton estomac gargouiller. Et tu dois avoir faim, toi aussi, Matt. En tout cas, moi j'ai faim, et c'est bon signe. Il se fait tard et la nuit promet d'être longue. Descendons réchauffer le poulet à la florentine de Savannah. Nous déboucherons une bouteille de vin. J'ai jusqu'à lundi pour prendre ma décision, non ?

— C'est ça, répondit Matt en lançant un regard perplexe au notaire.

Il se leva mais resta près de son fauteuil.

— Tu viens, petit ? demanda Percy.

— J'arrive…

Dès que la porte se fut refermée, Matt observa le tableau accroché au-dessus de la cheminée. Il avait les réponses aux questions qu'il s'était toujours posées : Pourquoi sa grand-mère restait-elle à Atlanta alors qu'elle aurait préféré vivre avec son grand-père et lui ? Pourquoi n'avaient-ils pas réussi à surmonter leur tristesse et à parler de Wyatt avec tendresse, comme les voisins, qui avaient eux aussi perdu un fils à la guerre ? Ses grands-parents, et même sa mère, avaient toujours refoulé son souvenir comme s'ils avaient peur de le déranger dans sa tombe. Matt ne connaissait son marine de père qu'à travers les coupures de journaux relatant ses exploits et la vitrine contenant ses décorations. La seule fois où il s'était senti proche de sa mémoire, c'était le jour où Percy lui avait offert un étui en cuir contenant une photo de lui bébé et une autre de sa jeune mère souriante.

— Ton père les avait sur lui lorsqu'il a été tué, avait-il expliqué. Il aimerait qu'elles te reviennent, ainsi que les ultimes paroles qu'il m'a adressées : « Dis à mon fils que je l'aime. » Garde-les toujours dans ton cœur.

Matt sentit sa gorge se nouer, ses yeux s'embuer de larmes. Tant de vies, d'années gâchées, de regrets et de chagrins… Tout cela pour une parcelle de terrain. Et Rachel qui continuait dans cette voie…

Son grand-père avait eu une bonne idée d'enregistrer son histoire. Quoi qu'il arrive, désormais, il existerait une trace de la vérité. Il avait commis des erreurs, comme tout le monde, mais elles étaient pardonnables et il avait payé le prix fort. Devait-il envoyer une copie de la cassette à Rachel ? Elle refuserait de l'écouter. Et, dans le cas contraire, elle ne changerait pas d'avis. Elle risquait même de s'en servir contre Percy comme un aveu de culpabilité.

Matt glissa la cassette dans sa poche. Il devait la faire écouter à une autre personne pour qui cela changerait sans doute tout…

72

Le lendemain matin, Rachel s'attarda dans sa chambre de motel jusqu'à neuf heures. Frustrée, affamée, morte d'ennui, elle finit par se dire que Percy n'appellerait pas. Afin de lui accorder une dernière chance, elle prit son temps pour dîner, puis passa à la réception pour voir si elle avait un message. L'employé l'informa que non. Contrariée, elle décida de se mettre en route pour Dallas.

Le silence de Warwick Hall ne lui disait rien qui vaille. Percy n'avait pas cédé malgré les éléments qui l'incriminaient. Il faudrait bien qu'il entende raison… Elle n'aurait pas dû espérer une réponse rapide. Il n'était pas homme à se laisser infléchir, même face à des preuves accablantes. Amos et son bataillon d'avocats auraient sans doute toutes les peines du monde à le convaincre d'accepter ses exigences.

Dès qu'elle eut quitté Marshall, elle appela le bureau de Taylor.

— Il semble que ton dossier soit viable, Rachel, lui déclara-t-il lorsqu'elle lui fit part de ses découvertes aux archives. Tu as parlé à Percy ?

— Seulement à son petit-fils. Je lui ai expliqué ma proposition en lui remettant des copies des lettres. Quand son grand-père les lira, il ne voudra pas aller jusqu'au procès.

— Tu en es certaine ?

— Oui.

Rachel se garda de préciser qu'elle s'était attendue à obtenir l'accord verbal de Percy avant de quitter Marshall.

— J'ai dit à Matt que j'accordais une semaine à son grand-père. Sans nouvelles lundi prochain, je le poursuis en justice.

— Son petit-fils pense qu'il va accepter ?

Elle réfléchit un instant.

— Je n'irais pas jusque-là. Il redoute les conséquences pour Percy, s'il me rendait Somerset.

— Et toi, qu'en penses-tu ?

Taylor était décidément très habile…

— Je pense que les conséquences d'un procès seraient bien pires. Je suis certaine qu'il n'optera pas pour cette solution.

Le silence de Taylor la porta à croire qu'il ne partageait pas son assurance.

— Je suppose que toi et le petit-fils de Percy ne vous êtes pas séparés en bons termes, reprit Taylor.

Une fois encore, elle choisit ses mots :

— Il est… très blessé. Nous avons été amis.

— Les meilleurs amis font les pires ennemis, Rachel.

— Euh… Taylor, je suis sur la route. Je ferais bien de raccrocher…

— J'aimerais que tu sois bien consciente de ce que tu as à perdre et à gagner, dit-il posément. Carrie a croisé Matt Warwick et, pour elle, vous étiez plus que des amis.

— Cette conversation est-elle indispensable, Taylor ?

— Il faut que tu saches ce qui t'attend si tu vas jusqu'au bout, poursuivit l'avocat, imperturbable. Les Warwick pourraient te rendre la vie très difficile, à Howbutker.

Rachel émit un rire forcé.

— Eh bien, ce ne serait pas nouveau, entre les Toliver et les Warwick ! Nous sommes issus de maisons rivales.

— Comment ?

— Je vous raconterai, un de ces jours. En attendant, je serai à Dallas vers midi.

— Autant nous y mettre sans tarder. Inutile de passer au cabinet. Je te retrouverai chez Carrie.

Taylor Sutherland sonna à la porte de la maison quelques minutes après l'arrivée de Rachel. Le costume fripé, la cravate desserrée, il portait deux sacs en papier de chez un traiteur et se dirigea d'emblée vers le thermostat.

— Ma fille se prend pour un ours polaire, grommela-t-il en augmentant le chauffage. Voici notre lunch ! Je vais préparer du thé, histoire de nous réchauffer un peu. Que contiennent ces cartons que j'ai vus dans le 4 × 4 ?

La jeune femme le suivit dans la cuisine.

— Les registres de mon grand-père, ainsi que des lettres personnelles, des souvenirs de ma grand-tante. J'ai pensé qu'ils pourraient nous être utiles et… je ne voulais pas que des étrangers aillent fouiner dedans.

Taylor arqua les sourcils.

— C'est la dernière chose que je ferai pour elle.

— Si tu le dis… Tu as bien fait de les apporter. Nous trouverons peut-être quelque chose d'intéressant. (Il enleva sa veste et releva les manches de sa chemise. Puis il remplit la bouilloire.) Tu as faim ?

— Non, mais je vais essayer de manger. Il faut que je prenne des forces, répondit-elle en se frottant les bras. Non seulement pour affronter les Warwick, mais aussi pour me réchauffer.

Taylor balaya du regard la cuisine aseptisée, aussi blanche que le reste de la maison.

— Cet igloo ne doit pas être très confortable pour une fille de la terre.

— Votre compagnie est chaleureuse. Et je ne reste que jusqu'à lundi.

— Vraiment ? demanda-t-il en mettant la bouilloire sur le feu. Et ensuite ?

— Je m'installerai dans la maison des Ledbetter, à la plantation. Je suis sûre que Percy n'y verra pas d'inconvénient. On s'en sert comme bureau, mais j'ai l'intention de la rénover. J'ai toujours eu envie de vivre à Somerset.

Taylor sortit deux tasses et deux soucoupes du placard.

— Tu es certaine que Percy va accepter l'échange, n'est-ce pas?

— Pas vous? Quelle défense les Warwick pourraient-ils opposer?

Taylor ne parut pas l'entendre. Il sortit des barquettes en plastique des sacs en papier.

— Une salade de crevettes pour toi, des gambas sautées pour moi.

— Pourquoi ne répondez-vous pas à ma question? lui demanda-t-elle tandis qu'il versait l'eau bouillante dans la théière.

— Parce que tu n'as pas envie d'entendre que ce n'est pas gagné. Et je ne voudrais pas te couper l'appétit. Mieux vaut discuter l'estomac plein.

Après avoir débarrassé la table, l'avocat entra dans le vif du sujet.

— À présent, parlons travail..., proposa-t-il.

Il demanda à voir les photocopies des documents.

— Matt Warwick a-t-il dit pourquoi Percy a acheté les terres de ton père tout en sachant que c'était illégal?

— Oui. Vous aviez bien deviné. Les temps étaient durs.

Elle résuma l'explication de Matt, en précisant qu'Ollie ignorait la nature frauduleuse de la transaction.

— Pourquoi n'a-t-il pas simplement accepté un prêt de la part de Percy s'il était à ce point désespéré?

Rachel relata la politique des familles fondatrices.

— Percy a dit à Matt qu'Ollie aurait préféré perdre son magasin que d'accepter un sou de sa part.

Taylor adressa à la jeune femme un regard curieux.

— Tu ne le crois pas?

— Quelle différence cela fait-il? demanda-t-elle, fâchée. Percy voulait aider oncle Ollie, c'est certain, mais il pensait surtout à son exploitation forestière. Cette parcelle était idéale pour son usine de papier et il a profité des difficultés d'oncle Ollie.

— Cela ne ressemble pas au Percy Warwick que je connais.

Rachel repoussa vivement sa chaise.

— De quel côté êtes-vous, Taylor ? tonna-t-elle. (Elle empoigna la bouilloire et la remplit d'eau.) J'ai l'impression que vous travaillez pour moi mais que votre cœur penche pour la partie adverse.

— Je suis de ton côté, Rachel, affirma Taylor, imperturbable. Je dois néanmoins me faire l'avocat du diable, souligner les faiblesses du dossier pour mieux le préparer. Nos adversaires vont tenter de justifier l'acte de Percy en invoquant les circonstances difficiles et en dressant de lui un portrait flatteur.

Très énervée, elle remit la bouilloire sur le gaz et se tourna vers lui.

— Et vous, vous présenterez ces circonstances comme n'ayant aucun rapport avec le délit, c'est cela ?

— C'est ça, dit-il en se levant pour baisser le feu trop vif. (Il tapota l'épaule de la jeune femme.) Je sors chercher tes documents. Tâche de ne pas brûler toute la maison avant mon retour…

Ils fouillèrent le contenu des cartons en buvant du thé. Les registres validaient la signature de Miles, mais Taylor cherchait un élément susceptible de contraindre Percy à restituer Somerset. Ses lettres et notes, par exemple, car elles prouvaient leur liaison et les sentiments qui avaient incité Mary à léguer la plantation à Percy au détriment de Rachel.

— Il faut attirer la sympathie, précisa-t-il. Le juge dira au jury de ne pas se laisser attendrir, mais ce sont des êtres humains. Le fait d'avoir été lésée explique pourquoi tu tiens à obtenir quelque chose ayant appartenu à ta famille. (Intrigué, il déballa les bandes de tricot et les rubans roses.) Qu'est-ce que c'est que ça ?

— Je ne sais pas trop, admit Rachel. On dirait un jeté de lit qui n'aurait jamais été terminé. En tout cas, il n'était pas à tante Mary. Elle fuyait les aiguilles et le fil comme la peste.

Taylor palpa les bandes de laine.

— Ta tante devait aimer cette personne, sinon elle n'aurait pas conservé tout ça. Sa mère, peut-être?

— Je l'ignore. Je ne l'ai jamais entendue évoquer sa mère. De toute façon, elle n'aurait pas choisi des rubans roses pour un jeté destiné à sa fille.

— Pourquoi pas?

— Eh bien, dans nos familles… le rose symbolise le pardon refusé. Le rouge, le pardon demandé et le blanc, le pardon accordé. Il doit s'agir de l'ouvrage d'une personne extérieure à la famille.

Taylor la dévisagea, fasciné.

— Comment communique-t-on, chez vous? On hisse les couleurs sur le toit de la maison?

— Non! répondit Rachel en riant. On offre des roses. (Elle sortit un livre du carton.) Vous lirez toute l'histoire dans cet ouvrage, qui raconte bien mieux que moi pourquoi le nom des Toliver et Somerset comptent autant, à mes yeux.

— *Roses*, lut Taylor. Tout cela est très étrange… Je commencerai dès ce soir. (Il tira une chaise de cuisine.) À présent, assieds-toi. (Il sortit un calepin et un stylo de sa serviette.) Tu vas faire deux colonnes intitulées « A » et « B ». En « A », la défense; en « B », la plaignante. Si nous allons au tribunal, le jury entendra et interprétera les faits. Nous devons nous assurer qu'ils nous sont favorables. Pour ce faire, il faut anticiper et préparer les éléments que la défense pourra utiliser. Percy voulait t'expliquer pourquoi ta grand-tante lui a légué la plantation. Tu aurais dû aller le voir, Rachel…

— Non! Je ne veux pas entendre ce qu'il a à me dire.

— Même si cela renforce ton dossier?

— Comment est-ce possible? Si notre affaire dépend de la légalité de la vente, je ne vois pas comment il pourrait gagner.

Taylor lui passa son calepin.

— Tes deux colonnes vont nous aider à en décider. Écris le nom de Percy en « A » et le tien en « B ».

— Je crois savoir où vous voulez en venir, dit la jeune femme en s'exécutant. Que dois-je inscrire dans la colonne de Percy ?

— Si tu dois me poser la question, c'est que cet exercice est indispensable. Percy Warwick est un industriel respecté et apprécié, un homme à la réputation sans tache.

— Jusqu'à présent... (Rachel inscrivit « réputation sans tache ».) Et en « B » ? demanda-t-elle.

— À toi de me le dire.

— Eh bien, je ne suis peut-être pas aussi connue et appréciée, mais je suis honnête, répondit-elle, offusquée.

— C'est vrai, mais la défense te présentera comme une femme issue d'un foyer modeste que sa grand-tante a prise sous son aile quand elle était enfant. Elle t'a habillée, éduquée, employée, aimée et t'a légué une fortune. Qu'aurait-elle pu faire de plus ? Et malgré cette générosité, tu réclames la parcelle qu'elle a vendue pendant la Grande Dépression à Percy Warwick, qui a créé des centaines d'emplois et sauvé la situation financière des tuteurs de ton père ?

— J'ai compris : je n'inspire pas la sympathie. Seuls les faits sont en ma faveur. Mais je n'en veux pas, de son terrain ! C'est Somerset que je vise. C'est ce pour quoi je vous ai engagé, Taylor : convaincre Percy et ses avocats que les faits ne lui accordent aucune chance de gagner ce procès.

L'avocat posa sa tasse.

— Quand nous en aurons terminé avec cette liste, tu comprendras que je n'y arriverai peut-être pas. La seule chose que je puisse faire, c'est les persuader que tu iras au procès si Percy refuse l'échange. Mais quelle que soit l'issue, tu as perdu Somerset. La Cour ne peut pas forcer Percy à te le rendre.

— N'est-ce pas un élément en notre faveur ? demanda-t-elle. Je n'ai rien à perdre. C'est une situation avantageuse, non ?

— Oui, à condition de n'avoir vraiment rien à perdre...

Rachel était exaspérée. Si elle ne parvenait pas à convaincre son propre avocat de sa bonne foi, comment ferait-elle avec Percy ?

— Tout ce que j'ai besoin de savoir, Taylor, c'est si j'ai une chance de l'emporter au tribunal.

L'avocat afficha un sourire bienveillant.

— Sans vouloir me vanter, je dirais oui, puisque je suis ton avocat. Enfin, si on peut parler de victoire… Tu as une chance d'obtenir des indemnités substantielles ou la restitution du terrain de ton père avec ce qui est bâti dessus.

Rachel poussa un soupir de soulagement.

— Voilà qui devrait infléchir Percy. Il jouit peut-être d'une excellente réputation, mais il n'en reste pas moins que ma grand-tante et lui ont spolié mon père.

— Et alors ? fit-il, un peu méfiant, comme si elle risquait de lui jeter la théière au visage.

— Et alors? répéta-t-elle, furieuse. Cette spoliation m'a privée de ma mère !

— Ah, dit l'avocat, on arrive enfin quelque part. (Il prit le calepin.) Raconte-moi ça, Rachel.

73

La semaine s'écoula sans nouvelles de Percy. Incapable de supporter l'atmosphère glaciale de la maison de Carrie, Rachel passait le plus clair de son temps sur la terrasse ensoleillée à attendre un coup de fil. Le lendemain de son retour de Marshall, Taylor avait appelé Amos pour se présenter et lui laisser ses coordonnées. Percy contacterait personnellement Rachel pour lui faire part de sa décision, ce qui obligeait Rachel à rester à côté du téléphone. Furieuse, elle vit là une manœuvre permettant à Percy de se justifier. S'il essayait, elle lui répondrait de s'adresser directement à l'étude et lui raccrocherait au nez.

Pour l'heure, hélas, Percy ne lui en avait pas donné l'occasion…

Rachel se sentait de plus en plus seule et anxieuse. Au départ, elle pensait que vivre chez une amie lui apporterait soutien et réconfort. En moins d'une semaine, elle regrettait d'avoir accepté l'invitation de Carrie. Cet univers aseptisé lui rappelait un laboratoire. De plus, Carrie n'était jamais là, à cause de son poste dans une société de communication. Soit elle travaillait tard, soit elle soupait avec des clients.

— Je suis désolée, ma chérie ! dit-elle jeudi soir, tandis que Rachel faisait la vaisselle de son repas pris en solo. En te proposant de t'installer ici, j'ignorais que je serais à ce point débordée. Mais demain soir, nous allons à une fête ! Et samedi, nous ferons du magasinage avant de retrouver des amis. Percy n'aura qu'à laisser un message sur le répondeur. Et ne discute pas ! Il faut que tu sortes !

Il ne lui restait que trois jours jusqu'à lundi, puis elle s'en irait loin de Carrie et de son père. D'ici là, Percy aurait appelé pour accepter ses conditions. Elle n'aurait plus besoin de Taylor et pourrait s'installer dans la maison Ledbetter.

Rachel endura donc la fête donnée dans un loft, puis le magasinage avec Carrie, et le souper entre amis à Old Warsaw. Hélas, les seuls messages téléphoniques étaient pour Carrie.

En ce dimanche, elle s'était réveillée un peu fébrile. En se rendant à la cuisine pour se préparer du café, elle trouva un petit mot de Carrie. Le brunch prévu à Turtle Creek était annulé et elle avait dû se rendre au bureau pour boucler un dossier à rendre lundi. Tant mieux, songea Rachel, qui n'était pas d'humeur à boire du champagne avec des œufs bénédictine.

La journée s'écoula lentement. Incapable de tenir en place, Rachel ne cessait de sortir sur la terrasse en buvant du thé pour se calmer et se réchauffer. Le téléphone de la cuisine devint à la fois son ennemi juré et son meilleur ami. Pourquoi Percy tardait-il ? À quoi réfléchissait-il ? Il n'avait pas le choix. Elle n'osait envisager le pire : un refus de sa part.

De retour sur la terrasse, elle entendit sonner les cloches de l'église voisine. Onze heures. Percy attendrait le dernier moment pour l'informer de sa décision. Pour la maintenir sur des charbons ardents, il ne décrocherait sans doute son téléphone que le lendemain matin, juste avant l'ouverture du cabinet de l'avocat…

Contrariée, elle prit le vieux livre retraçant l'histoire des Toliver qu'elle avait apporté pour passer le temps. C'était étrange que tante Mary ne le lui ait jamais montré. Peut-être ne contenait-il rien qu'elle ne sache déjà sur sa famille… Au son des cloches et du bourdonnement des abeilles, Rachel commença sa lecture.

Percy écouta les cloches appelant les fidèles de Howbutker à l'église, où il s'était rendu presque tous les dimanches de sa vie. Il avait perdu le fil des visages et des noms. Depuis longtemps, Percy n'allait à l'office que pour une paix et un réconfort qu'il ne trouvait nulle part ailleurs.

Ce matin-là, il avait particulièrement besoin de réconfort. Toute la semaine, il avait écouté Amos et ses ténors du barreau lui exposer leurs arguments. Une fois tous les éléments pris en compte, y compris la possibilité que Rachel perde sur toute la ligne, ils s'étaient accordés à dire qu'il devait restituer Somerset. En fait, les avocats se demandaient ouvertement ce qu'il attendait. Percy comprenait-il les conséquences d'un éventuel procès ? Sans parler du scandale…

Pourtant, il n'arrivait pas à prononcer les paroles que tous attendaient de lui, y compris Matt. Vendredi, le jeune homme l'avait informé qu'il prenait l'avion pour Atlanta et qu'il ne rentrerait que le dimanche après-midi. Matt voyait sa grand-mère sous un nouveau jour et avait besoin de dissiper des années de malentendus. Percy regrettait de le voir partir en ce moment difficile, mais il se réjouissait pour Lucy, dont il était plus proche, et c'était tant mieux. Quand il serait mort, Matt n'aurait plus qu'elle…

Cela n'allait sans doute pas tarder, songea-t-il en fermant les yeux. Chaque matin, il était surpris de se réveiller. Il était fatigué, las de la vie… Un homme sans rêves est un homme qui ne vit plus. Aucun des siens ne s'était réalisé, en tout cas pas les plus importants : un mariage réussi, une famille aimante, une maison pleine d'enfants et de petits-enfants… C'était étrange comme, même au-delà de la mort, Mary l'avait dépouillé du dernier rêve qu'il nourrissait sans le savoir : Matt et Rachel amoureux, mariés, heureux jusqu'à la fin de leurs jours sous le même toit, leurs empires réunis. La fin de la guerre des roses. Mais Mary avait anéanti ce rêve en lui léguant Somerset.

Les premières notes de l'orgue firent taire les fidèles. Pas un dimanche Percy n'avait pu s'empêcher de regarder deux rangées plus loin en pensant à Ollie, Matthew et Wyatt. Parfois, il avait même l'impression de les voir alignés, bien coiffés et apprêtés. Leurs profils étaient gravés dans sa mémoire à jamais. Comme ils lui manquaient !

L'office commença. En se levant pour chanter le premier cantique, il perçut l'inquiétude et la frustration d'Amos, derrière lui. Percy le comprenait. Il n'y avait rien de plus agaçant qu'un vieil homme entêté. Peut-être entendrait-il dans le sermon un message de sagesse divine qui lui indiquerait la voie à suivre…

Vinrent les lectures. L'esprit de Percy se mit à vagabonder. Il pensa à Mary. Un jour, ses prières avaient été exaucées : il s'était senti libéré de son désir charnel pour elle. Ce fut un tel soulagement de l'aimer tout simplement. *Percy, Percy, qu'allons-nous faire ?* lui demandait-elle, dans son esprit.

Comme si je le savais, répondit-il en regardant autour de lui. Nul ne lui prêtait attention, mais le pasteur le regardait fixement. Il brandissait un index non pas pour l'accuser, mais pour souligner ses propos à l'adresse de Percy. *Le voici, mon message divin*, songea-t-il.

« Écoutez-moi, vous qui êtes en quête de justice, vous qui cherchez le Seigneur ! »

Percy ne connaissait pas ce chapitre de l'Ancien Testament.

« Regardez le rocher d'où vous avez été taillés ! Et le fond de tranchée d'où vous avez été tirés ! »

Le pasteur balaya la congrégation du regard. Percy s'efforça de comprendre les implications de ses paroles. *Quel rapport avec moi ?* Il n'avait jamais vraiment accordé d'importance à ses origines. C'était plutôt l'obsession de Mary qui avait provoqué leurs malheurs…

L'office prit fin par un cantique. Percy se leva lentement, son livre de chants en main. Il avait sa réponse.

En cette matinée tardive, dans son salon, Lucy entendait le son des cloches de l'église. Impitoyables et terrifiantes, elles lui rappelaient qu'il ne restait plus beaucoup de temps à Percy et Matt, ni à cette fille qui ressemblait tant à Mary, et qui attendait près du téléphone, à Dallas. Demain, à la même heure, Percy aurait répondu à l'ultimatum et une génération de plus serait anéantie par l'obsession d'une Toliver de Somerset.

Elle avait vu juste. Mary avait privé sa petite-nièce de ces terres maudites pour la protéger des épreuves dont elle avait souffert. Et quelles épreuves !

Lucy était encore troublée par le récit enregistré que Matt lui avait fait écouter vendredi soir. Quand Betty lui avait annoncé son arrivée à l'improviste, Lucy avait d'abord cru qu'il venait lui annoncer la mort de Percy. Affolée, elle s'était levée d'un bond et avait dû s'accrocher à son dossier pour ne pas tomber.

— Gabby ! Ce n'est pas ce que tu crois. Grand-père va bien ! s'écria Matt en se précipitant vers elle.

Il la serra contre lui comme une enfant qu'il aurait sauvée d'une mort certaine. Elle se mit à pleurer, de soulagement, de regret ou de surprise, comment savoir ?

— Qu'est-ce qui t'amène, alors ? demanda-t-elle, les yeux embués de larmes.

— Il faut que tu entendes ceci. Tu as un magnétophone ?

Sans un mot, ils sortirent dans le jardin pour écouter la cassette au clair de lune. Lucy demeura impassible mais prit un mouchoir en papier. À la fin de l'enregistrement, elle se tapota le nez.

— Maintenant, nous savons, commenta-t-elle.

— En effet.

— Il y aurait beaucoup de reproches à formuler…

— Et de pardons à accorder, Gabby.

— C'est vrai.

La voix de Percy résonnait encore en elle. Elle avait honte de sa méchanceté, même s'il en était responsable, et ne lui en voulait pas.

— Il faut me croire ! Je n'aurais jamais révélé que Matthew était le fils de Mary et Percy. C'était une menace en l'air. Je n'aurais jamais parlé, même si ton grand-père avait demandé le divorce…

— Bien sûr que je te crois. Et grand-père le sait, lui aussi. Ce n'est pas cette menace qui l'a empêché de divorcer.

— Alors quoi ?

— Il sait que tu l'aimes encore, répondit-il d'un ton bourru.

À cet instant, sa voix rappela à Lucy celle de Wyatt. Elle rougit, espérant qu'il ne le remarque pas.

— J'ai quand même brandi cette menace jusqu'à la mort de Mary… Je ne supportais pas de renoncer à lui. Mais à présent… Dis-lui qu'il peut demander le divorce. Je ne m'y opposerai pas.

— Grand-père ne divorcera pas, Gabby, assura-t-il en lui prenant la main.

— Comment le sais-tu ?

— Il me l'a dit.

Elle fondit de nouveau en larmes, puis déclara, entre deux sanglots :

— Ton père a fait quelque chose de merveilleux en lui adressant ce tableau. Je suis heureuse qu'il lui ait pardonné. Bien sûr, j'ignorais tout de la rose rouge que Percy avait glissée dans le livre qu'il a emporté en Corée. Si Wyatt connaissait la légende des roses… Et maintenant ? Que va faire Rachel, selon toi ?

Le cœur brisé, elle lut le chagrin dans son regard.

— Répéter l'erreur de sa grand-tante.

Maudite soit-elle, songea Lucy.

À présent, Matt était parti, et elle restait là, incapable de sauver les hommes qu'elle aimait. Vingt minutes plus tôt, il lui avait demandé :

— Tu vas bien, Gabby ?

— Ça ira, Matt. Retourne voir ton grand-père.

Elle n'aurait eu pourtant qu'un mot à dire pour qu'il reste. Encore une première.

Il lui avait laissé la cassette, dont il possédait plusieurs copies. Quel dommage que Rachel ne l'entende jamais…

— Faut pas pleurer comme ça, madame, dit Betty sur le seuil. Vous n'auriez pas dû annuler votre partie de bridge.

— Je n'aurais pas pu me concentrer. Qu'est-ce que c'est que ce bout de papier?

— Je ne sais pas si votre petit-fils voulait le jeter, mais je l'ai trouvé par terre, à côté de la corbeille, dans sa chambre.

Lucy examina la feuille arrachée d'un bloc où figurait le nom d'un motel, à Marshall, au Texas, avec un numéro de téléphone à Dallas. Une idée germa dans la tête de la vieille dame. Matt avait parlé de son entrevue avec Rachel dans un motel de Marshall… Elle vivait chez une amie, la fille d'un avocat. Ce devait être le numéro où la contacter.

— Betty, apportez-moi le téléphone!

— Oh, je connais ce regard… Qu'est-ce que vous mijotez encore?

— Vous le saurez plus tard.

Elle appela les renseignements et, grâce au numéro, obtint le nom et l'adresse de Carrie Sutherland. Lucy appela ensuite un ami de longue date très fortuné.

— Bien sûr, répondit-il à sa requête. Mon avion et mon pilote t'attendront et une voiture avec chauffeur t'accueillera à l'arrivée. Bon voyage!

— Je pars en mission, annonça la vieille dame à Betty. Une mission cruciale. Appelez-moi un taxi pour l'aéroport.

— Combien de temps serez-vous absente?

— Le temps qu'il faudra. Je devrais rentrer ce soir, mais préparez-moi un sac, on ne sait jamais. Vite! Le temps presse.

En sortant de la pièce, Lucy prit la cassette. Un coup de chance avait ouvert la porte de sa cage et elle était sur le point de s'envoler…

74

Pensive, Rachel referma le livre de son histoire familiale, puis son regard se porta vers le massif de clementsias que butinaient fébrilement les abeilles, le long de la grille en fer forgé. Les Toliver, eux, n'avaient jamais été très prolifiques. Elle n'en avait jamais pris conscience, mais les propriétaires de Somerset avaient eu peu d'enfants, voire pas du tout. Seul un héritier avait survécu par génération et l'enfant unique de tante Mary était mort, puis William... il ne restait plus qu'elle. Serait-ce là la malédiction des Toliver ?

C'était impossible, car les malédictions n'existaient pas. Or son arrière-grand-père y croyait, de même que tante Mary... Elle avait affirmé à Amos avoir sauvé Rachel. Redoutait-elle donc, en lui léguant Somerset, de la condamner à ne pas avoir d'enfants ? Elle pensa au portrait de Matthew Dumont et à l'inscription poignante figurant au dos. Son père lui avait décrit un garçon merveilleux, gentil et patient. Dévastés par sa mort, tante Mary et oncle Ollie avaient continué à vivre, malgré tout, mais il n'y avait pas eu d'autre enfant...

Tante Mary espérait-elle lui épargner le même drame ?

La sonnerie du téléphone fit sursauter la jeune femme et dispersa les abeilles. D'instinct, Rachel sut qui l'appelait. Elle posa son livre sur la table et se leva pour regagner la cuisine.

— Allô ?

— Bonjour, Rachel. Percy Warwick, à l'appareil.

Impassible, elle prit connaissance de sa décision, puis il lui souhaita bonne continuation avant de raccrocher. Elle retourna sur la terrasse et resta un long moment au soleil, à méditer. Enfin, après avoir mûrement réfléchi, elle appela Taylor Sutherland.

Une demi-heure plus tard, quelqu'un sonna à la porte. Ce devait être Carrie qui avait oublié ses clés ou Taylor, venu la réconforter. En jetant un coup d'œil dans le judas, elle découvrit qu'elle se trompait. Hésitante, Rachel ouvrit à une vieille dame petite et ronde, avec d'épais cheveux blancs et des yeux bleus étrangement familiers. Elle était vêtue d'un tailleur assorti à son regard. Elle était arrivée à bord d'une limousine noire. Appuyé sur le capot, le chauffeur alluma une cigarette.

— Je peux vous renseigner ?

— Hannah avait raison, déclara la vieille dame, étonnée. Vous êtes le portrait de Mary, en moins… (Elle l'observa de plus près.) En moins intense, peut-être.

— Pardon ?

— Je suis Lucy Warwick, la grand-mère de Matt. Je peux entrer ?

Il était six heures. Rachel avait réglé le thermostat, de sorte qu'il régnait une température confortable dans la maison. Au diable les recommandations de Carrie !

Les deux femmes n'échangèrent pas les banalités d'usage. Rachel ne prit même pas la peine de lui proposer du thé ou du café. Lucy Warwick traversa la pièce appuyée sur sa canne, s'assit lourdement et ouvrit son sac à main.

— Vous allez écouter ceci, jeune fille, que vous le vouliez ou non, déclara-t-elle en posant un magnétophone sur la table. Il y a des choses que vous ignorez sur les Toliver et sur l'homme que vous semblez décidée à envoyer vers une mort prochaine. Alors asseyez-vous et écoutez. Ensuite, je m'en irai et vous ferez ce que vous avez à faire.

La grand-mère de Matt enclencha le magnétophone. Derrière la fenêtre du salon, Rachel devinait le chauffeur qui faisait les cent pas près de la limousine. Sans doute avait-il chaud ou soif… mais rien n'aurait pu inciter la jeune femme à quitter son siège.

À mesure qu'elle découvrait leurs vies tragiques, elle ne put ressentir que de la compassion pour sa tante et Percy. Elle reconnut sa propre histoire en filigrane, comme si le visage de la jeune Mary s'était superposé sur ses propres traits. Tout comme sa vie répétait celle de sa tante…

— Voilà, conclut Lucy en rangeant l'appareil dans son sac avant de se lever. J'espère que, demain, vous tiendrez compte de ce que vous venez d'entendre.

— Vous arrivez trop tard, madame Warwick, répondit Rachel. Percy m'a appelée tout à l'heure pour me faire part de sa décision, et j'ai contacté mon avocat pour l'informer de la mienne. Il a dû prévenir Amos Hines.

Lucy blêmit.

— Ah, je vois…

— Je ne crois pas, non. Je vous en prie, rasseyez-vous, je vais vous expliquer.

— Je ne suis pas d'humeur à écouter vos salades, jeune fille.

— Que diriez-vous de la vérité sans fard ?

75

Atlanta, Géorgie, une semaine plus tard

En traversant le couloir vers le salon où sa patronne avait organisé deux parties de bridge, Betty regarda machinalement par la porte vitrée de l'entrée. Une Lincoln noire avec chauffeur venait de s'arrêter devant la maison. Le chauffeur descendit et ouvrit une portière. En découvrant qui était assis à l'arrière, Betty faillit lâcher son plateau.

— Oh, mon Dieu ! s'écria-t-elle en posant ses sandwichs sur une console pour lisser son tablier. Mon Dieu !

Elle n'avait vu que des photos de lui, dans les journaux, mais elle savait qui il était. C'était un homme âgé, bien sûr, mais fidèle à l'image qu'elle se faisait de lui depuis tant d'années : grand, distingué, élégant, le port altier mais sans ostentation… Le chauffeur lui tendit un vase contenant une rose rouge. C'était étrange, car Mme Lucy détestait les roses…

Betty ferma à la hâte la porte du salon pour atténuer le brouhaha des conversations, puis elle se dirigea vers l'entrée. Le chauffeur se remit au volant de la limousine, sans doute pour faire un petit somme.

— Bonjour, monsieur, dit-elle dès que Percy atteignit le porche.

— Bonjour, Betty, répondit-il d'un ton familier, comme s'il la connaissait depuis des années. Ma femme est là ?

— Oui, monsieur. Elle joue au bridge au salon avec quelques amies. Entrez donc.

— Sa petite réunion du dimanche, je suppose…

— C'est cela, monsieur. Vous voulez bien patienter un instant ? Je vais la prévenir. Elle ne s'attend sans doute pas à votre visite.

— En effet, mais elle ne m'en voudra pas, je pense. Veuillez lui remettre ceci, ajouta-t-il en lui tendant le vase.

— C'est que…, bredouilla-t-elle avec une moue, elle n'aime pas les roses…

— Elle appréciera celle-ci, assura-t-il avec un sourire.

Oubliant son plateau de sandwichs, Betty entra au salon et referma la porte derrière elle, puis elle brandit le vase avec méfiance.

— Madame Lucy, vous avez de la visite…

La vieille dame observa la fleur d'un œil menaçant.

— Pourquoi murmurez-vous ? Et qu'est-ce que c'est que ça ?

— C'est une rose, Lucy, railla l'une des joueuses de bridge.

— Je le vois bien, Sarah Jo ! rétorqua-t-elle. De qui vient-elle ?

— De votre mari, répondit Betty. Il est dans le hall.

Toutes les têtes se tournèrent vers Lucy, qui se leva d'un bond, renversant du café dans les soucoupes.

— Quoi ? Percy est là ?

— Oui, madame.

— Mais ce n'est pas…

— Si, intervint Percy en ouvrant la porte. Bonjour, Lucy.

Toutes se tournèrent vers lui, bouche bée, les yeux écarquillés face à cette légende vivante, source de tant de spéculations. Il leur sourit.

— Mesdames, si vous voulez bien nous excuser… Je dois m'entretenir d'une affaire urgente avec ma femme.

Les joueuses de cartes se levèrent aussitôt et prirent leurs sacs et leurs cannes. Les plus audacieuses serrèrent la main de

Percy en sortant, en murmurant qu'elles étaient ravies de rencontrer enfin le mari de Lucy. Celle-ci semblait pétrifiée. Quant à Betty, elle se demandait si elle devait emboîter le pas aux invitées.

— Euh... Madame Lucy, que dois-je faire de ceci ?

— Allez donc ajouter de l'eau dans le vase, répliqua-t-elle. Je vous appellerai si nous avons besoin de vous.

Restée seule avec son mari, elle demanda :

— Qu'est-ce que tu fais ici, Percy ?

— Tu dois t'en douter, après ce que tu as fait pour nous.

— Rachel avait déjà parlé à son avocat quand je l'ai vue. Je me suis déplacée pour rien...

Elle s'assit en s'efforçant de garder une contenance, malgré son trouble.

— Tu lui as confirmé qu'elle avait pris la bonne décision. Grâce à toi, Matt et elle ont désormais une chance de vivre ensemble.

— Je ne suis pas sûre d'avoir rendu service à Matt.

Percy s'esclaffa et approcha une autre chaise pour s'installer avec l'assurance d'un maître de maison.

— Seul le temps le dira, mais je parie que ces deux-là seront heureux. Il est parti la chercher dans une plantation de San Angelo où elle remplace un camarade d'université jusqu'à sa guérison.

— Dis-moi, qu'est-ce qui t'a poussé à défier Rachel, quitte à mettre en péril l'héritage de ton petit-fils ?

— J'ai regardé le rocher et la tranchée, vois-tu.

— Le rocher et la tranchée ?

— C'est dans l'Ancien Testament, Isaïe, chapitre 51, verset 1.

— Tu veux bien être un peu plus clair ? lança-t-elle, exaspérée.

De peur de le regarder trop fixement, Lucy baissa les yeux pour essuyer une tache imaginaire sur la nappe. Il avait vieilli, mais les rides lui allaient bien, et il avait toujours le pouvoir de faire battre son cœur...

— Et cette rose, c'est pour quoi?

— Oh, je voulais te demander pardon pour la façon dont les choses se sont passées. Je regrette que la vie n'ait pas été plus clémente.

Elle sentit sa gorge se nouer et ravala ses larmes.

— Elle n'a pas été beaucoup plus clémente avec toi, et à cause de moi. J'ai fait beaucoup de mal à Mary. Si j'avais su dès le départ ce que vous ressentiez l'un pour l'autre, j'aurais eu… d'autres attentes. Je me serais contentée de ton amitié.

— Tu méritais mieux, Lucy.

— Comme nous tous, non? Matt m'a dit que tu ne voulais plus divorcer. C'est vrai?

— C'est vrai.

— Eh bien… c'est gentil. (Elle se racla la gorge.) Que vas-tu faire de Somerset?

— Le léguer à l'Université d'agronomie du Texas, là où Rachel a fait ses études, en tant que centre expérimental. La maison Ledbetter deviendra un musée consacré aux Toliver et à la culture du coton.

Lucy ne put s'empêcher de l'admirer.

— Quelle sagesse! Rachel sera ravie.

Comme toujours, il illuminait la pièce de sa présence, tel un soleil d'hiver.

— Tu crois qu'elle parviendra à vous pardonner d'avoir caché à son père la vérité sur son héritage?

— Seul le temps le dira, déclara-t-il avec un sourire qui suggérait qu'il ne leur en restait guère, à tous les deux. À propos, je suis aussi venu te proposer de rentrer à la maison, si tout se passe bien entre Matt et Rachel. Ce n'est pas la place qui manque. Tu aurais ton propre espace, et ils seraient ravis que leurs enfants profitent de leur arrière-grand-mère.

Les yeux de Lucy s'embuèrent à nouveau de larmes.

— Je… Je veux bien y réfléchir… Autre chose?

— Non… je ne crois pas. (Au désespoir de Lucy, il se leva un peu péniblement, mais avec la même grâce qu'autrefois.) Je voulais t'apporter cette rose et te remercier d'être venue à notre secours.

Elle s'efforça de masquer son émotion.

— Au revoir, Percy, dit-elle comme quarante ans plus tôt, à la gare.

Elle lut dans son regard qu'il revoyait le même souvenir. Cette fois, il posa les mains sur ses épaules et lui sourit.

— À bientôt, Lucy.

Elle ferma les yeux pour mieux savourer le contact de ses lèvres sur sa joue.

Betty se présenta à point nommé pour le raccompagner. Lucy demeura immobile.

— Eh bien ! souffla Betty, de retour au salon.

— Je ne vous le fais pas dire, répondit Lucy avec un sourire.

Matt s'attarda un instant près de la Range Rover pour observer les environs. Il était garé devant une vaste ferme blanche entourée de champs de coton en plein bourgeonnement. Deux moissonneuses étaient stationnées sur un chemin de terre. Au loin, un homme s'affairait sur un conduit d'irrigation, mais rien ne venait rompre le silence de ce début de dimanche après-midi. Matt s'attendait à trouver la BMW de Rachel garée dans la cour, or il ne vit pas d'autre véhicule. Ce calme ne fit qu'amplifier son appréhension. Dans un cadre aussi paisible, comment réagirait-il si Rachel refusait de le voir ?

En apprenant la bonne nouvelle, à son retour à Howbutker, il avait failli se remettre en route aussitôt pour venir la voir, mais son grand-père lui avait conseillé d'attendre.

— Laisse-la respirer, petit, le temps de gérer les problèmes qu'il lui reste à régler.

Chaque jour qui passait ne risquait-il pas de donner à Rachel des raisons supplémentaires de l'envoyer au diable ? Il s'était même demandé s'il n'y avait pas quelque chose entre elle et ce camarade d'université. Carrie avait évoqué un vieux copain, un planteur de coton. En l'appelant pour obtenir son adresse, Matt n'avait pas pu s'empêcher de lui demander s'il était marié.

— À vous de le découvrir ! Vous êtes un grand garçon…

Lorsqu'il sonna à la porte, un homme juvénile et séduisant lui ouvrit. Malgré ses béquilles et sa jambe dans le plâtre, il était assez imposant pour que Matt ne tente pas de rentrer de force.

— Bonjour. Je peux vous aider ? demanda-t-il.

— Excusez-moi de vous déranger, mais je cherche une amie, Rachel Toliver.

— Ah oui ? Et qui êtes-vous ?

— Matt Warwick.

— Ah…

Il le toisa quelques secondes, puis se retourna pour crier :

— Chérie !

Le cœur de Matt se serra, jusqu'à ce qu'il vît apparaître une jolie blonde. Visiblement enceinte, elle traînait deux bambins dans son sillage.

— Quelqu'un demande Rachel.

La jeune femme sourit.

— Fais-le entrer, Luke ! Les enfants, allez vous laver les mains ! Bonjour, dit-elle à Matt. Je suis Leslie, et ce lourdaud, c'est mon mari, Luke Riley. Vous devez être Matt Warwick. Entrez ! Rachel vous attendait.

— Ah bon ? demanda-t-il, abasourdi.

— Je crois que tu n'étais pas censée le lui dire, chérie, déclara Luke en adressant un clin d'œil à Matt.

— Comme je connais Rachel, elle ne le lui avouera pas elle-même. Vous arrivez à temps pour dîner, Matt. J'espère que vous aimez le poulet rôti…

Le cœur battant à tout rompre, il répondit qu'il adorait cela, puis il emboîta le pas à Leslie, suivi de Luke, vers une grande cuisine très lumineuse où flottait un appétissant fumet. Rachel était en train de mettre la table. Matt fut soudain ému par ce spectacle…

— Bonjour, Rachel.

— Matt…, souffla-t-elle en rougissant.

Dans un silence gêné, Leslie les observa tour à tour.

— Dites-moi, vous voudrez peut-être faire une petite promenade avant de passer à table, tous les deux… Le poulet est loin d'être prêt.

— Bonne idée, acquiesça Rachel.

Elle ôta son tablier et entraîna Matt à l'extérieur, sans un mot. Luke leva un pouce pour lui souhaiter bonne chance.

Ils empruntèrent un chemin menant à un enclos. Matt contempla quelques mèches rebelles qui tombaient sur sa nuque. Comment ne pas être troublé ? Arrivé en bordure du pré, il s'appuya sur la barrière pour admirer un superbe étalon alezan.

— Donc tu m'attendais…, dit-il.

— Je me doutais que Carrie était incapable de garder un secret.

— Tu aurais préféré qu'elle se taise ?

— En fait, je comptais sur sa langue bien pendue…

Il poussa un soupir de soulagement.

— J'ai appris ta décision d'abandonner toute poursuite avant même que tu n'aies entendu la cassette. Tu n'as jamais eu l'intention d'aller jusqu'au bout, n'est-ce pas ?

Le cheval se mit à hennir pour accueillir Rachel, qui tendit la main vers lui pour l'attirer.

— Mon intention était de convaincre ton grand-père et Amos que je n'hésiterais pas.

— Pourquoi n'es-tu pas allée jusqu'au bout ? Tu nous tenais, tu sais.

— Somerset avait déjà causé trop de mal. Et qu'aurais-je fait d'une usine de papier ?

— Tu aurais pu te venger…

— Ce n'est pas mon style, reconnut-elle en secouant la tête.

— Eh bien, je t'en suis très reconnaissant, répondit-il, ému.

— C'est pour me remercier que tu es venu ?

— Pas seulement…

Ils discutaient côte à côte, comme deux amis parlant de la pluie et du beau temps.

— Pour quelle autre raison, alors ? s'enquit-elle en flattant l'encolure du cheval.

— D'abord, Amos t'envoie un objet de la part de Mary. Elle lui avait dit qu'il saurait à quel moment te le remettre.

— Qu'est-ce que c'est ?

— Son collier de perles.

La jeune femme se figea.

— Ah…

Du coin de l'œil, il la vit déglutir nerveusement.

— Le moment est bien choisi, en effet, dit-elle enfin. C'est tout ?

— Je me disais que tu aimerais connaître les intentions de mon grand-père pour Somerset.

— Je t'écoute, répondit-elle, le souffle court.

Lorsqu'il eut terminé, elle porta une main à sa gorge.

— C'est un geste très… sensible et attentionné… Je suis ravie. Tante Mary le serait aussi.

— Je suis également venu te demander quels étaient tes projets, ajouta-t-il, plus bas. Je suppose que tu vas… créer un autre Somerset où tu cultiveras du coton et des courges…

— Oh, je compte rester dans le domaine agricole, mais le coton et la courge ont perdu toute saveur.

— Tu veux dire que tu cultiveras un autre produit ?

— Non. Je n'ai plus aucune envie de cultiver quoi que ce soit sur les terres de quelqu'un d'autre.

— Achète des terres.

— Ce ne serait pas pareil.

Matt lâcha la barrière pour se tourner vers la jeune femme.

— Je ne comprends pas, Rachel. Je pensais que c'était ta passion, ta vocation. Tu vas renoncer ?

Agacé d'être ignoré, le cheval hennit. Elle lui tapota le museau.

— Tu connais un joueur de baseball du nom de Billy Seton ? demanda-t-elle.

Intrigué, Matt opina de la tête.

— Il a joué premier-but pour les Yankees de New York au début des années soixante-dix. (Elle donna une dernière caresse à l'étalon et alla se rincer les mains au robinet.) Il était originaire de la même ville que moi, reprit-elle. Quand les Yankees l'ont vendu, il a arrêté sa carrière pour devenir entraîneur. Sa passion pour son sport était indissociable de son désir de jouer pour les Yankees. L'un ne fonctionnait pas sans l'autre. Quand les Yankees l'ont lâché, il n'a pas voulu intégrer une autre équipe. Tu comprends, maintenant ?

Matt comprenait très bien.

— Autrement dit, tu ne peux cultiver que des terres de Toliver.

— Je ne l'aurais pas mieux exprimé.

Il avait toutes les peines du monde à ne pas prendre son visage entre ses mains pour l'embrasser sur les lèvres, les paupières, dans le cou et la serrer contre lui pour le reste de ses jours.

Le cheval pencha la tête par-dessus la barrière. *Qu'est-ce que tu attends, mon vieux ?* semblait-il lui demander.

— Dans ce cas, j'ai une proposition qui pourrait t'intéresser, reprit-il d'un ton qui se voulait assuré.

— Dis toujours…

— Je cherche un associé pour gérer une parcelle de terrain au bord de la Sabine. Je crois savoir que tu as un intérêt légitime pour ce terrain.

— Je ne connais rien aux arbres.

— En fait, ce n'est pas très différent du coton ou des courges. Il suffit de semer et de regarder pousser.

— Ce n'est sans doute pas très éloigné de mon domaine, admit-elle, émue aux larmes. Tu m'accordes un peu de temps pour réfléchir ?

Il consulta sa montre.

— Bien sûr. Le poulet n'est pas encore cuit, répondit-il.

— Ce n'est pas risqué de me prendre comme associée ?

— Pas du tout, dit-il en l'attirant dans ses bras.

— Pourquoi pas ?

— Tu ne te rappelles pas ? Je ne parie que lorsque je suis sûr de gagner.

Remerciements

Je tiens d'abord à remercier Louise Scherr d'avoir attiré sur ce roman l'attention de l'excellent agent littéraire David McCormick, ainsi que de son équipe. Grâce à eux, il s'est retrouvé entre les mains de Deb Futter, éditrice de Grand Chef Publishing, et de Dianne Choie, son assistante. Deb m'a accompagnée tout au long des relectures et Dianne m'a guidée dans le labyrinthe de l'édition avec humour, courtoisie et compréhension, de sorte que ces tâches parfois ingrates furent pour moi une expérience agréable.

Merci également à Nancy Johanson, une formidable préparatrice indépendante dont l'œil perspicace et la compétence m'ont été précieux, et à Clint Rodgers, génie de l'informatique, qui a répondu avec entrain à tous mes appels au secours.

Comme toujours, je remercie mon mari, présent depuis tant d'années.

Enfin, du fond du cœur, merci à tous ceux qui m'ont soutenue tout au long du chemin et grâce à qui j'ai franchi la ligne d'arrivée. Ils se reconnaîtront.

Je partage mon plaisir de la lecture !

QUÉBEC LOISIRS Le club

Ce livre appartient à : ______________________

CE LIVRE A ÉTÉ PARTAGÉ AVEC :	DATE	APPRÉCIATION
		/5
		/5
		/5
		/5
		/5
		/5
		/5